AF238374

ACCESO GRATIS *a la Lectura en la Nube*

Para visualizar el libro electrónico en la nube de lectura envíe junto a su nombre y apellidos una fotografía del código de barras situado en la contraportada del libro y otra del ticket de compra a la dirección:

ebooktirant@tirant.com

En un máximo de 72 horas laborables le enviaremos el código de acceso con las instrucciones de acceso

EL SISTEMA JURÍDICO ANTE LA DIGITALIZACIÓN. ESTUDIOS DE DERECHO PRIVADO

EL SISTEMA JURÍDICO ANTE LA DIGITALIZACIÓN. ESTUDIOS DE DERECHO PRIVADO

MANUEL PANIAGUA ZURERA
Director

JONATAN CRUZ ÁNGELES
BLANCA MARTÍN NOVO
MANUEL NOVO FONCUBIERTA
Coordinadores

tirant lo blanch
España, 2021

© Manuel Paniagua Zurera
Jonatan Cruz Ángeles
Blanca Martín Novo
Manuel Novo Foncubierta

© TIRANT LO BLANCH
EDITA: TIRANT LO BLANCH
C/ Artes Gráficas, 14 - 46010 - Valencia
TELFS.: 96/361 00 48 - 50
FAX: 96/369 41 51
Email:tlb@tirant.com
www.tirant.com
Librería virtual: www.tirant.es
DEPÓSITO LEGAL: V-605-2021
ISBN: 978-84-1355-826-4
MAQUETA: Disset Ediciones

Si tiene alguna queja o sugerencia, envíenos un mail a: *atencioncliente@tirant.com*. En caso de no ser atendida su sugerencia, por favor, lea en *www.tirant.net/index.php/empresa/politicas-de-empresa* nuestro procedimiento de quejas.

Responsabilidad Social Corporativa: http://www.tirant.net/Docs/RSCTirant.pdf

ABREVIATURAS

AA. PP.	Audiencias Provinciales
AA.VV.	Autores varios
Ad ex.	*Ad exemplum*
AEAT	Agencia Estatal de la Administración Tributaria
AEPD	Agencia Española de Protección de Datos
Aptdo.	Apartado
AP	Audiencia Provincial
Arg.	Argumento
Art./arts.	Artículo/artículos
BEPS	Erosión de la Base Imponible y Traslado de Beneficios
BOCG	Boletín Oficial de las Cortes Generales
BOE	Boletín Oficial del Estado
Cap./Caps.	Capítulo/Capítulos
CC	Código civil
Ccom	Código de comercio
CC.AA.	Comunidades Autónomas
CE	Constitución Española de 27 de diciembre de 1978
Cit.	Citada
CNMC	Comisión Nacional de los Mercados y la Competencia
CNMV	Comisión Nacional del Mercado de Valores

Cons.	Considerando
Cfr.	Confróntese
Coord.	Coordinador
CP	Código penal
D.	Decreto
Dir.	Director
DA	Disposición Adicional
DD	Disposición Derogatoria
DF	Disposición Final
DT	Disposición Transitoria
DGRN	Dirección General de Registros y del Notariado
DGT	Dirección General Tributaria
DOUE	Diario Oficial de la Unión Europea
DRAE	Diccionarios de la Lengua Española
Ed./ed.	Editorial /edición
E. de m.	Exposición de Motivos
Et al.	Y otros
ET	Estatuto de los Trabajadores
FJ	Fundamento Jurídico
IA	Inteligencia Artificial
Ibidem	En el mismo lugar
Idem/id.	Lo mismo/el mismo
INE	Instituto Nacional de Estadística
Infra	Más abajo
IoT	Internet de las Cosas

IRPF	Impuesto sobre la Renta de las Personas Físicas
IS	Impuesto sobre Sociedades
ITPAJD	Impuesto sobre Transmisiones Patrimoniales y Actos Jurídicos Documentados
IVA	Impuesto sobre el Valor Añadido
L.	Ley
LDC	Ley 15/2007, de 3 de julio, de Defensa de la Competencia
LEC	Ley 1/2000, de 7 de enero, de Enjuiciamiento Civil
LECr	Real Decreto de 14 de septiembre de 1882, por el que se aprueba la Ley de Enjuiciamiento Criminal
LF	Ley 50/2002, de 26 de diciembre, de Fundaciones
LGPr	Ley 47/2003, de 26 de noviembre, General Presupuestaria
LGT	Ley 58/2003, de 17 de diciembre, General Tributaria
LIRPF	Ley 35/2006, de 28 de 11 noviembre, del Impuesto sobre la Renta de las Personas Físicas
LIS	Ley 27/2014, de 27 de noviembre, del Impuesto sobre Sociedades
LIVA	Ley 37/2014, de 28 de diciembre, del Impuesto sobre el Valor Añadido
LME	Ley 3/2009, de 3 de abril, de Modificaciones Estructurales de las Sociedades Mercantiles
LO	Ley Orgánica

Loc.	Lugar
LODA	Ley Orgánica 1/2002, de 22 de marzo, reguladora del Derecho de Asociación
LODH	Ley Orgánica 1/1982, de 5 de mayo, de Protección Civil del Derecho al Honor, a la Intimidad Personal y Familiar y a la Propia Imagen
LOPD	Ley Orgánica 3/2018, de 5 de diciembre, de Protección de Datos Personales y Garantía de los Derechos Digitales
LOPJ	Ley Orgánica 6/1985, de 1 de julio, del Poder Judicial
LORPM	Ley Orgánica 5/2000, de 12 de enero, reguladora de la Responsabilidad Penal de los Menores
LPAC	Ley 39/2015, de 1 de octubre, del Procedimiento Administrativo Común de las Administraciones Públicas
LRJSP	Ley 40/2015, de 1 de octubre, de Régimen Jurídico del Sector Público
LSC	Real Decreto Legislativo 1/2010, de 2 de julio, por el que se aprueba el texto refundido de la Ley de Sociedades de Capital
MEH	Ministerio de Economía y Hacienda
NIF	Número de Identificación Fiscal
Núm.	Número
Ob.	Obra
Ob. cit./*Op. cit.*	Obra citada
OCDE	Organización para la Cooperación y el Desarrollo Económico

OIT	Organización Internacional del Trabajo
OM	Orden Ministerial
OMC	Organización Mundial del Comercio
P. /Pp.	Página/páginas
P. ej.	Por ejemplo
Par.	Parágrafo
Párr.	Párrafo
Pyme	Pequeña y mediana empresa
R./Res.	Resolución/resoluciones
RD	Real Decreto
RD-L.	Real Decreto-Ley
RD-Leg.	Real Decreto Legislativo
Rev.	Revista
RGPD	Reglamento 2016/679 del Parlamento Europeo y del Consejo, de 27 de diciembre, por el que se aprueba el Reglamento General de Protección de Datos de las personas físicas (Reglamento general de protección de datos)
RIRPF	Real Decreto 439/2007, de 30 de marzo, por el que se aprueba el Reglamento del Impuesto sobre la Renta de las Personas Físicas
RRM	Reglamento del Registro Mercantil
RSE	Responsabilidad Social Empresarial
S./SS.	Sentencia / sentencias
SAP	Sentencia de la Audiencia Provincial
Secc.	Sección

SJ	Sentencia del Juzgado
Ss.	Y siguientes
TIC	Tecnologías de la Información y del Conocimiento
STC	Sentencia del Tribunal Constitucional
STJUE	Sentencia del Tribunal de Justicia de la Unión Europea
STS	Sentencia del Tribunal Supremo
STSJ	Sentencia del Tribunal Superior de Justicia
Supra	Más arriba
T.	Tomo
TC	Tribunal Constitucional
TDM	Minería de Textos y Datos
TFUE	Tratado de Funcionamiento de la Unión Europea
TJUE	Tribunal de Justicia de la Unión Europea (antes TJCE)
TR	Texto Refundido
Trad.	Traducción
TS	Tribunal Supremo
TUE	Tratado de la Unión Europea
Últ.	Última
Últ. ob. cit.	Última obra citada
UNCITRAL/CNUDMI	Comisión de las Naciones Unidas para el Derecho Mercantil Internacional
UNIDROIT	Instituto Internacional para la Unificación del Derecho Privado
UE	Unión Europea

V.	Véase
V. gr.	*Verbi gratia*
Vol.	Volumen

Índice

Parte primera
LA DIGITALIZACIÓN Y LA INTERVENCIÓN ESTATAL

BIG DATA Y SALUD: EL PAPEL DE LAS ORGANIZACIONES INTER-NACIONALES EN ESTA MATERIA

BIG DATA COMO INFRAESTRUCTURA ESENCIAL

AVANCE TECNOLÓGICO Y REGULACIÓN DE LOS MERCADOS: REFLEXIONES SOBRE LA ECONOMÍA COLABORATIVA

LA CONDICIÓN JURÍDICA DE LOS ROBOTS: DEL *STATUS CIVITATIS* A LA PERSONALIDAD ELECTRÓNICA

Parte segunda
EL CONTROL DE LOS DATOS PERSONALES Y LA RESPONSABILIDAD CIVIL

BIG DATA Y RELACIONES LABORALES: EL DESAFÍO DE LA MINE-RÍA DE DATOS ANTE LOS DERECHOS FUNDAMENTALES EN LA EMPRESA

LA PRIVACIDAD DE LOS MENORES EN LAS REDES SOCIALES: EL FENÓMENO DEL *SHARENTING* Y SUS CONSECUENCIAS

GESTIÓN DE CRISIS DE REPUTACIÓN *ONLINE*: ASPECTOS LEGALES Y DE COMUNICACIÓN

Parte tercera
LA EMPRESA, LOS EMPRESARIOS Y LOS NUEVOS MODELOS DE NEGOCIO

¿CUÁL ES LA RELACIÓN ENTRE LA INTELIGENCIA ARTIFICIAL, LA INTERNET DE LAS COSAS Y EL *BIG DATA*? PLANTEAMIENTOS JURÍDICOS Y SOCIALES

INTERNET DE LAS COSAS: RETOS PARA LA COMUNICACIÓN Y LA COMPETENCIA

LOS PRECIOS PERSONALIZADOS COMO PRÁCTICA ANTICOMPETITIVA DE DISCRIMINACIÓN MEDIANTE EL USO DE ALGORITMOS

PERSONALIZACIÓN DE PRECIOS A TRAVÉS DE LA INTELIGENCIA ARTIFICIAL Y EL *BIG DATA*

EL IMPACTO DE LAS TECNOLOGÍAS DE COMUNICACIÓN ELECTRÓNICA EN LA CONTRATACIÓN INTERNACIONAL

Parte cuarta
LA DIGITALIZACIÓN Y LOS MERCADOS REGULADOS

EL TRANSPORTE AÉREO URBANO: ¿REALIDAD O CIENCIA FICCIÓN?

DIGITALIZACIÓN EN EL SECTOR ELÉCTRICO: UNA TECNOLOGÍA EN BUSCA DE REGULACIÓN PARA EMPODERAR AL CONSUMIDOR

RETOS DE LA ERA DIGITAL PARA LA REGULACIÓN BANCARIA EUROPEA

EL NACIMIENTO INCIERTO DE LA HERRAMIENTA REGULATORIA "*SANDBOX*" EN ESPAÑA

PRESENTACIÓN

El Derecho y, *mutatis mutandis*, la intervención estatal, deben seguir a los *nuevos* hechos o fenómenos. La digitalización suscita la necesidad de su recepción jurídica —incluso, su acomodación lingüística— mediante una legislación clara y segura que fomente tanto la competencia y la eficiencia económica, como los derechos fundamentales de los ciudadanos, y la tutela de los intereses generales y de los más vulnerables. Este proceso, político y legislativo, siempre es interactivo y una cuestión de aproximación, y resulta condicionado por la cultura predominante. En nuestro caso, por las pautas normativas y las políticas legislativas estadounidenses que por vías diversas (p. ej., su peso en el comercio internacional, en los tratados y las organizaciones internacionales, en las organizaciones profesionales y en los comités de expertos) proponen, cuando no imponen, sus soluciones jurídicas a la comunidad internacional. Es realidad innegable que los intercambios económicos y sociales internacionales necesitan y demandan, siempre con urgencia, unas reglas coordinadas. Los Estados nacionales afrontan el reto de colaborar en la génesis y el contenido de estas normas. Mejor aunados por áreas geográficas y económicas o mediante organizaciones gubernamentales internacionales, que dispersos en relaciones bilaterales negociadas, por lo general, con excesiva celeridad y desequilibrios de poder. La inmediatez, insistimos, es connatural a la digitalización.

El lector tiene en sus manos un conjunto de estudios, originales e interdisciplinares, del fenómeno *in fieri* de la digitalización. La cuarta revolución productiva, más centrada en los servicios que en la industria, no reclama su simple recepción por el Derecho privado. Su repercusión holística sobre toda la experiencia humana exige el cuestionamiento y la maduración de las técnicas de producción, interpretación y aplicación del Derecho (*ad ex.*, el *soft law*, los mecanismos alternativos de resolución de conflictos o la propia digitalización de la información jurídica). La tarea no se limita a la regulación de nuevos hechos (p. ej., la robótica, las redes sociales, la encriptación *blockchain*, los *smart contracts*, la apertura de nuevos mercados a la iniciativa económica privada, el incremento de los canales de distribución de servicios y bienes, las consecuencias en materia de responsabilidad civil contractual y extracontractual, y la generación de más bienes económicos), sino a la mutua acomodación entre lo jurídico y una realidad digital que crece en forma exponencial. El jurista tradicional actúa, en este escenario, a modo del corredor de media distancia que participa en un maratón: el pundonor anima, pero la exhalación cada vez es más rápida.

Esta obra crea cultura jurídica en el desafío de la ubicación en la era digital. Se ha procurado que los investigadores y las profesiones jurídicas dispongan de una ordenada y práctica herramienta -un dispositivo multidisciplinar en la era digital- en su constante lucha por el Derecho. No existe orden ni seguridad, sin ordenamiento, nacional y, por extensión, internacional. Dentro de su vasto contenido, el Derecho privado debe ordenar, no así proscribir ni limitar, el fenómeno que la digitalización plantea a todos los sistemas, ordenamientos o experiencias jurídicas. El objetivo de esta obra es servir de guía al irreversible proceso de urgente conversión de la realidad en información continua, susceptible de generación de conocimiento y de rápida transferencia. Junto a la aludida vocación *internacional*, las notas que impregnan estas investigaciones se condensan, en modo muy apretado, en las características de la novedad y la interdisciplinariedad. Veamos.

Lo más intuitivo es asociar la novedad a un cambio —del que se da noticia— producido en una persona, cosa o suceso. Lo normal es que esa mutación ocasione extrañeza, por cuanto no es esperada. Es lugar común que lo novedoso está en constante litigio con la proclama ínsita en este adagio latino, de origen bíblico (Eclesiastés, *Vanidad de vanidades*): *nihil novum sub sole* o *sub sole nihil novi est*, esto es, nada es nuevo o nada hay nuevo, y lo que ha sido se repite. Este tópico filosófico y literario retoma la convicción de que la realidad es, a la vez, cíclica y permanente o, en otros términos, los hechos no aportan nada novedoso más allá de su reiteración bajo otras apariencias. Esta obra acredita, y ejemplifica, que la digitalización de la experiencia humana —incluidos los hechos culturales, sociales, económicos, jurídicos, políticos y, por no seguir, éticos—, no existía con anterioridad en nuestra convivencia. Parafraseando, en sentido negativo, al adagio indicado, podemos afirmar que, *quae sit in sole novum*.

Si atendemos a los procesos productivos, la primera revolución industrial (mediados del siglo XVIII) arrancó en el Reino Unido unida al descubrimiento de nuevas fuentes de energía y una revolución en los medios de transporte (la propulsión a vapor); la segunda revolución industrial (segunda mitad del siglo XIX) estuvo impulsada, asimismo, por nuevas fuentes de energía (el petróleo) y por la industria pesada; y la tercera revolución industrial, tras la segunda postguerra mundial, se apoyó en el consumo de masas de bienes y servicios, en las primeras tecnologías de la información y del conocimiento (las TIC) y en la primera oleada de energías renovables. Hay consenso en que desde 2011, la fecha es aproximada, se empieza a teorizar —lo que continua— sobre la cuarta revolución industrial (*rectius*: de los servicios), la revolución digital o la digitalización. Como antaño, pero ahora con renovada profundidad y celeridad, los avances científicos y técnicos aunados a la digitalización no se limitan a la organización de los procesos y medios productivos, sino que se integran en las sociedades y en las personas en ámbitos tan trascendentes e íntimos como las propias organizaciones sociales e institucionales, las estructuras de participación política, la libertad de información y los derechos fundamentales de la ciudadanía.

Por otro lado, sin necesidad de abordar las polémicas, más bien nominales, sobre el término apropiado (p. ej., *transdisciplinariedad*, pluridisciplinariedad o multidisciplinariedad), *prima facie* en una labor interdisciplinar, en nuestro caso en la investigación científica, colaboran especialistas de áreas de conocimiento, digamos, consolidadas, con su propio lenguaje, técnicas, métodos y modelos de análisis (*ad ex.*, las ciencias jurídicas, las históricas o las filosóficas). En modo más amplio, desde la segunda mitad del pasado siglo asistimos a la (incesante y discutida) irrupción de nuevos campos de conocimiento, con frecuencia alumbrados bajo el modesto apelativo inicial de *"estudios de"*. El proceso es resultado de esa misma colaboración entre las conocidas y las emergentes áreas de avance intelectual y, en último término, fruto de una mayor especialización (*v. gr.*, la criminología, la mercadotecnia, las ingenierías, las ciencias ambientales, las especialidades médicas, físicas y químicas y, por supuesto, las ciencias de la información y del conocimiento). El trabajo interdisciplinar es una labor intelectual, primero, de apoyo y cooperación mutua y, segundo, de creación y difusión de nuevo conocimiento. Lo interdisciplinar no debe entenderse como sinónimo de dispersión, *hiperespecialización* o fragmentación del saber. Muy al contrario, el objetivo es producir (la creación o la innovación), interrelacionar (la combinación y, lo más decisivo, la búsqueda de conexiones de sentido) y transferir a la realidad (la transmisión y la aplicación) avances en el conocimiento científico, y su aplicación: el objeto constante del saber científico y tecnológico. Si ésta es la meta, el impulso creativo es la cooperación o colaboración entre los expertos de las distintas áreas o subáreas de conocimiento (las disciplinas), superando obstáculos que van desde la inabarcable información disponible, hasta la diversidad de los idiomas y los lenguajes técnicos empleados. Este hálito o vis innovadora demanda competencias profesionales y, no en menor grado, habilidades morales, intelectuales y sociales como la humildad intelectual, el afán por la excelencia y el trabajo en equipo. Esta obra es buena prueba.

Finalmente, la cabal verificación del contenido de una obra es su pausada, o apresurada en la era digital, lectura y reflexión. Se han agrupado las investigaciones con mayor incidencia, directa o mediata, en el Derecho privado en cuatro partes dedicadas, respectivamente, (I) a las nociones jurídicas básicas de la digitalización (*La digitalización y la intervención estatal*); (II) a la obtención, la encriptación, el procesamiento y la transmisión de información digitalizada, y a las materias conexas de responsabilidad civil extracontractual o por daños (*El control de los datos personales y la responsabilidad civil*); (III) a la irrupción de la cuarta revolución de los servicios y la industria en las empresas y los empresarios (*La empresa, los empresarios y los nuevos modelos de negocio*); y, por último, (IV) a la importancia de la era digital en sectores sujetos a normas de Derecho público, el Derecho público económico, y de Derecho privado, el Derecho privado patrimonial, como los mercados financieros o el eléctrico (*La digitalización y los mercados regulados*).

Manuel Paniagua Zurera
Catedrático de Derecho mercantil
de la Universidad Loyola Andalucía

PRÓLOGO

Hacia la consumación digital

La obra colectiva que tiene el lector en sus manos es un trabajo premonitorio y, como se verá, de enorme interés y utilidad. En él se contienen las reflexiones que se propusieron durante la celebración del I Congreso Internacional ICT 2020 en la Universidad Loyola de Sevilla.

La iniciativa pretendía identificar y analizar los desafíos que planteaba la revolución digital al derecho y la seguridad jurídica. Un esfuerzo intelectual de prospectiva imprescindible tal y como desgraciadamente demuestra en estos momentos el impacto global de la pandemia provocada por el Covid-19.

Los problemas de seguridad jurídica que la transformación digital planteaba entonces como un reto que debía ser abordado con urgencia, ahora se han visto agudizados y llevados hasta extremos de emergencia sistémica que amenazan, incluso, con desestabilizar nuestras democracias liberales.

Una de las evidencias más indiscutidas del presente es que la normalización de las situaciones de excepcionalidad que estamos viviendo pueden acarrear externalidades negativas muy peligrosas para nuestra libertad y nuestros derechos. Sobre todo si no introducimos mecanismos de supervisión legal y garantías sobre la dependencia cotidiana que mostramos diariamente respecto de la tecnología. Vivimos atrapados en una especie de solipsismo digital que modifica, incluso, la experiencia diaria de nosotros mismos. Tanto que la Covid-19 ha hecho posible que el llamado Cibermundo se intensifique hasta convertirse en la infraestructura del mundo.

Durante los Estados de alarma que han acompañado la gestión sanitaria de la pandemia se han prodigado medidas que han hecho que la transformación digital haya perdido su lógica de itinerancia para convertirse en una consumación. Trabajamos, nos entretenemos y comunicamos masivamente *online*. Incluso nuestras libertades analógicas se han transformado con los confinamientos vividos en experiencias básicamente digitales. Liberamos una huella digital que replica a la perfección quiénes somos, qué pensamos y qué hacemos.

Se están creando las condiciones para una especie de *Biggest Data* sin control ni regulación a impulsos de una macrogeneración de datos cuya gobernanza es estrictamente algorítmica.

El problema fundamental al que nos avoca la consumación digital que experimentamos como sociedad y como personas, es que se impone un orden de vigilancia y control tecnológico que establece una identidad y convivencias digitales sin ciudadanía ni derechos *online*. Incluso se favorecen capacidades tecnológicas de rastreo de infectados que, bajo la excusa de neutralizar la propagación futura de rebrotes pandémicos, permiten agrupaciones de interacciones de afinidad social cuyo almacenamiento y centralización trascienden la funcionalidad epidemiológica primaria.

Las democracias liberales afrontan una encrucijada decisiva en su historia. La consumación digital que experimentan exige un debate público informado sobre los riesgos a los que nos enfrentamos y que básicamente giran alrededor de la tensión de si queremos un cibermundo democrático o autoritario. Un uso de la tecnología al servicio de la libertad y la cooperación humanas o vinculado a una estructura reforzada de control, vigilancia y orden verticalizado y sin derechos. A esta encrucijada y al debate que tendrá que acompañarla, servirá, sin duda, la obra que ahora se presenta gracias a la iniciativa, como decía, premonitoria de la Universidad Loyola de Sevilla.

José María Lassalle
Madrid, junio de 2020.

Parte Primera

LA DIGITALIZACIÓN Y LA INTERVENCIÓN ESTATAL

BIG DATA Y SALUD: EL PAPEL DE LAS ORGANIZACIONES INTERNACIONALES EN ESTA MATERIA

MARÍA ISABEL TORRES CAZORLA

Profesora titular de Derecho Internacional Público y Relaciones Internacionales
Universidad de Málaga

"*Who controls the past, controls the future. Who controls the present, controls the past*"

(George Orwell, "1984")

SUMARIO: 1.Introducción. 2 *Big data* y salud: algunos aspectos positivos y negativos. 3. De la perspectiva adoptada por la UNESCO a una visión a vista de pájaro de la posición sobre *big data* y salud de los organismos regionales. 4. Algunas conclusiones tentativas. Bibliografía.

1. INTRODUCCIÓN

Los denominados *big data* constituyen hoy día una revolución sin precedentes. Y el problema es que no existe una regulación global de esta realidad y ni siquiera somos conscientes de sus efectos ni de las consecuencias que el uso de esta tecnología implica. Concretamente, un ámbito tan especialmente sensible como lo es el de la salud ha entrado en el escenario en que el uso de estas tecnologías resulta cada vez más frecuente, con o sin conocimiento de quien facilita sus datos. Este trabajo pretende analizar el uso de datos masivos en materia de salud, fijando nuestra atención de manera específica en la labor de las Organizaciones Internacionales en este sector. Paradójicamente, como veremos, no existe una regulación uniforme acerca de este tema[1], lo que motiva que algunas Organizaciones Internacionales hayan decidido asumir un cierto liderazgo en la materia, o al menos mostrar cierta preocupación por este tema de manera reciente. Un buen ejemplo de esta tendencia es el informe sobre *"Big Data y Salud"* publicado en septiembre de 2017 por el Comité Internacional de Bioética de la UNESCO (Doc. SHS/YES/IBC-24/17/3 REV.2).

Como idea preliminar, debe destacarse que las Organizaciones Internacionales universales que se han ocupado del tema (por ejemplo, la UNESCO o la OMS), junto a ciertos actores regionales (Consejo de Europa, OCDE, Unión Europea, Unión Africana, Cooperación Económica Asia-Pacífico, entre otros), han examinado con cierto detalle las consecuencias del uso de *big data* en materia de salud. Analizaremos los aspectos más controvertidos del tema que han sido objeto de atención por las mencionadas Organizaciones. Asimismo, los aspectos positivos y negativos del uso de *Big Data* en relación con la salud serán uno de los principales temas a abordar[2]. Este es uno

---

[1]   La expresión *"Big Data"* "es un término que designa el tratamiento de grandes volúmenes de datos mediante algoritmos matemáticos con el fin de establecer correlaciones entre ellos, predecir tendencias y tomar decisiones". El Observatori de Bioètica i Dret, de la Universitat de Barcelona ha acuñado dicha definición; *vid.* María Rosa Llàcer, María Casado y Lídia Buisan (coords.), Documento sobre bioética y *Big Data* de salud: explotación y comercialización de los datos de los usuarios de la sanidad pública, Barcelona, 2015, que puede consultarse en el siguiente vínculo web: http://www.publicacions.ub.edu/refs/observatoriBioEticaDret/documents/08209.pdf, en p. 33. Esta página web, así como el conjunto de las citadas en el presente trabajo han sido consultadas por última vez el día 27 de enero de 2020.

[2]   El documento anteriormente mencionado del Observatorio de Bioética y Derecho de la Universidad de Barcelona proporciona diferentes ejemplos del uso, tanto positivo como negativo, de los *big data*, señalando que "por ejemplo, el análisis masivo de datos puede utilizarse para descubrir efectos secundarios de medicamentos, pero también permite crear perfiles de riesgo —incluso desconocidos por los afectados— que podrían utilizarse para «justificar» la denegación de una póliza de seguro" (*op. cit.*, pp. 35-36). Una de las recomendaciones de este documento publicado por el Observatorio (número 8) se refiere a "controlar de forma específica y reforzada la seguridad en el tratamiento de los datos sanitarios para garantizar en todo momento su correcto uso y evitar la comercialización, que no cuente con consentimiento expreso y no prevea de forma clara la manera en que el beneficio revierta a los ciudadanos" (p. 46).

de los principales dilemas[3] que el uso de las tecnologías lleva tras de
sí: la necesidad de proteger los datos de carácter personal –que además en el ámbito de la salud cobran un especial relieve, al ser datos
especialmente sensibles-, así como la necesidad de evitar y prevenir
eventuales abusos que se puedan producir a consecuencia del uso de
dichos datos[4].

Algunas condiciones han permitido tradicionalmente identificar
los *big data* (son las denominadas V que, atendiendo a los diferentes
autores consultados pueden ser tres, cuatro o incluso cinco características que permiten describirlos): volumen, velocidad y variedad[5], junto con validez y valor. La tozuda realidad muestra que las puertas se
han abierto a la utilización masiva de datos en el ámbito de la salud y
de que nos encontramos ante el inicio de lo que cabe denominar como
una "auténtica revolución" de este sector, que en el ámbito anglosajón
se concibe como un proceso de "*datification*" sin precedentes[6]. En este

---

[3]   La doctrina es cada vez más consciente de la relevancia del uso de las tecnologías, y en particular del *big data*, como reto global, así como de sus implicaciones
éticas y jurídicas. Un análisis muy completo puede verse en Palazzani, L., "Innovation in Scientific Research and Emerging Technologies: A Challenge to Ethics
and Law", *Cham*, Springer, 2019.

[4]   El escándalo mediático provocado por la red social Facebook en 2018 puede
ser un ejemplo; un análisis crítico fue realizado por Antonio Muñoz Molina,
"Facebook: todo lo que saben", El País (29 de marzo de 2018). Los retos impredecibles del escenario internacional en lo que concierne de manera específica
a los *big data* pueden verse en Innerarity, D., *Política para Perplejos*, Galaxia
Gutenberg, Barcelona, 2018, pp. 39-43. La cuestión, por supuesto, no es nueva,
como ya señaló Ignacio Ramonet en "Google lo sabe todo de ti", 224 Le Monde
Diplomatique (febrero de 2016), disponible en http://www.surysur.net/google-
lo-sabe-todo-de-ti/.

[5]   *Vid.* Soto, Y., "Datos masivos con privacidad y no contra privacidad (*Big Data*
with Privacy, not against Privacy)", *40 Revista de Bioética y Derecho*, 101, 2017,
p. 103, disponible en http://www.bioeticayderecho.ub.edu. En relación directa
con este tema, junto con las nuevas dimensiones y retos que conlleva este fenómeno, *vid.* Fuller, M., "*Big Data*: New Science, New Challenges, New Dialogical Opportunities", *50 (3) Zygon: Journal of Religion and Science*, September,
2015, pp. 569-582. El ya mencionado Informe de la UNESCO sobre *Big Data*
y Salud (2017) hace referencia a cinco uves, añadiendo validez y valor a las
tres características previas de volumen, velocidad y variedad; *vid.* http://unesdoc.
unesco.org/images/0024/002487/248724e.pdf.

[6]   Una situación descrita por algunos autores como "the ability to render into data
many aspects of the world that have never been quantified before", tal y como

sentido, la revolución que las aplicaciones en materia de salud están provocando sin duda constituye para muchos una auténtica transformación del tradicional modelo de asistencia sanitaria. Es el fenómeno que se conoce como *mHealth*[7] o, lo que es lo mismo, *apps* relacionadas con el ámbito de la salud[8]. Al menos en teoría, los usuarios de estas aplicaciones tienen un trato directo con el personal sanitario, al que pueden consultar cualquier duda sobre sus dolencias, evolución del tratamiento al que están siendo sometidos, etc. La principal duda que nos planteamos al analizar dichas plataformas es el destino que corren los datos personales que se ceden a las mismas y que podrían llegar a ser utilizados y/o cedidos a terceros; en muchos casos, además, dicha cesión tendría lugar sin que los usuarios tuviesen conocimiento alguno de ello. La inexistencia de una política de privacidad por parte de estas aplicaciones podría llegar a favorecer que dichos datos sean cedidos a terceros sin conocimiento ni consentimiento de los usuarios, lo cual resulta cuanto menos inquietante[9].

A ello cabe añadir que el número de las *apps* relacionadas con el ámbito de la salud está creciendo exponencialmente en los últimos años, sin que ello se deba trivializar[10]. Se trata sin duda de una materia muy poco estudiada y acerca de la cual el personal médico ha

---

señalan Kenneth Cukier, K, y Mayer-Schoenberg, V., "The Rise of *Big Data*: How It's Changing the Way We Think About the World", *92 (3) Foreign Affairs*, 2013, pp. 28-40.

[7]   *Vid.* Arrieta, E., "M-Health". España, un país de oportunidades para las 'start-up' de salud", Expansión, 30 de junio de 2015, disponible en el siguiente vínculo web: http://www.expansion.com/emprendedores-empleo/emprendedores/2015/06/30/5592cd04ca4741301f8b459c.html.

[8]   Particular importancia cobra, como aspecto que engloba al anterior, lo que se concibe como e-health, esto es, el uso de las tecnologías de la información y la comunicación en materia de salud. La OMS lleva bastante tiempo preocupándose por estas cuestiones, elaborando resoluciones e informes sobre distintos temas conexos, tal y como puede consultarse en el enlace siguiente: https://www.who.int/ehealth/about/en/.

[9]   *Vid.* Javier Salas, "¿Dónde acaban los datos privados que recogen las "apps" de salud?", El País, Ciencia, 8 de marzo de 2016, https://elpais.com/elpais/2016/03/07/ciencia/1457369646_082762.html.

[10]   Hace unos años, Javier Salas apuntaba a que existían más de 165.000 apps relacionadas con la salud y aproximadamente unos 500 millones de personas eran usuarios de las mismas. Hoy día se habla de la existencia de más de 300.000 aplicaciones.

comenzado a alertar, por sus numerosas implicaciones[11]. Inclusive, las propias administraciones públicas relacionadas con el ámbito sanitario se han interesado por el tema. Meramente como ejemplo, cabe mencionar el distintivo "app saludable" que otorga la Consejería de Salud y Familias de la Junta de Andalucía, donde se incluyen un buen número de aplicaciones relacionadas con el sector que nos ocupa[12]. Sin duda, ello nos pone sobre la pista de la relevancia que está teniendo el tema, por sus implicaciones prácticas.

Una pregunta a la que nos gustaría poder responder en los apartados siguientes es si las Organizaciones Internacionales han tomado conciencia acerca del uso de *big data*, así como de las especiales consecuencias que ello implica en el ámbito de la salud, dado el carácter especialmente sensible que revisten estos datos. Centraremos nuestra atención de manera específica en este tema en las líneas que siguen.

2. *BIG DATA* Y SALUD: ALGUNOS ASPECTOS POSITIVOS Y NEGATIVOS

No cabe duda de que los *big data* constituyen una revolución sin precedentes en numerosos ámbitos. El hecho de que nos encontremos ante un fenómeno novedoso lleva consigo consecuencias impredecibles, tanto positivas como negativas, en cuyo análisis nos detendremos a continuación. Se pondrá el énfasis especialmente en la utilización de este tratamiento masivo de datos en el ámbito de la salud, de manera concreta. Comenzaremos con los aspectos positivos, que son numerosos, a pesar del recelo que inicialmente provocan los fenómenos nuevos a los que nos enfrentamos:

a. Sarah Chan, autora que ha estudiado el tema profusamente, ha señalado que "aggregating and analyzing these data has the potential to *produce new approaches to disease, diagnosis and treatment, public health, and medical research and*

---

[11]   *Vid.* Blenner, S.R., et al., "Privacy Policies of Android Diabetes Apps and Sharing of Health Information", *315 Journal of the American Medical Association*, n.10, 2016, pp. 1051-1052, disponible en https://jamanetwork.com/journals/jama/fullarticle/2499265.

[12]   *Vid.* http://www.calidadappsalud.com/distintivo/catálogo.

innovation"[13]. Algunos ejemplos prácticos que podemos citar son los siguientes: estudios genómicos de grupos poblacionales amplios, con el objetivo de identificar las condiciones genéticas de salud y enfermedad en un amplio espectro de población; o reunir la secuencia de datos del genoma completo de pacientes con enfermedades raras y sus familias, así como de los pacientes de cáncer (con el objetivo de alcanzar nuevos conocimientos sobre el componente molecular de estas enfermedades)[14].

b. En la actualidad, y este es un fenómeno que crece día a día, se observa un uso creciente de los denominados "*electronic health records (EHRs)*", que permiten transformar la información acerca de la salud de los pacientes en potenciales bases de datos de las que se puede extraer información para diversos fines[15]. Una de estas finalidades que, al menos a priori, podría resultar positiva, es la relativa al estudio de la evolución de determinadas enfermedades, pudiéndose obtener datos masivos con el objetivo de prevenir o erradicar las mismas.

c. En conexión directa con lo anterior, el uso de *big data* está íntimamente relacionado con la denominada "medicina personalizada"[16] y los tratamientos que se pueden efectuar (incluyendo también la medicina preventiva en este ámbito). A

---

[13]   Chan, S., "Bioethics in the *big data* era: health care and beyond", *Revista de Bioética y Derecho*, 41, 2017, p. 5 (la cursiva es nuestra).

[14]   *Vid.* Chan, S., "Bioethics in the *big data* era: health care and beyond", *Revista de Bioética y Derecho*, 41 (2017), p. 6. En este sentido resultan curiosas las conclusiones del Human Genome Project, que pueden consultarse en https://www. genome.gov/10001772/.

[15]   *Vid.* Chan, S., "Bioethics in the *big data* era: health care and beyond", *Revista de Bioética y Derecho*, 41 (2017), p. 6.

[16]   *Vid.* Hood, L. y Flores, M., "A personal view on systems medicine and the emergence of proactive P4 medicine: predictive, preventive, personalised and participatory", 29 *New Biotechnology*, issue 6, pp. 613-624 (5 September 2012), p. 613; Harvey, A., et al., "The future of technologies for personalised medicine", 29 *New Biotechnology*, issue 6, pp. 625-633 (5 September 2012), p. 625; Darren R. Hodgson, D.R., et al., "Practical perspectives of personalized healthcare in oncology", 29 *New Biotechnology*, issue 6, pp. 656-664 (5 September 2012), p. 656; y Fleck, L.M. , "Pharmacogenomics and personalized medicine: wicked problems, ragged edges and ethical precipices", 29 *New Biotechnology*, issue 6, pp. 757-768 (5 September 2012), p. 757.

nadie se le escapa el aspecto positivo que un buen uso de ello puede conllevar.

d. Cabe también destacar que los *big data* pueden jugar un papel muy positivo en temas como cuestiones epidemiológicas y de respuesta a las enfermedades[17]; algunos ejemplos de actuaciones concretas se han llevado a cabo para tratar de controlar la expansión del Ebola o de obtener información acerca de los brotes de la gripe estacional[18], aunque se debe señalar que algunos casos no han estado exentos de controversia[19].

En la misma línea señalada anteriormente por Sarah Chan, que resulta además corroborada con el punto de vista del informe elaborado por el Nuffield Council (relativo a los datos sobre cuidados médicos y biomedicina), cabe destacar que uno de los aspectos fundamentales que revisten los *big data* es que los mismos son "*a valuable resource that may be reused indefinitely in other contexts, linked, combined or analysed together with data from different sources...*"[20].

---

[17]   *Vid.* Chan, S., "Bioethics in the *big data* era: health care and beyond", *Revista de Bioética y Derecho,* 41, 2017,p. 7.

[18]   A este respecto, *vid.* el proyecto Google Flu Trends, accessible en https://www.google.org/flutrends/about/, aunque desde hace algún tiempo han dejado de publicar sus predicciones respecto a la gripe y el dengue.

[19]   *Vid.* Chan, S., "Bioethics in the *big data* era: health care and beyond", *Revista de Bioética y Derecho,* 41, 2017, p. 8, donde pone de manifiesto un ejemplo que cabe destacar: el hecho de que durante el período estacional 2012-2013, los resultados que pronosticó Google Flu Trends sobreestimaron la incidencia de la enfermedad, doblando el porcentaje de la incidencia real que se produjo, siendo este factor una de las circunstancias que motivaron su fracaso. En consonancia con ello, la misma autora alerta ante la necesidad de ser cautelosos y críticos respecto a las predicciones con *big data* y algoritmos para comprender el mundo circundante. *Vid. ibid.,* p. 8.

[20]   *Vid.* NUFFIELD COUNCIL ON BIOETHICS: "The Collection, Linking and Use of Data in Biomedical Research and Health Care: Ethical Issues", February 2015, disponible en http://nuffieldbioethics.org/. Algunos aspectos positivos del uso de los *big data* pueden ser la eficiencia y transformación en la prestación de servicios, el incremento en los tratamientos personalizados o que generen inversiones en el ámbito de las ciencias de la vida, entre otros. A este respecto *vid.* https://www.datapine.com/blog/big-data-examples-in-healthcare/. De lo que no cabe duda es de que las implicaciones para los derechos humanos son un aspecto esencial; sobre este particular, *vid.* Gabrielle Della Morte, *Big Data e protezione internazionale dei diritti umani: regole e conflitti,* Nápoli, Editoriale Scientifica, 2018.

Si bien los aspectos anteriormente comentados ponen de relieve el lado positivo, la otra cara de la moneda serían aquellos que no lo son tanto (bien porque son sustancialmente negativos[21] o porque sus beneficios no están del todo claros). Algunas ideas que nos ponen sobre la pista de ello serían las siguientes:

a. El hecho de que se acumulen datos masivos, y concretamente en un ámbito tan sensible como lo es la salud, puede dar lugar a que los mismos se utilicen para propósitos desconocidos –o incluso indeseables- para las personas que han cedido dichos datos, afectando así de manera intolerable a la idea de privacidad[22]. Y no solamente eso; en ocasiones, eventuales errores en la compilación y análisis de dichos datos, tal y como ha señalado el informe de la UNESCO al que hemos hecho mención con anterioridad "*may have adverse implications both for the single patient/citizen and for society*"[23].

b. Ya se ha señalado anteriormente que cada vez es más frecuente la utilización en el día a día de *apps* relacionadas con el ámbito de la salud, o que sus usuarios utilizan en la creencia de que gracias a ellas van a mejorar ciertas pautas de conducta con el objetivo de llevar una vida más saludable (valgan como ejemplos algunas de las más conocidas como Fitbit, Carrot Hunger, Virtual Fridge Lock, etc...). Dichas aplicaciones proporcionan información acerca de hábitos y comportamientos frecuentes, obteniendo un volumen de datos que pueden llegar a ser especialmente sensibles. El problema fundamental radica en que esta "información sensible" puede ser utilizada para diferentes

---

[21]   *Vid.* Oostveen, M., *Protecting Individuals against the Negative Impact of Big Data: Potential and Limitations of the Privacy and Data Protection Law Approach*, Alphen aan den Rijn, the Netherlands, Wolters Kluwer, 2018.

[22]   *Vid.* Chan, S., "Bioethics in the *big data* era: health care and beyond", *Revista de Bioética y Derecho*, 41 (2017), p. 10. Determinados ámbitos empresariales (por ejemplo, el sector asegurador, el ámbito bancario, entre otros), pueden estar especialmente interesados en conocer dichos datos respecto de sus actuales o potenciales clientes. Sobre estas cuestiones, *vid.* Ortega Giménez, A., *Las aplicaciones del Big Data en el ámbito asegurador y el tratamiento legal de sus datos: una perspectiva desde el Derecho Internacional Privado*, Madrid, Fundación Mapfre, 2019.

[23]   *Vid.* Informe de la UNESCO sobre *Big Data* y Salud (2017), p. 9.

propósitos por quien la ha obtenido, surgiendo además una "responsabilidad" respecto a la protección y salvaguarda de dichos datos. Y precisamente en este punto es donde suele radicar el problema, como Sarah Chan ha puesto de relieve: "*by definition, it is not always easy or possible to see the ramifications of big data research from looking at the data with human eyes. How, then, can we ensure responsibility and integrity in the wider sense, when analysis & decision-making is delegated to machines?*"[24].

c. El uso comercial de *big data* relativos a salud, o dicho de otro modo, la consideración de los pacientes como "consumidores" conforma otro aspecto que no debemos soslayar, y de aquí se desprenden numerosas implicaciones éticas[25]. El problema radica en la existencia de consumidores a veces enormemente desinformados o susceptibles de ser influenciados por la información que se recibe por cauces distintos a los tradicionales, como las redes sociales[26], que a veces pueden ser calificadas como máquinas de micro-propaganda (o macro, según se mire) capaces de producir todo un "ecosistema de noticias falsas"[27].

d. Un tema concreto, pero que reviste una importancia esencial en la actualidad es el relacionado con la genómica; los datos obtenidos resultan especialmente sensibles, dado que los mismos suministran información, no solamente de la persona interesada, sino también de su familia, como por ejemplo, la propensión a padecer determinado tipo de enfermedades. Por ello, la necesidad de proteger la privacidad de las personas que participan en proyectos de investigación relacionados con este sector constituye un reto sin precedentes[28]. En general, cabe afirmar

---

[24] *Vid.* Chan, S., "Bioethics in the *big data* era: health care and beyond", ob.cit., p. 13.

[25] *Vid.* Chan, S., "Bioethics in the *big data* era: health care and beyond", ob.cit., p. 28.

[26] *Vid.* Chan, S., "Bioethics in the *big data* era: health care and beyond", ob.cit., pp. 21-22 y el ejemplo de Facebook, que resulta paradigmático.

[27] En opinión de Jonathan Albright, que puede consultarse en https://medium.com/@d1gi/theelection2016-micro-propaganda-machine-383449cc1fba.

[28] *Vid.* Via, M., "*Big Data* in Genomics: Ethical Challenges and Risks", 41 *Revista de Bioética y Derecho* (2017), p. 38. Tal y como señala este autor, "we need to

que en este mundo de *big data* nos enfrentamos a dos fenómenos contrapuestos: mientras las personas somos cada vez más
transparentes, al ceder información que en muchas ocasiones
es extremadamente sensible, la opacidad de los algoritmos e
instrumentos tecnológicos que se utilizan para extraer conclusiones del ingente volumen de datos analizados es imposible
de soslayar. Los dilemas que ello va a provocar respecto a la
autonomía, la privacidad y la justicia conllevan consecuencias
difíciles de predecir en la actualidad[29].

e. El aspecto tecnológico plantea además la existencia de un enorme desfase entre los Estados en desarrollo y aquellos otros que
tienen la capacidad para obtener e interpretar estos datos masivos. Con esta idea en mente, la UNESCO señaló que "*capacity
strengthening is an important way of ensuring that developing
world scientists and health professionals do not become just
data collectors in international collaborative projects but active
participants in transforming data into tangible health benefits
for their own populations*"[30].

Está claro que en la actualidad son muy numerosos los dilemas que
surgen respecto a las cuestiones sanitarias, teniendo además presente
que la Ciencia, para poder avanzar, necesita nutrirse de la información real suministrada por los pacientes. Algunos autores van más lejos, llegando incluso a afirmar que el suministro de dicha información

---

make extra efforts to protect individual privacy, but in the genomic era complete
protection may become unfeasible. Every genome is unique but shared with a
vast network of relatives. This characteristic makes genomic information prone
to specific privacy breaches absent in other generators of *Big Data*. In this sense,
we need to instruct clinical patients and research participants about the risks
and benefits of genomic studies. Among other risks, it is important in the consent
process to acknowledge the possibility of re-identification (sic.)". *Vid.* p. 41 (la
cursiva es nuestra).

[29]   *Vid.* Informe de la UNESCO sobre *Big Data* y Salud (2017), p. 10.

[30]   Informe de la UNESCO sobre *Big Data* y Salud (2017), p. 10. A este respecto,
no le duelen prendas al señalar uno de los aspectos esenciales que origina esta
brecha tecnológica, al afirmar que "advanced health care towards precision medicine is expensive and limited to richer countries and *Big Data* approaches do
not yet adequately cover diseases affecting people in countries with less advanced health infrastructures" (ibid.).

forma parte de nuestra "responsabilidad social como ciudadanos"[31], no conformándose como una opción. Junto a ello, las nociones de "transparencia" y "veracidad" son distintas caras de este dilema sin respuesta clara[32]. Necesitamos respuestas que hoy día son inaprehensibles[33].

El hecho de que nos movemos en un escenario de absoluta incertidumbre viene además avalado por informaciones relativamente recientes[34]. Un enorme revuelo mediático se ha producido a consecuencia del acuerdo celebrado entre Google y Ascension[35] –segundo

---

[31]   Sobre este particular, Chan, S., "Bioethics in the *big data* era: health care and beyond", ob.cit., p. 16, afirma que "the right to receive health care and the benefits of ongoing improvements in medical knowledge is part of a system that also requires our contribution if it is to continue producing these benefits". Un tratamiento más exhaustivo de la cuestión puede verse en ibid, notas a pie núms. 22 a 25, donde se refiere a diversos dilemas, particularmente cuando nos encontramos con pacientes que sufren enfermedades crónicas o muy graves. Este mismo interrogante también se lo ha planteado, por ejemplo, I. Glenn Cohen, al formular la siguiente pregunta: "Is there a Duty to Share Healthcare Data?", en Glenn Cohen, I., Fernández Lynch, H., Vayena, E. y Gasser, U., *Big Data, Health Law and Bioethics*, Cambridge, New York: Cambridge University Press, 2018, pp. 223-236. En conexión directa con este tema puede verse el artículo de Knoppers, B. M., y Yotova, R., "The Right to Benefit from Science: What Implications for Big Health Data?", en *European Journal of International Law* (2020), vol. 31 y núm. 2.

[32]   *Vid.*, entre otros, Zúñiga-Fajuri, A., "The case for making organ transplant waitlists public to increase donation rates: is it possible?", 41 *Revista de Bioética y Derecho* (2017), pp. 187-196; así como Purtova, N., "Health Data for Common Good: Defining the Boundaries and Social Dilemmas of Data Commons", en *Under Observation: the Interplay between ehealth and surveillance*, Springer, Cham, Suiza, 2017, pp. 177-210; Brighi, R., "The Quality and Veracity of Digital Data on Health: from Electronic Health Records to *Big Data*", 42 *Revista de Bioética y Derecho* (2018), pp. 163-179.

[33]   En relación con todos los retos (y riesgos) que en la actualidad se derivan del tema de los *big data*, *vid.* http://www.ub.edu/web/ub/en/menu_eines/noticies/2015/01/038.html?.

[34]   En el Diario El País de 18 de noviembre de 2019, un artículo de Milagros Pérez Oliva, titulado "¿Cuánto saben de nosotros?", accesible en https://elpais.com/sociedad/2019/11/16/actualidad/1573925822_574619.html, alerta sobre estos temas que describiremos a continuación.

[35]   *Vid.* la información relativa a este acuerdo en https://cloud.google.com/blog/topics/inside-google-cloud/our-partnership-with-ascension, comentando diversas cuestiones sobre el particular. El origen de ello se encuentra en el denominado "Proyecto Nightingale" (Proyecto Ruiseñor, en su traducción en español).

mayor proveedor sanitario de Estados Unidos- lo que, según las informaciones publicadas en prensa, podría permitir el acceso al historial médico de varias decenas de millones de personas en dicho país. Pero este es meramente un ejemplo de lo que seguro serán decenas de ellos en el inmediato futuro, dado el potencial que el ámbito médico representa como nueva fuente de negocio. Este acuerdo con Ascension, a lo que se une la compra de Fitbit por parte de Google por un importe de 1.900 millones de euros[36] constituyen ejemplos relativamente recientes de la irrupción del gigante tecnológico en el ámbito sanitario. Retos de futuro no faltan.

3. DE LA PERSPECTIVA ADOPTADA POR LA UNESCO A UNA VISIÓN A VISTA DE PÁJARO DE LA POSICIÓN SOBRE *BIG DATA* Y SALUD DE LOS ORGANISMOS REGIONALES

Tras tres años de debate en el Comité Internacional de Bioética de la UNESCO[37], un informe, al que hemos aludido en varias ocasiones con anterioridad, sobre *big data* y salud vería la luz en París (en septiembre de 2017)[38]. Las conclusiones fundamentales que se desprenden de dicho documento creemos que pueden conformarse como una especie de guía general, que ha sido seguida de cerca en otros contextos organizativos, dado que ofrece numerosas claves en un ámbito que cabe calificar como *terra incognita*, como lo es todo lo relacionado con los datos masivos en el contexto de la salud. Si tuviésemos que resumir en una frase esta realidad, cabría decir que una de las ideas

---

[36]   *Vid.* la información que proporciona el diario El País, de 1 de noviembre de 2019, en https://cincodias.elpais.com/cincodias/2019/11/01/companias/1572613857_180900.html.

[37]   La información al respecto puede consultarse en los siguientes vínculos http://www.unesco.org/new/en/social-and-human-sciences/themes/bioethics/international-bioethics-committee/ibc-sessions/ibc-comest-sessions-paris-2017/ y http://www.unesco.org/new/en/social-and-human-sciences/themes/comest. Consultada el 17 de abril de 2020.

[38]   *Vid.* http://unesdoc.unesco.org/images/0024/002487/248724e.pdf. Consultada el 17 de abril de 2020. La referencia concreta de dicho documento es Doc. SHS/YES/IBC-24/17/3 REV.2.

fuerza que se desprenden de dicho informe es, ante todo, la necesidad de regular el uso de *big data* en este contexto, debido a las múltiples implicaciones que de ello se derivan, concretamente en el ámbito de los derechos humanos.

A este respecto, cabe citar diversos instrumentos internacionales que han realizado un acercamiento al tema, y que por supuesto han sido tenidos en cuenta por la UNESCO para elaborar el informe que nos ocupa. Uno de los procedentes, adelantado a su tiempo, pues data de los comienzos de la década de los noventa, lo constituyen las *Directrices para regular los archivos de datos personales informatizados*[39], adoptadas por la Asamblea General de Naciones Unidas en 1990. Dicho documento contiene una serie de principios para asegurar la protección de la privacidad y la confidencialidad como un estándar mínimo que debe ser tenido en cuenta por las legislaciones nacionales. Años más tarde, la Conferencia Mundial de Promoción de la Salud, celebrada en Helsinki del 10 al 14 de junio de 2013, aprobaba la Declaración de Helsinki sobre Salud en todas las Políticas, estableciendo numerosos retos para los gobiernos, la propia Organización Mundial de la Salud y de manera general, los participantes en dicha conferencia[40]. Del mismo modo, otras iniciativas como los reglamentos de la UNCTAD sobre protección de datos y tráfico internacional de los mismos, de 2016, merecen ser destacados[41]; ello, por supuesto, sin dejar a un lado iniciativas de organismos no estatales concernidos por estos temas, como la Asociación Médica Mundial, a través de la Declaración de Taipei sobre las consideraciones éticas de las bases de datos de salud y los biobancos, de 2016[42]. Sin duda, la preocupación por lograr que una serie de principios éticos sean de aplicación en este sector es el objetivo perseguido por este documento que, por supuesto, carece de carácter vinculante.

---

[39]   *Vid.* A/RES/45/95, de 14 de diciembre de 1990.

[40]   Dicho documento puede consultarse, en su versión en español, en http://www.healthpromotion2013.org/images/8GCHP_Helsinki_Statement.pdf. Consultada el 17 de abril de 2020.

[41]   *Vid.* http://unctad.org/en/pages/PublicationWebflyer.aspx?publicationid=1468. Consultada el 17 de abril de 2020.

[42]   Disponible en https://www.wma.net/policies-post/wma-declaration-of-taipei-on-ethical-considerations-regarding-health-databases-and-biobanks/. Consultada el 17 de abril de 2020.

El ámbito regional –y de manera muy especial, aunque no única, el escenario europeo- ofrece ejemplos significativos de la preocupación por estos temas. La UNESCO, en el informe de 2017 mencionado, alude a algunos de estos pasos, en particular comienza por una referencia a la Organización para la Cooperación y el Desarrollo Económico (OCDE en sus siglas en español), al señalar que la misma "has developed its *Guidelines Governing the Protection of Privacy and Transborder Flow of Personal Data (2013)*"[43] y al hecho de que "in January 2017, the OECD published its *Recommendation on Health Data Governance*"[44].

De manera significativa, moviéndonos ya en el escenario europeo, *estricto sensu*, tanto los esfuerzos realizados por el Consejo de Europa[45] como por la Unión Europea[46] merecen ser destacados.

---

[43]   Información que puede consultarse en el siguiente enlace: http://www.oecd.org/ sti/ieconomy/oecdguidelinesontheprotectionofprivacyandtransborderflowso-fpersonaldata.htm. Consultada el 17 de abril de 2020.

[44]   *Vid.* http://www.oecd.org/els/health-systems/health-data-governance.htm. Consultada el 17 de abril de 2020.

[45]   *Vid.* Council of Europe - Consultative Committee of Convention 108. Guidelines on the protection of individuals with regard to the processing of personal data in a world of *Big Data*. 2017, disponible en https://rm.coe.int/CoERM-PublicCommonSearchServices/DisplayDCTMContent?documentId=09000016 806ebe7a. Consultada el 17 de abril de 2020. Un análisis completo de dichas directrices puede consultarse en Mantelero, A., "Towards a *big data* regulation based on social and ethical values. The guidelines of the Council of Europe", 41 *Revista de Bioética y Derecho*, 3 (2017), pp. 67-84. De igual modo, cabe citar el Convenio del Consejo de Europa núm. 108, para la protección de las personas con respecto al tratamiento automatizado de datos de carácter personal, hecho en Estrasburgo el 28 de enero de 1981 (BOE de 15 de noviembre de 1985). Cabe destacar del mismo su carácter exitoso, puesto que ha sido ratificado por más de cincuenta Estados, incluyendo entre ellos algunos Estados de otros continentes, como África y Asia. Tras las enmiendas al mismo de 1999, cabe mencionar que más recientemente, concretamente el 10 de octubre de 2018, se adoptó un Protocolo de enmienda a dicho Convenio (núm. 223), que actualmente se encuentra sometido a ratificación estatal. *Vid.* el estado de firmas y ratificaciones al mismo en   https://www.coe.int/en/web/conventions/full-list/-/conventions/treaty/223/ signatures?p_auth=QNUaXWnx. Consultada el 17 de abril de 2020.

[46]   Tal y como Alessandro Mantelero ha señalado "personal data, as well as the other forms of expression of a given person, are part of her identity and, therefore, should be safeguarded within the framework of personality rights and fundamental rights and freedoms", en Mantelero, A., "Towards a *big data* regulation based on social and ethical values. The guidelines of the Council of Europe", 41

La protección de datos, como no podría ser de otra forma, guarda una relación muy directa con una protección más amplia (y también más específica) de la privacidad, y en este sentido resulta insoslayable mencionar el conocido como "Reglamento General de Protección de Datos"[47], sin duda alguna el texto central en la materia de protección de datos[48], entre los que se incluye la salud, aunque por supuesto no se trata de un texto específico en la materia que nos ocupa.

Revista de Bioética y Derecho, 3 (2017), p. 70. A este respecto puede resultar de interés la sentencia de 13 de mayo de 2014, del Tribunal de Justicia de la UE (Gran Sala) en el asunto C-131/12, Google Spain SL and Google Inc. contra Agencia Española de Protección de Datos (AEPD) y Mario Costeja González, petición de decisión prejudicial, planteada por la Audiencia Nacional española, y disponible en http://curia.europa.eu/juris/celex.jsf?celex=62012CJ0131&lang 1=es&type=TXT&ancre=. Consultada el 17 de abril de 2020. En este sentido, el art. 8 de la Carta de Derechos Fundamentales de la Unión Europea reconoce "la protección de los datos personales" como un derecho independiente del derecho al "respeto a la vida privada y familiar", contenido en el art. 7. Para tener una visión global de este instrumento, la Carta de Derechos Fundamentales de la Unión Europea, y de manera específica de los preceptos comentados, puede verse, entre otras, la obra dirigida por Mangas Martín, A., *Carta de los Derechos Fundamentales de la Unión Europea. Comentario artículo por artículo*, Fundación BBVA, 2008, y en particular los dos capítulos de la misma elaborados por Martín, J. y Pérez de Nanclares sobre los artículos 7 (pp. 209-221) y 8 (pp. 223-242).

[47] *Vid.* Reglamento (UE) 2016/679, del Parlamento Europeo y del Consejo de 27 de abril de 2016 relativo a la protección de las personas físicas en lo que respecta al tratamiento de datos personales y a la libre circulación de estos datos y por el que se deroga la Directiva 95/46/CE (Texto pertinente a efectos del Espacio Económico Europeo), publicado en DOUE L 119, 4 de mayo de 2016, pp. 1-88. Toda la información sobre el mismo puede consultarse en https://www.eugdpr. org/eugdpr.org.html. Consultada el 17 de abril de 2020. Concretamente, el art. 4 (en sus apartados 13, 14 y 15, que definen "datos genéticos", "datos biométricos" y "datos relativos a la salud", respectivamente) y el art. 9, apartados h) e i) como situaciones excepcionales frente a la prohibición del tratamiento de datos personales en materia de salud.

[48] El mismo ha servido sin duda de referencia a algunos otros instrumentos que guardan una conexión directa con dicho Reglamento; valga como ejemplo el Reglamento (UE) 2018/1725, del Parlamento Europeo y del Consejo, de 23 de octubre de 2018, relativo a la protección de las personas físicas en lo que respecta al tratamiento de datos personales por las instituciones, órganos y organismos de la Unión, y a la libre circulación de esos datos, y por el que se derogan el Reglamento (CE) nº 45/2001 y la Decisión nº 1247/2002/CE (Texto pertinente a efectos del EEE), publicado en DOUE L 295, de 21 de noviembre de 2018, pp.

En otros contextos regionales distintos al europeo, podemos mencionar la Convención de la Unión Africana sobre Ciberseguridad y Protección de Datos Personales (2014)[49], junto con el *Asia-Pacific Economic Cooperation (APEC) updated Privacy Framework* (2015). Este último trata de suministrar "*a multilateral mechanism which enables Privacy Enforcement Authorities in the APEC region to cooperate in cross-border privacy enforcement of Privacy Laws*"[50]. De manera específica, en el contexto regional Asia-Pacífico, es necesario realizar cambios notables, tratando de alcanzar lo que algún autor ha denominado "*move towards a culture of privacy*"[51]. La posición seguida por la APEC en esta materia no reviste ningún género de duda: en 2015 se adoptó el Nuevo marco de la APEC en material de privacidad[52], que enmendaba el anterior de 2005. Algunas ideas tales como el consentimiento, la privacidad y la cooperación son ideas guía que salen a relucir en dicho documento. Se trata, sin duda alguna, de un marco general, que incluye diversos aspectos relacionados con la protección de datos en este ámbito regional[53]. Un aspecto conexo, más específico, lo constituye el Grupo de Trabajo de la APEC en materia

---

39-98. De igual modo, cabe mencionar, poniendo de relieve la diferencia de estos datos, el Reglamento (UE) 2018/1807 del Parlamento Europeo y del Consejo, de 14 de noviembre de 2018 relativo a un marco para la libre circulación de datos no personales en la UE (Texto pertinente a efectos del EEE), publicado en DOUE L 303, de 28 de noviembre de 2018, pp. 59-68. Sobre estos últimos, *vid.* Gianpaolo Maria Ruotolo, "I dati non personali: l'emersione dei *big data* nel diritto dell'Unione Europea", 13 Studi sull'integrazione europea (2018), n.1, pp. 97-116.

[49] Accesible en https://au.int/en/treaties/african-union-convention-cyber-security-and-personal-data-protection. Consultada el 17 de abril de 2020.

[50] *Vid.* el Informe de la UNESCO sobre *Big Data* y Salud, en p. 7.

[51] *Vid.* Macaraeg, M.J.I., "From Atoms to Bits: Personal Data Privacy and Security in the Information Society", 62 *Ateneo Law Journal* 223 (2017), pp. 258, afirmando sin reticencias que "considering (...) the risks associated with the information society, this is vital for the protection of the privacy of individuals in an increasingly networked world".

[52] Que puede consultarse en el enlace siguiente: https://www.apec.org/Publications/2017/08/APEC-Privacy-Framework-(2015). Consultada el 17 de abril de 2020. Resulta bastante asimilable a lo que ya se contemplaba en las Directrices de la OCDE.

[53] Toda la información sobre la APEC y sus miembros puede consultarse en https://www.apec.org/About-Us/About-APEC/Member-Economies.aspx. Consultada el 17 de abril de 2020.

de salud[54]. Qué duda cabe que resulta ineludible tratar de impulsar la cooperación entre los Estados de este marco regional y la Unión Europea[55].

Los *Big Data* relacionados con la salud han sido descritos por la UNESCO en el Informe de 2017 al que hemos aludido en reiteradas ocasiones, como "*a comprehensive and evidence-based personalized, stratified or so-called precision medicine, which combines the best available scientific knowledge with professional experience of health professionals for the benefit of the individual patient*"[56]. El aspecto revolucionario de los mismos consiste, conforme a dicho informe, en que "*at least four paradigm shifts in individual health care are likely to occur: a shift from disease orientation to health orientation; from focus on therapy to prevention; from health to lifestyle counselling (sic.); and from the role of a patient to the role of a user, customer or digital citizen*"[57]. Tanto el consentimiento –entendido éste en sentido amplio-, junto con la transparencia[58] constituyen dos elementos esenciales que deben ser tenidos en cuenta[59], a los que se añaden la privacidad y la confidencialidad[60].

El tema de los *big data* en materia de salud es una cuestión de primera magnitud; como señala el informe de la UNESCO: "the new

---

[54]   Numerosas cuestiones estudiadas por este Grupo de Trabajo se refieren a las pandemias y la expansión de ciertas enfermedades en la región. *Vid.* la información que puede consultarse en https://www.apec.org/Groups/SOM-Steering-Committee-on-Economic-and-Technical-Cooperation/Working-Groups/Health. Consultada el 17 de abril de 2020.

[55]   *Vid.* la información disponible en https://www.apec.org/Groups/Committee-on-Trade-and-Investment/Electronic-Commerce-Steering-Group. Consultada el 17 de abril de 2020.

[56]   *Vid.* el Informe de la UNESCO sobre *Big Data* y Salud, en p. 7.

[57]   *Vid.* el Informe de la UNESCO sobre *Big Data* y Salud, en p. 8 (la cursiva es nuestra).

[58]   "Transparency about algorithms"; Informe de la UNESCO sobre *Big Data* y Salud, p. 21.

[59]   *Vid.* el Informe de la UNESCO sobre *Big Data* y Salud, p. 12, donde se explican ambos conceptos y los riesgos que entraña su aplicación, de manera general y de forma concreta en Estados con escaso desarrollo económico y tecnológico.

[60]   *Vid.* el Informe de la UNESCO sobre *Big Data* y Salud, pp. 13-14. La agrupación de datos relativos a perfiles concretos, puede conformar otro riesgo importante para la privacidad (ibid., p. 14).

context can be seen as *an opportunity to revisit our traditional vision* and *develop new ethical and legal ways* for a real scheme of sharing benefits. It is necessary to *reconcile all the rights and interests* which overlap in this field, such as *those of the person from whom the data derives, those of the researcher, those of the companies and organizations who use the data, and those of society in general who may benefit* from such use"[61].

Qué duda cabe que se ha abierto una puerta tras la cual no sabemos muy bien lo que podemos hallar y en ese sentido "it is crucial to develop and apply a comprehensive multi-tiered governance structure, which doesn't exist yet, for responsible use of data"[62]. Tal vez, una de las recomendaciones realistas que podrían formularse sería la necesidad de adoptar un instrumento normativo internacional sobre la protección de datos obtenidos en el ámbito sanitario, así como en la investigación médica[63]. Tal vez así, junto con la cooperación entre instituciones nacionales, internacionales y regionales, se pueda asumir de manera consciente la relevancia de la *datificación* en este siglo XXI en que estamos inmersos, que plantea interrogantes sin respuesta en diversos ámbitos, de los que el tecnológico es uno de ellos.

Un aspecto que cabe destacar es que el papel que juegan las organizaciones internacionales respecto de la protección de datos –ya sea en el contexto universal o en el regional- es cada vez más relevante. En consonancia con esta idea, debe afirmarse que para los Estados, la necesidad de proteger los datos, especialmente aquellos considerados especialmente sensibles, entre los cuales los relacionados con la salud ocupan un lugar preeminente, constituye un reto. Sin duda alguna, los esfuerzos de estas Organizaciones Internacionales, junto

---

[61]   *Vid.* el Informe de la UNESCO sobre *Big Data* y Salud , p.15 (la cursiva es nuestra).

[62]   *Vid.* el Informe de la UNESCO sobre *Big Data* y Salud , p. 21.

[63]   *Vid.* el Informe de la UNESCO sobre *Big Data* y Salud, p. 23. La UNESCO no es la única Organización Internacional que se ha pronunciado en este mismo sentido; otras como la OMS, la OCDE y agencias internacionales relacionadas con la energía y la protección del medioambiente también son proclives a regular estas cuestiones. Vid. Wyber, R. et al., "*Big Data* in global health: improving health in low and middle-income countries", 93 *Bulletin of the World Health Organization* (2015) pp. 203-208, disponible en http://www.who.int/bulletin/volumes/93/3/14-139022/en/. Consultada el 17 de abril de 2020.

a las consideraciones señaladas por organismos de carácter técnico, que las complementan, constituyen un entramado esencial para intentar construir un sistema regulador de la protección de los datos relacionados con la salud[64]. Hasta la fecha, podemos afirmar que se han dado los primeros pasos para tratar de regular el tema, si bien aún estamos muy lejos de que exista una regulación uniforme en la materia. En primer término se ha prestado atención a la protección de datos de forma general, pero se debe tomar conciencia acerca de la necesidad de regular de manera concreta los datos especialmente sensibles y, específicamente, los relacionados con la salud. Comienzan a emerger algunas ideas preliminares sobre esta necesidad, de las que el informe de la UNESCO al que nos hemos referido en diversas ocasiones constituye sin duda un instrumento útil que pone los puntos sobre las íes. Debemos confiar en que dichos instrumentos serán los predecesores de una nueva regulación que aún está por llegar y que deberá adoptarse más pronto que tarde en este siglo XXI. Se deben aunar esfuerzos en ámbitos como los derechos humanos, las nuevas tecnologías, el comercio y la investigación, con el fin de resolver (o al menos intentarlo) los nuevos retos y riesgos que se derivan de la utilización de datos masivos en materia de salud.

4. ALGUNAS CONCLUSIONES TENTATIVAS

La revolución que suponen –y estamos simplemente en los inicios de la misma- los denominados *big data* en materia de salud conlleva unas consecuencias absolutamente impredecibles a día de hoy, constituyendo un reto sin predecentes, además de una cuestión económica de primer orden, donde los derechos humanos están presentes y deben ser protegidos. La expresión *"Big Data*-Big Questions"[65] ejemplifica de manera sumaria este hecho. Los derechos humanos que resultan

---

[64]   Constituyendo un buen ejemplo de ello la Declaración, ya citada, de 2016 de la Asociación Médica Mundial sobre las consideraciones éticas de las bases de datos de salud y los biobancos, que puede consultarse en el enlace siguiente: https://www.wma.net/policies-post/wma-declaration-of-taipei-on-ethical-considerations-regarding-health-databases-and-biobanks/.

[65]   Sobre ello, vid. Bowker, G. C., "*Big Data*, Big Questions, The Theory/Data Thing", 8 *International Journal of Communication* (2014), pp. 1795-1799.

concernidos, y de manera esencial la idea de privacidad, han de ser tomados en consideración, como una cuestión esencial[66].

En esa medida, continuando con el razonamiento anteriormente expuesto, se deben ofrecer soluciones tanto en el escenario internacional como nacional, tratando de cooperar en todos los frentes relacionados con esta cuestión[67]. Cierto es que la protección de datos personales –concebida de forma general- ha sido el primer paso, figurando el contexto europeo como uno de los que primero ha prestado atención a la necesidad de llevar a cabo una regulación. Cierto es que algunos problemas específicos relacionados con *big data* y salud comienzan a ser objeto de atención en los últimos años; a iniciativa de la Comisión de la Unión Europea, algunos documentos comienzan a explorar este tema[68].

El informe elaborado por el Comité Internacional de Bioética de la UNESCO en 2017 puede ser calificado quizá como el documento más completo que regula de manera específica la cuestión del uso de *big data* en el ámbito de la salud. Algunas de las recomendaciones que formula dicho documento deben ser tenidas en cuenta, como retos esenciales del actual marco normativo (la necesidad de llevar a cabo una regulación global, los aspectos positivos y negativos del uso de *big data*, la necesidad de velar por la privacidad y la protección de derechos humanos básicos que pueden ser vulnerados, junto con la

---

[66] Acerca del debate relacionado con las ideas de privacidad, *big data* e innovación, vid. Cohen, J.E., "What Privacy is for", 126 *Harvard Law Review* (2016), No.7, pp. 1918-1927.

[67] A nadie se le escapa que el tema de los *big data* constituye una cuestión especialmente sensible y que, a consecuencia de ello, numerosos Estados están dedicando atención al mismo desde tiempos recientes. Valga como ejemplo el informe que el 25 de noviembre de 2016 publicó el Comité Nacional de Bioética Italiano, que lleva por título "Information and Communication Technologies and *Big Data*: Bioethical Issues", que puede consultarse en el enlace siguiente: http://bioetica. governo.it/media/172149/p124_2016_information-techonolgies-and-big-data_ en.pdf. Consultada el 17 de abril de 2020.

[68] Entre otros, cabe mencionar el documento adoptado por el denominado European Group on Ethics in Science and New Technologies, que lleva por título "The ethical implications of new health technologies and citizen participation", de 13 de octubre de 2015, disponible en https://publications.europa.eu/en/publi-cation-detail/-/publication/e86c21fa-ef2f-11e5-8529-01aa75ed71a1/language-en/format-PDF/source-39541144. Consultada el 17 de abril de 2020.

necesaria cooperación entre todos los actores implicados, entre otras). La necesidad de prestar atención al tema, tanto en el ámbito universal como regional, constituye un reto sin precedentes. Las grandes empresas tecnológicas son plenamente conscientes del valor económico que los datos en materia de salud proporcionan, lo cual debe ponernos sobre aviso de lo que actualmente ya es un hecho: las grandes operaciones que se están produciendo entre el gigante Google y distintas empresas que trabajan en ámbitos conexos con la salud son simplemente la punta de un iceberg que crece cada día.

Esta *terra incognita* necesita exploradores que sienten las bases para resolver enormes dilemas para los que el actual sistema jurídico no tiene –aún- respuestas: las nuevas tecnologías han abierto nuevas ventanas al conocimiento y, como sucede de manera habitual, los sistemas jurídicos deben adaptarse a estas nuevas realidades. Sin duda alguna, al ofrecer ámbitos de cooperación que superan barreras estatales, las Organizaciones Internacionales pueden jugar un papel muy activo para realizar progresos sustanciales en el tratamiento activo y la regulación de esta cuestión. Este, al menos, sería el deseo de quien redacta estas líneas, siendo plenamente consciente, sin embargo, de que ni los intereses económicos en liza, ni el actual contexto internacional ayudan demasiado. Estamos asistiendo a una época en la que numerosos Estados rechazan los ámbitos institucionales, refugiándose en un "pragmatismo estatal" que trata de defender sus intereses propios mediante la vía del unilateralismo. Y esto, desde luego, hace un flaco favor a la cooperación en retos comunes, entre los que destaca el binomio "tecnología-derechos humanos", y donde los segundos salen malparados, ante la ausencia de mecanismos protectores frente a realidades de consecuencias impredecibles.

Terminaremos como empezamos: *big data* y salud es un tema que debe ser objeto de preocupación y de regulación global. Si no lo hacemos, serán las empresas tecnológicas quienes lo harán (de hecho, ya lo están haciendo), y los principios éticos y los derechos humanos ocuparán un lugar secundario entre sus preocupaciones, casi con total seguridad. Esta es, a mi juicio, la reflexión que debe ocuparnos y preocuparnos a los juristas: el necesario equilibrio entre investigación, nuevas tecnologías y preservación de nuestros derechos básicos[69] en un ámbito especialmente sensible como lo es la salud y todas sus múltiples derivaciones.

---

[69]   *Vid.* Cotino Hueso, L., "*Big Data* e inteligencia artificial. Una aproximación a su tratamiento jurídico desde los derechos fundamentales", 24 *Dilemata* (2017), pp. 131-150.

BIBLIOGRAFÍA

a) Monografías y artículos:

-Blenner, S.R., et al., "Privacy Policies of Android Diabetes Apps and Sharing of Health Information", 315 *Journal of the American Medical Association*, n.10, 2016, pp. 1051-1052 (https://jamanetwork.com/journals/jama/fullarticle/2499265).

-Bowker, G. C., "Big Data, Big Questions, The Theory/Data Thing", 8 *International Journal of Communication* (2014), pp. 1795-1799.

-Brighi, R., "The Quality and Veracity of Digital Data on Health: from Electronic Health Records to Big Data", 42 *Revista de Bioética y Derecho* (2018), pp. 163-179 (https://revistes.ub.edu/index.php/RBD/article/view/21552).

-Cohen, J.E., "What Privacy is for", 126 *Harvard Law Review* (2016), No.7, pp. 1918-1927.

-Cotino Hueso, L., "Big Data e inteligencia artificial. Una aproximación a su tratamiento jurídico desde los derechos fundamentales", 24 *Dilemata* (2017), pp. 131-150.

-Cukier, K, y Mayer-Schoenberg, V., "The Rise of Big Data: How It's Changing the Way We Think About the World", 92 *(3) Foreign Affairs,* 2013, pp. 28-40.

-Chan, S., "Bioethics in the big data era: health care and beyond", *Revista de Bioética y Derecho,* 41, 2017, pp. 3-32 (https://revistes.ub.edu/index.php/RBD/article/view/19879).

-Della Morte, G., *Big Data e protezione internazionale dei diritti umani: regole e conflitti,* Nápoli, Editoriale Scientifica, 2018.

-Fleck, L.M., "Pharmacogenomics and personalized medicine: wicked problems, ragged edges and ethical precipices", 29 *New Biotechnology,* issue 6, pp. 757-768 (5 September 2012).

-Fuller, M., "Big Data: New Science, New Challenges, New Dialogical Opportunities", 50 *(3) Zygon: Journal of Religion and Science,* September, 2015, pp. 569-582.

-Glenn Cohen, I., "Is there a Duty to Share Healthcare Data?", en Glenn Cohen, I., Fernández Lynch, H., Vayena, E. y Gasser, U., *Big Data, Health Law and Bioethics*, Cambridge, New York: Cambridge University Press, 2018, pp. 223-236.

-Harvey, A., et al., "The future of technologies for personalised medicine", 29 *New Biotechnology*, issue 6, pp. 625-633 (5 September 2012), p. 625.

-Hodgson, D.R., et al., "Practical perspectives of personalized healthcare in oncology", 29 *New Biotechnology*, issue 6, pp. 656-664 (5 September 2012).

-Hood, L. y Flores, M., "A personal view on systems medicine and the emergence of proactive P4 medicine: predictive, preventive, personalised and participatory", 29 *New Biotechnology*, issue 6, pp. 613-624 (5 September 2012).

- Knoppers, B. M., y Yotova, R., "The Right to Benefit from Science: What Implications for Big Health Data?", 31 *European Journal of International Law* (2020-2).

-Macaraeg, M.J.I., "From Atoms to Bits: Personal Data Privacy and Security in the Information Society", 62 *Ateneo Law Journal* (2017), pp. 223-258.

-Mantelero, A., "Towards a big data regulation based on social and ethical values. The guidelines of the Council of Europe", 41 *Revista de Bioética y Derecho*, 3 (2017), pp. 67-84 (https://revistes.ub.edu/index.php/RBD/article/view/19911).

-Mangas Martín, A., *Carta de los Derechos Fundamentales de la Unión Europea. Comentario artículo por artículo*, Fundación BBVA, 2008.

-Oostveen, M., *Protecting Individuals against the Negative Impact of Big Data: Potential and Limitations of the Privacy and Data Protection Law Approach*, Alphen aan den Rijn, the Netherlands, Wolters Kluwer, 2018.

-Palazzani, L., "Innovation in Scientific Research and Emerging Technologies: A Challenge to Ethics and Law", *Cham*, Springer, 2019.

-Purtova, N., "Health Data for Common Good: Defining the Boundaries and Social Dilemmas of Data Commons", en *Under Observation: the Interplay between ehealth and surveillance*, Springer, Cham, Suiza, 2017, pp. 177-210.

-Ruotolo, G.M.,"I dati non personali: l'emersione dei big data nel diritto dell'Unione Europea", 13 *Studi sull'integrazione europea* (2018), n.1, pp. 97-116.

-Soto, Y., "Datos masivos con privacidad y no contra privacidad (Big Data with Privacy, not against Privacy)", 40 *Revista de Bioética y Derecho* (2017), pp. 101-114 (https://revistes.ub.edu/index.php/RBD/article/view/19165).

-Via, M., "Big Data in Genomics: Ethical Challenges and Risks", 41 *Revista de Bioética y Derecho* (2017), pp. 33-45 (https://revistes.ub.edu/index.php/RBD/article/view/19190).

-Wyber, R. et al., "Big Data in global health: improving health in low and middle-income countries", 93 *Bulletin of the World Health Organization* (2015) pp. 203-208 (http://www.who.int/bulletin/volumes/93/3/14-139022/en/).

-Zúñiga-Fajuri, A., "The case for making organ transplant waitlists public to increase donation rates: is it possible?", 41 *Revista de Bioética y Derecho* (2017), pp. 187-196 (https://revistes.ub.edu/index.php/RBD/article/view/17501).

b) *Documentos:*

-Documento sobre bioética y Big Data de salud: explotación y comercialización de los datos de los usuarios de la sanidad pública, Barcelona, 2015, María Rosa Llàcer, María Casado y Lídia Buisan (coords.), publicado por el Observatori de Bioètica i Dret de la Universitat de Barcelona (http://www.publicacions.ub.edu/refs/observatoriBioEticaDret/documents/08209.pdf).

-Documento del European Group on Ethics in Science and New Technologies: "The ethical implications of new health technologies and citizen participation", de 13 de octubre de 2015 (https://publications.europa.eu/en/publication-detail/-/publication/e86c-21fa-ef2f-11e5-8529-01aa75ed71a1/language-en/format-PDF/source-39541144).

-Informe del Comité Nacional de Bioética Italiano publicado el 25 de noviembre de 2016, "Information and Communication Technologies and Big Data: Bioethical Issues", (http://bioetica.governo.it/media/172149/p124_2016_information-techonolgies-and-big-data_en.pdf).

-Informe sobre *"Big Data y Salud"* publicado en septiembre de 2017 por el Comité Internacional de Bioética de la UNESCO (Doc. SHS/ YES/IBC-24/17/3 REV.2), disponible en http://unesdoc.unesco. org/images/0024/002487/248724e.pdf.

-NUFFIELD COUNCIL ON BIOETHICS: "The Collection, Linking and Use of Data in Biomedical Research and Health Care: Ethical Issues", febrero de 2015 (http://nuffieldbioethics.org/).

BIG DATA COMO INFRAESTRUCTURA ESENCIAL

JULIANA RODRÍGUEZ RODRIGO[1]

Profesora titular de Derecho Internacional Privado
Universidad Carlos III de Madrid

SUMARIO: 1. Introducción. 2. Mercado de doble cara. 3. Doctrina de las infraestructuras esenciales. 4. Datos como infraestructura esencial: 4.1. Infraestructura necesaria. 4.2. Imposibilidad de duplicación. 4.3. Capacidad de acceso de terceros. 4.4. Conclusión. 5. Medidas a adoptar: 5.1. Remedio frente al operador dominante. 5.2. Consecuencias de exigir el acceso a la infraestructura. 6. Conclusiones. Bibliografía.

1. INTRODUCCIÓN

La nueva era digital en la que nos encontramos inmersos plantea nuevos problemas que requieren de respuestas jurídicas inmediatas.

Uno de ellos surge del escenario en el que las grandes empresas acumulan datos de muchos usuarios y, gracias a ello, pueden llevar a cabo comportamientos que obstaculizan la competencia efectiva en el mercado[2].

---

[1] Financiado por FEDER/Ministerio de Ciencia, Innovación y Universidades–Agencia Estatal de Investigación/Proyecto DER-2017-82353-P. El presente trabajo forma parte de los resultados del Proyecto de investigación DER-2017-82353-P: "*Big Data* e Internet de las cosas: Nuevos retos para el Derecho de la competencia y de los bienes inmateriales", financiado por el Ministerio de Ciencia, Innovación y Universidades - Agencia Estatal de Investigación (AEI) y el Fondo Europeo de Desarrollo Regional (FEDER, UE) "Una manera de hacer Europa" (Programa Estatal de Fomento de la Investigación Científica y Técnica de Excelencia), del cual es investigador principal el Prof. Dr. Á. García Vidal.

[2] En realidad, los datos, como tal, incluso aunque sean muchos, no aportan ningún valor por sí solos. Lo importante es el análisis y el tratamiento que se haga de ellos, esto es lo que proporciona una ventaja competitiva para quien los posee. Por tanto, la información que se extrae del análisis de los datos es lo realmente relevante para la empresa, para que pueda diseñar estrategias de actuación y

En este contexto, en el trabajo vamos a analizar si los datos pueden ser considerados una infraestructura esencial para competir de manera eficaz en el mercado y si, siendo así, qué medidas se pueden adoptar frente a la empresa que los posee para impedir que pueda utilizarlos de manera abusiva; lesionando, con ello, la competencia.

Las limitaciones de espacio obligan a centrar la investigación en este punto, en la consideración, o no, de los datos como infraestructura esencial. Para ello, vamos a partir de la concurrencia de las siguientes premisas.

En primer lugar, existe una empresa que posee los datos de una cantidad masiva de usuarios -*Big Data*-. Esta empresa se sitúa en el mercado de los buscadores *online* o en el de las redes sociales. Compañía que podría ser, por ejemplo, Google o Facebook, respectivamente.

En segundo lugar, en esta situación existen dos mercados a tener en cuenta. Por un lado, el mercado de acceso a los datos, en el que la empresa tiene posición de dominio puesto que es la compañía que los posee -*mercado de acceso*-. Por otro lado, el mercado en el que se pueden utilizar los datos para competir de manera eficaz, mercado de compraventa digital de productos o servicios -*mercado anexo*.

En tercer lugar, la empresa dominante se niega a permitir el acceso a los datos a las compañías que están compitiendo en el mercado anexo.

Con las anteriores premisas, vamos a estudiar si los datos tienen el poder de impedir que haya competencia eficaz en el mercado anexo[3]. Dicho de otra manera, vamos a analizar si los datos son la infraes-

---

conseguir su objetivo de ganar cuota de mercado. V. Sokol, D. D. y Comerford, R., "Does Antitrust Have A Role to Play in Regulating *Big Data?*", en Blair, R.D y Sokol, D. D., *Cambridge Handbook of Antitrust, Intellectual Property and High Tech*, 2016, p. 7, disponible en https://papers.ssrn.com/sol3/papers. cfm?abstract_id=2723693); OCDE, *Data driven innovation for growth and well-being: Interim shyntesis report*, octubre 2014, p. 23; y, Bourrearu, M., De Streel, A. y Graef, I., "*Big Data* and Competition Policy: Market power, personalised pricing and advertising", Centre on Regulation in Europe (CERRE), 16 february 2017, p. 7.

3   La empresa podría cerrar el mercado a la competencia. V. European Data Protection Supervisor, *Privacy and competitiveness in the age of Big Data: The interplay between data protection, competition law and consumer protection in the Digital Economy*, march 2014, p. 31.

tructura esencial necesaria para desarrollar esa competencia eficaz en ese mercado.

Si llegamos a la conclusión de que sí, de que los datos pueden ser considerados infraestructura esencial a estos efectos, la empresa que los posee tendría la llave de la competencia eficaz en el mercado anexo y, por esta razón, se consideraría que la compañía tiene posición de dominio, también, en el mercado anexo y se adoptarían medidas para solucionar la situación de lesión de la competencia generada.

2. MERCADO DE DOBLE CARA

Seguimos contextualizando el escenario a investigar y vamos a centrarlo en los mercados de doble cara. En el epígrafe anterior hablamos de la empresa protagonista de nuestro estudio, la compañía que posee los datos y, aquí, vamos a tratar del mercado en el que compite por la adquisición de los datos -mercado de acceso.

Vamos a situarnos en mercados, los de doble cara, que se denominan así por la existencia de varias fuentes de entrada. Estamos hablando de mercados, como ya mencionados anteriormente, esto es, mercado de buscadores de información en Internet o mercado de redes sociales. En ellos, volviendo a la doble cara, por un lado se encuentran los usuarios que entran en la plataforma -en el motor de búsqueda o en la red social-, y, por otro, están las empresas que desean publicitar sus productos en esas páginas[4].

Estos mercados se caracterizan por concurrir en ellos los denominados efectos de red[5]. Según ellos, cuantos más usuarios entren en la

---

[4]   La característica de la doble cara es un factor que dificulta mucho la definición del mercado relevante en este sector. V. OCDE, *Data driven innovation for growth and well-being: Interim shyntesis report, ob. cit.*, p. 59.

[5]   *"El efecto de red tradicional puede definirse como aquel en el que un determinado usuario de un servicio obtiene una mejor experiencia en la medida que otros usuarios también lo utilizan"* (Autoridad Catalana de la Competencia, *La economía de los datos. Retos para la economía*, noviembre 2016, p. 11). V. Bourrearu, M., De Streel, A. y Graef, I., *"Big Data* and Competition Policy: Market power, personalised pricing and advertising", *ob. cit.*, p. 29; y, Stucke, M. E. y Grunes, A. P., *"Big Data* and competition policy", *Oxford University Press*, 2016, p.

plataforma, más atractiva será la página para las empresas que quieran anunciar sus productos en ella[6].

En este sentido, tomando como ejemplo el mercado de los motores de búsquedas *online*, el algoritmo que se utiliza para proporcionar las respuestas a las búsquedas de los usuarios se perfecciona con el uso[7]. Dicho de otra manera, cuantos más usuarios utilicen el motor de búsqueda, mejores serán las respuestas obtenidas a sus peticiones[8]. A su vez, esto atraerá a un mayor número de usuarios -movidos por la calidad en las respuestas obtenidas- y, también, a las empresas que quieran anunciar sus productos en la página[9].

Nos encontramos ante el efecto de bola de nieve -*snowball effect*- o del huevo y la gallina -*chicken and egg effect*-[10]: cada vez más usua-

---

7, disponible en https://www.researchgate.net/publication/308970973_Big_Data_and_Competition_Policy.

[6]   Herrero Suárez, C., "*Big Data* y Derecho de la competencia", en De la Quadra-Salcedo T. y Piñar Mañas, J. L. (dirs.), *Sociedad digital y Derecho*, BOE, Madrid, 2018, p. 669; idem, "*Big Data* y Derecho de la competencia", *Revista Electrónica de Direito*, vol. 18, núm. 1, febrero 2019, p. 13; id., "La economía de los grandes datos o *Big Data* desde el Derecho de la competencia: ¿nuevos problemas? ¿nuevas soluciones?", *Revista de Derecho de la competencia y de la distribución*, núm. 23, julio-diciembre 2018, p. 6; y, Kathuria, V., "Greed for data and exclusionary conduct in data-driven markets", *Computer law and security review*, núm. 35, 2019, p. 94.

[7]   Herrero Suárez, C., "*Big Data* y Derecho de la competencia", *ob. cit.*, p. 672; idem, "*Big Data* y Derecho de la competencia", *ob. cit.*, p. 13; id., "La economía de los grandes datos o *Big Data* desde el Derecho de la competencia: ¿nuevos problemas? ¿nuevas soluciones?", *ob. cit.*, p. 8; Autoridad Catalana de la Competencia, *La economía de los datos. Retos para la economía*, *ob. cit.*, p. 12; y, Bourreau, M., De Streel, A. y Graef, I., *ob. cit.*, p. 29.

[8]   Turck, M., "The power of Data network effects", 4 enero 2016, disponible en https://mattturck.com/the-power-of-data-network-effects. En este sentido, "*it runs a popularity algorithm (the most clicked, most searched products and offers are showed in the higher ranks of our results pages) which performs better and better with increasing amounts of queries and traffic*" (Decisión de la Comisión, Caso AT-39740, Google Search Shopping, 26 junio 2017, apartado 447).

[9]   OCDE, *ob. cit.*, p. 4; Autoridad Catalana de la Competencia, *ob. cit.*, p. 11.

[10]   Kathuria, V., "Greed for data and exclusionary conduct in data-driven markets", *ob. cit.*, p. 94; OCDE, "*Big Data*: Bringing Competition Policy to The Digital Era", DAF/COMP(2016)14, p. 10; Bourreau, M., De Streel, A. y Graef, I., *ob. cit.*, p. 29; Autorité de a concurrence and Bundeskartellamt, *Competition Law and Data*, 10 mayo 2016, p. 13.

rios utilizan la plataforma porque cada vez la respuesta recibida a su búsqueda es mejor y, con ello, cada vez es mayor el número de empresas que desean publicitar sus productos en la página[11].

Todo ello supone que estos mercados de doble cara son mercados tendentes al monopolio, mercados en los que es difícil que existan competidores porque el mecanismo del algoritmo -*machine learning*- atrae a los usuarios hacía una única empresa[12]. En estos mercados, existe un riesgo estructural, cual es, que los *winners take it all*[13].

Siguiendo con el ejemplo de los motores de búsqueda de información, Google cada vez tiene más usuarios por el perfeccionamiento de su algoritmo. E, incluso sus competidores tuvieran un algoritmo mejor de partida que ella, podrían no llegar a situarlo al nivel de calidad del de Google porque no podría aprender por la falta de suficientes interacciones de los usuarios[14].

Analizando lo anterior desde otra perspectiva, los datos pueden convertirse en una barrera de entrada en el mercado en cuestión[15]. Esta afirmación, no obstante, no es compartida por algunos autores, para quienes, hay que ir caso a caso, para comprobar si, en el supuesto en cuestión, los datos constituyen una barrera de entrada[16].

Otros, en cambio, sí consideran que en el mercado de los buscadores *online* o en el de las redes sociales, en particular, y en los mercados de doble cara, en general, los datos son una barrera de entrada[17]. Así

---

11   Lerner, A. V., *The Role of «Big Data» in Online Platform Competition*, 2014, p. 11, disponible en http://ssrn.com/abstract=2482780.

12   "Data, non algorithms, is key to machine learning success", de 6 enero 2016, disponible en https://versionone.vc/data-not-algorithms-is-key-to-machine-learning-success/#ixzz4LApiviHE; y, Kathuria, V., *ob. cit.*, p. 93

13   Autoridad Catalana de la Competencia, *ob. cit.*, pp. 16-19; OCDE, *ob. cit.*, p. 58; Sokol, D. D. y Comerford, R., "Does Antitrust Have A Role to Play in Regulating *Big Data*?", *ob. cit.*, p. 13. En este sentido, Marsden, C. y Brown, I., "Regulating code: towards prosumer law?", en AA.VV. (coords.), *Big Data, retos y oportunidades*, Huygens, Barcelona, 2013, pp. 108-109.

14   Autoridad Catalana de la Competencia, *ob. cit.*, p. 17.

15   Kathuria, V., *ob. cit.*, p. 93; Autorité de a concurrence and Bundeskartellamt, *Competition Law and Data*, *ob. cit.*, p. 11.

16   Kathuria, V., *ob. cit.*, p. 93; Sokol, D. D y Comerford, R., *ob. cit.*, p. 5; Stucke, M.E. y Grunes, A.P., "*Big Data* and competition policy", *ob. cit.*, p. 7.

17   Respecto de los motores de búsqueda, v., Kathuria, V., *ob. cit.*, p. 93. En relación con el mercado de las redes sociales, v. Kathuria, V., *ob. cit.*, p. 94. En relación

es, el hecho de que los competidores no puedan acceder al mismo volumen y variedad de datos que los que posee el operador dominante, hace que este intangible se convierta en una barrera de entrada; sobre todo cuando la actividad de las empresas que se dedican a comprar y vender datos -*broker data*- se encuentra cada vez más restringida por las normativas relativas a la protección de los datos[18].

Sin perjuicio de lo anterior, y como reflexión final de este apartado, puede que los datos en sí mismos no constituyan ventaja competitiva para quien los posee, sino que, su análisis y la información que se obtenga de ellos es lo que realmente puede aportar esa diferencia[19].

3. DOCTRINA DE LAS INFRAESTRUCTURAS ESENCIALES

La doctrina de las infraestructuras esenciales es una teoría propia del Derecho de la competencia[20]. En su virtud, la empresa que posee

---

con los mercados de doble cara, v. Sokol, D. D. y Comerford, R., *ob. cit.*, pp. 12-13; y, Lerner, A.V., *The Role of «Big Data» in Online Platform Competition*, *ob. cit.*, p. 11.

[18]   El Reglamento general de protección de datos de la Unión Europea, es un ejemplo de esta normativa en relación con los datos personales . V. Reglamento (UE) 2016/679, del Parlamento Europeo y del Consejo, de 27 de abril de 2016, relativo a la protección de las personas físicas en lo que respecta al tratamiento de datos personales y a la libre circulación de estos datos y por el que se deroga la Directiva 95/46/CE (Reglamento general de protección de datos (DO L 119, de 4 de mayo 2016).

[19]   OCDE, "*Big Data*: Bringing Competition Policy to The Digital Era", *ob. cit.*, p. 22.

[20]   *Vid.*, por todos, Calvo Caravaca, A.L.-Rodríguez Rodrigo, J., *La doctrina de las infraestructuras esenciales en el Derecho antitrust europeo*, La Ley, 2012. Se trata de una teoría conocida y admitida tanto en Europa como en Estados Unidos, si bien, en este último Estado, con más escepticismo (v. Kerber, W. y Schweitzer, H., "Interoperability in the digital economy", *Journal of Intellectual Property, Information Technology and Electronic Commerce Law*, 2017, p. 52). Esto último, entre otras razones porque siempre se ha tratado dentro del gran comportamiento anticompetitivo de la negativa a contratar (Calvo Caravaca, A. L. y Rodríguez Rodrigo, J., *La doctrina de las infraestructuras esenciales en el Derecho antitrust europeo, ob. cit.*, p. 88). En términos generales, en los casos americanos, de mercados digitales, en los que se han planteado si los datos pueden ser considerados una infraestructura esencial, los tribunales norteameri-

la infraestructura esencial para competir de manera eficaz en un determinado mercado, además de tener posición de dominio en el *mercado de acceso*, por el efecto palanca, también tendrá posición de dominio en ese otro mercado que nosotros hemos denominado *anexo*[21].

En un primer momento, esta teoría surgió respecto de infraestructuras físicas, relacionadas con la prestación de servicios esenciales para los ciudadanos. Sin embargo, más adelante también se incluyó a los bienes inmateriales dentro de la posibilidad de ser calificados de infraestructuras esenciales[22].

Nos planteamos, ahora, si puede ser aplicada en los mercados digitales y si es adecuado tratar a los datos como infraestructura esencial[23].

Que la empresa también ostente posición de dominio en ese mercado anexo supone que se puedan adoptar medidas para que cese cualquier comportamiento que se considere abusivo y que implique impedir la competencia efectiva en dicho mercado. En este caso, las autoridades administrativas se situarían en el marco del artículo 102 TFUE, en el comportamiento anticompetitivo de abuso de posición de

---

canos han entendido que no. Casos como *Bookhouse of Stuyvesant Plaza, Inc. v. Amazon.com*, 985 F. Supp. 2d 612 (S.D.N.Y. 2013); *Garon v. eBay, Inc.*, 2011 U.S. Dist. LEXIS 148621 (N.D. Cal. 2011); *Hammer v. Amazon.com*, 392 F. Supp. 2d 423 (E.D.N.Y. 2005), *LiveUniverse, Inc. v. MySpace, Inc*, 304 Fed. Appx. 554 (9th Cir. 2008); *Facebook, Inc. v. Power Ventures, Inc* 2010 U.S. Dist. LEXIS 93517 (N.D. CAL. July 20, 2010) (Colangelo, G.-Maggiolino. M., "*Big Data* as a misleading facility", pp. 14-16, https://ssrn.com/abstract=2978465). En los casos europeos de Google/Double Click (COMP/M.4731, de 11 marzo 2008), Facebook/WhatsApp (COMP/M.7217, de 3 octubre 2014) y Microsoft/Linkdln (COMP/M. 8124, 6 diciembre 2016), la Comisión tampoco ha considerado que los datos sean una infraestructura esencial.

21   Calvo Caravaca, A. L. y Rodríguez Rodrigo, J., *ob. cit.*, p. 207.

22   Calvo Caravaca y Rodríguez Rodrigo, *últ. ob. cit.*, p. 243; y, OCDE, *ob. cit.*, p. 22.

23   Kerber, W. y Schweitzer, H., "Interoperability in the digital economy", *ob. cit.*, p. 53; Lundqvist, B., "*Big Data*, Open Data, Privacy Regulations, Intellectual Property and Competition Law in an Internet of Things World -The Issue of Accessing Data-", Stockholm Faculty of Law Research Paper Series núm. 1, p. 18. Según este último autor, si los efectos de red impiden que los competidores puedan construir una base de datos similar a la que tiene el operador dominante, sí podría aplicarse esta doctrina en esta industria de los datos.

dominio, y podrían sancionar a la empresa infractora de este precepto del Derecho europeo de la competencia.

El principal remedio que se impone para conseguir la competencia efectiva en el mercado anexo es exigir que la empresa que posee los datos los comparta con las compañías que actúan en ese mercado. Esto es, si la tenencia de los datos, por parte de una sola empresa, supone que no haya competencia efectiva en el mercado en cuestión, la manera de llegar a que la haya es permitir que las empresas que quieran competir de forma eficaz en el mercado anexo, y que necesitan los datos para ello, accedan a los mismos.

El presupuesto necesario para poder hablar de la doctrina de las infraestructuras esenciales es que los datos sean considerados eso, una infraestructura esencial. En este sentido, una infraestructura esencial es *"el producto o servicio que es objetivamente necesario para poder competir de manera eficaz, respecto del cual no existen productos o servicios alternativos y que obstáculos técnicos, legales o económicos impiden o hacen razonablemente imposible que se pueda desarrollar una alternativa"*[24].

Y a esto vamos a dedicar el siguiente apartado.

4. DATOS COMO INFRAESTRUCTURA ESENCIAL

Antes de entrar en el análisis del tema objeto de este epígrafe, se debe poner de manifiesto la discrepancia que existe en la doctrina y en la jurisprudencia, no sólo con la aplicación de la teoría de las infraestructuras esenciales, en general, sino, también, una vez aceptada esta, con la consideración de los datos como infraestructura esencial. Discrepancia que se va a ir subrayando en los apartados que se suceden a partir de ahora.

---

[24]   European Data Protection Supervisor, *Privacy and competitiveness in the age of big data: The interplay between data protection, competition law and consumer protection in the Digital Economy*, ob. cit., p. 21; y, Modrall, J., "A closer look at competition law and data", *Competition law international*, vol. 13, n° 1, abril 2017, p. 44.

Para empezar y, así, poder determinar si los datos pueden ser considerados infraestructura esencial, debemos comprobar si concurren en ellos los elementos que la caracterizan[25].

4.1. *Infraestructura necesaria*

La Comisión, en la Comunicación sobre orientaciones en la aplicación del actual artículo 102 TFUE, recoge en el apartado 83 que la denegación de suministro merecerá la atención prioritaria del órgano de competencia europeo si *"el suministro del insumo denegado es objetivamente necesario para que los operadores puedan competir eficazmente en el mercado"*[26]. Esta estipulación podemos trasladarla, sin problemas, a nuestro supuesto de denegación de acceso a la infraestructura.

Como después aclara la Comisión, esto no significa que las empresas que no puedan acceder a la infraestructura no puedan entrar en el

---

[25]   Según la jurisprudencia europea, en casos como Magill (SJCE 6 abril 1995, C-241/91 P y C-242/91 P; ECLI:EU:C:1995:98), Oscar Bronner (STJCE 26 noviembre 1998, C-7/97, ECLI:EU:C:1998:569), IMS Health (STJCE 29 abril 2004, C-418/01, ECLI:EU:C:2004:257) o Microsoft (STPI de 17 septiembre 2007, T-201/04, ECLI:EU:T:2007:289), por ejemplo, los requisitos son los siguientes: 1. La infraestructura debe ser esencial para competir, de manera eficaz, en el mercado anexo. Lo cual supone que no haya alternativas a la infraestructura, ni reales ni potenciales y que haya obstáculos, técnicos, reglamentarios o económicos, que impidan que se pueda crear una infraestructura similar, por parte de la empresa competidora, sola o en colaboración con otros (Caso Oscar Bronner, apartados 41 y 44). 2. La negativa de suministro impide el desarrollo de un producto o servicio nuevo para el que hay demanda potencial (Caso Magill, apartado 54; Caso Oscar Bronner, apartado 40). Este requisito se exige cuando la infraestructura esencial está protegida por un derecho de propiedad intelectual. 3. La negativa de suministro puede eliminar la competencia en el mercado anexo (Caso Magill, apartado 56; Caso Oscar Bronner, apartado 40). 4. No hay ninguna razón que justifique la negativa de acceso (Caso Magill, apartado 55; Caso Oscar Bronner, apartado 40). Razón que podría alegarse -y que debería ser probada por quien la alega- para justificar la negativa de acceso es el desincentivo a la innovación (STPI de 17 septiembre 2007, T-201/04, ECLI:EU:T:2007:289).

[26]   Comunicación de la Comisión-Orientaciones sobre las prioridades de control de la Comisión en su aplicación del artículo 82 del Tratado CE a la conducta excluyente abusiva de las empresas dominantes (Texto pertinente a efectos del EEE), *DO C45, 24 febrero 2009. V. también en este sentido*, Autoridad Catalana de la Competencia, *ob. cit.*, p. 9.

mercado anexo o que no puedan sobrevivir en él, lo que significa es que no pueden competir de forma eficaz en el mismo.

Pues bien, está claro que las empresas pueden entrar y sobrevivir en los mercados digitales de productos y de servicios en los que se encuentran sin tener acceso a los datos. Lo que no está tan claro es que lo puedan hacer de forma eficaz. Parece evidente que, en los mercados digitales, es difícil que las empresas que no tengan los datos puedan competir de manera eficaz.

Esta última conclusión, no obstante, no es pacífica en nuestro sector del *Data*[27]. Entre otras razones porque tenemos ejemplos de empresas que han tenido éxito en el mercado -han desarrollado una competencia eficaz, por tanto- sin contar con un volumen grande de datos; empresas como Slack, Facebook, Snapchat y Tinder, entre otras[28].

Por último, tal como indica la jurisprudencia europea referenciada, en el caso de que la infraestructura esencial esté protegida por un derecho de propiedad intelectual, aquella debe ser necesaria para que el competidor pueda desarrollar un producto nuevo en el mercado anexo; producto, además, para el que exista demanda potencial de consumidores[29]. Por lo tanto, el operador dominante podría rechazar el acceso a los datos si quien lo reclama no lo hace para desarrollar un producto nuevo en otro mercado distinto al mercado de acceso[30].

4.2. Imposibilidad de duplicación

Otro requisito que debe reunir la infraestructura para ser considerada esencial es que no sea posible su reproducción. Esto es, no

---

[27]   OCDE, *ob. cit.*, pp. 21-22.

[28]   Sokol, D. D. y Comerford, R., *ob. cit.*, p. 5. V., en este sentido, las Decisiones de la Comisión en los siguientes asuntos: Caso COMP/M.4731, Google/Double Click, 11 marzo 2008, apartados 364-366; Caso COMP/M.7217, Facebook/WhatsApp, 3 octubre 2014, apartados 177, 178, 188 y 189; Caso COMP/M. 8124, Microsoft/LinkedIn, 6 diciembre 2016, apartado 180.

[29]   Entre otras, SJCE 6 abril 1995, *Magill*, C-241/91 P y C-242/91 P, ECLI:EU:C:1995:98, apartado 54), y STJCE 26 noviembre 1998, *Oscar Bronner*, C-7/97, ECLI:EU:C:1998:569, apartado 40. V. Colangelo, G. y Maggiolino. M., "*Big Data* as a misleading facility", *ob. cit.*, pp. 20-21.

[30]   En este sentido, Modrall, J., "A closer look at competition law and data", *ob. cit.*, p. 44.

puede ser factible que otra empresa pueda acceder a ella por sus propios medios, ya que, si pudiera, debería exigírsele que se esforzara e intentara conseguir lo que ya otra compañía ha obtenido. Dicho de otra manera, lo que no se puede hacer es favorecer el parasitismo y, con ello, premiar a los que no invierten tiempo, dinero y esfuerzo en conseguir lo que otros han peleado por obtener, a los que esperan a que otros alcancen sus retos para, después, permitirles beneficiarse del trabajo ajeno[31]. Por esta razón, si hubiera posibilidad de duplicar la infraestructura, deberíamos exigir, a los que quieran acceder a ella, que la consigan por sus propios medios.

En este sentido, el Tribunal de Justicia europeo afirma lo siguiente: *"De los apartados 43 y 44 de la sentencia Bronner, antes citada, se desprende que, para determinar si un producto o servicio es indispensable para permitir que una empresa desempeñe su actividad en un mercado determinado, debe analizarse si existen productos o servicios que constituyan soluciones alternativas, aunque éstas sean menos ventajosas, y si existen obstáculos técnicos, reglamentarios o económicos que puedan hacer imposible, o, al menos, enormemente difícil, para cualquier empresa que pretenda operar en ese mercado, crear, eventualmente en colaboración con otros operadores, productos o servicios alternativos. Según el apartado 46 de dicha sentencia Bronner, para poder admitir la existencia de obstáculos de carácter económico debe acreditarse, como mínimo, que la creación de tales productos o servicios no es económicamente rentable para una producción a una escala comparable a la de la empresa que controla el producto o el servicio existente"*[32].

Centrándonos en los operadores de los mercados de doble cara -mercados de acceso, en nuestro caso- es difícil que las empresas competidoras puedan conseguir los datos que posee la empresa dominante. Como ya hemos comentado, el funcionamiento de estos mercados, con los efectos de red, lleva a que tiendan a ser monopolísticos y, en este contexto, es muy difícil que haya otra empresa que pueda acceder al volumen de datos que ya tiene el operador dominante. Entre otras

---

[31] Autorité de a concurrence and Bundeskartellamt, *ob. cit.*, p. 18.
[32] STJCE 29 abril 2004, IMS Health, C-418/01, ECLI:EU:C:2004:257, apartado 28.

*razones, porque, para que esto ocurra, necesitaría tener una gran can-
tidad de usuarios y, el efecto de bola de nieve, que caracteriza a estos
mercados de doble cara, hace que cada vez sean más los usuarios que
utilicen los servicios de la empresa dominante y que, al mismo tiempo,
el poder de la competencia se vea reducido en la misma medida.*

No obstante lo anterior, la innovación sí puede imponerse frente a
los efectos de red y desbancar, en poco tiempo, al operador dominante
en el mercado; lo cual llevaría a pensar que las barreras de entrada en
estos mercados son muy bajas[33]. Así, por ejemplo, en redes sociales,
ahora Facebook ostenta un poder de mercado relevante pero, antes
de Facebook, su posición la ocupaba MySpace, que reemplazó rápidamente al anterior operador en este sector, a Frendster[34]. Es más,
el retorno que generan los datos para el operador dominante crece
menos cuanto más crecen los usuarios que interactúan en la plataforma. En cambio, para un pequeño competidor, su retorno -con menos
usuarios- crece mucho más. Esto supone que los competidores pueden tener incentivos a permanecer en el mercado e intentar ocupar la
posición del operador dominante, entre otras razones, porque tienen
esa posibilidad[35]. Al menos esto es lo que pasaba en la época en la
que consiguieron ese poder de mercado las empresas mencionadas
-Frendster, MySpace y Facebook-, sin embargo, actualmente, el papel
que desempeña el *Big Data* en el mercado no es el que tenía en el pasado y esto puede hacernos pensar que, quizá, ahora a los pequeños
competidores les cueste más desbancar al dominante que antes[36].

Por otro lado, también debemos contar con la existencia de empresas que se dedican a adquirir datos para luego venderlos -*brokers
del data*-[37]. Empresas, anónimas para el público común, pero reales.
Empresas como Acxiom, Corelogic, Datalogix, eBureau, ID Analytics,

---

[33]   Bourreau, M., De Streel, A. y Graef, I., *ob. cit.*, p. 29; Sokol, D. D. y Comerford,
         R., "Antitrust and regulating *Big Data*", *George Mason Law Review*, 23, 119,
         2016, p. 1136.
[34]   Sokol, D. D. y Comerford, R., *ob. cit.*, p. 13.
[35]   *Últ. ob. cit.*, p. 14.
[36]   OCDE, *ob. cit.*, p. 22.
[37]   Herrero Suárez, C., *ob. cit.*, p. 670; *idem, ob. cit.*, p. 12; e *id., ob. cit.*, p. 7. Los
         brokers del *data* son *"'companies that collect consumers' personal information
         and resell or share that information with others"* (FTC, Data Brokers. A call for
         transparency and accountability, may 2014, p. 1).

Intelius, PeekYou, Rapleaf y Recorded Future[38]; o como Lotame Solutions. Con la ayuda de estas empresas se podría acceder a los datos, por lo tanto, sería económicamente viable reproducirlos[39].

No obstante lo cual, la normativa en materia de protección de datos está limitando mucho su actividad.

En línea con lo anterior, esto es, con la facilidad en la adquisición de los datos por todas las empresas, podríamos definir los datos como *"recurso que, en teoría, puede ser usado por un número ilimitado de usuarios y para un número ilimitado de propósitos, como input para producir bienes y servicios"*[40].

En este sentido, los datos son *Ubiquitous, Inexpensive, and Easy to Collect*[41]. Con estas características, serían fácilmente adquiridos, con un coste marginal cero de producción -por parte de los usuarios, quienes, constantemente, están aportando datos- como de distribución[42]. Aunque, también, debemos pensar en la posibilidad de que puede haber mercados descendentes en los que se necesite acceder a unos concretos datos que sólo posee el operador dominante del mercado ascendente; tal como pasó en el caso Microsoft ya mencionado[43].

Con estas características mencionadas, *ubicuidad, bajo coste, amplia accesibilidad y obsolescencia, impedirían que una empresa adquiriera poder de mercado mediante su captación y explotación, sin*

---

38 Estas son las empresas que fueron objeto de estudio en el Informe de la FTC, *Data Brokers. A call for transparency and accountability*, *ob. cit.*, p. 2.
39 Colangelo, G. y Maggiolino. M., *ob. cit.*, p. 18.
40 OCDE, *ob. cit.*, p. 4.
41 Sokol, D. D. y Comerford, R., *ob. cit.*, p. 6; idem, "Antitrust and regulating *Big Data*", *ob. cit.*, pp. 1136-1137; y OCDE, *ob. cit.*, p. 22. En contra, Stucke, M.E. y Grunes, A.P., *ob. cit.*, p. 8. En relación con la ubicuidad, Tucker, C., "The Implications of Improved Attribution and Measurability for Antitrust and Privacy in *Online* Advertising Markets", *George Mason Law Review*, n. 20, 2013, p. 1030. Según otros autores, los datos son ubicuos pero no siempre accesibles para todo el mundo (Colangelo, G. y Maggiolino. M., *ob. cit.*, p. 5).
42 Sokol, D. D. y Comerford, R., *ob. cit.*, p. 6; idem, *ob. cit.*, pp. 1136-1137.
43 Kathuria, V. y Globocnik, J., *Exclusionary conduct in data-driven markets: limitations of data sharing remedy*, Max Planck Institute for Innovation and Competition Research Paper núm. 19-04, pp. 7-8. V. STPI de 17 septiembre 2007, *Microsoft*, T-201/04, ECLI:EU:T:2007:289.

importar la entidad de las cantidades de datos manejadas[44]. Según los autores, los datos están en todos los lugares, es muy fácil y asequible poder acceder a ellos.

No obstante, incluso se asumiera que los datos tienen el don de la ubicuidad, es posible que las empresas, mediante prácticas de exclusividad, impusieran que sólo ellas pudieran tener acceso a los datos.

La Comisión Europea, en varias propuestas de concentración de empresas, ha considerado que los datos son replicables y, por ello, al menos en lo que a este aspecto se refiere, ha permitido la operación de concentración solicitada[45].

Sin embargo, algunas autoridades nacionales de competencia, en casos que se han planteado ante ellas, han entendido que los datos sí son una infraestructura esencial y han determinado que la empresa dominante debía compartirlos con sus competidores[46].

---

[44]   Herrero Suárez, C., *ob. cit.*, p. 670; *Idem, ob. cit.*, p. 12; *id., ob. cit.*, pp. 6-7.

[45]   Caso COMP/M.4731, Google/Double Click, 11 marzo 2008, apartados 364-366; Caso COMP/M.7217, Facebook/WhatsApp, 3 octubre 2014, apartados 177, 178, 188 y 189; Caso COMP/M. 8124, Microsoft/LinkedIn, 6 diciembre 2016, apartado 180. V. Bourrearu, M., De Streel, A. y Graef, I., *ob. cit.*, pp. 31-32.

[46]   Decisión núm. 14-MC-02 du 9 septembre 2014 *relative à une demande de mesures conservatoires présentée par la société Direct Energie dans les secteurs du gaz et de l'électricité*, apartados 147-154. El apartado 153 de la Decisión indica que: "*La base de données clientèle aux TRV de GDF Suez n'apparaît donc pas reproductible par les concurrents, à des conditions financières raisonnables et dans des délais acceptables*". Belgian Competition Authority, Beslissing n° BMA-2015-P/K-27-AUD van 22 september 2015 Zaken nr. MEDE-P/K-13/0012 en CONC-P/K-13/0013, Stanleybet Belgium NV/Stanley International Betting Ltd en Sagevas S.A./World Football Association S.P.R.L./Samenwerkende Nevenmaatschappij Belgische PMU S.C.R.L. t. Nationale Loterij NV, apartado 70. En los dos casos mencionados existe la particularidad de que los operadores dominantes, los poseedores de los datos, los adquirieron durante el período en el que fueron monopolio público, en el mercado del gas natural, en el primer caso, y en el mercado de las loterías, en el segundo. V., en relación con estos casos, Bourrearu, M., De Streel, A. y Graef, I., *ob. cit.*, pp. 32-33; Lundqvist, B., "*Big Data, Open Data, Privacy Regulations, Intellectual Property and Competition Law in an Internet of Things World -The Issue of Accessing Data-*", *ob. cit.*, pp. 19-20; y, Kathuria, V. y Globocnik, J., *Exclusionary conduct in data-driven markets: limitations of data sharing remedy, ob. cit.*, pp. 13-15.

Como vemos, según la doctrina, los datos son fácilmente reproducibles por las empresas, sobre todo, cuando se trata de las compañías que compiten con el operador dominante en el mercado de acceso a la infraestructura. Sin embargo, no parece tan evidente que sean igual de accesibles para la empresas que se encuentran compitiendo en el mercado digital anexo de los productos o servicios, para empresas que se encuentran en el otro lado -en el lado de los anunciantes- en los mercados de doble cara.

4.3. Capacidad de acceso de terceros

En último lugar, también es necesario que la infraestructura tenga capacidad para que puedan acceder a ella otros operadores, que pueda ser utilizada por más empresas.

En este sentido, los datos no son exclusivos de una sola compañía, es imposible que una única empresa posea los datos de todo el mundo. Además, el mayor número de datos que puede tener una compañía no lo tiene en detrimento de otro competidor. Esto es, los sistemas *multi-homing* permiten a los usuarios compartir sus datos con varios proveedores de servicios *online* y no, necesariamente, con uno solo de ellos. En este sentido, se dice que los datos son *Non-Exclusive and Non-Rivalrous*[47]; esto es, que *pueden ser adquiridos y usados muchas veces, sin pérdida de valor*[48].

Los datos pueden ser cedidos por el usuario a cuantos operadores quiera, por lo tanto, sí tienen esa capacidad de ser compartidos y utilizados por varias empresas a la vez. En este aspecto es en el único en el que hay unanimidad.

4.4. Conclusión

Como puede comprobarse, no se puede llegar a una conclusión firme, a cada argumento a favor de la consideración de los datos como infraestructura esencial se aporta una justificación que avala lo con-

---

[47] Sokol, y Comerford, *ob. cit.*, p. 6; *idem*, *ob. cit.*, p. 6; e, *id*, *ob. cit.*, p. 22.
[48] Bourrearu, M., De Streel, A. y Graef, I., *ob. cit.*, p. 30; y, Lerner, *ob. cit.*, pp. 21-23.

trario[49]. El único principio que puede extraerse de todo lo expuesto es que se deben analizar los supuestos, caso a caso, que no hay una regla general aplicable en todos los asuntos sin tener en cuenta las características propias que presenten.

5. MEDIDAS A ADOPTAR

Asumiendo la divergencia de tratamiento de los datos a este respecto, vamos a suponer que fueran considerados como infraestructura esencial en el caso concreto para analizar, en este apartado, las medidas que se adoptarían sobre la empresa dominante y sus consecuencias.

5.1. Remedio frente al operador dominante

Como ya se ha dicho anteriormente, si los datos son necesarios para competir de manera eficaz en el mercado anexo, será imprescindible que las empresas que quieran entrar en ese mercado -o que ya estén compitiendo en el mismo- los tengan o accedan a ellos. Por esta razón, la doctrina de las infraestructuras esenciales establece que la empresa que posee la infraestructura debe permitir el acceso a ella por parte de las empresas que quieren competir en el mercado anexo; a cambio de una remuneración, normalmente[50]. Remedio que, según algunos autores, conllevaría una alteración dramática de la competencia dinámica en el mercado[51].

---

[49]   Herrero Suárez, *ob. cit.*, p. 671; *idem, ob. cit.*, p. 13; *id., ob. cit.*, pp. 7-8; Lerner, *ob. cit.*, pp. 11-12. Estos autores ponen de manifiesto en sus trabajos la discrepancia existente en el tema.

[50]   Calvo Caravaca, y Rodríguez Rodrigo, *ob. cit.*, pp. 355 y ss.

[51]   Sokol, y Comerford, *ob. cit.*, p. 18; *idem, ob. cit.*, p. 6; e, *id., ob. cit.*, pp. 1158-1159.

5.2. *Consecuencias de exigir el acceso a la infraestructura*

5.2.1. Desincentivo a la innovación

La primera consecuencia es inmediata. El operador dominante puede alegar que esa medida supone un desincentivo a la innovación[52]. Volvemos, en este punto, a lo que ya se comentó antes. Es cierto que este tipo de sanción puede generar que las empresas no encuentren motivación para seguir invirtiendo tiempo, dinero y esfuerzo en conseguir la infraestructura, sabiendo que, alcanzada la innovación, van a tener que cederla a los demás y van a perder, con ello, la ventaja competitiva que tenían frente a ellos[53]. Sin embargo, también es cierto que, para que este argumento se pueda tener en cuenta, es necesario que la empresa que lo alega lo pruebe. Si el operador dominante consigue probarlo, se considerará que la negativa por su parte se encuentra justificada y no se impondrá la obligación de permitir el acceso[54].

Esto es lo que pasó en el caso Microsoft del año 2007[55]. En este asunto, Microsoft fue sancionada por abusar de su posición de dominio, entre otros comportamientos, por impedir la interoperabilidad con su sistema operativo Windows. Con esta conducta, Microsoft cerraba a la competencia el mercado de aplicaciones compatibles con su sistema operativo. Con esta actitud, la única empresa que podía actuar diseñando aplicaciones compatibles con el sistema Windows era ella. Pues bien, en este caso, la empresa justificó su negativa al acceso en el hecho de que, si se le exigía la publicación de su código fuente, con el que las empresas competidoras podrían entrar en ese mercado, se resentiría su incentivo a innovar. Finalmente, Microsoft no pudo probarlo y no prosperó la alegación, en consecuencia.

---

[52]   OCDE, *ob. cit.,* p. 42; Modrall, J., *ob. cit.,* p. 44; Kathuria y Globocnik, *ob. cit.,* pp. 15-16.

[53]   Comisión Europea, *Building a European Data economy,* Communication from the Commission to the European Parliament, the Council, the European Economic and Social Committee and the Committee of the Regions, COM(2017)9 final, Brussels, 10 enero 2017, p. 10.

[54]   V. *supra* nota 25.

[55]   STPI de 17 septiembre 2007, Microsoft, T-201/04, ECLI:EU:T:2007:289.

5.2.2. Seleccionar los datos que deben compartirse, con quién se han de compartir y en qué momento.

Otra consecuencia de la medida de imposición del acceso a los datos, ésta, relacionada con la propia virtualidad en la implementación del remedio, es saber qué datos deben ser compartidos, con quién hay que hacerlo y en qué momento[56].

La respuesta a las preguntas anteriores no es fácil. Volviendo al ejemplo del buscador de Google, los datos a los que accede la empresa serían útiles para todas las compañías que ofrecen productos y servicios en el mercado digital, las búsquedas que realizan los usuarios son sobre todo tipo de producto o servicio que existe en el mercado. Por lo tanto, cabría preguntarse si el operador dominante debería permitir el acceso, a todos los datos que posee y a todas las empresas de todos los mercados digitales. Tarea difícil de llevar a cabo, por no decir, imposible. Tan difícil como sería aquella que consistiera en seleccionar los datos a compartir en función a la concreta empresa o empresas que los requirieran.

En cuanto al momento en el que deben compartirse los datos, es vital para que se puedan utilizar con la finalidad esperada de ellos[57]. Así es, los datos cambian a velocidad vertiginosa y es fundamental permitir el acceso a datos actualizados, ya que, es la única manera de que puedan ser útiles para su receptor[58]. Las estrategias que dise-

---

[56]   Otra cuestión adicional sería a qué precio se deberían compartir los datos, ya que, es difícil precisar el mismo, entre otras razones, porque, igual que los usuarios estarían dispuestos a vender sus datos a determinado precio, nos podemos encontrar con que *brokers* del data los comercializan a un precio inferior, por ejemplo (OCDE, *ob. cit.*, p. 44).

[57]   Kathuria y Globocnik, *ob. cit.*, p. 18. Relacionado con ello, los autores ponen de manifiesto que otro problema, añadido a los planteados en el epígrafe, sería que la empresa que recibiera los datos los usara en un mercado distinto a aquel para el que se le ha permitido el acceso. Es cierto que una solución a esto podría ser imponer su utilización en el mercado en cuestión pero sería difícil su monitorización por las autoridades para conocer si, de verdad, la empresa está cumpliendo o no con esa prescripción.

[58]   Kathuria, *ob. cit.*, p. 93; Sokol y Comerford, *ob. cit.*, p. 7; *idem, ob. cit.*, p. 6; e, *id., ob. cit.*, p. 1138; y OCDE, *ob. cit.*, p. 22. La velocidad, como una de las características del *Big Data*, también puede suponer que, como ya se ha comentado, si el operador dominante pierde popularidad, rápidamente los competidores pue-

ñen las empresas para conseguir llegar a más clientes, gracias al *Big Data, sólo son eficaces si los datos los reciben a tiempo real, con las preferencias actuales de los usuarios. Por esta razón, es fundamental concretar el momento en el que compartir los datos. "Los datos se quedan pronto obsoletos y pierden su utilidad rápidamente. La tenencia de largas bases de datos no supone una ventaja significativa a menos que éstas sean continuamente actualizadas y cuidadosamente organizadas"*[59].

5.2.3. Consentimiento del usuario a la cesión de sus datos.

Otra cuestión, y no menor que las anteriores, es que los datos no pueden ser cedidos de manera libre y a voluntad del que los tiene; no, al menos, los personales. Por lo tanto, este remedio de cesión de los datos puede contravenir el Derecho en materia de su protección[60]. La empresa infractora del Derecho de la competencia podría acogerse a esta regulación en materia de protección para negarse, lícitamente, a ceder los datos que posee[61].

En la Unión Europea, el Reglamento 2016/679, relativo a la protección de datos personales, recoge en el artículo 6 las vías a través de las cuales el responsable del tratamiento de los datos -cual es, la empresa que los posee- podría cederlos a terceros. Entre ellas se encuentra, como no podía ser de otra manera, el consentimiento del usuario a esa cesión (art. 6.1.a)[62].

No obstante lo anterior, aún sin consentimiento del titular de los datos personales, la norma permite que el responsable del tratamiento

---

den ocupar su lugar, por el volumen de datos al que pueden llegar; el volumen es otro de los elementos que caracterizan el *Big Data* (Kathuria, *ob. cit.*, p. 93).

[59]   Herrero Suárez, *ob. cit.*, p. 670; *Idem, ob. cit.*, p. 12; *Idem, ob. cit.*, p. 7.

[60]   Sokol, y Comerford, *ob. cit.*, p. 18; *idem, ob. cit.*, p. 6; e, *id., ob. cit.*, p. 1159; y Autorité de a concurrence and Bundeskartellamt, *ob. cit.*, p. 18.

[61]   European Data Protection Supervisor, *ob. cit.*, p. 31.

[62]   En este sentido, el que fuera Comisario de Competencia de la Unión Europea, Joaquín Almunia, afirmó que el derecho a la portabilidad se encuentra en el corazón de la política de competencia (*Competition and personal data protection*, Speech 12/860, de 26 noviembre 2012). V., también en este sentido, OCDE, *ob. cit.*, p. 27.

pueda ceder los datos si esa cesión se realiza para dar cumplimiento a una obligación legal (art. 6.1.c).

Pues bien, la pregunta surge espontánea. Así es, debemos concretar si una sanción administrativa como es aquella de la que venimos hablando, la consistente en la imposición de la cesión de los datos a favor de las empresas que están compitiendo en el mercado anexo, se puede considerar obligación legal a estos efectos. Y la respuesta a esta cuestión es negativa. Según los autores, la decisión que pueda adoptar la autoridad administrativa imponiendo la cesión de los datos por aplicación del artículo 102 TFUE, no se puede considerar una obligación legal a estos efectos[63].

En cualquier caso, aún entendamos que no es obligación legal a estos efectos, todavía nos queda otra posibilidad. Se encuentra en el artículo 6.1.f) del Reglamento europeo. Según este precepto, la cesión de los datos será lícita *"si el tratamiento es necesario para la satisfacción de intereses legítimos perseguidos por el responsable del tratamiento o por un tercero, siempre que sobre dichos intereses no prevalezcan los intereses o los derechos y libertades fundamentales del interesado que requieran la protección de datos personales, en particular cuando el interesado sea un niño"*.

En nuestro caso, sí existirá ese interés legítimo por parte del responsable del tratamiento de los datos, ya que, con la cesión, daría cumplimiento a la sanción impuesta por la autoridad administrativa competente[64]. En relación con los intereses legítimos de terceros, también podrían concurrir debido a la necesidad que tienen las empresas que están compitiendo en el mercado anexo de acceder a los datos para poder competir de manera eficaz.

Sin embargo, no sólo es necesario que exista un interés legítimo del responsable del tratamiento o de terceros, sino que, también se necesita que la cesión sea necesaria para la realización de dicho interés y que no prevalezca, frente a él, los intereses, derechos o libertades fundamentales del usuario. Todo lo cual, hace que no sean tantos los

---

63 Kathuria y Globocnik, *ob. cit.*, pp. 21-23.
64 Kathuria y Globocnik, *últ. ob. cit.*, pp. 24-27.

casos en los que pueda concurrir esta circunstancia del artículo 6.1.f) del Reglamento[65].

6. CONCLUSIONES

Después de todo lo expuesto, la conclusión es que no podemos extraer conclusiones. Como ya se ha explicado, existen argumentos a favor y también en contra sobre la consideración de los datos como infraestructura esencial. Y, como de ello depende que se pueda aplicar la doctrina de las infraestructuras esenciales al supuesto, no podemos afirmar nada rotundo al respecto.

Dentro de la incertidumbre que genera la falta de unanimidad o, al menos, de una opinión mayoritaria, lo cierto es que los argumentos en contra de la consideración de infraestructura esencial parecen más solventes, sobre todo teniendo en cuenta la jurisprudencia, todavía escasa, que hay sobre este tema. Si bien, estos argumentos, normalmente, se aportan teniendo en cuenta el mercado de acceso como referencia. Esto es, todos los ejemplos que se ofrecen de facilidad en la adquisición de los datos son ejemplos de empresas que están compitiendo con el operador dominante en el mercado de acceso -en el mercado de doble cara en el que se adquieren los datos-. Sin embargo, si nos situamos en el escenario que requiere la doctrina de las infraestructuras esenciales, en el escenario en el que debe haber dos mercados, el de acceso y el anexo, no está tan claro que las empresas que están compitiendo en el segundo -mercado en el que se ofrecen bienes o servicios de forma digital- puedan adquirir tan fácilmente los datos que posee la empresa dominante en el mercado de acceso -mercado de doble cara-.

Lo que sí es mayoritario es entender que la determinación de esta consideración de infraestructura esencial de los datos debe realizarse de manera casuística. Sin perjuicio de ello, parecería adecuado concluir que los datos no son infraestructura esencial, a menos que concurran determinadas circunstancias particulares en el caso concreto

---

[65]   *Ibidem, ob. cit.*, pp. 24-27.

que justifiquen esa solución; circunstancias que son los requisitos que debe tener la infraestructura para ser esencial según la jurisprudencia.

En el supuesto de que el órgano competente aplicara esta excepción en el caso sobre el que está conociendo, volvemos a las discrepancias de opinión, esta vez, sobre la sanción a imponer a la empresa dominante.

Por un lado, la cesión de los datos es criticada por la doctrina[66].

Entre otras razones, la compañía se podría ver penalizada por el esfuerzo empleado en la acumulación de los datos. Todo ello, teniendo en cuenta dos factores. Por un lado, que la empresa que debería cederlos es una compañía privada. En segundo lugar, que el remedio se impondría de manera obligatoria.

Resaltamos lo anterior porque, es cierto, que cuando el poder público es quien posee los datos, no sería una medida desproporcionada el exigir que los comparta. Es más, en muchos sectores sería necesaria esa cesión de los datos, por parte del sector público al sector privado, para desarrollar bienes o servicios que ofrecer a los consumidores. Esto es lo que ocurrió en EEUU con la elaboración de la aplicación "*Asthmopolis*", por parte de una empresa privada, aplicación que representa valor social y que ayuda a mejorar la vida de un segmento vulnerable de la población, como es, los ciudadanos con asma[67].

Por otro lado, en la Unión Europea el principio que inspira la regulación en esta materia es el de libre circulación de los datos dentro del espacio europeo[68]. Así, por ejemplo, el Reglamento general de protección de datos recoge, en el artículo 1.3, que "*La libre circulación de los datos personales en la Unión no podrá ser restringida ni prohibida por motivos relacionados con la protección de las personas físicas en lo que respecta al tratamiento de datos personales*". Y, en este sentido, la Comisión trabaja con varios objetivos a la hora de elaborar el marco normativo en este tema[69].

---

[66]   Kathuria V. y Globocnik, *ob. cit.*, pp. 33-34.

[67]   OCDE, *ob. cit.*, p. 41. Según este informe de la OCDE, los hospitales han registrado un 25% de descenso en las consultas de esta enfermedad desde que se creó la aplicación.

[68]   Comisión Europea, *Building a European Data economy, ob. cit.*, p. 7.

[69]   Comisión Europea, *ob. cit.*, pp. 11-13.

1. Facilitar el acceso a herramientas que permitan anonimizar los datos personales[70].

2. Facilitar e incentivar que se compartan los datos.

3. Junto a lo anterior, la Comisión también manifiesta preocupación por la protección de las inversiones realizadas por las empresas, para conseguir no desincentivar la innovación de ellas. Y, de esta manera, el órgano europeo de competencia promueve el retorno de la inversión, esto es, facilitar una retribución por la innovación obtenida.

Por otro lado, la Comisión apuesta por que estas compañías reciban una remuneración, justa, razonable y no discriminatoria, por permitir el acceso a los datos que posean. Datos, que

---

[70]   Datos personales son *"toda información sobre una persona física identificada o identificable («el interesado»); se considerará persona física identificable toda persona cuya identidad pueda determinarse, directa o indirectamente, en particular mediante un identificador, como por ejemplo un nombre, un número de identificación, datos de localización, un identificador en línea o uno o varios elementos propios de la identidad física, fisiológica, genética, psíquica, económica, cultural o social de dicha persona"* (art. 4.1 RGPD).
Los datos personales, esto es, aquellos que permiten identificar a la persona, se pueden anonimizar para impedir que se puedan asociar con un individuo en cuestión y para convertirlos, así, en datos no personales (Comisión Europea, *ob. cit.*, p. 9).
Véase. Table 1: Typology of data with the associated data protection risk, en Bourreau, M., De Streel, A. y Graef, I., *ob. cit.*, p. 15.

High risk

Personal data
Sensitive data: includes information revealing racial or ethnic origin, political opinions, genetic data, biometric data, ...
Non-sensitive data: any information relating to an identified or identifiable natural person
Pseudonymised data: personal data that is processed in such a way that it can no longer be attributed to a data subject without using additional information
Non-personal data
Anonymized data: personal data that is rendered anonymous in such a way that the data subject is not or no longer identifiable
Anonymous data: information that does not relate to an identified or identifiable natural person

No or low risk

pueden ser, no personales o personales y, en este último caso, se permitirá el acceso una vez que se hayan anonimizados. También se prevén distintas posibilidades de acceso a los datos, según el sector de actividad. Así, por ejemplo, en algunos casos el acceso abierto -*open access*- podría ser la mejor opción para todos.

4. Prohibir la divulgación de los datos confidenciales.

5. Minimizar los efectos de cierre que pueda conllevar la existencia de una empresa que, gracias a los datos, adquiera poder de mercado en relación con sus competidores.

Como puede comprobarse, el *Big Data* es un entorno dinámico, cambiante, en el que las opiniones jurídicas que se puedan tener en un momento, pueden cambiar al siguiente, no hay certezas y, todavía, la jurisprudencia es escasa. Por todo ello, lo único que puede afirmarse con claridad es que no hay recetas, que cada caso es particular y requiere un estudio personalizado.

BIBLIOGRAFÍA

Almunia, J., *Competition and personal data protection*, Speech 12/860, 26 de noviembre de 2012.

Autoridad Catalana de la Competencia, *La economía de los datos. Retos para la economía*, noviembre de 2016.

Autorité de a concurrence and Bundeskartellamt, *Competition Law and Data*, 10 de mayo de 2016.

Balto, D. A. y Lane, M.C., "Monopolizing Water in a Tsunami: Finding Sensible Antitrust Rules for *Big Data*", marzo 2016, disponible en https://papers.ssrn.com/sol3/papers.cfm?abstract_id=2753249.

Bourrearu, M., De Streel, A. y Graef, I., "*Big Data* and Competition Policy: Market power, personalised pricing and advertising", Centre on Regulation in Europe (CERRE), 16 de febrero de 2017.

Calvo Caravaca, A. L. y Rodríguez Rodrigo, J., *La doctrina de las infraestructuras esenciales en el Derecho antitrust europeo*, La Ley, 2012.

Colangelo, G. y Maggiolino. M., "*Big Data* as a misleading facility", disponible en https://ssrn.com/abstract=2978465.

Comisión Europea, *Building a European Data economy*, Communication from the Commission to the European Parliament, the Council, the European Economic and Social Committee and the Committee of the Regions, COM(2017)9 final, Brussels, 10 de enero de 2017.

European Data Protection Supervisor, *Privacy and competitiveness in the age of Big Data: The interplay between data protection, competition law and consumer protection in the Digital Economy*, marzo de 2014.

FTC Report, *Data Brokers. A call for transparency and accountability*, mayo de 2014.

FTC Report, *Big Data. A tool for inclusion or exclusion?*, enero 2016.

Graef, I., *EU Competition Law, Data Protection and Online Platforms: Data as Essential Facility*, Kluwer Law International, 2016.

Herrero Suárez, C., "*Big Data* y Derecho de la competencia", en De la Quadra-Salcedo T. y Piñar Mañas, J. L. (dirs.), *Sociedad digital y Derecho*, BOE, Madrid, 2018, pp. 659-681.

Herrero Suárez, C., "*Big Data* y Derecho de la competencia", *Revista Electrónica de Direito,* vol. 18, núm. 1, febrero 2019.

Herrero Suárez, C., "La economía de los grandes datos o *Big Data* desde el Derecho de la competencia: ¿nuevos problemas? ¿nuevas soluciones?", *Revista de Derecho de la competencia y de la distribución,* núm. 23, julio-diciembre 2018, pp. 1-18.

Kathuria, V., "Greed for data and exclusionary conduct in data-driven markets", *Computer law and security review,* núm. 35, 2019, pp. 89-102.

Kathuria, V. y Globocnik, J., *Exclusionary conduct in data-driven markets: limitations of data sharing remedy,* Max Planck Institute for Innovation and Competition Research Paper, núm. 19-04.

Kerber, W. y Schweitzer, H., "Interoperability in the digital economy", *Journal of Intellectual Property, Information Technology and Electronic Commerce Law,* 2017, pp. 39-58.

Lerner, A. V., *The Role of «Big Data» in Online Platform Competition,* 2014, disponible en http://ssrn.com/abstract=2482780.

Lipsky, A. B. y Sidak, J. G., "Essential Facilities", *Stanford Law Review,* vol. 51, núm. 5, pp. 1187-1249, disponible en https://www.criterioneconomics.com/docs/lipsky-sidak-essential-facilities.pdf.

Lundqvist, B., "*Big Data,* Open Data, Privacy Regulations, Intellectual Property and Competition Law in an Internet of Things World -The Issue of Accessing Data", Stockholm Faculty of Law Research Paper Series, núm 1.

Marsden, C. y Brown, I., "Regulating code: towards prosumer law?", en AA.VV., *Big data, retos y oportunidades,* Huygens, Barcelona, 2013, pp. 101-126.

Modrall, J., "A closer look at competition law and data", *Competition law international,* vol. 13, núm 1, abril 2017, pp. 31-53.

OCDE, *Data driven innovation for growth and well-being: Interim shyntesis report,* octubre 2014.

OCDE, "*Big Data*: Bringing Competition Policy to The Digital Era", DAF/COMP(2016)14.

Sokol, D. D y -Comerford, R., "Does Antitrust Have A Role to Play in Regulating *Big Data*?", en Blair, R. D. y Sokol, D. D., *Cam-*

bridge Handbook of Antitrust, Intellectual Property and High Tech, 2016, disponible en https://papers.ssrn.com/sol3/papers.cfm?abstract_id=2723693.

Sokol, D. D. y Comerford, R., "Antitrust and regulating *Big Data*", *George Mason Law Review*, núm. 23/119, 2016, pp. 1129-1161.

Sokol, D.D. y Ma, J., "Understanding *online* markets and antitrust analysis", *Northwestern Journal of Technology and Intellectual Property*, vol. 15, núm. 1, 2017.

Stucke, M. E. y Grunes, A. P., *Big Data and competition policy*, Oxford University Press, 2016, disponible en https://www.researchgate.net/publication/308970973_Big_Data_and_Competition_Policy

Togan Turan, M. y Güneç, I., "Antitrust law and data processing: with *big data* comes big responsibility", disponible en https://s3.amazonaws.com/documents.lexology.com/ac21b77f-78f5-42c9-b642-049c32167b21.pdf?AWSAccessKeyId=AKIAVYILUYJ754JTDY6T&Expires=1584789762&Signature=ExK3%2FRAiINF6mv%2B4vxw%2BdVEQsSM%3D.

Tucker, C., "The Implications of Improved Attribution and Measurability for Antitrust and Privacy in *Online* Advertising Markets", *George Mason Law Review*, núm. 20, 2013, pp. 1025-1054.

Turck, M., "The power of Data network effects", 4 de enero de 2016, disponible en https://mattturck.com/the-power-of-data-network-effects.

"Data, non algorithms, is key to machine learning success", 6 de enero de 2016, disponible en https://versionone.vc/data-not-algorithms-is-key-to-machine-learning-success/#ixzz4LApiviHE.

Van Til, H., Van Gorp, N. y Price, K., "*Big Data* and competition", ECORYS, Rotterdam, 13 de junio de 2017.

AVANCE TECNOLÓGICO Y REGULACIÓN DE LOS MERCADOS: REFLEXIONES SOBRE LA ECONOMÍA COLABORATIVA

LUCA BELVISO
Investigador postdoctoral en Derecho Administrativo
Universidad de Milán-Bicocca

SUMARIO: 1. Premisas sobre la economía colaborativa. 2. El elemento tecnológico en la economía colaborativa. 3. El caso *Uber*: 3.1. Introducción. 3.2. El caso *Uber* en Italia. 3.3. La jurisprudencia del Tribunal de Justicia de la Unión Europea sobre el caso *Uber*. 4. El caso *Airbnb*: 4.1 El caso *Airbnb* en Italia. 4.2. La jurisprudencia del Tribunal de Justicia de la Unión Europea sobre el caso *Airbnb*. 5. Conclusiones. Bibliografía.

1. PREMISAS SOBRE LA ECONOMÍA COLABORATIVA

No es fácil definir el concepto de economía colaborativa cuyos límites son escasamente delimitados y, por lo tanto, inciertos.

La idea original, que se remota a Botsman y Rogers [1], hacía referencia a la manera tradicional de compartir e intercambiar los bienes y servicios que, a través del avance tecnológico, dejan de desarrollarse en un ámbito familiar o domestico para extenderse a toda la sociedad globalizada.

Esta idea ha sido retomada en buena parte de la doctrina (por ejemplo, la italiana), que ha intentado ofrecer una definición de este

---

[1] Cfr. R. Botsman, R. Rogers, *What's mine is yours. How collaborative consumption is changing the way we live*, Harper Collins, London, 2010. Cfr. además, para entender el desarrollo relativo al concepto de economía colaborativa, E. Carbonell Porras, "Servicios de movilidad colaborativa: modalidades y diferencias de régimen jurídico", *Anuario Aragonés del Gobierno Local 2018*, n°. 10, 2019, pp. 273-320.

modelo económico, afirmando que se trata de un sistema en el que los bienes y servicios se comparten entre individuos, de forma gratuita o a cambio de una suma de dinero, generalmente mediante *Internet* [2].

Progresivamente, su impresionante crecimiento ha llevado a la Unión Europea a interesarse en este modelo económico: de hecho, aunque todavía no se encuentran definiciones en el Derecho primario y en los actos vinculantes del Derecho derivado de la Unión Europea, la Comisión ha adoptado, el 2 de junio de 2016, una Comunicación que tiene como título "Una Agenda Europea para la economía colaborativa" [3], afirmando que «el término "economía colaborativa" se refiere a modelos de negocio en los que se facilitan actividades mediante plataformas colaborativas que crean un mercado abierto para el uso temporal de mercancías o servicios ofrecidos a menudo por particulares. La economía colaborativa implica a tres categorías de agentes I) prestadores de servicios que comparten activos, recursos, tiempo y/o competencias – pueden ser particulares que ofrecen servicios de manera ocasional (pares) o prestadores de servicios que actúen a título profesional (prestadores de servicios profesionales); II) usuarios de dichos servicios; y III) intermediarios que – a través de una plataforma en línea – conectan a los prestadores con los usuarios y facilitan las transacciones entre ellos (plataformas colaborativas). Por lo general, las transacciones de la economía colaborativa no implican un cambio de propiedad y pueden realizarse con o sin ánimo de lucro».

Así las cosas, se puede afirmar que tal modelo económico se caracteriza por:

---

[2]   Esta definición se encuentra, en la doctrina italiana, por ejemplo, en: A. Di Amato, "Uber and the Sharing Economy", The *Italian Law Journal*, n°. 1, 2016, pp. 177-190; G. Smorto, "Verso la disciplina giuridica della sharing economy", *Merc. conc. reg.*, n°. 2, 2015, pp. 245-277.

[3]   COM(2016) 356 final. Para unos comentarios, véase A. Dell'Atti, "L'Agenda Europea per la c.d. economía collaborativa", *Riv. regol. merc.*, n°. 2, 2016, pp. 107-124; L. García Montoro, "Agenda Europea para la Economía Colaborativa", *Revista CESCO de Derecho de Consumo*, n°. 18, 2016, pp. 107-112. Además, cfr. E. Carbonell Porras, "Servicios de movilidad colaborativa: modalidades y diferencias de régimen jurídico", cit., pp. 273-320, que destaca la dificultad de definir la movilidad colaborativa y recuerda, para este fin, los elementos ofrecidos por la Comunicación de la Comisión Europea citada en el texto.

I) compartir bienes y servicios [4], interpretados en un sentido muy amplio. De hecho, asistimos a la transición de la compra y el consumo tradicional por parte del propietario al intercambio y acceso temporal a bienes y servicios. De esta manera, se maximiza y optimiza el uso de un bien durante todo su ciclo de vida.

II) la diversa tipología de mercado[5], en la cual se inserta la intermediación entre los prestadores del servicio y los usuarios/consumidores. De hecho, el modelo de intercambio entre emprendedor y consumidor/usuario deja espacio para la intermediación entre la oferta y la demanda de bienes y servicios, con una empresa, el intermediario, que conecta a los prestadores del servicio, profesionales o no, con los usuarios/consumidores.

III) la tecnología, es decir la presencia de plataformas en línea que permiten el uso temporal de bienes y servicios. Este elemento es absolutamente central. De hecho, compartir, a pesar de que siempre ha existido (por ejemplo, piénsese en los tablones de anuncios de la Universidad), anteriormente tenía un impacto mínimo. Solo con la llegada de *Internet*, el intercambio se ha convertido en un fenómeno relevante. De la misma manera, el modelo de la intermediación existía antes del advenimiento de *Internet* solo en casos muy limitados y ha sido la innovación tecnológica la que ha permitido la aparición de numerosos intermediarios en muchos mercados heterogéneos (transporte urbano, arrendamientos de corta duración, etc.).

Por ultimo, como elemento puramente eventual, existe un ánimo de lucro detrás de la transacción económica. De acuerdo con esto,

---

[4]   Lo que se comparte son bienes infrautilizados y generalizados en una gran parte de la población (por ejemplo, automóviles, habitaciones, etc.) y servicios (por ejemplo, viaje en coche), individualmente, o con mayor frecuencia, conjuntamente (por ejemplo, el conductor de Uber comparte no solo su automóvil, sino también su actividad de conducción, de la misma forma el anfitrión de Airbnb comparte no solo una habitación, sino también varios servicios relacionados, etc.).

[5]   Sobre la intermediación, cfr. R. Alfonso Sánchez, "Economía colaborativa: un nuevo mercado para la economía social", *Revista de Economía Pública, Social y Cooperativa*, n°. 88, 2016, pp. 231-258; J. Fingletonn, D. Stalibrass, "Imprese peer to peer, regolamentazione e concorrenza", *Merc. conc. reg.*, n°. 3, 2015, p. 404 y ss.

se suele distinguir entre una economía colaborativa *stricto sensu* y una *lato sensu*. En la primera, prevalece el aspecto social, el placer de compartir. En la segunda, domina el aspecto económico, es decir, la lógica del mercado.

2. EL ELEMENTO TECNOLÓGICO EN LA ECONOMÍA COLABORATIVA

La economía colaborativa basa su éxito, principalmente, en la tecnología, que caracteriza el modo de operar de las empresas de intermediación.

Piénsese en el modelo económico de Uber, el conocido grupo societario constituido en el 2009 en California y que opera en numerosas ciudades de todo el mundo en el sector del transporte urbano. Este operador económico ha producido e introducido en el mercado una *app* para el *smartphone*. Y, en particular, la aplicación de Uber permite la confluencia entre la demanda y la oferta de movilidad urbana: esto, constituyendo una comunidad, en la que los suscriptores, los conductores (en términos de oferta) y los usuarios (en términos de demanda), pueden identificarse geográficamente, visualizar las distancias y los tiempos de espera y ponerse en contacto y de acuerdo sobre la prestación de transporte. Para el servicio de movilidad proporcionado por el conductor, se debe abonar el pago por parte del usuario. Esta cantidad, que se pagará con tarjeta de crédito, se determina por el grupo y se cuantifica con un algoritmo automatizado de acuerdo con el mecanismo del *surge pricing*, esto es, un método por el cual el precio del servicio aumenta (hasta un 500 por ciento) con el aumento de la demanda. Además, el pago también está mediado por Uber, que, al principio, toma la cantidad total y, posteriormente, con una parte retenida (aproximadamente el 20 por ciento) como compensación por los servicios de competencia, procede a abonar la parte restante al conductor (aproximadamente el 80 por ciento). Al final de la prestación, los conductores y los usuarios se evalúan entre sí y Uber, en presencia de perfiles que hayan registrado niveles de *feedback* considerados inadecuados, puede decidir desactivarlos.

Métodos similares de actuar se observan en el modelo económico de Airbnb, un grupo establecido igualmente en California en 2007, y hoy muy famoso en el sector de arrendamientos de corta duración. Airbnb también utiliza una plataforma electrónica, posiblemente – pero no exclusivamente – accesible con una *app* para *smartphone*, que conecta, por un lado, a las personas que tienen alojamiento para alquilar para una corta duración (los anfitriones), por el otro, personas que buscan este tipo de alojamiento (los huéspedes). Todos juntos, los anfitriones y los huéspedes, al inscribirse en la *web* o *app* de Airbnb, se convierten en miembros de una comunidad virtual: los huéspedes se conectan a la plataforma electrónica e indican el lugar al que desean ir, el período y el número de personas de su elección; basándose en esta información, Airbnb les proporciona una lista de los alojamientos disponibles que correspondan a tales criterios a fin de que seleccione el que le interese y efectúe la reserva *online*. El montante a pagar es, en este caso, determinado por el anfitrión, dado que Airbnb se limita solo a proporcionar una herramienta opcional de estimación del precio de su arrendamiento en función de los precios medios del mercado en dicha plataforma. El pago se realiza, también aquí, con tarjeta de crédito y es intermediado por Airbnb, que retiene una parte como remuneración por la actividad realizada. Al final del período de alquiler, también hay un sistema de evaluación entre anfitriones y huéspedes.

A la luz de esta descripción, el elemento tecnológico se desgrana en:

I) el ecosistema de las *apps* [6]. De hecho, la expansión impetuosa del negocio de las *apps*, que se registra tanto desde el punto de vista numérico de las aplicaciones como del beneficio económico, se correlaciona inevitablemente con la creciente difusión de *devices* (*smartphone* y *tablet*);

II) la tendencia a constituir comunidades virtuales [7];

---

[6]   Cfr. A. Perrucci, "L'ecosistema delle apps ed il ruolo della regolamentazione", *Riv. regol. merc.*, n°. 2, 2014, p. 82 y ss.

[7]   Cfr. H. Schneider, *Uber: Innovation in Society*, Palgrave Macmillan, New York, 2017.

III) la difusión de plataformas *online* [8] que, reuniendo datos e información sobre los usuarios, funcionan basándose en algoritmos matemáticos (*algorithms*);

IV) los sistemas de reputación (*feedback*). De hecho, en el *e-commerce* hay mayores riesgos relacionados con los comportamientos oportunistas en el cumplimiento de los contratos (debido a la distancia geográfica, la baja probabilidad de interacciones repetidas, el carácter a menudo anónimo de las partes, los bajos precios). En este contexto, caracterizado por una ausencia total (o casi total) de confianza, se difunden sistemas de *feedback*, que permiten la verificación previa de la reputación con el fin de medir la credibilidad de las partes del contrato y, por lo tanto, indirectamente, contener los riesgos de incumplimiento.

3. EL CASO *UBER*

3.1. Introducción

Como se ha señalado, la economía colaborativa ha tenido un impacto en varios mercados.

Uno de estos es el transporte urbano, mercado donde los taxistas proporcionan su servicio y que está fuertemente regulado en casi todos los países europeos, con un marco legal generalmente homogéneo y caracterizado por sistemas de licencias, regímenes de contingentación, tarifas y obligaciones de servicio público.

De hecho, en este mercado se ha producido el ingreso del grupo Uber, el operador económico más conocido atribuible a la economía colaborativa, circunstancia que ha dado lugar a muchos litigios y ha creado problemas, aún abiertos, de regulación.

Pues bien, a la llegada de Uber en las ciudades más importantes de Europa le han sucedido, en casi todos los contextos, primero las reivindicaciones de los taxistas, luego las actuaciones de las diversas

---

[8]   Cfr. J. Jarne Muñoz, *Economía colaborativa y plataformas digitales*, Editorial Reus, Madrid, 2019.

Administraciones interesadas y, finalmente, las resoluciones judiciales dictadas por los tribunales nacionales, con una tendencia casi siempre restrictiva hacia el nuevo grupo y su servicio mas problemático llamado Uberpop (esto se ha verificado, en particular, en Alemania, Francia, España, los Países Bajos, Bélgica e Italia [9]).

En este contexto, en todos los países, ha surgido el debate sobre si dejar que Uber opere como lo desee, si inhibir completamente su actividad o si regular su servicio intentando encontrar un compromiso entre los intereses opuestos de los taxistas y Uber.

Se ofrecerá un ejemplo de esta situación en el próximo párrafo, centrado en Italia.

Paralelamente, a partir de 2017, el Tribunal de Justicia de la Unión Europea también se ha pronunciado sobre Uber y, en particular, sobre la naturaleza de su servicio Uberpop. También de estas fundamentales resoluciones judiciales se dará cuenta posteriormente.

3.2 El caso Uber en Italia

Para analizar el caso de Uber en Italia, es necesario describir brevemente el sector de transporte urbano [10].

Este último constituye un mercado altamente regulado, en particular por la *Legge quadro 15 gennaio 1992, n. 21*. Esta Ley regula dos tipos de servicios: el servicio de taxi y el servicio de alquiler de vehículo con conductor (en italiano, *noleggio con conducente*, NCC) (art. 1, pár. 2).

---

[9]   Sobre Uber desde la óptica comparatística, cfr. L. Belviso "Il caso Uber negli Stati Uniti e in Europa fra mercato, tecnologia e diritto. Obsolescenza regolatoria e ruolo delle Corti", *MediaLaws - Rivista di diritto dei media*, n°. 1, 2018, pp. 144-160; E. Mostacci, A. Somma, *Il caso Uber – La sharing economy nel confronto tra common law e civil law*, Egea, Milano, 2016; E. Raffiotta. "Trasporti pubblici non di linea e nuove tecnologie: il caso Uber nel diritto comparato", *Munus*, n°. 1, 2016, pp. 75-95.

[10]   Con respecto a ese mercado, cfr. C. Iaone, *La regolazione del trasporto pubblico locale - bus e taxi alla fermata delle liberalizzazioni*, Jovene, Napoli, 2008; L. Martini, "L'autotrasporto pubblico non di linea: il servizio di taxi", en A. Brancasi (coord.), *Liberalizzazione del trasporto terrestre e servizi pubblici economici*, il Mulino, Bologna, 2003, pp. 251-286.

Centrándonos en el primero, el servicio de taxi está dirigido a un público no diferenciado; el estacionamiento de los vehículos relativos se realiza en un lugar público y existe la posibilidad de pararse también en la vía pública; las tarifas están predeterminadas administrativamente por el Municipio que emite la licencia de ejercicio al conductor; dentro del área municipal, la prestación del servicio, a favor del usuario que lo solicite, es obligatoria (art. 2).

Con respecto a su naturaleza, está configurado como un servicio público y, por esta razón, está sujeto a una serie de obligaciones que el taxista no asumiría si pudiese actuar solamente sobre la base del criterio de conveniencia económica. En particular: obligaciones tarifarias (los Municipios establecen tarifas para garantizar la accesibilidad y la estabilidad con respecto a las variaciones de la demanda); obligaciones de prestación (el taxista no puede rechazar la prestación dentro del territorio de competencia y durante su propio turno de servicio, incluso con respecto a carreras de poco valor); obligaciones de continuidad y universalidad (los Municipios establecen sistemas de turnos que garantizan la prestación de un servicio mínimo durante todo el período de 24 horas y en todas las zonas del territorio municipal de competencia, no solo en áreas y horas rentables).

Tal asunción de obligaciones no económicas no se compensa con una financiación directa, como ocurre tradicionalmente en los servicios públicos, sino a través de una contingencia de la oferta a nivel local (es decir, un número máximo de conductores autorizados para proporcionar el servicio), medida que asegura la sostenibilidad económica del servicio prestado.

Sin embargo, la contingencia se suma a un sistema de licencias emitidas por los Municipios solo en presencia de estrictos requisitos profesionales (examen de idoneidad para la realización del servicio, con referencia al conocimiento geográfico y de toponimia del territorio, obtención del certificado de habilitación profesional e inscripción en un rol específico en las cámaras de comercio). De hecho, los aspirantes a taxistas pueden participar en concursos municipales para la emisión de las licencias con la condición de que posean estos estrictos requisitos.

El grupo Uber entró en este mercado en 2013.

En particular, Uber ha operado en Italia a través de dos servicios: Uberblack y Uberpop.

Este último es un servicio de intermediación entre conductores no profesionales (particulares, no titulares de licencia taxi, dotados de *smartphone* con la *app* de Uber, un automóvil de 5 puertas inmatriculado durante un periodo no superior a 8 años, un carnet de conducir no suspendido por al menos 3 años) y usuarios, servicio que ha creado más polémicas y problemas jurídicos planteados ante los Tribunales (en particular, ante las *sezioni specializzate in materia di impresa* de los diversos *Tribunali*).

La cuestión fundamental que los Tribunales tuvieron que resolver es si los conductores no profesionales de Uber son libres de operar sobre la base del interés comercial exclusivo (como sostienen los propios conductores y Uber) o si deberían someterse a las obligaciones que recaen sobre los taxistas (como afirman los taxistas).

Para resolver esta duda, los Tribunales necesariamente han tenido que afrontar el problema de calificar correctamente el servicio Uberpop ofrecido por Uber [11].

Según este último, el grupo ofrece un servicio de intermediación tecnológica (entre la persona que solicita el servicio y aquel que ofrece el servicio de movilidad) y es independiente de las partes del contrato de transporte, de la relación, es decir, entre el conductor y el usuario.

De lo contrario, según lo que sostienen los taxistas, Uber no es un mero intermediario entre la oferta y la demanda. De hecho, siempre es el grupo el que determina el precio, media el pago, retiene una cuota del servicio proporcionado por los conductores, junto con los cuales parece constituir, por lo tanto, una única unidad económica. Así, al no ser un sujeto tercero con respecto a las partes, Uber termina por constituir una sociedad de transporte.

En base a la primera reconstrucción, Uber y los operadores profesionales tradicionales se colocan en diferentes mercados y, en consecuencia, los conductores de Uber no han de respetar las reglas y obli-

---

[11]   Cfr. L. Belviso, "Il trasporto locale non di linea fra tradizione e innovazione tecnologica. Anche la Corte Costituzionale si pronuncia", *Riv. regol. merc.*, nº. 1, 2017, pp. 170-197; V.C. Romano, "Nuove tecnologie per il mitridatismo regolamentare: il caso Uberpop", *Merc. conc. reg.*, nº. 1, 2015, pp. 133-140.

gaciones a las que están sometidos los taxistas. En base a la segunda reconstrucción, Uber y los taxistas operan en el mismo mercado y los conductores de Uber deben cumplir con las mismas reglas y obligaciones que se aplican a los conductores de taxis.

La jurisprudencia italiana [12] ha seguido la segunda reconstrucción, afirmando que el mercado no debe definirse en base a las modalidades en que confluyen oferta y demanda, sino teniendo en cuenta la tipología de clientela, la satisfacción de la misma necesidad de movilidad y la fungibilidad de los servicios. Entonces, con estas resoluciones se ha establecido que los conductores no profesionales de Uber violan las "reglas del juego" y que, por tanto, su servicio Uberpop representa una forma de competencia desleal que debe inhibirse en todo el territorio nacional.

En este contexto, también se señala que han intervenido, con una posición de mayor apertura, las autoridades administrativas independientes (en particular, la *Autorità Garante della Concorrenza e del Mercato* e la *Autorità di Regolazione dei Trasporti*) [13], que, contrarias a la inhibición de los servicios prestados por Uber, los cuales los consideran más bien como una oportunidad, han sugerido, para ellos, la introducción de una regulación "ligera", que, por un lado, pueda ofrecer mayores garantías (por ejemplo, en términos de seguridad, con la introducción de requisitos más estrictos para los conductores de Uber no profesionales), pero que, por otro lado, aún permita que el grupo continúe operando.

---

[12] Trib. Torino, sez. I - civile, 24 marzo 2017, n. 1553; Trib. Milano, sez. spec. in materia di impresa, ord. 25 maggio 2015, R.G. n. 16612/2015, confirmada por: Trib. Milano, sez. spec. in materia di impresa, ord. 2 luglio 2015, R.G. nn. 25445/2015 e 36491/2015.

[13] Con referencia a la *Autorità Garante della Concorrenza e del Mercato*, cfr. AS 1222/2015 - Legge quadro per il trasporto di persone mediante autoservizi pubblici non di linea (29 settembre 2015); con respecto a la *Autorità di Regolazione dei Trasporti*, cfr. atto di segnalazione al Governo e al Parlamento sull'autotrasporto di persone non di linea: taxi, noleggio con conducente e servizi tecnologici per la mobilità (21 maggio 2015).

3.3. La jurisprudencia del Tribunal de Justicia de la Unión Europea sobre el caso Uber

El Derecho Europeo también se ha interesado recientemente en la naturaleza de los servicios prestados por Uber, en particular de su servicio Uberpop, en dos casos: uno que surgió en el Ordenamiento jurídico español [14], el otro en el Ordenamiento jurídico francés.

Con respecto al primero, una asociación de taxistas de Barcelona (llamada Élite TaxI) ha interpuesto, en el 2014, una demanda ante el Juzgado de lo Mercantil n. 3 de Barcelona para que determinase si Uber (*rectius*, Uber Systems Spain SL), con el servicio Uberpop: I) violaba las normas relativas al transporte urbano (especialmente, el art. 4 de la Ley 19/2003, del 4 de junio, del Taxi, emanada del Parlamento autonómico Catalán, que prescribe el requisito de licencia y autorización para realizar, respectivamente, actividades de transporte urbano e interurbano en Cataluña); II) violaba el principio de competencia, cumpliendo con los requisitos de la competencia desleal establecidos en el art. 15 de la Ley 3/1991, de 10 de enero, de Competencia Desleal. Por tales razones, el recurrente pedía, también, que el grupo fuese condenado al cese de la actividad.

El mencionado Juzgado de lo Mercantil, dubitativo sobre la correcta naturaleza de este tipo de servicios – que, por un lado, están conectados a una *app* para *smartphone* y son remunerados por la puesta en contacto de conductores no profesionales y usuarios, pero que, por otro lado, permiten un servicio de movilidad que, de otro modo, no existiría – ha decidido plantear una cuestión prejudicial ante el Tribunal de Justicia de la Unión Europea.

La pregunta que este Juzgado ha formulado al Tribunal Europeo es, en base a la reformulación que ha realizado este último, si este servicio debe considerarse un «servicio en el ámbito de los transportes»

---

[14] Para un comentario, cfr. D. Diverio, "Se Uberpop è un servizio di trasporto un via libera (condizionato) alla sua regolamentazione da parte degli Stati membri", *Riv. it. dir. lav.*, n°. 2, 2018, pp. 410 ss. En general, sobre Uber en este Ordenamiento jurídico, cfr., entre otros, G. Doménech Pascual, "La regulación de la economía colaborativa en el sector del taxi y los VTC", en J.J. Montero Pascual (coord.), *La regulación de la economía colaborativa. Airbnb, BlaBlaCar, Uber y otras plataformas*, Tirant lo Blanch, Valencia, 2017.

(con aplicación del artículo 58, pár. 1, TFUE) o un «servicio de la sociedad de la información» (con la consiguiente aplicación del artículo 56 TFUE, de la denominada Directiva Bolkenstein 2006/123/UE, de la Directiva 2000/31/CE y de la Directiva 98/34/CE).

El Tribunal de Justicia de la Unión Europea, mediante la sentencia de 20 de diciembre de 2017 (asunto C-434/15), señala, en primer lugar, que este grupo «crea al mismo tiempo una oferta de servicios de transporte urbano, que hace accesible concretamente mediante herramientas informáticas, [...] cuyo funcionamiento general organiza» [15] y que, sin esta aplicación, «por un lado, estos conductores no estarían en condiciones de prestar servicios de transporte y, por otro, las personas que desean realizar un desplazamiento urbano no podrían recurrir a los servicios de los mencionados conductores» [16].

En segundo lugar, el Tribunal destaca que «Uber ejerce una influencia decisiva sobre las condiciones de las prestaciones efectuadas por estos conductores» [17]: fijando precios, intermediando el pago, controlando la conducta de los conductores y pudiendo decidir también desactivar sus perfiles.

Por estas dos razones, el Tribunal lleva a afirmar que «este servicio de intermediación forma parte integrante de un servicio global cuyo elemento principal es un servicio de transporte» [18].

Finalmente, el Tribunal también apoya sus consideraciones haciendo uso de la jurisprudencia anterior, según la cual la noción europea de «servicio en el ámbito de los transportes», que se encuentra en la directiva Bolkenstein, debe entenderse ampliamente, englobando no sólo los servicios de transporte como tales, sino también cualquier servicio ligado de forma inherente a un desplazamiento de personas o mercancías de un lugar a otro gracias a un medio de transporte.

Por tanto, esta actividad debe estar sujeta a las normas europeas de transporte, teniéndose que aplicar el art. 58, pár. 1, TFUE y, a partir de esta disposición, mediante remisión normativa, todo el título VI del TFUE dedicado al «transporte». Sin embargo, el transporte

---

[15]   Apartado 38.
[16]   Apartado 39.
[17]   Apartado 39.
[18]   Apartado 40.

representa una materia de competencia compartida en la que pueden adoptar actos jurídicamente vinculantes tanto la Unión Europea como los Estados Miembros, y en el que estos últimos pueden ejercer su competencia en la medida en que la Unión Europea no haya ejercido la suya. Pues bien, faltando disposiciones europeas relativas al transporte urbano, el Tribunal solo puede concluir afirmando que, actualmente, es deber de los Estados Miembros regular las condiciones de prestación de estos servicios, que son formalmente atribuibles a la intermediación y sustancialmente a la movilidad.

Por lo que concierne al segundo caso, en el marco de un procedimiento penal contra Uber (*rectius*, Uber France SAS) por organización ilegal de un sistema de puesta en conexión de clientes con personas que efectúan transporte por carretera de personas a título oneroso con vehículos de menos de diez plazas – conducta penada por el art. L. 3124-13 de la *Loi 2014-1104 du 1er octobre 2014 relative aux taxis et aux voitures de transport avec chauffeur*, es decir, del Código de Transportes francés – el *Tribunal de Grande Instance de Lille* formula una petición de decisión prejudicial preguntando al Tribunal de Justicia de la Unión Europea si la disposición nacional mencionada debe calificarse como «regla relativa a los servicios de la sociedad de la información», como tal sujeta, para ser aplicable, a la obligación de notificación previa a la Comisión Europea, de conformidad con el art. 8, ap. 1, pár. primero, de la Directiva 98/34/CE.

El Tribunal de Justicia de la Unión Europea, mediante su sentencia de 10 de abril de 2018 (asunto C-320/16), citando su jurisprudencia sobre el caso español antes mencionado, es decir, considerando que un servicio de intermediación puede formar parte integrante de un servicio global cuyo elemento principal es más bien un servicio de transporte, llega a afirmar que el servicio de Uber representa, también en este caso, sustancialmente, un servicio de movilidad, esencialmente idéntico al del caso español (aunque confía al Tribunal nacional la verificación de esta asimilación) [19].

Por lo tanto, tal disposición no puede calificarse como «regla relativa a los servicios de la sociedad de la información», sino como «regla relativa a un servicio en el ámbito de los transportes», por lo

---

[19]   Apartados 22-24.

que no está sujeta a la obligación de notificación previa a la Comisión y, consecuentemente, resulta aplicable a Uber.

4. EL CASO AIRBNB

Incluso con respecto a Airbnb han surgido litigios, tanto a nivel nacional – y, en particular, se analizarán los problemas que han surgido en Italia – como en Europa, donde el Tribunal de Justicia de la Unión Europea ha adoptado una resolución respecto a un caso que surgió en el Ordenamiento jurídico francés.

4.1. El caso Airbnb en Italia

Recientemente, en Italia [20], el *Consiglio di Stato*, Tribunal de lo contencioso-administrativo de segunda instancia, ha formulado una petición de decisión prejudicial al Tribunal de Justicia de la Unión Europea.

El caso ha surgido a partir de un acto de la *Agenzia delle Entrate* [21] que ha impuesto al grupo Airbnb el severo régimen fiscal previsto, del art. 4, párr. 4, 5 y 5-*bis*, del *decreto legislativo 24 aprile 2017, n. 50, convertito in l. 21 giugno 2017, n. 96*, para los arrendamientos de corta duración (es decir, para «*i contratti di locazione di immobili ad uso abitativo di durata non superiore a 30 giorni*»). Régimen fiscal, este último, que está caracterizado por obligaciones de comunicación (ej. transmisión a la *Agenzia delle Entrate* de los datos relacionados con los contratos conclusos a través de la plataforma electrónica), fiscales (ej. hacer una retención de impuestos del 21 por ciento sobre la contraprestación pagada por el arrendatario y pagar esta suma a la *Agenzia delle Entrate*, actuando como un sustituto del impuesto) y de nombramiento de un representante fiscal (obligatorio para intermediarios que no sean residentes y no estén establecidos en Italia).

---

[20]   Para un comentario, véase: M.V. La Rosa, "Il servizio reso da Airbnb: prestazione accessoria o autonoma rispetto alla locazione immobiliare? Il punto di vista del Tar del Lazio", *www.medialaws.eu*, 2019.

[21]   Provvedimento n. 132395 del 12 luglio 2017.

Airbnb (*rectius*, Airbnb Ireland UC y Airbnb Payments Ltd.) pide la anulación de este acto ante el *TAR Lazio* (Tribunal Administrativo Regional del Lazio), considerándolo ilegítimo por dos razones:

a) porque se habría adoptado en actuación de disposiciones nacionales que están en conflicto con el Derecho de la Unión Europea (en particular, con los arts. 4 y 5 de la Directiva 1535/2015/UE, que obligan a los Estados Miembros a comunicar, por adelantado, la adopción de cualquier medida relacionada con un «servicio de la sociedad de la información»), tratándose de una normativa que Italia no ha comunicado, anteriormente a su adopción, a la Comisión Europea, creyendo que no contenía reglas relativas a un «servicio de la sociedad de la información»;

b) porque, en aplicación de esa legislación, impone obligaciones de información, fiscales y de nombramiento de un representante fiscal que violan los principios de libre prestación de servicios (art. 56 TFUE y Directivas de 2006/123/CE y 2000/31/CE), de libre competencia, de no discriminación, además de exceder los principios de "necesidad" y "proporcionalidad" establecidos por la jurisprudencia consolidada del Tribunal de Justicia de la Unión Europea para legitimar la restricción de estas libertades.

El Tribunal de lo contencioso-administrativo de primera instancia (TAR Lazio, Roma, sez. II-*ter*, 18 febbraio 2019, n. 2207) rechaza ambos motivos de recurso, sosteniendo que la normativa en cuestión no necesariamente debe notificarse a la Comisión Europea y que las obligaciones allí establecidas no son perjudiciales para los principios y libertades mencionados anteriormente.

Airbnb decide, por lo tanto, apelar esta sentencia al *Consiglio di Stato*, alegando la inaplicabilidad de la normativa sobre el régimen fiscal para los arrendamientos de corta duración ya que:

a) el servicio prestado representaría un «servicio de la sociedad de la información», con la consecuencia de que el Estado Italiano habría tenido que notificar la normativa antes mencionada a la Comisión Europea anteriormente a su adopción;

b) las obligaciones de información, fiscales y de nombramiento de un representante fiscal previstas pondrían en peligro la libre prestación de servicios (art. 56 TFUE), discriminando a Airbnb en comparación con los competidores. Además, estas obligaciones serían irrazonables y desproporcionadas, no justificadas por "razones imperiosas de interés general", de conformidad con el art. 56 TFUE.

Junto con la solicitud de inaplicabilidad, en "via subordinata", Airbnb solicita al *Consiglio di Stato* que plantee una cuestión prejudicial ante el Tribunal de Justicia de la Unión Europea para interpretar el Derecho Europeo y así dilucidar si el anterior entra en conflicto con la regulación interna.

Por lo tanto, el *Consiglio di Stato* (Consiglio di Stato, ord. 18 settembre 2019, n. 6219) decide suspender el proceso y preguntar al Tribunal de Justicia si las disposiciones y principios del Derecho Europeo son contrarios a la legislación nacional que, sin notificación previa a la Comisión Europea, impone al intermediario obligaciones de información, fiscales y de nombramiento de un representante fiscal como las antes mencionadas.

4.2. La jurisprudencia del Tribunal de Justicia de la Unión Europea sobre el caso Airbnb

Analizando la jurisprudencia del Tribunal de la Unión Europea sobre el caso Airbnb, se aprecia que este Tribunal se ha pronunciado recientemente en un caso relativo a la prestación de servicios, por parte de este grupo, en territorio francés. Tal sentencia merece ser analizada.

En particular, en el contexto de un procedimiento penal – iniciado por el *Procureur de la République près le tribunal de grande instance de Paris* a raíz de una denuncia de la *Association pour un hébergement et un tourisme professionnels*, que se ha constituido parte civil – contra Airbnb (*rectius*, Airbnb Ireland UC) por ejercer una actividad de agente inmobiliario sin tarjeta profesional (*rectius*, por "manejo de fondos para actividades de intermediación y de gestión de inmuebles y fondos de comercio por una persona desprovista de tarjeta profesional"), infracción tipificada por el art. 16 de la *Loi n. 70-9, du 2 janvier 1970, réglementant les conditions d'exercice des activités relatives à certaines opérations portant sur les immeubles et les fonds de commerce* (llamada Ley Hoguet), el *Juge d'instruction du Tribunal de*

Grande Instance de Paris plantea al Tribunal de Justicia las siguientes cuestiones prejudiciales:

a) si el art. 2, letra a), de la Directiva 2000/31/CE – que remite a la noción de «servicio de la sociedad de la información» prevista por el art. 1, ap. 1, letra b), de la Directiva 2015/1535/UE – debe interpretarse en el sentido de que un servicio como lo que ejerce Airbnb ha de calificarse como «servicio de la sociedad de la información», como tal sujeto a la aplicación de la Directiva 2000/31/CE;

b) si el art. 3, ap. 4, de la Directiva 2000/31/CE se debe interpretar en el sentido de que un particular – como Airbnb – puede oponerse a que le sean aplicadas, en el marco de un procedimiento penal, medidas de un Estado Miembro que restrinjan la libre circulación de un «servicio de la sociedad de la información» – es decir, en este caso, la Ley Hoguet, que imponía la posesión de tarjeta profesional para quienes que prestan el servicio de alojamiento en Francia siendo establecidos en otro Estado Miembro – cuando esas medidas no cumplan todas las condiciones establecidas en dicha disposición, es decir: 1) no sean necesarias para garantizar un interés súper-protegido (el orden público, la protección de la salud pública, la seguridad pública o la protección de los consumidores), o no vayan en detrimento de tales intereses, o no presenten un riesgo serio y grave de ir en detrimento de dichos intereses, o, por último, no sean proporcionadas a la exigencia de proteger dichos intereses; 2) no hayan sido notificadas previamente a la Comisión por el Estado Miembro en cuyo territorio está establecido el prestador de servicios en cuestión.

Con respecto a la cuestión a), el Tribunal de Justicia, con sentencia de 19 de diciembre de 2019 (asunto C- 390/18), recuerda que el concepto de «servicio de la sociedad de la información» comprende «todo servicio prestado normalmente a cambio de una remuneración, a distancia, por vía electrónica y a petición individual de un destinatario de servicios» [22] y considera que el servicio ofrecido por Airbnb está caracterizado por todos los requisitos diferentes que identifica esta definición. De hecho, este operador económico ofrece una actividad: «a cambio de una remuneración» pagada por el arrendatario; «a distancia» y «por vía electrónica», dado que en ningún momento

---

[22]   Apartado 44.

del proceso contractual las partes se ponen en contacto de una forma que no sea la intermediación de la plataforma electrónica; «a petición individual» del arrendatario interesado, que visualiza el anuncio publicado por parte del arrendador.

Para el Tribunal de Justicia, este servicio – con una conclusión diferente a la del caso Uber – es, en todos su aspectos, un «servicio de la sociedad de la información», ya que no se puede considerar parte integrante de un servicio global, más amplio, cuyo elemento principal sea un servicio de alojamiento: «ese servicio de intermediación es disociable de la transacción inmobiliaria propiamente dicha en la medida en que no solo tiene por objeto la realización inmediata de una prestación de alojamiento, sino, más bien, sobre la base de una lista estructurada de los alojamientos disponibles en la plataforma electrónica epónima que correspondan a los criterios de las personas que buscan un alojamiento de corta duración, proporcionar un instrumento que facilite la conclusión de contratos en futuras transacciones. La creación de esa lista en beneficio tanto de quienes dispongan de alojamientos para arrendar como de quienes buscan ese tipo de alojamiento constituye el principal rasgo de la plataforma electrónica gestionada por Airbnb» [23].

Por lo tanto, más allá de los muchos servicios accesorios prestados, es la presentación organizada del conjunto de las ofertas, junto con las herramientas de búsqueda, de localización y de comparación entre ellas, lo que representa el principal elemento del servicio proporcionado por Airbnb.

Además, tal servicio – afirma el Tribunal de Justicia, diferentemente respecto a lo que dijo en el caso Uber – «en modo alguno resulta indispensable para llevar a cabo la prestación de servicios de alojamiento, ni desde el punto de vista de los arrendatarios ni del de los arrendadores que recurran a él, puesto que ambos disponen de otros muchos cauces, algunos de los cuales existen desde hace mucho tiempo, como las agencias inmobiliarias, los anuncios clasificados en papel o en formato electrónico o incluso los sitios *web* de alquiler de inmuebles»[24].

---

[23]   Apartado 53.
[24]   Apartado 55.

Sin embargo – a diferencia de lo que se ha observado con respecto a Uber – considerando tanto la prestación principal como los servicios accesorios, según el Tribunal de Justicia, Airbnb no ejerce una influencia decisiva sobre las condiciones de prestación de los servicios de alojamiento a los que está vinculado su servicio de intermediación, puesto que no determina, ni directa ni indirectamente, el precio de los arrendamientos, ni establece un precio máximo para ellos. Simplemente, Airbnb pone a disposición de los arrendadores una herramienta opcional de estimación del precio de su arrendamiento en función de los precios medios del mercado en dicha plataforma, dejando a ellos la responsabilidad de fijar el precio del arrendamiento [25].

Por lo que concierne la cuestión b), el Tribunal de Justicia, con la misma sentencia, considera que Airbnb puede oponerse a que se le aplique la Ley Hoguet (tanto con respecto a la imposición de la sanción penal, como con respecto al acción civil que se ha ejercido en el procedimiento penal) por la falta de la segunda condición antes mencionada, es decir, la falta de notificación previa a la Comisión Europea. Todo esto, considerando no relevante que la ley nacional haya entrado en vigor anteriormente a la Directiva 2000/31/CE. Consecuentemente, Francia no puede exigir que Airbnb tenga una tarjeta profesional para ofrecer sus servicios.

5. CONCLUSIONES

Para concluir se puede considerar el conflicto entre los operadores profesionales tradicionales de los sectores mencionados *supra* y los operadores de la economía colaborativa como el producto del avance tecnológico que irrumpe en los mercados, lo que permite expresar la demanda y la oferta de bienes y servicios de una manera completamente nueva, y que convierte, al mismo tiempo, en inadecuadas y obsoletas las antiguas reglas de estos sectores [26].

Teniendo en cuenta lo anterior, el Derecho se ve obligado, para preservar su utilidad, a intervenir. Y el jurista es quien tiene la tarea

---

[25]   Apartados 56 y 58.
[26]   Para algunas consideraciones, véase M. Midiri, "Nuove tecnologie e regolazione: il caso Uber", *Riv. trim. dir. pubbl.*, n°. 3, 2018, p. 1017 y ss.

de proporcionar soluciones para hacer que el Ordenamiento jurídico sea más adecuado para enfrentar el desafío de la obsolescencia – que, en verdad, ya se da por perdido desde el principio – para suavizar y hacer que esta derrota sea menos severa.

En este contexto, el Derecho Europeo, y en particular el Tribunal de Justicia de la Unión Europea, ha desempeñado el papel más importante.

De hecho, en su jurisprudencia, este Tribunal ha elaborado algunos criterios que permiten entender si un operador económico intermediario, que gestiona una plataforma electrónica, ofrece (o no) un «servicio de la sociedad de la información», con la consiguiente aplicación de su régimen jurídico.

En particular, como se desprende de esta jurisprudencia, es necesario analizar: I) si tal operador es un *market player*, es decir, si crea un tipo de oferta de servicios que no existiría sin su plataforma; II) si tal operador ejerce un control penetrante sobre las condiciones de oferta del servicio y la organización laboral. Si la contestación a tales preguntas es, en ambos casos, afirmativa, entonces el servicio en cuestión no constituye un «servicio de la sociedad de la información». *A contrario sensu*, la intermediación se convierte en una parte de un servicio global en que es accesoria respecto a un servicio principal distinto (la prestación de transporte urbano, de alojamiento, etc.).

Aplicando estos criterios, el Tribunal de Justicia ha determinado: que Uber realiza, con Uberpop, un servicio de transporte, que tiene que ser regulado por los distintos Estados Miembros; que Airbnb ofrece un «servicio de la sociedad de la información», que encuentra su disciplina en el Derecho de la Unión Europea.

A este escenario se agrega lo desarrollado, paralelamente, en los distintos Estados Miembros, donde frecuentemente no se ha regulado el fenómeno de la economía colaborativa y quienes han decidido sobre el destino de sus operadores económicos han sido los Tribunales nacionales, con una fuerte tendencia restrictiva. De hecho, en lugar de la valoración de la innovación, han prevalido, en estos casos jurisprudenciales, varias instancias y consideraciones que han enfatizado la competencia desleal, el ánimo lucrativo de estos operadores económicos, el papel de primer orden asumido por ellos en la organización de los servicios, etc.

En este contexto, regulado esencialmente a través de resoluciones asumidas a nivel jurisprudencial, solo se pueden expresar dudas. La tendencia de los órganos políticos a dejar que la jurisprudencia tome las decisiones relativas a la estructura competitiva de un mercado, lo que obliga a los Tribunales a desempeñar el papel de "regulador" para decidir el destino de los operadores económicos, lleva, de hecho, a olvidar la verdadera función del órgano jurisdiccional, reemplazando el principio de separación de poderes y socavando el modelo del Estado de Derecho.

BIBLIOGRAFÍA

Alfonso Sánchez R., "Economía colaborativa: un nuevo mercado para la economía social", *Revista de Economía Pública, Social y Cooperativa*, n°. 88, 2016, pp. 231-258.

Belviso L., "Il caso Uber negli Stati Uniti e in Europa fra mercato, tecnologia e diritto. Obsolescenza regolatoria e ruolo delle Corti", *MediaLaws - Rivista di diritto dei media*, n°. 1, 2018, pp. 144-160.

Belviso L., "Il trasporto locale non di linea fra tradizione e innovazione tecnologica. Anche la Corte Costituzionale si pronuncia", *Riv. regol. merc.*, n°. 1, 2017, pp. 170-197.

Botsman R., Rogers R., *What's mine is yours. How collaborative consumption is changing the way we live*, Harper Collins, London, 2010.

Carbonell Porras E., "Servicios de movilidad colaborativa: modalidades y diferencias de régimen jurídico", *Anuario Aragonés del Gobierno Local 2018*, n°. 10, 2019, pp. 273-320.

Dell'Atti A., "L'Agenda Europea per la c.d. economía collaborativa", *Riv. Regol. Merc.*, n°. 2, 2016, pp. 107-124.

Di Amato A., "Uber and sharing economy", *The Italian Law Journal*, n°. 1, 2016, pp. 177-190.

Diverio D., "Se Uberpop è un servizio di trasporto un via libera (condizionato) alla sua regolamentazione da parte degli Stati membri", *Riv. it. dir. lav.*, n°. 2, 2018, p. 410 y ss.

Doménech Pascual G., "La regulación de la economía colaborativa en el sector del taxi y los VTC", en Montero Pascual J.J. (coord.), *La regulación de la economía colaborativa. Airbnb, BlaBlaCar, Uber y otras plataformas*, Tirant lo Blanch, Valencia, 2017.

Fingletonn J., Stalibrass D., "Imprese peer to peer, regolamentazione e concorrenza", *Merc. conc. reg.*, n°. 3, 2015, p. 404 y ss.

García Montoro L., "Agenda Europea para la Economía Colaborativa", *Revista CESCO de Derecho de Consumo*, n°. 18, 2016, pp. 107-112.

Iaone C., *La regolazione del trasporto pubblico locale - bus e taxi alla fermata delle liberalizzazioni*, Jovene, Napoli, 2008.

Jarne Muñoz J., *Economía colaborativa y plataformas digitales*, Editorial Reus, Madrid, 2019.

La Rosa M.V., "Il servizio reso da Airbnb: prestazione accessoria o autonoma rispetto alla locazione immobiliare? Il punto di vista del Tar del Lazio", *www.medialaws.eu*, 2019.

Martini L., "L'autotrasporto pubblico non di linea: il servizio di taxi", en Brancasi A. (coord.), *Liberalizzazione del trasporto terrestre e servizi pubblici economici*, il Mulino, Bologna, 2003, pp. 251-286.

Midiri M., "Nuove tecnologie e regolazione: il caso Uber", *Riv. trim. dir. pubbl.*, n°. 3, 2018, p. 1017 y ss.

Mostacci E., Somma A., *Il caso Uber – La sharing economy nel confronto tra common law e civil law*, Egea, Milano, 2016.

Perrucci A., "L'ecosistema delle apps ed il ruolo della regolamentazione", *Riv. regol. merc.*, n°. 2, 2014, p. 82 y ss.

Raffiotta E., "Trasporti pubblici non di linea e nuove tecnologie: il caso Uber nel diritto comparato", *Munus*, n°. 1, 2016, pp. 75-95.

Romano V.C., "Nuove tecnologie per il mitridatismo regolamentare: il caso Uberpop", *Merc. conc. reg.*, n°. 1, 2015, pp. 133-140.

Schneider H., *Uber: Innovation in Society*, Palgrave Macmillan, New York, 2017.

Smorto G., "Verso la disciplina giuridica della sharing economy", *Merc. conc. reg.*, n°. 2, 2015, pp. 245-277.

LA CONDICIÓN JURÍDICA DE LOS ROBOTS: DEL *STATUS CIVITATIS* A LA PERSONALIDAD ELECTRÓNICA

MARINA ROJO GALLEGO-BURÍN
Universidad de Málaga

SUMARIO: 1. Introducción. 2. Hacia un tiempo nuevo. 3. Los esclavos de Roma *versus* los robots. 4. La persona en la tradición cristiana. La relevancia de la razón. 5. Libres, siervos y aforrados en castilla. 6. Las cualidades de la persona en la filosofía. 7. La personalidad jurídica en el presente y futuro: hacia la personalidad electrónica. 8. Pero, ¿por qué no hacemos una ficción jurídica con los robots?. 9. ¿Qué derechos tienen los robots?. 10. La personalidad electrónica en la actualidad ¿qué supondría?. 11. Conclusiones. Bibliografía.

1. INTRODUCCIÓN

Uno de los conceptos jurídicos más controvertidos para la doctrina, entre toda la plétora de ellos, es el de personalidad jurídica. Por lo que abordar dicha cuestión no se trata de un tema novedoso, aunque no por ello carece de sustancia e interés. Nuestro objetivo no es aportar nuevas tesis para la conformación de la condición jurídica de las personas, sino estudiarla de tal modo que nos ayude a realizar un juicio crítico sobre el propósito de crear una personalidad electrónica para las máquinas dotadas de inteligencia artificial. En la actualidad la disputa está abierta, es cierto que se ha realizado la ficción jurídica de dotar de personalidad a entidades colectivas. Pero ¿debemos proceder igual y realizar otra ficción para concedérsela a los robots?

Para responder a esta pregunta es imprescindible examinar la concepción jurídica y filosófica de la persona durante el devenir de los tiempos. Es necesario tener en consideración que no fue hasta el siglo XIX cuando el término persona se convierte en equivalente a sujeto de derechos y obligaciones, pues con anterioridad *persona se identifi-ca con el género humano, sin aludir a la capacidad de este*[1].

2. HACIA UN TIEMPO NUEVO

En 1893, el checo Antonín Dvořák compuso en la ciudad de Nueva York una nueva sinfonía *"From the New World"*, en la que por primera vez se combinaban musicalidades de diversas culturas y tradiciones que hicieron de ella la aparición de una pieza musical novedosa, única, en la que se abordan temas como la esclavitud contra la que luchan héroes. Ello aconteció en el siglo XIX, pero en la actualidad nos encontramos sumergidos en una nueva era *(new age)*, en la que vamos a convivir posthumanos y máquinas superinteligentes[2], nos situamos en un tiempo de transición entre el antropocentrismo y el tecnocentrismo, al que nos dirigimos. Transhumanismo es una palabra que aún no se encuentra recogida en el Diccionario de la Real Academia de la Lengua española pero que de modo progresivo se está convirtiendo en omnipresente en el ámbito de las ciencias, la filosofía y la literatura. Este es un vocablo que fue utilizado por primera vez por Julian Huxley, en el año 1927, un biólogo inglés de polifacética personalidad que destacó, entre otras muchas, por su faceta de eugenista. La esencia del transhumanismo es que los seres humanos debían beneficiarse de la ciencia y la tecnología, el británico defiende que el hombre puede superarse, transcenderse así mismo[3]. En una época en la que huimos de la obsolescencia, cobra su protagonismo el transhumanismo, esta corriente de pensamiento se plantea como objetivo primordial la creación de un prototipo de ser humano diferente, que se trataría de una especie humana más avanzada, evolucionada y mejorada, es decir, "transhumana" o "posthumana". Los *homines excelsiores* serán una especie más feliz, virtuosa, inteligente y longeva que los homines sapientes, nosotros[4]. Ya comienza a plantearse y se ve posible que la inteligencia artificial supere a la humana.

Este contexto revolucionario hace que nos aproximemos hasta un horizonte desconocido, y ello nos exige reflexionar y prepararnos a

---

[1]   Cerda, J., "Tres conferencias del Profesor García Gallo", en *Anuario de Dere-cho Civil*, 1948, pp. 1386-138.

la nueva realidad. Esta nueva realidad va a afectarnos en todos los aspectos de la vida desde nuestro modo de relacionarnos, nuestras tareas cotidianas, nuestro trabajo, nuestro lenguaje (pues aparecen vocablos nuevos) pero también nuestro Derecho requiere un nuevo marco jurídico para dar cabida a nuevas situaciones. La Unión Europea ha comenzado a plantearse estas cuestiones y ha dictado una serie de principios generales, entre los que destaca[5]:

- La necesidad de disponer de una serie de normas en materia de responsabilidad.

- Valorar el papel que puede desempeñar la propia Unión Europea en el momento de establecer principios éticos elementales que deban primar en el desarrollo, programación y utilización de los robots y de la inteligencia artificial, así como en los códigos y normativa de conducta.

El Parlamento Europeo en la resolución de 16 de febrero de 2017, con recomendaciones destinadas a la Comisión sobre normas de Derecho civil sobre robótica, en su considerando 59 pide a la Comisión que analice "crear a largo plazo una personalidad jurídica específica para los robots, de forma que como mínimo los robots autónomos más complejos puedan ser considerados personas electrónicas responsables de reparar los daños que puedan causar, y posiblemente aplicar la personalidad electrónica a aquellos supuestos en los que los robots tomen decisiones autónomas inteligentes o interactúen con terceros de forma independiente"[6].

Ello evidencia que todo lo concerniente a la inteligencia o superinteligencia artificial sea el asunto más importante de nuestro futuro. Prueba evidente de la preocupación que se siente sobre la utilización de la tecnología con fines bélicos es como proliferan los dictámenes que advierten sobre esto, la doctrina alerta de los peligros ante los que nos podemos enfrentar y se suceden las campañas de concienciación. La técnica se ha desarrollado a tal nivel que ciertas armas pueden

---

[5] Normas de Derecho civil sobre robótica. Resolución del Parlamento Europeo, de 16 de febrero de 2017, con recomendaciones destinadas a la Comisión sobre normas de Derecho civil sobre robótica (2015/2103(INL))

[6] Resolución del Parlamento Europeo, de 16 de febrero de 2017, (2015/2103(INL)), 95, f.

actuar sin que intervenga el juicio humano. Son cada vez más las voces que nos advierten de que estamos próximos a que las películas de ciencia ficción se extrapolen a la realidad. Más que nunca cobran sentido las Leyes Asimov de la robótica, que declaraban:

1. Ningún robot podría causar daño alguno al ser humano.

2. Siempre estará a las órdenes de este.

3. El robot tendrá que proteger al ser humano.

En definitiva, la Comisión Europea propone la creación de una nueva categoría de personalidad jurídica y es la de concederle a los sistemas robóticos "personalidad electrónica". Adviértase que el vocablo robot es un término de reminiscencias checas, "robota", que se puede traducir como siervo o esclavo y que fue definido en 1921 —por Karel Capek— como una criatura mecánica que es capaz de funcionar de un modo autónomo. Lo cual, nos recuerda a los esclavos que regulaba el Derecho Romano. Por tal motivo, cuando se plantea la creación de una nueva categoría de personalidad jurídica se erige como necesario analizar los fundamentos históricos, jurídicos y filosóficos de la personalidad jurídica.

Esta cuestión nos va a llevar a plantearnos si podemos atribuir personalidad jurídica a los robots. Nuestro punto de partida va a ser la definición de ella: todo ser o entidad con capacidad de ostentar derechos y obligaciones, por lo que es necesario estudiar los diferentes tipos de personas que existen, comprobar si los robots tienen cabida en alguna de ella o sería necesario crear una nueva categorización.

El vigente concepto abstracto de persona es reciente y aún más reciente el de persona jurídica. Este se ha ido conformando de modo progresivo, en cada periodo histórico se han utilizado las expresiones de *persona ficta*, persona moral o persona jurídica. En palabras de De Castro este concepto se ha formado, deformado y reformado conforme a la condiciones y necesidades sociales y culturales[7].

---

[7]   De Castro y Bravo, F., *La persona jurídica*, Civitas, Madrid, 1984, p. 144.

3. LOS ESCLAVOS DE ROMA *VERSUS* LOS ROBOTS

Adviértase que los juristas romanos no elaboraron una teoría de la personalidad jurídica, como desarrollarían más tarde a comienzos de la Edad Media[8]. Desde la época de Roma el término de persona no se ha utilizado en exclusiva para referirse al género humano, ello hace ineludible referirnos al significado de persona en un sentido jurídico. Se designa persona a todo ser o entidad que sea susceptible de ostentar derechos y obligaciones, en otras palabras, todo aquel que cumple los requisitos para que se le puedan atribuir potestades y facultades que implican los derechos subjetivos, así como cumplir deberes jurídicos. Esa aptitud para ser titular de derechos y obligaciones se denomina capacidad jurídica y persona es todo ser con capacidad jurídica. Fue a partir del siglo III cuando el término persona de modo progresivo va adquiriendo un significado relacionado con la capacidad jurídica[9]. De tal modo, que el elemento fundamental de la personalidad es la capacidad[10].

Carpintero Benítez deduce que, en un sentido jurídico-romanista, el término persona alude a la situación socialmente determinada. No obstante, "persona jurídica" se refiere a lo que el Derecho objetivo ha establecido que puede hacerse y cuanto puede hacerse. Por ello, todo padre o tutor ostenta una serie de obligaciones, por el hecho de situarse en dicha situación. Los romanos para aludir a esa serie de situaciones en las que un ser humano se encuentra objetivamente vinculado, utilizaron el término de *officium*[11].

Al estudiar la *personalidad* jurídica en Roma[12], además, debemos tener en cuenta el fenómeno de la esclavitud, pues los esclavos, perso-

---

8   Volterra, E., *Instituciones de Derecho privado*. Civitas, 1986, p. 74.

9   Serrano Ruiz Calderón, J. M., *Una aproximación a las fuentes doctrinales de la concepción savignana de la persona jurídica*, tesis doctoral, Universidad Complutense de Madrid, 2015, p. 17.

10   Arias Ramos, J., *Derecho Romano I*, Editorial Revista de Derecho Privado, Madrid, 1974, p. 55.

11   Carpintero Benítez, F., *Historia del Derecho Natural. Un ensayo*, Universidad Nacional Autónoma de México, México, 1999, p. 156.

12   Vease Grosso, G., *Lezioni di Storia del Diritto Romano*, G. Giappichelli, Torino, 1955; A. Guarino, *L' Ordinamento Guiridico Romano. Introduzione Allo studio del diritto romano*, Casa editrice Dott. Eugenio Jovene, Napoli, 1959.

nas físicas dotadas de capacidad de razonamiento y con voluntad, no disfrutaban de capacidad jurídica.

El corolario de esta situación es evidente, conforme al Derecho Romano, al igual que en el mundo antiguo en rasgos generales, existen dos tipos de personas: en primer lugar, las personas físicas que cumplan unos determinados requisitos y, en segundo lugar, entidades con aptitud de ostentar derechos y obligaciones, pero carentes de condición humana.

Respecto de esos requisitos para que el hombre viera reconocida su capacidad, se hace preciso de una serie de condiciones físicas y jurídicas, se requiere que este fuera libre, ciudadano romano y *pater* familia (respectivamente *status libertatis, status civitais y status familiae).*

En este punto, resulta interesante estudiar a los esclavos de Roma, esos hombres que pese a disfrutar de condición humana no se consideran personas con capacidad jurídica.

¿Cómo eran los esclavos? ¿cuál era su condición jurídica?

La división jurídica de los hombres formulada por el Derecho Romano se justificaba en la situación económica y política de la Antigüedad, era un elemento esencial para la sociedad y la economía, pues se concibe la esclavitud como un elemento imprescindible para la organización de cualquier comunidad política y además, el trabajo servil se erige como el medio fundamental para la producción industrial y agrícola, realizaban también trabajos domésticos, en minas molinos…[13].

Los esclavos carecían de capacidad jurídica: "servile caput nullum ius habet"[14]. Los *servus*[15] o *mancipium* podían tener dicha condición ora desde su nacimiento ora por alguna causa sobrevenida. Indepen-

---

[13]   Mc Krause, S., *Esclavitud y economía en la antigua Roma*, Cambridge Stanfor Books, 2019.

[14]   PAULUS; libro XI ad edictum; D. 4, 5, 3.1.

[15]   Siervo, esclavo; ser humano carente de libertad y desprovisto de personalidad jurídica por encontrarse sometido a la consideración de cosa, susceptible de formar parte del patrimonio de una persona. En el derecho antiguo tenían la consideración de res mancipi, y durante todo el derecho romano conservó su consideración de cosa, si bien poco a poco se le fue reconociendo alguna capacidad, nunca completa". Voz *servus* en Gutiérrez Alviz, F. *Diccionario de Derecho Romano*, Instituto Editorial Reus, Madrid, 1948, p. 560.

dientemente de ello, que esclavo lo fuera por nacimiento o hubiera adquirido dicha condición con posterioridad, lo relevante para el tema que nos ocupa es el tratamiento jurídico que recibe por parte del Derecho Romano. Los esclavos eran individuos a los que el ordenamiento jurídico ni les reconocía ni concedía ninguna personalidad jurídica ni ninguna capacidad. Tampoco se admiten como miembros de una comunidad política jurídicamente organizada[16]. No eran sujeto de derecho, sino cosa, *res*. Se reconoce su condición humana, pero se trata como un objeto, una cosa, Gayo se refiere a ellos como persona *servilis* y *persona servi*. En palabras de Schulz, estas denominaciones no provocan ningún conflicto, los esclavos son cosas corporales, presentan cualidades de persona y cosa.

La *iurisprudentia* nunca ha considerado a los esclavos como animales, no han podido denegarle su capacidad para realizar actos legales[17]. Los esclavos se encontraban sometidos al poder absoluto de su propietario, de cuyo patrimonio forma parte. Por tal motivo, carecen de derecho a contraer matrimonio y a tener familia, son seres incapaces. Asimismo, no tienen derechos patrimoniales: no pueden ser propietarios, acreedores, deudores, ni otorgar testamento ni dejar herederos. Sin embargo, tienen personalidad en ciertos ámbitos como el religioso, el juramento o las honras fúnebres[18].

Los esclavos reciben un tratamiento instrumental y como tales instrumentos podían realizar negocios jurídicos, los cuales no iban a repercutir en ellos mismo, sino en su *dominus*. El propietario sobre los esclavos tenía, en principio, todos los poderes: venderlo, donarlo, castigarlo, entregarlo en garantía, arrendarlo e incluso matarlo[19]. Ese poder en principio ilimitado sobre los esclavos con el paso del tiempo fue mitigándose: prohibiéndose que los esclavos fueran arrojados a las fieras sin autorización del magistrado o el dueño que abandonara

---

[16]   Volterra, E., *Instituciones de Derecho privado* cit., p. 80.
[17]   Schulz, F., *Classical Roman Law*, Clarendon Press, Oxford, 1954, p. 71 y *Derecho Romano Clásico*, traducción de José Santa Cruz Teigeiro, Bosch, Barcelona, 1960, p. 69.
[18]   J. Iglesias. *Derecho Romano*, Ariel, Barcelona, 1962, pp. 107 y 108.
[19]   A. D'Ors. *Elementos del Derecho privado romano*. Studium Generale, Pamplona, 1960, p.159.

al esclavo por su edad o enfermedad perdería su derecho de propiedad.

Además, los esclavos podían causar daños ¿quién responde de ellos? y los que se le causaran al esclavo ¿quién tiene derecho a reclamarlos? La respuesta es idéntica para ambos casos: los dueños, el *dominus*. Los esclavos podían cometer delitos, ese *dominus* va a ser civilmente responsable[20]. En Roma, se aplica el régimen noxal, para el supuesto de que el esclavo causara un daño o perjuicio a otra persona, el propietario del esclavo puede responder por ese daño bien a través de una indemnización, bien entregando al propio esclavo, ello es *in noxam tradere*[21]. Se denominan *noxalibus actionibus*, acciones noxales, las que surgían no en virtud de ningún contrato, sino de los daños y delitos cometidos por los esclavos[22]. Dice la iura que aquellos actos que no constituyeran ni delito ni crimen, se perdonarían a los esclavos[23].

Adviértase que esa responsabilidad del *dominus* por los negocios jurídicos que realizaran sus esclavos era limitada, pues ellos podrían mejorar el patrimonio del dueño pero nunca empeorarlo. Con el propósito de aminorar los perjuicios que esto podía causar, el Derecho Romano permitió que contra el propietario del esclavo se ejercitaran las *actiones adiecticiae qualitatis*, ejercitables en la medida que se hubiera enriquecido el esclavo por el negocio celebrado.

4. LA PERSONA EN LA TRADICIÓN CRISTIANA. LA RELEVANCIA DE LA RAZÓN

No puede obviarse que la tradición cristiana ha sido creadora de prolija literatura, de gran riqueza, entorno al concepto de persona. La

---

[20]   J. Iglesias. *Derecho Romano*, Ariel, Barcelona, 1962, p. 107.

[21]   ULPIANUS; libro XVIII ad edictum. Si servus sciente domino occidit, in solidum dominum obligat, ipse enim videtur dominus occidisse: si autem insciente, noxalis est, nec enim debuit ex maleficio servi in plus teneri, quam ut noxae eum dedat. *D. 9, 4, 2.*

[22]   GAIUS; libro II ad edictum provinciale. *D. 9, 4, 1.*

[23]   ULPIANUS; libro LXXI, ad edictum. Ad ea, quae non habent atrocitatem facinoris vel sceleris, ignoscitur servis, si vel dominis vel his, qui vice dominorum sunt, veluti tutoribus et curatoribus obtemperaverint. *D. 50, 17, 157.*

doctrina de Agustín de Hipona posa su atención en la persona divina,
él reconoce que dicho término es muy genérico y que incluso se aplica
al hombre a pesar de la distancia que media entre Dios y el mortal[24],
teniendo en consideración que cuando define al hombre se refiere a
todo individuo de la especie humana[25]. San Agustín identifica al hombre con la persona, que se define como una "substancia racional, que
consta de alma y cuerpo"[26], en cuya mente se encuentra la imagen de
la Trinidad[27].

Es necesario destacar al conocido como último romano, primer
escolástico, Boecio, pues se trata de uno de los autores que más han
influido sobre las teorías de la personalidad. ¿qué caracteriza a la persona según este filósofo? Su carácter racional: *"persona est naturae
rationalis individua substancia"*[28], *"essentiae in universalibus quidem
esse possunt, in solis vero individuis et particularibus substant. Intellectus enimen universalium rerum ex particularibus sumptus est"*[29].

Por otra parte, Tomás de Aquino también formula aportaciones
sobre la teoría de la personalidad, en la *Summa Theologica*[30] comenta
la tesis de Boecio. Asimismo, en *Comentario a las Sentencias de Pedro
Lombardo* al cuestionarse si los ángeles podían ser persona determina
que la individualización pertenece a la esencia de la persona, "porque
la persona es la sustancia individual de naturaleza racional"[31], en-

---

24 "Nam persona genérale nomen esit, in tantum ut etiam homo possit hoc dici,
cum tantum intersit inter hominem et Deum". *Vid.* Hipona, A., *Tratado sobre la
Santísima Trinidad*, en Obras de San Agustín, tomo V, primera versión española,
introducción y notas del Padre Fr. Luis Arias, O.S.A, segunda edición, Biblioteca
de Autores cristianos, Madrid, 1956, pp. 478 y 479.

25 Hipona, A., *Tratado sobre la Santísima Trinidad*, ob. cit., p. 490.

26 Hipona, A., *Tratado sobre la Santísima Trinidad*, ob. cit., p. 851.

27 Hipona, A., *Tratado sobre la Santísima Trinidad*, ob. cit., p. 851

28 Boecio, *Liber de persona et duabus naturis, contra Eurychen et Nestorium*, en J.
MIGNE, *Parologiae Cursus completus*, Paris, venit apud editorem, 1847, tomus
LXIV, p. 1343.

29 Boecio, *Liber de persona et duabus naturis, contra Eurychen et Nestorium*, ob.
cit., p. 1344.

30 De Aquino, T., *Suma de Teología*, edición dirigida por los Regentes de Estudio
de las Provincias Dominicanas en España, presentación por Damián Byrne, O.P.,
Biblioteca de Autores Cristianos, Madrid, 2001, cuestión 29, pp. 320 y ss.

31 De Aquino, T., *Comentario a las sentencias de Pedro Lombardo*, vol. II/I: La
creación: Ángeles, seres corpóreos, hombre, EUNSA, 2015, cuestión 1, artículo

tiende el de Aquino que son tres cosas las esenciales de la persona: la subsistencia, la razón y la individualidad.

5. LIBRES, SIERVOS Y AFORRADOS EN CASTILLA

Las consideraciones del Derecho Romano continuaron apropiadas en el Derecho común, así se evidencia en el Derecho de Partidas. El título XXIII de la cuarta partida se dedica al estado, la condición o la manera de los hombres, con otras palabras al *status hominum,* que se define como la "condición o manera en que los omes viven o estan"[32] y se dice que la condición de ellos puede ser de tres formas: "libres, ó siervos ó aforrados, á que llaman en latín libertos"[33], a los que añade los nacidos o por nacer. Por tanto, siervo es la palabra equivalente a los esclavos de Roma. Libertad es definida como: "poderío que ha todo home naturalmente de facer lo que quisiere, solo que fuerza ó derecho de ley ó de fuero non gelo embargue"[34]. Se concede al señor plenos poderes sobre los siervos aunque se establecen ciertos límites, como el que no lo matara[35], asimismo todo lo que ganara el siervo repercutiría a su señor[36].

En este punto se alza como imprescindible referirnos a la doctrina castellana que ha teorizado sobre estas cuestiones. Domingo de Soto en *Iustitia et iure* clasifica de un modo tripartito los bienes que posee el hombre: la vida, los bienes temporales, la fama y la reputación: *"Triplex est nostrorum bonorum genus: primum est vita, postremum temporalia bona, medium honor & fama"*[37].

2.

[32]   *Las Siete Partidas del Sabio Rey don Alonso el nono, nueuamente Glosadas por el Licenciado Gregorio Lopez del Consejo Real de Indias de su Mgestad.* Impresso en Salamanca, Por Andrea de Portonaris, Impressor de su Magestad. Año MDLV, ed. facsímil, Boletín Oficial del Estado, Madrid, 1985 *Partida* (en adelante, *P*) 4, 23, 1.

[33]   *P* 4, 23.

[34]   *P.* 4, 22, 1.

[35]   *P* 4, 21, 6.

[36]   *P* 4, 21, 7.

[37]   Soto, D., *De Ivstitia et Ivre,* Lvgdvni, apud gvlielmvm rovillivm, svb scvto vene-to, 1569, 4,1, f. 104v.

Luis de Molina, por su parte, también se ocupó de estas cuestiones, plantea que el hombre no es el propietario ni de su vida ni de su cuerpo, es quien lo custodia y gestiona. No obstante, sí considera al hombre dueño de sus actos[38].

6. LAS CUALIDADES DE LA PERSONA EN LA FILOSOFÍA

Además, es preciso mencionar a Hugo Grocio, quien concibe el derecho como una cualidad moral, connatural a las personas: "derecho es la cualidad moral correspondiente a la persona, para poseer u obrar algo justamente. Corresponde este derecho a la persona, aun cuando algunas veces sigue a la cosa, como las servidumbres de los predios, las cuales se llaman derechos reales en comparación a otros meramente personales; no porque no correspondan también ellos a la persona, sino porque no corresponden más que a quien posee determinada cosa"[39]. A partir de dichas consideraciones, el derecho se convierte en una facultad que tienen las personas, en definitiva, algo subejtivo[40].

Gómez de Amezúa fue el primer escritor que redactó un tratado dedicado a los derechos de la personalidad[41], la tesis de este autor se basa en que el hombre, por concesión divina, goza de libertad sobre sí mismo, es omnipotente sobre su entidad corpórea y sus atributos, tales como el honor o la fama. A dicha teoría se refiere de Castro, la considera poco apropiada para el mundo moderno y le achaca que confunde el derecho subjetivo de las facultades[42].

---

38 Molina, L., *Justitia et Jure*, sumpt. Haered. Joh, Godofredi Schonwetteri, Bibliopolae Francofurtensis, 1659.

39 Grocio, H., *Del Derecho de la guerra y de la paz*, versión directa del original latino por Torrubiano Ripoll, J., Reus, Madrid, 1925, tomo I, I, I, IV, p. 47.

40 Peña Echeverría, J., "Hugo Grocio: la guerra por medio del derecho", en Araucaria. Revista Iberoamericana de Filosofía, Política y Humanidades, año 16, nº 32. Segundo semestre de 2014, pp. 69-92, *maxime* p. 75.

41 Gomezio de Amescva, B., *Tractatvs de potestate in seipsvm*, Panhormi, apud Erasmum Simeonem, 1604.

42 De Castro y Bravo, F., "Los llamados derechos de la personalidad. Dos estudios provisionales", *Anuario de Derecho Civil*, 4 (1959), pp. 1237-1275, *maxime* p. 1249.

En otro orden de ideas, es necesario valorar las doctrinas que defiende la consideración moral de las personas, ello ya lo vimos con Grocio pero lo van a reiterar autores como Pufendorf, Locke o Leibniz, este último postula que la persona tiene la capacidad de actuar inmotivadamente, señala que: "subjectum qualitatis moralis est persona & res. Persona est substancia rationalis, eaque vel naturalis vel civilis"[43], vale decir, que la persona es un sujeto moral, persona es una sustancia racional. En *Nuevos ensayos sobre el entendimiento* ratifica que "la palabra persona implica un ser pensante e inteligente capaz de razonar y reflexionar, que se puede considerar a sí mismo como *el mismo,* como una misma cosa, que piensa en diferentes momentos y lugares; todo eso lo hace únicamente porque siente sus propias acciones"[44].

Pufendorf alude a las personas como personas morales, las singulariza por su moral pero también por su función en la sociedad: "*Les etres moraux que l'on regarde comme des substances, s' appellent des personnes morales; l'on entend par là les hommes mémes considérez par rapport à leur Etat Moral, oú à l' Emploi qu'ils ont dans la Société; foit que l'on envisage chaque homme en particulier, foit que plusieurs réunis par quelque liaison morale ne composent ensemble qu'une seule & meme idée*"[45].

En este punto se convierte en inevitable mencionar la doctrina de Inmanuel Kant, para quien el Derecho siempre es una cualidad de las personas, siempre relacionado con el de subjetividad[46]. Kant determina que el rasgo que confiere la condición humana es el de autonomía personal, define la personalidad por el sentido de libertad, de modo correlativo el Derecho se convierte en una cualidad de las personas y

---

43   De Leibnitz, G. W., *Nova methodus docendaeque jurisprudentiae,* Sumptibus Aug. Pizzorno, Pisis, 1771, p. 46.

44   De Leibnitz, G.W., *Nuevos ensayos sobre el entendimiento humano,* edición preparada por J. Echeverría Ezponda, Editora Nacional, Madrid, 1983, Libro II, capítulo XXVII, 9, p. 273.

45   Pufendorf, *Le droit de la nature et des gens, ou Systeme General des príncipes les plus importans de la morale, de la jurisprudence, et de la politique. Par le Baron..., traduit du Latin par Jean Barbeyrac,* Chez Emanuel Thourneisen, A Basle, 1750, tome premier Libro I, capítulo I, p. 11.

46   Carpintero, F., "Persona y officium: derechos y competencias", en *Rivista Internazionale di Filosofia del Diritto,* IV (1996), pp. 3-59, *maxime p. 9.*

no de las cosas. Según Kant, "la autonomía es, pues, el fundamento de
la dignidad de la naturaleza humana y de toda naturaleza racional"[47].
Esa autonomía permite conformar la propia voluntad, por la cual es
ella para sí misma una ley. Persona jurídica es aquella que tiene capacidad para ser autónoma, es decir, que tiene capacidad para dictarse
sus propias normas. El corolario es que el Derecho se hace propio de
las personas[48]. Respecto de Savigny también estudió lo concerniente
a la personalidad jurídica, le confiere un sentido jurídico al término
persona, pues la concibe como un sujeto de derecho y obligaciones,
conforme a su doctrina la voluntad es el elemento fundamental las
personas jurídicas, hasta el extremo de convertirse la voluntad en el
elemento fundamental de la personalidad jurídica[49]: "Todo derecho
es la sanción de la libertad moral inherente al ser racional, y por esto
la ideal de persona o sujeto de derecho se confunde con la idea de
hombre, pudiéndose formular la identidad primitiva de ambas ideas
en estos términos. Todo individuo, y solo el individuo tiene capacidad
de derecho"[50].

7. LA PERSONALIDAD JURÍDICA EN EL PRESENTE Y FUTURO: HACIA LA PERSONALIDAD ELECTRÓNICA

La tesis de Savigny es el pórtico para aproximarnos a la concepción actual de la persona. Castán identifica el término capacidad con
el de personalidad, afirma que "implica aptitud para derechos y obligaciones, o lo que es igual, para ser sujeto, activo o pasivo, de relaciones jurídicas". De un modo abstracto, la capacidad jurídica se concibe
como atributo de la personalidad, que contiene de modo potencial
"todos los derechos de que el hombre puede ser sujeto y en los cuales

---

[47]   Kant, I., *Fundamentación de la metafísica de las costumbres*, edición de Pedro
      M. Rosario Barbosa, Puerto Rico, 2007, p. 49.

[48]   Cabrero Caro, L., "Autonomía y dignidad: la titularidad de los derechos", en
      Anuario de Derechos Humanos, 3 (2002), pp. 9-42, *maxime* pp. 17 y 18.

[49]   Von Savigny, F.K., *Sistema de Derecho Romano actual*, F. Góngora y Compañía
      editores, 1879, tomo II, LXXXVI, p. 63.

[50]   Von Savigny, F.K., *Sistema de Derecho Romano actual*, ob. cit., p. 273

se traduce la capacidad"[51]. De esta definición se evidencia que en la actualidad la personalidad ha perdido su correspondencia con los estados del hombre, sino que se vincula con la capacidad jurídica.

La Comisión de la Unión Europea "considerando que también son manifiestas las deficiencias del marco jurídico vigente en el ámbito de la responsabilidad contractual, ya que la existencia de máquinas concebidas para elegir a sus contrapartes, negociar cláusulas contractuales, celebrar contratos y decidir sobre su aplicación hace inaplicables las normas tradicionales; considerando que esto pone de relieve la necesidad de adoptar nuevas normas eficientes y actualizadas, acordes con los avances tecnológicos y las innovaciones recientemente aparecidas y utilizadas en el mercado", como hemos afirmado, insta a que se estudie la creación de una personalidad jurídica para las maquinas que emplean inteligencia artificial.

Hay sectores doctrinales que se posicionan a favor de la creación de la personalidad electrónica, tales como Ercilla García que afirma "en nuestro futuro cercano, la economía dependerá en gran parte de ese trabajo que desempeñen entes no biológicos capaces de adoptar decisiones autónomas, por lo que la conveniencia de crear un estatus jurídico en torno a los mismos se torna altamente justificada"[52]. Asimismo, también se sugiere que no existe ningún obstáculo jurídico para la creación de una personalidad jurídica: "no parece más anómalo que el considerar que un ser humano es una «cosa» como sucedía en la esclavitud, o la segregación racial, o establecer un sistema de protección para los animales que se usan en experimentos científico"[53]. Otros autores como Petit consideran que no es el momento adecuado, entienden que no es oportuno convertir a las máquinas en responsables, pues en la actualidad abocaría a un callejón sin salida, pues para ello habría que desarrollar con anterioridad la

---

[51]   Castán Tobeñas, J., *Derecho Civil español, común y foral,* tomo primero: introducción y parte general, volumen segundo, decimoquinta edición revisada y puesta al día por A. M. Román García, Reus, Madrid, 2007, p. 150.
[52]   Ercilla García, J., *Normas de Derecho civil y robótica: robots inteligentes, personalidad jurídica, responsabilidad civil y regulación,* Aranzadi Thomson Reuters, Navarra, 2019, III.
[53]   Barrio Andrés, M., "Robots, inteligencia artificial y persona electrónica", De la Quadra Salcedo, T. y Piñar Mañas, J.L., (dir.), *Sociedad digital y derecho,* pp. 113-135, *maxime* p. 135.

personalidad electrónica, que sería un paso audaz pero que hasta el momento no se ha establecido[54].

A sensu contrario, hay sectores doctrinales que no conciben que la respuesta que el Derecho deba dar sea la creación de la personalidad, por lo que rechazan esta posibilidad, pues no consideran oportuno establecer una personalidad jurídica basada en ciencia ficción, que resulta tan inútil como inapropiada. Resulta cuestionable que las máquinas dotadas de inteligencia artificial sean entidades o seres conscientes y responsables de los daños que causen[55]. La disputa ha alcanzado tales cotas que, hasta la fecha, 280 expertos europeos han dirigido una carta a la Comisión europea para mostrar su rechazo ante la futurible personalidad electrónica, sugieren que el estatus legal de un robot no puede derivar del modelo de ser humano[56].

8. PERO, ¿POR QUÉ NO HACEMOS UNA FICCIÓN JURÍDICA CON LOS ROBOTS?

De toda la pléyade de ficciones jurídicas que se han propuesto, la más ilustre es aquella por la que se han creado analogías entre las personas físicas y jurídicas[57]. Santos González[58] ha señalado las diferencias entre las personas jurídicas y los robots, según las cuales no pueden las máquinas asimilarse a ellas, y son las siguientes:

- Las personas jurídicas se conforman de un grupo de personas físicas, lo cual no tienen nada en común con los robots.

- Debido a que las empresas actúan a través de representantes no es posible que existan empresas que no alcance madurez

---

54   Petit, N.,"Law and Regulation of Artificial Intelligence and Robots", *Conceptual Framework and Normative Implications*, March 9, 2017, p. 19.

55   Nevejans, N., *European Civil Law. Rules in Robotics*, study for the Juri Committee, European Union, 2016, pp. 6 y ss.

56   http://www.robotics-openletter.eu. Consultado el 17 de abril de 2020.

57   Luna Serrano, A., *Las ficciones del Derecho en el discurso de los juristas y en el sistema del ordenamiento*, Academia de Jurisprudencia i legilslació de Catalunya, Barcelona, 2004, p. 34.

58   Santos González, M. J., "Regulación legal de la robótica y la inteligencia artificial: retos de futuro", Revista Jurídica de la Universidad de León, núm. 4, 2017, pp. 25-50, *maxime* pp. 41 y 42.

psíquica. En contraposición, sería posible medir el nivel de inteligencia que alcanzan los robots.

- Las personas jurídicas carecen de entidad física, son representadas por una persona física, por lo que el vínculo entre ambos es imprescindible. En el caso de las máquinas con inteligencia artificial pueden tomar una decisión sin necesidad de que participe ninguna persona, conforme a los algoritmos. Ello provoca, además, que el nivel de relación con el entorno sea diametralmente opuesto el de la persona jurídica y el del robot, pues la primera nunca puede actuar por sí misma, mientras que la máquina sí.
- En las personas jurídicas es omnipresente un control humano y en los robots puede prescindir su presencia.
- Una máquina con inteligencia artificial podría llegar a representar a una empresa, pero una empresa nunca podría representar a una máquina, pues carece de condición física.

Es cierto que realizando una ficción a las entidades, se les ha concedido personalidad jurídica, pero también es cierto que en último extremo detrás de dicha corporación existen personas, pero ¿detrás del robot quién hay? Si entendemos que detrás de la máquina existe una persona ¿para qué crear una personalidad electrónica? No tendría ninguna utilidad. Y por otra parte ¿cómo consideramos como un ser plenamente autónomo y un actor jurídico a un robot? Ello es algo imposible, siempre depende de un humano.

9. ¿QUÉ DERECHOS TIENEN LOS ROBOTS?

En este punto es necesario formularnos las siguientes preguntas sobre las máquinas con inteligencia artificial:

¿Tienen derecho a la vida?

¿Tienen derecho al honor?

¿Tienen derecho a la libertad?

¿Tienen derecho a la dignidad?

¿Tienen derecho a la propiedad?

¿Tienen derecho a la libertad de pensamiento, de conciencia y de religión?

¿Tienen derecho a una vivienda?

¿Tienen derecho a un salario?

¿Tienen derecho a la integridad física y psíquica?

¿Tienen derecho a recurrir a los juzgados y tribunales de justicia?

La respuesta es obvia: No. De toda la relación de derechos formulada los robots no poseen ninguno. Todos esos derechos pueden pertenecer a una persona, pero nunca a una máquina.

El dictamen 4/2015 de *European Data Protection Supervisor*, argumenta que "las violaciones de la dignidad pueden incluir el trato de la persona como objeto, como una

herramienta que sirve a los fines de otros"[59], se erige como imprescindible compatibilizar la integridad de los valores con el avance de las nuevas tecnologías. El preámbulo de la Carta de la Declaración de Derechos Humanos, adoptada y proclamada por la Asamblea General en su resolución 217 A (III), de 10 de diciembre de 1948, dicta que: "Considerando que los pueblos de las Naciones Unidas han reafirmado en la Carta su fe en los derechos fundamentales del hombre, en la dignidad y el valor de la persona humana y en la igualdad de derechos de hombres y mujeres", se proclama en su primer precepto que todos los seres humanos nacen libres e iguales en dignidad y derechos y, dotados como están de razón y conciencia, deben comportarse fraternalmente los unos con los otros. Asimismo su artículo 2: "Toda persona tiene los derechos y libertades proclamados en esta Declaración, sin distinción alguna de raza, color, sexo, idioma, religión, opinión política o de cualquier otra índole, origen nacional o social, posición económica, nacimiento o cualquier otra condición", artículo 6: "Todo ser humano tiene derecho, en todas partes, al reconocimiento de su personalidad jurídica". Asimismo, la Carta Europea de Derechos Fundamentales proclama en su primer artículo que la dignidad humana es inviolable. Será respetada y protegida[60].

---

[59]   European Data Protection Supervisor, Dictamen 4/2015, Hacia una nueva ética digital. Datos, dignidad y tecnología, 11 de septiembre de 2015, p. 15.

[60]   Art.1 Carta de los Derechos fundamentales de la Unión Europea.

La conclusión tras analizar estos preceptos es manifiesta: los robots u otras máquinas no pueden ser titulares de la dignidad humana ni de los derechos relacionados con esta. Así, lo sugiere también el Grupo Europeo sobre Ética de la Ciencia y las Nuevas Tecnologías: "El principio de la dignidad humana, el reconocimiento de la condición inherente del ser humano que lo hace digno de respeto, no debe ser violado por las tecnologías autónomas"[61].

10. LA PERSONALIDAD ELECTRÓNICA EN LA ACTUALIDAD ¿QUÉ SUPONDRÍA?

Para valorar la necesidad de la creación de la personalidad electrónica, debemos tener en consideración la afirmación de Díez-Picazo de que "el Derecho civil decimonónico, cristalizado en la obra gigantesca de los códigos civiles, es una realidad hermosa pero arcaica. Los valores jurídicos tradicionales sufren los efectos de la mudanza de los tiempos"[62]. Es cierto que el Derecho evoluciona con los cambios sociales, por tanto, el reconocimiento de la personalidad electrónica ¿qué supondría? Pues implicaría el reconocimiento de derechos a máquinas que disfrutaran de inteligencia artificial. Es cierto, que antes hemos afirmado que nos hallamos en un tiempo conocido como transhumanismo, atrás queda el tiempo en que el hombre era el centro del universo, nos dirigimos hacia la algocracia, la tiranía de los algoritmos, la dictadura de los datos o el dataísmo[63], en palabras de Harami: "el *homo sapiens* no es la cúspide de la creación y el precursor de algún futuro *Homo Deus*. Los humanos son simplemente herramientas para crear el Internet de Todas las Cosas, que podría acabar extendiéndose fuera del planeta Tierra para cubrir toda la galaxia e incluso todo el universo. Este sistema cósmico de procesamiento de datos será como Dios. Estará en todas partes y lo controlará todo, y los huma-

---

[61]   Grupo Europeo sobre Ética de la Ciencia y las Nuevas Tecnologías, Declaración sobre Inteligencia, robótica y sistemas autónomos, Luxemburgo, 2018, p. 14.

[62]   Díez-Picazo, L., "El sentido histórico del Derecho civil", *Revista General de Legislación y Jurisprudencia*. Segunda época, XXXIX, 1959, p. 600.

[63]   Cotino Hueso, L., "Riesgos e impactos del *Big Data*, la inteligencia artificial y la robótica. enfoques, modelos y principios de la respuesta del Derecho", *Revista General de Derecho Administrativo*. Iustel, 50 (febrero 2019), 2019, p. 14.

nos están destinados a fusionarse con él"[64]. Esta nueva realidad exige preservar la dignidad humana, pues Harari lo que llega a presagiar es que el hombre que hasta el momento a sometido a los animales, puede ahora ser sometido, dominado por los datos. Y ello es el riesgo que asumimos si reconocemos personalidad a las máquinas.

11. CONCLUSIONES

En este trabajo hemos realizado un estudio del devenir sobre la persona, teniendo en cuenta el aspecto histórico, jurídico y filosófico, con el que reflejar como un robot no puede ser objeto de derechos ni de obligaciones.

A lo largo de este estudio se ha evidenciado las similitudes entre los esclavos de Roma y los robots y máquinas que utilizan inteligencia artificial, los esclavos eran personas y cosas y los robots son cosas que se les ha dota de cierta intelecto.

Al igual que los esclavos de Roma se encontraban sometidos a la potestad de su propietario, de cuyo patrimonio forma parte, debemos hacer el mismo símil con las máquinas. Respecto de los daños, hemos visto como en Roma se aplica el régimen noxal, para el supuesto de que el esclavo causara un daño o perjuicio a otra persona, el propietario del esclavo puede responder por ese daño bien a través de una indemnización, bien entregando al propio esclavo, ello es *in noxam tradere*. ¿Por qué no continuar con nuestra tradición y que sean los propietarios de los robots los responsables de los futuribles daños que las máquinas pudieran causar?

Además, se ha puesto de manifiesto como el cristianismo se concibe a la persona como a imagen y semejanza de Dios, pero en la que también se resalta su carácter racional y el integrarse de cuerpo y alma. Sobre esa idea de racionalidad incide también Boecio y Santo Tomás

Al estudiar las *Partidas* hemos puesto de manifiesto la definición de libertad y observamos que las personas se clasificaban en libres,

---

[64] Harari, Y. N., *Homo Deus: Breve: breve historia del mañana*, Debate, Barcelona, 2016.

siervos y aforrados, lo cual nos lleva a preguntarnos si ¿los robots son libres? O por encontrarse determinados por algoritmos ¿son siervos?, ¿son dueños de sus actos?

Grocio y Pufendorf se referían a las personas como personas morales pero ¿qué moral tiene una máquina?

Para Kant, lo decisivo para tener personalidad jurídica era la capacidad para dictarse normas asimismo ¿pueden los robots dictárselas?

Estas reflexiones evidencian como en ningún caso podrían equipararse a la persona con un robot.

No puede olvidarse que los humanos somos sujetos de Derecho pero nunca objeto de Derecho. Las máquinas con inteligencia artificial, los robots son objeto de Derecho. Si queremos preservar la dignidad humana en el entorno digital, no se le puede atribuir personalidad a meras máquinas. Los derechos humanos tienen como finalidad asegurar los derecho más relevantes de la personalidad humana.

No podemos utilizar la personalidad mutatis mutandis de las personas jurídicas, pues tras ellas siempre hay un ser humano, pues se caracterizan por su carácter asociativo y finalidad común algo que nunca se produce tras los robots. No podemos tratar a las máquinas como a seres humanos ni podemos hacer creer a las personas que dichos artilugios son como seres humanos, ello sería un desafío a los propios Derechos Humanos.

Persona es una palabra polisémica, pero entre sus múltiples significados no se puede incluir a máquinas. En definitiva, los robots son objetos a los que el ordenamiento jurídico ni les puede ni les debe reconocer ninguna capacidad jurídica.

BIBLIOGRAFÍA

Alzate Sáez de Heredia R. y Vázquez de Castro, E., *Resolución de
disputas en línea (RDL). Las claves de la mediación electrónica*,
Reus Madrid, 2013.

Aquino, T., *Comentario a las sentencias de Pedro Lombardo, vol. II/I:
La creación: Ángeles, seres corpóreos, hombre*, EUNSA, 2015,
cuestión 1, artículo 2.

Aquino, T., *Suma de Teología*, edición dirigida por los Regentes de
Estudio de las Provincias Dominicanas en España, presentación
por Damián Byrne, O.P., Biblioteca de Autores Cristianos, Madrid,
2001.

Arias Ramos, J., *Derecho Romano I*, Editorial Revista de Derecho
Privado, Madrid, 1974.

Barrio Andrés, M., "Fricciones entre Internet y Derecho", *Claves de la
razón práctica, 2017, pp. 12-21*.

Barrio Andrés, M., "Robots, inteligencia artificial y persona electrónica", T. de la Quadra Salcedo y J. L. Piñar Mañas (dir.). *Sociedad
digital y derecho*, pp. 113-135.

Barrio Andrés, M., *Ciberdelitos, amenazas criminales del ciberespa-
cio*, Reus, Madrid, 2018.

Barrio Andrés, M., *Internet de las cosas*, Reus, Madrid, 2018.

Boecio. *Liber de persona et duabus naturis, contra Eurychen et Nestorium*, en J. Migne, *Parologiae Cursus completus*, Paris, venit
apud editorem, 1847, tomus LXIV.

Bourcier, D., *Inteligencia artifical y Derecho*, Editorial UOC, Barcelona, 2003.

Cabrero Caro, L., "Autonomía y dignidad: la titularidad de los derechos", en *Anuario de Derechos Humanos*, 3 (2002), pp. 9-42.

Carpintero Benítez, F., *Historia del Derecho Natural. Un ensayo*, Universidad Nacional Autónoma de México, México, 1999.

Carpintero, F., "Persona y officium: derechos y competencias", en *Rivista Internazionale di Filosofia del Diritto*, IV (1996), pp. 3-59.

Castán Tobeñas, J., *Derecho Civil español, común y foral*, tomo primero: introducción y parte general, volumen segundo, decimo-

quinta edición revisada y puesta al día por A. M. Román García, Reus, Madrid, 2007.

Castro y Bravo, F., "Los llamados derechos de la personalidad. Dos estudios provisionales", *Anuario de Derecho Civil*, 4 (1959), pp. 1237-1275, *maxime* p. 1249.

Castro y Bravo, F., *La persona jurídica*, Civitas, Madrid, 1984.

Cerda, J., "Tres conferencias del Profesor García Gallo", en *Anuario de Derecho Civil*, 1948, pp. 1386-1388.

Cotino Hueso, L., "Riesgos e impactos del *Big Data*, la inteligencia artificial y la robótica. enfoques, modelos y principios de la respuesta del Derecho", *Revista General de Derecho Administrativo. Iustel*, 50 (febrero 2019), 2019.

D'Ors, A., *Elementos del Derecho privado romano*. Studium Generale, Pamplona, 1960.

Díaz Alabart, S., *Robots y responsabilidad civil, Reus, Madrid, 2018.*

Diéguez, A., *Transhumanismo: La búsqueda tecnológica del mejoramiento humano*, Herder, Barcelona, 2017.

Díez-Picazo, L., "El sentido histórico del Derecho civil", *Revista General de Legislación y Jurisprudencia*. Segunda época, XXXIX, 1959, p. 600.

Ercilla García, J., *Normas de Derecho civil y robótica: robots inteligentes, personalidad jurídica, responsabilidad civil y regulación*, Aranzadi Thomson Reuters, Navarra, 2019, III.

Gomezio de Amescva, B., *Tractatvs de potestate in seipsvm*, Panhormi, apud Erasmum Simeonem, 1604.

Grocio, H., *Del Derecho de la guerra y de la paz*, versión directa del original latino por J. Torrubiano Ripoll, tomo I, Editorial Reus, Madrid, 1925.

Grosso, G., *Lezioni di Storia del Diritto Romano*, G. Giappichelli, Torino, 1955.

Guarino, A., *L' Ordinamento Guiridico Romano. Introduzione Allo studio del diritto romano*, Casa editrice Dott. Eugenio Jovene, Napoli, 1959.

Gutiérrez Alviz, F., *Diccionario de Derecho Romano*, Instituto Editorial Reus, Madrid, 1948.

Harari, Y.N., *Homo Deus: Breve: breve historia del mañana*, Debate, Barcelona, 2016.

Harari, Y.N. *Sapiens. De animales a dioses: Una breve historia de la humanidad*, Debate, Barcelona, 2014.

Hipona, A., *Tratado sobre la Santísima Trinidad*, en Obras de San Agustín, tomo V, primera versión española, introducción y notas del Padre Fr. Luis Arias, O.S.A, segunda edición, Biblioteca de Autores cristianos, Madrid, 1956.

Iglesias, J., *Derecho Romano*, Ariel, Barcelona, 1962.

Jimeno Muñoz, J., *Derecho de daños tecnológicos. Ciberseguridad e insurtech*, Dykinson, Madrid, 2019.

Kant, I., *Fundamentación de la metafísica de las costumbres*, edición de Pedro M. Rosario Barbosa, Puerto Rico, 2007.

Lacruz Mantecón, M.L., "Potencialidades de los robots y capacidades de las personas", en *Revista general de legislación y jurisprudencia*, 1 (2019), pp. 85-129.

Lambea Rueda, A., "Entorno digital, robótica y menores de edad", en Revista de Derecho Civil, vol. 5, 4(octubre-diciembre 2018), pp. 183-232.

Leibnitz, G.W., *Nova methodus docendaeque jurisprudentiae*, Sumptibus Aug. Pizzorno, Pisis, 1771.

Leibnitz, G. W., *Nuevos ensayos sobre el entendimiento humano*, edición preparada por J. Echeverría Ezponda, Editora Nacional, Madrid, 1983, Libro II.

Llano Alonso, F. H., *Homo excelsor. Los límites ético-jurídicos del transhumanismo*, Ed. Tyrant lo Blanch, Valencia, 2018.

Luna Serrano, A., *Las ficciones del Derecho en el discurso de los juristas y en el sistema del ordenamiento*, Academia de Jurisprudencia i legilslació de Catalunya, Barcelona, 2004, p.34

Mc Krause, S., *Esclavitud y economía en la antigua Roma*, Cambridge Stanfor Books, 2019.

Molina, L., *Justitia et Jure*, sumpt. Haered. Joh, Godofredi Schonwetteri, Bibliopolae Francofurtensis, 1659.

Navas Navarro, S., *Nuevos desafíos para el Derecho de autor. Robótica. Inteligencia artificial*, Reus, Madrid, 2019.

Nevejans, N., *European Civil Law. Rules in Robotics,* study for the Juri Committee, European Union, 2016, pp. 6 y ss.

Ottolia, A., *Derecho, big data e inteligencia artificial,* Tirant lo Blanch, Madrid, 2019.

Peña Echeverraía, J., "Hugo Grocio: la guerra por medio del derecho", en Araucaria. Revista Iberoamericana de Filosofía, Política y Humanidades, año 16, n° 32, segundo semestre de 2014, pp. 69-92.

Pérez-Luño Robledo, E.C., *El procedimiento de habeas data,* Dykinson, Madrid, 2019.

Petit, N., "Law and Regulation of Artificial Intelligence and Robots", *Conceptual Framework and Normative Implications,* March 9, 2017.

Pufendorf, *Le droit de la nature et des gens, ou Systeme General des príncipes les plus importans de la morale, de la jurisprudence, et de la politique. Par le Baron…, traduit du Latin par Jean Barbeyrac,* Chez Emanuel Thourneisen, A Basle, 1750.

Roge Videl, C., *Los robots y el Derecho,* Reus, Madrid, 2018.

Santos González, M. J., "Regulación legal de la robótica y la inteligencia artificial: retos de futuro", Revista Jurídica de la Universidad de León, núm. 4, 2017, pp. 25-50.

Schulz, F., *Classical Roman Law,* Clarendon Press, Oxford, 1954.

Schulz, F., *Derecho Romano Clásico,* traducción de José Santa Cruz Teigeiro, Bosch, Barcelona, 1960.

Serrano Ruiz Calderón, J.M., *Una aproximación a las fuentes doctrinales de la concepción savignana de la persona jurídica,* tesis doctoral, Universidad Complutense de Madrid, 2015.

Solar Cayón, J.I., *La inteligencia artificial jurídica: el impacto de la innovación tecnológica en la práctica del derecho y el mercado de servicios jurídicos, Aranzadi, Pamplona, 2019.*

Soto, D., *De Ivstitia et Ivre,* Lvgdvni, apud gvlielmvm rovillivm, svb scvto veneto, 1569.

Tur Faúndez, C., *Smart contracts, Reus, Madrid, 2018.*

Volterra, E., *Instituciones de Derecho privado.* Civitas, 1986.

Von Savigny, F. K., *Sistema de Derecho Romano actual,* F. Góngora y Compañía editores, 1879.

Parte Segunda

EL CONTROL DE LOS DATOS PERSONALES Y LA RESPONSABILIDAD CIVIL

FUNDAMENTOS PARA LA ATRIBUCIÓN DE RESPONSABILIDAD CIVIL EXTRACONTRACTUAL EN LA "ERA TECNOLÓGICA"

JUAN CARLOS VELASCO PERDIGONES
Profesor sustituto interino de Derecho Civil
Universidad de Cádiz

SUMARIO: 1. Introducción: 1.1. Objeto. 1.2. Método y fuentes. 1.3. Límites. 2. La tecnología como fuente de riesgo y de producción de daño. 3. Fundamentos para la atribución de responsabilidad extracontractual en las nuevas tecnologías. 3.1. La diversidad de fundamentos para la imputación: la culpa, el riesgo y la responsabilidad objetiva. 3.2. El uso de elementos tecnológicos: drones, vehículos autónomos o robots, ¿actividades anormalmente peligrosas? 4. Conclusiones. Bibliografía

1. INTRODUCCIÓN

Resulta indudable la evolución tecnológica que estamos experimentando, caracterizada por una etapa singular en nuestra forma de vivir. Hoy, podemos decir que nacemos vinculados de una u otra forma a la tecnología, la cual está suponiendo un claro cambio en nuestros hábitos. Esta transformación social y de concienciación, debe de ir de la mano de la consiguiente evolución del Derecho, el cual no puede ser ajeno a la transformación. La etapa a la que nos enfrentamos es de especial relevancia, puesto que el progreso tecnológico supone el nacimiento de una fuente de daño con nuevas formas de producción.

La existencia de un daño efectivo nacido del uso de elementos de la tecnología, hace preguntarnos de si los criterios de atribución de la responsabilidad civil acuñados para la sociedad agraria e incipiente burguesía del Siglo XIX, pueden ser útiles para dar respuesta a los planteamientos que se originan en esta nueva etapa tecnológica y digital.

La hipótesis de partida determina que el amplio campo tecnológico y digital genera un indudable progreso social, pero también dicho avance es generador de riesgo y de daños de distinta naturaleza. El Código civil y las teorías jurisprudenciales vigentes podrían dar una respuesta transitoria a este nuevo fenómeno o lo mismo podría resultar necesaria la adaptación del ordenamiento, para dar respuesta a las nuevas realidades sociales y económicas que impone el Siglo XXI.

1.1. Objeto

La robótica, la inteligencia artificial, los drones, los vehículos autónomos, los patinetes de propulsión eléctrica, etc. están suponiendo una modificación en la conducta y comportamiento del ser humano[1]. Esta manifestación, a veces, que no siempre, ha de ir de la mano de la correspondiente evolución normativa y adaptación al nuevo panorama social. Los nuevos aparatos tecnológicos no son ajenos al daño de bienes jurídicos de terceros. Ante la producción de un perjuicio patrimonial desencadenado por un elemento tecnológico, hace que nos preguntemos acerca de las razones o motivos por los que un sujeto ha de responder, denominándose a estos razonamientos como criterios, factores o fundamentos de la responsabilidad civil.

Este estudio tiene por objeto esclarecer los criterios de imputación de la responsabilidad civil extracontractual para aquellos daños producidos por los nuevos elementos de la tecnología, teniendo en cuenta el papel preponderante de la culpa en nuestro ordenamiento jurídico. En base a ello, la finalidad no es otra que precisar las razones por la que un sujeto tiene que responder ante un hecho dañoso producido por el uso de determinados aparatos de la tecnología.

Nuestro sistema de responsabilidad civil acoge varios criterios de imputación, los cuales han supuesto una evidente inseguridad jurídica

---

[1]   Parecidas palabras han sido puestas de manifiesto en la Resolución del Parlamento Europeo de 16 de febrero de 2017, en materia de robótica. Dicha Resolución, en su apartado E —parte introductoria— pone de relieve los cambios que están suponiendo en el modo de vida y en las formas de trabajo el desarrollo tecnológico, la robótica y la inteligencia artificial. No sólo redundan en el desarrollo económico y humano, sino que tales áreas vienen a aumentar la eficacia, el ahorro y la seguridad para la sociedad.

para los agentes que se ven involucrados ante un hecho dañoso, ya que la jurisprudencia ha desempeñado un papel preponderante. La inseguridad se incrementa cuando pretendemos hacer una primera aproximación o esclarecimiento de cuáles han de ser los criterios exigibles ante la producción de un daño que tiene como causa el uso de ciertos aparatos de la tecnología.

1.2. Método y fuentes

Para afrontar este estudio, partiremos del análisis sistemático de los distintos factores de imputación de la responsabilidad civil imperantes en nuestro sistema. Por ello, no sólo debemos de poner el foco de atención en las normas jurídicas, sino que la doctrina y la jurisprudencia han desempeñado un esencial papel en la adaptación del Derecho a las nuevas realidades y avance social, especialmente en materia de responsabilidad civil (*v.gr.* doctrina del riesgo, daño moral, solidaridad impropia, la pérdida de oportunidad, el daño desproporcionado, la imputación objetiva, etc.).

Las instituciones europeas no han sido ajenas al hipotético daño que puede producirse por la tecnología. Así, la Resolución del Parlamento Europeo de 16 de febrero de 2017, relativas a recomendaciones destinadas a la Comisión sobre normas de Derecho civil y robótica[2] ha supuesto una de las primeras discusiones acerca de la realidad del riesgo y peligro de los drones, vehículos autónomos y robots. Por otro lado, los Principios de derecho europeo de la responsabilidad civil (en adelante *PETL*), del *European Group on Tort Law*, establecen unas cláusulas generales relativas a la responsabilidad civil que pueden ser tomadas para regular aquella responsabilidad derivada de los elementos de la tecnología.

1.3. Límites

El trabajo se limita exclusivamente a esbozar unas notas generales sobre las reglas de atribución de la responsabilidad civil extracontractual, concretándose en analizar la identidad de razón para que un

---

[2]   DOUE de 18 de julio de 2018.

sujeto, ante el daño derivado del uso de nuevos elementos de la tecnología, tenga la obligación de responder. Por tanto, sólo abordaremos el encuadre de los daños producidos por drones, vehículos autónomos y robots, en relación a los motivos o razones por las que el sujeto responsable ha de responder, cuestionándose la aplicabilidad de los fundamentos de la responsabilidad por culpa, objetiva y la doctrina del riesgo a los daños derivados de la tecnología, dejando a un lado las concreciones expuestas en normas específicas como TRLGCU y de otras referentes a la responsabilidad por hecho ajeno.

2. LA TECNOLOGÍA COMO FUENTE DE RIESGO Y DE PRODUCCIÓN DE DAÑO

La definición dada por la RAE[3] al término tecnología no ilumina demasiado sobre el objeto que aquí tratamos. Algún que otro sociólogo[4] ha ampliado la acepción considerando que la tecnología hace referencia a un «conjunto de herramientas hechas por el hombre, como medios eficientes para un fin, o como el conjunto de artefactos materiales», así como aquellas prácticas instrumentales como pueden ser «la creación, la fabricación y uso de los medios y las máquinas». Lo que a nuestro trabajo interesa son elementos tecnología como los drones, los vehículos autónomos y los robots, los cuales están suponiendo una evidente modificación en el estilo de vida y en las formas de desarrollo del trabajo[5]. Estos aparatos son los que se han puesto de relieve en la Resolución del Parlamento Europeo de 16 de febrero de 2017, resumiéndose en dos bloques diferenciados: medios de trans-

---

[3]   Dentro de las definiciones dadas por la RAE a la palabra "tecnología", podemos decir que la que más se aproxima a la idea que tratamos es la de «conjunto de [...] instrumentos y procedimientos industriales de un determinado sector o producto».

[4]   Rammert, W., "La tecnología: sus formas y las diferencias de los medios. Hacia una teoría social pragmática de la tecnificación", *Scripta Nova. Revista electrónica de geografía y ciencias sociales*, núm. 5, 2001, p. 80.

[5]   *Vid.* Apartado E de la Resolución del Parlamento Europeo, de 16 de febrero de 2017.

porte autónomos (vehículos autónomos[6] y drones[7]) y robots (asistenciales[8] y médicos[9]).

El cauce o mecanismo para la producción del daño ha ido cambiando a lo largo de la Historia. No es comparable la forma de producción de este a principios o finales del S. XIX y la evolución de un primitivo maquinismo, con los artilugios tan sofisticados que se disponen en nuestros días. El Código civil (en adelante CC) en su artículo 1902 vino a establecer una cláusula general de responsabilidad que se ha mostrado prácticamente estática y adaptable a cualquier forma de producción del daño, siendo plenamente aplicable a todo evento lesivo. El legislador decimonónico previó que un precepto tan abierto evitaría que el perjudicado quedara sin resarcir ante un daño, cuyo mecanismo de producción es cambiante con el paso del tiempo, dotando de especial relevancia al elemento culpabilístico.

El susodicho art. 1902 CC es un precepto de construcción sencilla que ha dado importantes frutos interpretativos. El precepto, para que surja la obligación de reparar, sólo requiere la necesidad de una acción u omisión que tenga como resultado un daño con intervención del elemento culpa o negligencia y que exista una determinada relación de causalidad. El elemento destacable, a lo que criterio de

---

[6]   El apartado 24 de la Resolución del Parlamento Europeo, de 16 de febrero de 2017, pone de relieve las nuevas formas de transporte autónomo, englobándose al transporte «por carretera, ferroviario, por vías navegables y aéreo, pilotadas a distancia, automatizadas, conectadas y autónomas». Se incluyen en el citado catálogo a los «vehículos, trenes, buques, transbordadores, aeronaves y los drones, así como todas las futuras formas que resulten del desarrollo y la innovación de este sector».

[7]   Hay que tener en cuenta que en España ha entrado en vigor el RD 1036/2017, de 15 de diciembre, por el que se regula la utilización civil de las aeronaves pilotadas por control remoto el cual excluye expresamente su aplicación a determinas aeronaves deportivas, de ocio, juguetes, etc.

[8]   La Resolución del Parlamento Europeo, de 16 de febrero de 2017, en su apartado 31 y 32 alude a aquellos robots de asistencia geriátrica y que ejercen «funciones de prevención, asistencia, seguimiento, estimulación y compañía de las personas de edad avanzada o que padecen demencia, trastornos cognitivos y pérdida de memoria».

[9]   El uso de los robots médicos están cada vez más en auge, utilizándose para para la ejecución de cirugías de alta precisión, (Vid. aptdo. 33 y 34 Resolución del Parlamento Europeo, de 16 de febrero de 2017).

imputación nos interesa, es la culpa o negligencia. Esta general regulación del daño en el CC se ha venido completando con otras normas especiales que abordan la responsabilidad civil[10] y con los preceptos contenidos desde el art. 1903 al 1910 CC. En general, una dispersión normativa y diversidad de criterios legales, jurisprudenciales y doctrinales para atribuir la razón o fundamento de reparar el daño por un concreto sujeto. No sólo los criterios de imputación, la dispersión normativa y la diversidad interpretativa hacen enmarañar todo un sistema de responsabilidad civil, sino que a lo anterior se le une nuevas formas o mecanismos de producción del resultado lesivo, con la indeterminación que ello comporta.

El daño o lesión viene a ser el resultado directo de una omisión u acción de un agente que lo genera, ya sea una cosa [de la que siempre responderá una persona] o una persona. Este, por regla general, se ha venido mostrando estacionario en el tiempo. Es decir, el daño siempre se identifica con un perjuicio, con un menoscabo o lesión de un bien jurídico, llegando incluso la doctrina a clasificarlo[11], [daño material o moral, daños duraderos, daños diferidos, sobrevenidos, daño emergente y lucro cesante (art. 1106 CC), etc.]. Ante un hecho dañoso puede resultar sencillo identificar el resultado producido, pues las consecuencias o resultados de la acción u omisión no han variado sustancialmente, a diferencia de la forma o mecanismo de producción del daño. Así, en los orígenes del vehículo de motor, la catalogación del daño no sufre cambios sustanciales, lo que se modifica es la forma y origen de la producción de este (mediante un vehículo a motor). Por ello, podemos decir que es la vía, el medio o el instrumento de producción del daño el que resulta cambiante conforme evoluciona y se sofistica la sociedad.

---

[10]   *Vid.* Capítulo XIII de la Ley 48/1960, de 21 de julio, sobre Navegación Aérea; Título V de la Ley 1/1970, de 4 de abril, de caza; la Ley 12/2011, de 27 de mayo, sobre responsabilidad civil por daños nucleares o producidos por materiales radiactivos y supuestos concretos del citado código; Libro III del Real Decreto Legislativo 1/2007, de 16 de noviembre, por el que se aprueba el texto refundido de la Ley General para la Defensa de los Consumidores y Usuarios y otras leyes complementarias, etc.

[11]   Yzquierdo Tolsada, M., *Responsabilidad civil extracontractual*, 3ª ed., Dykinson, Madrid, 2017, pp. 181-189.

En base a lo anterior, son los elementos de la tecnología los instrumentos nuevos o cauces de generación del daño. Haciendo un símil, esto es lo que se experimentó en la Revolución Industrial cuando surgieron nuevos procesos de transformación que impulsaron el progreso económico y social unido a través del avance de las máquinas[12]. Ello supuso un cambio en el comportamiento humano que posteriormente se reflejó en un progresivo cambio jurídico.

En términos generales, la tecnología [concepto difuso y abstracto] puede ser considerada como fuente que da origen al daño. Concretamente, la robótica, la inteligencia artificial, los drones, los vehículos autónomos, los patinetes de propulsión eléctrica, etc., se consideran como vías idóneas para producir lesiones a bienes jurídicos de terceros. Sin embargo, cada uno de estos elementos posee unas características distintas y habrá que estar a las circunstancias concretas que rodean al daño para la atribución de responsabilidad.

La Unión Europea no ha sido ajena a la previsión de eventuales daños producidos por elementos de la nueva tecnología, concretamente ha puesto el foco de atención en los vehículos autónomos y en la robótica[13]. El vertiginoso auge en el empleo de robots, androides y otras formas de inteligencia artificial dio lugar al dictado de la Resolución del Parlamento Europeo, de 16 de febrero de 2017, con recomendaciones destinadas a la Comisión sobre normas de Derecho civil sobre robótica. Dicha Resolución pone de relieve la inminente necesidad de una regulación armónica sobre la responsabilidad civil derivada del uso de elementos tecnológicos como pueden ser los vehículos autónomos, los drones, los robots asistenciales y médicos. Desde el ámbito supranacional se considera que la responsabilidad civil por daños y perjuicios causados por los anteriores es una cuestión fundamental que ha de abordarse a nivel comunitario, con el objeto de dotar de

---

[12]   Algunos autores como Díaz Alabart, S., *Robots y responsabilidad civil*, Reus, Madrid, 2018, p. 23, han considerado que la robótica y la inteligencia artificial van a protagonizar una nueva Revolución Industrial.

[13]   La RAE define al fenómeno de la "robótica" como aquella «técnica que aplica la informática al diseño y empleo de aparatos que, en sustitución de personas, realizan operaciones o trabajos, por lo general en instalaciones industriales».

cierta eficiencia, transparencia y coherencia de la seguridad jurídica en el marco de la Unión[14].

Los anteriores cuestionamientos hacen concluir que existen determinados elementos de la tecnología (que hace unos años no existían) que son potenciales productores del daño y que probablemente se requiera de una próxima adaptación normativa. La armonización del sistema de responsabilidad civil a nivel europeo no es nada sencillo, más aún cuando en el marco comunitario confluyen una disparidad de criterios de imputación de la responsabilidad civil, lo que complica el desarrollo de una futura Directiva europea sobre responsabilidad civil y tecnología.

Estamos afrontando una nueva realidad que se traduce en un periplo hacia el avance de la Humanidad, una revolución tecnológica y digital que tiene como inconveniente la eventual generación de riesgos para las personas y bienes[15], con la contrapartida de no contar con un claro marco jurídico. Esto anterior se une a la necesidad de clarificar acerca de los fundamentos o razones por las que ha de responder un sujeto conforme a los criterios imperantes en el ordenamiento jurídico español.

3. FUNDAMENTOS PARA LA ATRIBUCIÓN DE RESPONSABILIDAD EXTRACONTRACTUAL EN LAS NUEVAS TECNOLOGÍAS

Si existe cierta complejidad cuando se abordan los elementos y criterios de la responsabilidad civil ante un daño general, no digamos cuando hablamos de aquella derivada de la tecnología. Pues, especial

---

[14]   *Vid.* el punto 49 de la Resolución de 16 de febrero de 2017 del Parlamento Europeo a la que nos venimos refiriendo.

[15]   La Resolución de 16 de febrero de 2017 [publicada en el DOUE el pasado 17 de julio de 2018] del Parlamento Europeo, en el apartado B de su introducción señala que «la humanidad se encuentra a las puertas de una era en la que robots, bots, androides y otras formas de inteligencia artificial cada vez más sofisticadas parecen dispuestas a desencadenar una nueva revolución industrial —que probablemente afecte a todos los estratos de la sociedad—, resulta de vital importancia que el legislador pondere las consecuencias jurídicas y éticas, sin obstaculizar con ello la innovación».

dificultad comportan los fundamentos de la imputación, tal y como se verá a lo largo de los siguientes apartados.

Bien es sabido que la responsabilidad civil en el ordenamiento jurídico español encuadra tanto a la contractual como a la extracontrac- · tual. Se ha de dejar a un lado aquella responsabilidad que se circunscribe alrededor de las circunstancias de un contrato para adentrarnos en el estudio de aquellos daños en los que no se da ninguna relación contractual. La coexistencia de estos dos sistemas de responsabilidad ha conllevado a una amplísima discusión doctrinal, que redundan en la necesidad de clarificación ante un perjudicado que debe de conocer a ciencia cierta y seguridad cual ha de ser la vía correcta para fundar su pretensión.

No sólo se dispone de la anterior dualidad de responsabilidades, sino que, tradicionalmente, ha existido una dualidad de criterios de imputación que sirven para atribuir el daño a un sujeto (responsabilidad por culpa o subjetiva, la objetiva y las particularidades de la responsabilidad por riesgo). Estos criterios de atribución se han recogido de forma diferenciada en los *PETL* (art.1:101), denominándose como fundamentos. En dicho texto se reconoce tanto a la imputación por culpa (Cap. 4) como a la responsabilidad objetiva (Cap. 5), dejando otro de los capítulos para la responsabilidad producida por "otros" (Cap. 6)[16], entendida esta última como responsabilidad ajena. Sin embargo, los fundamentos anteriores no son nuevos para nuestro ordenamiento jurídico, pues su naturaleza ha sido recogida en una diversidad de normas. Así, el CC deja entrever esta dualidad de criterios de forma confusa, pues para la responsabilidad subjetiva basada en la culpa podemos encontrar preceptos como los arts. 1902, 1903, 1906, 1907, 1908 (apartado 1° y 4°) y 1909 CC, y para la responsabilidad objetiva basada en el riesgo artículos como el 1905, 1908 (apartados 2° y 3°) y 1910 CC, además de las normas especiales que regulan determinadas actividades y que, por regla general, tienden a objetivar la responsabilidad.

---

[16]   Se ha dispuesto de forma diferenciada a los tradicionales criterios, un tercer supuesto de imputación para aquellos en los que exista una cierta relación de dependencia (responsabilidad por auxiliares y menores o discapacitados).

Ante esta dispersión e inseguridad en los criterios de atribución, es por lo que resulta relevante la clarificación de aquellas razones por las que ha de responder un sujeto ante un daño producido por un elemento tecnológico. Esta tarea parece que es la que pretende la Resolución de 16 de febrero de 2017 del Parlamento Europeo. Es decir, el interés de Europa es impulsar el establecimiento de un marco jurídico y unos criterios comunes para atribuir la responsabilidad civil derivada de actividades que vienen a usar la tecnología.

Una vez que determinada la acción u omisión que da origen al daño y su relación causal, es necesario establecer si existe una razón o motivación suficiente para atribuir la responsabilidad a un sujeto. Esto es, se ha de dar respuesta a los fundamentos o motivos por los que ha de responder un sujeto que ha usado como cauce del daño determinados elementos de la tecnología, ya sean drones, robots, vehículos autónomos, etc. Algunos autores han denominado a estos fundamentos como factores de atribución[17], frente a la denominación tradicional de criterios de imputación subjetiva. La denominación como "fundamentos" para hacer referencia a la determinación de si existe razón suficiente para la atribución de responsabilidad, es la que se ha venido utilizando en los *PETL*[18], respondiendo a la finalidad motivadora de la atribución de responsabilidad, siendo esta acepción menos confusa y más acertada.

Como se ha puesto de relieve, resulta innegable que estamos ante una profunda transformación tecnológica y digital susceptible de generar riesgos y peligros a la sociedad, resultando difusa la determinación de los fundamentos de imputación ante un daño tecnológico. Tomando como punto de partida a lo anterior, en los siguientes apartados vamos a tratar de dar respuesta a esas razones por las que un sujeto ha de ser responsable del daño producido como consecuencia de servirse de determinados elementos de la tecnología.

---

[17]   La denominación como factores de atribución ha sido extraída por YZQUIERDO TOLSADA, M., *Responsabilidad civil extracontractual*, ob.cit, p. 249, del ordenamiento argentino.

[18]   *Vid.* Título III *PETL* «Fundamentos de la responsabilidad».

3.1. La diversidad de fundamentos para la imputación: la culpa, el riesgo y la responsabilidad objetiva

Como se ha señalado en apartados anteriores, el art. 1902 CC ha venido a servir de norma general de aplicación a un supuesto de daño. Dicho precepto funciona como cláusula abierta que ha de entenderse en el momento social y económico en que se promulga el CC. En pleno siglo XIX, las necesidades de la economía y de una burguesía en auge hicieron que el establecimiento de una responsabilidad sin culpa no proyectara la expansión económica que se estaba experimentando. El progreso y avance económico se fue fraguando hacia el surgimiento de una innovadora maquinaria susceptible de producir un riesgo importante a la clase obrera. La industrialización trajo consigo el nacimiento del riesgo y la peligrosidad hacia un sector poco favorecido. Ante esta situación, en el plano jurídico se empieza a sustituir la culpa como fundamento para la atribución de la responsabilidad por la objetivación basada en el riesgo creado, un claro ejemplo de ello fue la entrada en vigor de la Ley de Accidentes de Trabajo de 1900[19]. Esta norma no supuso un cambio en los criterios de atribución de la responsabilidad en otras materias, pues se seguía manteniendo la responsabilidad por culpa y la carga del perjudicado de probar la concurrencia de tal elemento[20].

La transformación que supusieron las máquinas en el modo de vida del proletariado, produce a su vez la expansión del riesgo hacia las personas[21], abriéndose el camino hacia un cambio en la concepción del fundamento de la responsabilidad civil, el cual no se verá refle-

---

[19]   GACETA DE MADRID núm. 31, de 31 de enero de 1900. Disponible en https://www.boe.es/datos/pdfs/BOE/1900/031/A00363-00364.pdf (última vez consultada el 11 de febrero de 2020). Parece ser que el art. 2 de la citada norma viene a establecer una responsabilidad de tipo objetivo al establecer la responsabilidad del patrono por los accidentes ocurridos a los operarios en el ejercicio de la profesión con la única exclusión de la responsabilidad mediante la «fuerza mayor extraña».

[20]   *Vid.* SSTS de 23 de junio de 1900; de 4 de diciembre de 1903; de 7 de junio de 1905; de 23 de diciembre de 1905, citadas en MANRESA Y NAVARRO, JM., *Comentarios al Código Civil (Tomo XII)*, 2ª ed., Imprenta de la Revista de Legislación, Madrid, 1911, p. 614.

[21]   Borell Macià, A., *Responsabilidades derivadas de la culpa extracontractual civil*, 2ª ed., Bosch, Barcelona, 1958, p.14.

jado hasta bien entrada la segunda mitad del Siglo XX. A pesar del nacimiento de esta esta realidad riesgosa derivada de las máquinas, el TS en el año 1931 excluyó la responsabilidad sin culpa de un nuevo fenómeno de peligro, los accidentes de circulación[22]. En 1943, el Alto Tribunal[23] empieza a cuestionarse el principio de responsabilidad por culpa, considerando la necesidad de invertir la carga de la prueba de la conducta del culpable ante hechos de la circulación, no existiendo norma alguna que objetivara tal responsabilidad. Lo que la anterior resolución hace es iniciar la senda de la objetivación de la responsabilidad mediante la presunción de culpa del sujeto generador del daño. Años más tarde, esta teoría comienza a afianzarse, pues la STS de 9 de abril de 1963 asentó que dentro del principio de responsabilidad por culpa se encuentran aquellos casos en que el mero riesgo o peligro creado acarrea por sí responsabilidad con fundamento en la creación de un peligro para la comunidad. Esto, hace pensar que actualmente podamos estar ante una situación asimilada que se traduce en el uso de drones, vehículos autónomos y robots, los cuales que carecen de normas objetivadoras de la responsabilidad. ¿Podría objetivarse la responsabilidad ante los susodichos elementos de la tecnología, tal y como sucedió en los inicios con la responsabilidad civil automovilística?

La existencia de varios fundamentos o motivos para atribuir responsabilidad a un sujeto, ha generado y sigue generando cierta incertidumbre e inseguridad jurídica. El panorama jurídico viene se limita al art. 1902 CC, al establecerse una cláusula tan general que viene a ser aplicable a todo supuesto que no contenga una específica regulación, y a las normas especiales de responsabilidad objetiva, pasando por la teoría del riesgo de corte jurisprudencial. Por ello, el daño producido

---

[22]   *Vid.* STS de 31 de octubre de 1931 citada en HEREDERO, JL., *La responsabilidad sin culpa. Responsabilidad objetiva*, Ediciones Nauta, Barcelona, 1964, pp. 80-81.

[23]   *Vid.* STS de 10 de julio de 1943. En la citada resolución, se pone de manifiesto la carencia de una norma objetivadora de la responsabilidad civil para los daños causados por vehículos a motor. Continúa señalando que la inexistencia de una norma especial de responsabilidad objetiva, no excluye que en los casos en los que resulte evidente un hecho que por sí solo determina probabilidad de culpa, pueda presumirse la misma y cargar al autor del atropello la obligación de desvirtuar tal presunción.

por un elemento de la tecnología afronta con recelo el eventual encuadre en alguno de los fundamentos o criterios que se han anunciado.

Con las nuevas tecnologías observamos un exponencial avance como el que sucedió con la revolución industrial y el maquinismo. Actualmente, puede decirse que afrontamos una nueva revolución que incide tanto en lo industrial, como en lo económico y en lo social. Estos avances tecnológicos son fuente de producción de accidentes en los que, en ciertas ocasiones, existe la dificultad de probar no sólo quién es el responsable del daño, sino otros elementos como la culpa o el nexo causal. En los orígenes, se empezó a fraguar una imperfecta teoría de corte jurisprudencial denominada del riesgo con la finalidad de dar respuesta a aquellos daños que podían quedar sin indemnizar por la dificultad probatoria. El daño no se vino a atribuir a un sujeto por la contribución en el resultado dañoso, sino que dicho sujeto venía a ser responsable por el riesgo que suponía para la sociedad[24] por el uso de determinados elementos peligrosos. Frente a la necesidad de probar la existencia de la culpa, en el art. 1902 CC, la jurisprudencia vino a tender hacia fórmulas más objetivadoras de la responsabilidad. No quiere ello decir que se establezca una responsabilidad objetiva pura, puesto que la base de nuestro sistema de responsabilidad es la culpa y el legislador cuando desea objetivar una actividad riesgosa lo estipula mediante la oportuna norma especial, aunque en algunas situaciones de necesidad no lo haga.

La responsabilidad por riesgo ha venido evolucionando y variando a lo largo de la jurisprudencia del Alto Tribunal. Han sido distintos los vaivenes que se han ido produciendo. Desde los orígenes de una responsabilidad con la carga de probar la culpa por la víctima en actividades peligrosas, pasando por una primera tendencia objetivadora[25]

---

[24]   Así, Fernández Martín-Granizo, M., *Los daños y la responsabilidad objetiva en el Derecho Positivo Español*, Aranzadi, Pamplona, 1972, pp. 109-111, fundamenta que no es la persona individual la que crea el riesgo, sino que es la sociedad la que lo proyecta. Es decir, los resultados dañosos provenientes de una actividad de peligro son legalmente permitidos por razones de utilidad y beneficio social. El autor pretende de justificar la aplicación de la teoría del riesgo con cierto grado de objetivación, tomando como base que es la sociedad la que lo crea y tutela.

[25]   Algunas sentencias como la STS de 23 de abril de 1998 destaca la evolución de la jurisprudencia donde se viene a aceptar soluciones cuasiobjetivas demandadas

de la responsabilidad (con objeto de dar respuesta a los acontecimientos industriales), hasta el establecimiento de la imputación por riesgo con reproche culpabilístico basado en la inversión de la carga de la carencia de culpabilidad por parte del responsable demandado —actual criterio seguido por el TS[26]. La pregunta que hemos de hacernos es de si el daño producido por las nuevas tecnologías, ya sea mediante el uso de drones, robots o vehículos autónomos como elementos susceptibles de riesgo y por ende de daño, deben de fundarse en la prueba de culpa, en la culpa presunta con inversión de la misma o por el contrario se ha de promulgar norma especial que establezca los fundamentos de atribución de la responsabilidad, tal y como aboga el espíritu de la Resolución del Parlamento Europeo de 16 de febrero de 2017.

En muchas ocasiones, la complejidad de los daños producidos por elementos de la tecnología (*v.gr* drones, vehículos autónomos o robots) redunda no sólo en la acreditación del sujeto autor de la acción u omisión y la relación de causalidad, sino que se acentúa la dificultad de probar la culpa del agente causante del resultado lesivo. Esta compleja acción por parte del perjudicado, [la existencia de culpa por parte del hipotético responsable], puede resultar ser una actividad que escape de la esfera de poder de la víctima. A nuestro juicio, entendemos que el uso de elementos tecnológicos como los señalados anteriormente, los cuales se encuentran en la esfera de poder de quien lo usa, complican la obtención de pruebas por parte del lesionado. Un aparato tecnológico con cierto grado de autonomía, si no tiene un sistema de identificación del propietario, del usuario o poseedor, difícilmente podría cercarse a los eventuales responsables, salvo que este se reconozca como autor del hecho. De igual forma puede ocurrir con

---

[26]   por el incremento de las actividades peligrosas propias del desarrollo tecnológico y por el principio de ponerse a cargo de quien obtiene el beneficio o provecho. Así, *v.gr.* la STS 24 de mayo de 2018, ante una evolución jurisprudencial más actual, determina que el riesgo en exclusiva no puede tomarse como criterio de la responsabilidad con fundamento en el art. 1902 CC. La teoría del riesgo sólo conlleva a la inversión de la carga de la prueba basada en la aplicación del principio de proximidad o facilidad probatoria más que en supuestos de riesgos extraordinarios, daño desproporcionado o falta de colaboración del causante del daño cuando está especialmente obligado a facilitar la explicación del daño por sus circunstancias profesionales o de otra índole.

la acreditación de la culpa del responsable, ya que es este quien dispone de mayor información y conocimientos sobre el uso del aparato, resultando más sencillo acreditar que obró con la mayor precaución o diligencia exigible a las circunstancias que se le imponga la carga de la prueba a la víctima[27].

La STS de 29 de septiembre de 2005 inició el camino hacia delimitación de la aplicación de aquella teoría nacida para los daños producidos por la nueva realidad social con la que se venía a imputar la responsabilidad por el riesgo creado o por el provecho o beneficio en determinadas actividades. Dicha sentencia atajó la evolución objetivadora de la responsabilidad civil que había comenzado, tardíamente, el TS ante los nuevos hechos del proceso de industrialización. Durante esta etapa, los riesgos a los que se exponían, especialmente los obreros, hizo que el responsable del eventual daño respondiera sin necesidad de culpa. A fecha de hoy, el Alto Tribunal considera que la teoría del riesgo debe de aplicarse de forma restrictiva y no a todos los supuestos de la vida. De hecho, se niega de forma reiterada que el riesgo en exclusiva no puede ser considerado como única fuente de responsabilidad[28], porque no existe ningún principio jurídico que así lo establezca, a excepción de aquellos supuestos legalmente establecidos y excepcionales[29]. En términos generales, el riesgo como único elemento para la atribución de responsabilidad no es suficiente para imponer la obligación de indemnizar, sino que se requiere de otro elemento, la culpa. La aplicación de la teoría del riesgo sin culpa, se estaría fundando un criterio puramente objetivo, y el legislador cuando considera que una actividad puede ser generadora de importantes

---

[27]   Esto puede quedar salvado por lo dispuesto en el art. 217.7 LEC al dejar al arbitrio judicial la consideración sobre la disponibilidad y facilidad probatoria de las partes. En muchas ocasiones el autor del año y usuario de un elemento de la tecnología le va a resultar más fácil probar que no obró de forma culposa, al disponer de mayor facilidad de acceso al objeto causante del daño y de los conocimientos e información que pudiera tener con respecto al mismo, que la carga se imponga a la víctima.

[28]   Vid. STS de 23 de julio de 2008.

[29]   Existen algunos supuestos excepcionales en los que la jurisprudencia admite la imputación por riesgo: actividades empresariales, desigualdad de las partes ante un mismo riesgo, bienes especialmente vulnerables y actividades intrínsecamente peligrosas.

riesgos y que ha de protegerse la indemnidad de la sociedad, suele proceder a la promulgación de normas que la objetiven[30]. Esto es lo que ha ocurrido con ciertas actividades sustancialmente peligrosas, con la finalidad de dotar de cierta protección a los perjudicados. A fecha de hoy el legislador no ha adoptado postura clara sobre el grado de protección y peligrosidad de ciertas actividades cuyo elemento base es la tecnología, pero es que ello no es nada fácil.

Actualmente no se dispone de una normativa especial que regule la responsabilidad civil derivada de la tecnología, lo cual dificulta la identificación de posibles responsables ante un daño y la determinación de un fundamento claro de imputación de la responsabilidad. Sin embargo, en el uso de determinados drones se cuenta desde unos años con el Real Decreto 1036/2017, de 15 de diciembre, por el que se regula la utilización civil de las aeronaves pilotadas por control remoto. Dicha norma parecía que iba a dar solución a la problemática que planteaban dichas aeronaves civiles de control remoto, pero algunas han sido excluidas expresamente de su ámbito de aplicación [las que se utilicen de forma exclusiva para exhibiciones aéreas, actividades deportivas, recreativas o de competición y para las que conlleven actividades lúdicas propias de aeronaves de juguetes (art. 2.2)]. El eventual daño y riesgo es patente y así se recoge en la citada norma —el art. 15.1 establece un particular régimen de responsabilidad civil del

---

[30]   Rocas Trías, E. y Navarro Michel, M., *Derecho de daños. Textos y materiales*, 7ª ed., Tirant Lo Blanch, Valencia, 2016, p. 290, consideran que la responsabilidad objetiva es una responsabilidad de atribución legal. El legislador es el que ha considerado a aquellas actividades intrínsecamente peligrosas, ya sean porque generan un plus de peligro, o bien porque sean actividades empresariales o en las que exista una clara desigualdad de las partes ante un mismo riesgo o se esté ante bienes jurídicos especialmente vulnerables como puede ser el medio ambiente. En base a estos motivos puede fundamentarse la necesidad de una legislación especial que objetive la responsabilidad por los daños producidos por ciertos elementos de la tecnología. El uso de drones, robots o ciertos vehículos autónomos pueden conllevar a un importante grado de peligrosidad, igualmente dichos elementos de la tecnología son usados por el sector empresarial en el desarrollo de sus funciones o incluso la elevada probabilidad de dañar bienes jurídicos como la vida, la integridad física o incluso el medio ambiente. Es por ello, por lo que consideramos que los fundamentos que sustentan la responsabilidad objetiva, sirven de motivos para establecer unas normas especiales que objetiven la responsabilidad producida por el uso de elementos de la tecnología.

fabricante, sin delimitarse de si estamos ante una responsabilidad por producto defectuoso o no—. Ante la expuesta relevancia del riesgo y peligro generado por tales aparatos, el citado Real Decreto impone al operador la obligación de disponer de una póliza de seguro u otra garantía financiera que cubra la responsabilidad civil frente a terceros por los daños que puedan ocasionar [art. 26 c)], con lo que denota la importancia de la cuestión. Como puede verse, la norma tiene un cierto espíritu objetivador[31] de la responsabilidad en el uso de aquellas aeronaves de su ámbito de aplicación, pues se prevé el seguro obligatorio y la responsabilidad del fabricante sin hacer especial mención a la intervención, en este sujeto, de culpa alguna[32].

El problema radica para aquellas aeronaves excluidas del ámbito de aplicación de la norma, los robots y los vehículos autónomos en los que no existe una regulación especial que invoque unos claros criterios de imputación de la responsabilidad, a pesar del idéntico peligro y riesgo que suponen con respecto al fundamentado en el RD 1036/2017. Otro de los motivos que hacen reflexionar sobre la objetivación es el que se extrae del contenido de la Resolución del Parlamento Europeo de 16 de febrero de 2017. Dicha resolución deja entrever la necesidad de articular un mecanismo de imputación de responsabilidad de carácter objetivo[33] dado el riesgo y peligrosidad que suponen tales elementos de la tecnología. Por otro lado, ciertos autores[34] para aquellas actividades que pueden suponer un riesgo su-

---

[31]   La STS de 21 de mayo de 2009 razona que existen determinadas actividades humanas que son generadoras de riesgo para terceros y por ello se ha venido a establecer una obligación de suscripción de un seguro obligatorio de responsabilidad civil y por ende se viene aplicando un régimen objetivo de responsabilidad, ya que quien crea y se beneficia de una fuente de peligro para terceros debe responder de los daños que cause. Este fundamento sería aplicable para aquellas aeronaves de control remoto no tripuladas que se encuentran en el ámbito de aplicación del RD 1036/2017 y que están sujetas al régimen del seguro obligatorio.

[32]   El art. 15. 1 RD 1036/2017 dispone: «los fabricantes de aeronaves pilotadas por control remoto (RPA) serán responsables de las aeronaves que fabriquen».

[33]   Esto parece extraerse de los puntos 54-57 de la la Resolución del Parlamento Europeo, de 16 de febrero de 2017.

[34]   Basozabal Arque, X., Responsabilidad extracontractual objetiva: parte general, Agencia Estatal del Boletín Oficial del Estado, Madrid, 2015, p. 44, entiende que hay que dar cobertura legal a los casos de riesgos extraordinarios no contempla-

perior al normal, abogan por la necesidad de crear una cláusula general de responsabilidad objetiva, como se han previsto en los *PETL*.

Por tanto, mientras que no exista una normativa especial que determine el régimen de atribución de la responsabilidad civil para los elementos de la tecnología susceptibles de generar daño, se ha de acudir a las reglas generales previstas en el ordenamiento: la responsabilidad por culpa probada o la responsabilidad por culpa presunta por inversión de la carga de la prueba[35]. Es cierto que existen particularidades, pues hay que tener en cuenta que la responsabilidad por el uso de drones, vehículos autónomos o robots pueden circunscribirse en un régimen propio de responsabilidad del fabricante por producto defectuoso conforme a las reglas establecidas en el TRLGDU o bien ante un régimen de dependencia, minoría de edad o incapacidad (art. 1903 CC). Por ello, dependiendo del ámbito y de los sujetos intervinientes, se podrá aplicar unas reglas u otras, pero en términos generales y dejando ciertas especificaciones, podemos decir que dos serían las reglas de atribución para fundamentar la responsabilidad civil de aquellos daños provocados por el uso de elementos de la tecnología: *I)* la responsabilidad con prueba de la culpa o *II)* la responsabilidad por culpa presunta con inversión de la carga probatoria, independientemente de otras normas generales de objetivación y criterios sobre la culpa existentes en el ordenamiento jurídico.

Una vez delimitado y acotado el régimen de atribución de la responsabilidad civil extracontractual para los daños originados por actividades que se sirven de elementos de la tecnología, se ha de profundizar de si el responsable del daño ha de responder por el riesgo creado, con la consiguiente inversión de la carga de la prueba, o por el contrario puede hacerse responsable mediante la acreditación por parte del demandante de la culpa del primero.

Tomando como base la premisa que hemos venido manteniendo a lo largo del estudio —el ejercicio de actividades que toman como base el uso de elementos tecnológicos ya sean drones, vehículos autónomos

---

dos en las leyes especiales. A mi juicio, la previsión de una cláusula general de responsabilidad objetiva no dejaría al arbitrio de la jurisprudencia la consideración de una actividad como anormalmente peligrosa, pero la tarea no viene a ser sencilla dado el ingente número de actividades que habría que incluir.

[35]   Yzquierdo Tolsada, M., *Responsabilidad civil extracontractual*, ob.cit, p. 262.

o robots, son susceptibles de cierto riesgo y peligro para terceros—, debemos de preguntarnos de si tales actividades pueden considerarse como lo que la jurisprudencia cataloga como «actividad anormalmente peligrosa». La jurisprudencia viene acuñando desde hace algún tiempo dicho término, en relación con la aplicación de la teoría del riesgo.

El objeto se centra ahora en determinar si puede calificarse a las citadas actividades como anormalmente peligrosas y por ende la carga de probar por parte del responsable la no intervención de culpa por su parte en la producción del daño. Como se verá, existen motivos suficientes para que el responsable del daño, producido por el uso de determinados aparatos tecnológicos, pueda imputársele la responsabilidad tomando como fundamento el riesgo creado, con la consiguiente consecuencia procesal de inversión de la carga de la prueba[36]. Para dar respuesta a estas cuestiones, hemos de profundizar sobre la última tendencia de la jurisprudencia en relación a la teoría del riesgo y al fraguado concepto de actividad anormalmente peligrosa que incluso se recoge en los *PETL*.

3.2. *El uso de elementos tecnológicos: drones, vehículos autónomos o robots, ¿actividades anormalmente peligrosas?*

Desde hace algún tiempo se viene utilizando la imprecisa y confusa terminología de actividad anormalmente peligrosa[37] como uno de los componentes necesarios para el nacimiento de la imputación por riesgo, con las correspondientes consecuencias en materia de prueba.

---

[36]   La STS de 18 de marzo de 2016 acota el panorama en relación a la prueba al señalar que «del art. 1902 CC se desprende que corresponde al dañado demandante la carga de la prueba de la culpa del causante del daño demandado. No será así, cuando una disposición legal expresa (217.6 LEC) imponga al demandado la carga de probar que hizo cuanto le era exigible para prevenir el daño; o cuando tal inversión de la carga de la prueba venga reclamada por los principios de disponibilidad y facilidad probatoria a los que se refiere el art. 217.7 LEC».

[37]   *Vid.* STS de 18 de marzo de 2016. Término también recogido en los *PETL* (Art. 5.101. «Actividades anormalmente peligrosas»). La STS 23 de julio de 2008 señala que la aplicación de la doctrina del riesgo en el ámbito de la responsabilidad civil exige que el daño derive de una actividad peligrosa que implique un riesgo considerablemente anormal (STS de 24 de enero de 2003).

El otro elemento determinante de la responsabilidad que se requiere es la culpa[38]. El término «actividad anormalmente peligrosa» sin una definición cierta, supone una inseguridad jurídica, tanto para aquellos que en su esfera realizan actividades que rozan los límites de la peligrosidad, como para los perjudicados por el hecho dañoso. Ello se debe a la compleja tarea de identificar y calificar una actividad como anormalmente peligrosa, no existiendo un catálogo que las enumere, pues sería inabarcable.

Desde el significado estricto de las palabras y de forma negativa, una actividad anormalmente peligrosa coincide con aquella que en condiciones normales no es peligrosa. La jurisprudencia no ha logrado dar una explicación clara o delimitadora de cuáles son aquellas actividades que deben de encuadrarse en tal enjundia, ni ha determinado qué se entiende por tal concepto, sino que en ciertas ocasiones la sustituye por riesgo anormal[39] o riesgo extraordinario[40] sin establecer si estamos ante sinónimos significados. Los *PETL* señalan en su artículo 5:101 que estamos ante una actividad anormalmente peligrosa cuando: *I)* se crea un riesgo previsible de generar un daño y *II)* cuando estemos ante una actividad que no es de uso común. Algunos autores[41] consideran que se está ante una actividad no sujeta al uso común cuando en una comunidad, la actividad es llevada a cabo por una gran parte de la población (*v.gr* vehículos a motor). Tomando como base este argumento, el uso de drones, vehículos autónomos y robots, a pesar de estar en auge, no se vienen usando por la población en los niveles a los que llega vehículo tradicional, [algún día llegará]. Sin em-

---

[38]   La STS de 10 de mayo de 2006 señala que el riesgo o peligro de una actividad, aunque sea considerada anormal, no es suficiente por sí sola para que nazca la obligación de indemnizar. Para prescindir de la culpa como elemento de base de la responsabilidad es necesario que se haya previsto legalmente por el legislador.

[39]   STS de 24 de septiembre de 2002.

[40]   STS de 5 de abril de 2010.

[41]   Martín Casals, M., «La "modernización" del derecho de la responsabilidad extracontractual", en *Cuestiones actuales en materia de Responsabilidad Civil*, Ediciones de la Universidad de Murcia, Murcia, 2011, p. 66, motiva que en los inicios del uso de los vehículos a motor, existía una escasa utilización de los mismos y por ello se desconocían los peligros a los que las personas y bienes quedaban expuestos. Esto hace que ante la carencia de uso común de determinados elementos de la tecnología, se pueda justificar la aplicación teórica de la previsión establecida en el art. 5: 101 *PETL*.

bargo, la jurisprudencia no se ha pronunciado sobre la necesidad del requisito del no uso común que señalan los *PETL*. Los bajos niveles de uso de estos aparatos, en relación con otros como el vehículo de motor, ha supuesto que no se conozca en profundidad los pormenores relativos a los peligros y riesgos, aunque pueden preverse. Si tomamos como base los requisitos establecidos en los *PETL* y si se considera a las actividades a las que nos referimos como creadoras de un riesgo cuya previsibilidad sea el poder dañar y no se haya generalizado su uso, podemos decir que estaríamos ante una actividad anormalmente peligrosa.

Por otro lado, nuestra jurisprudencia, entiende que un riesgo anormal puede equipararse a un riesgo superior al ordinario[42]. La existencia de este conlleva a una elevada probabilidad de producción de un resultado dañoso y a la carencia de evitación de todo mal por parte de quien los usa[43]. Algunas sentencias determinan que la previsión[44] de que una determinada actividad va a producir un daño es inherente a aquellas actividades que se catalogan como anormalmente peligrosas[45]. Por tanto, de la interpretación jurisprudencial, una actividad anormalmente peligrosa puede reputarse como aquella en la que existe un riesgo superior al normal[46] o riesgo considerado anormal según

---

[42] STS de 6 de septiembre de 2005.

[43] BASOZABAL ARQUE, X., *Responsabilidad extracontractual objetiva: parte general*, ob.cit, pp. 55-57, determina que debe de existir un riesgo anormal, peligro o riesgo creado por la cosa o actividad que causa el daño y que ha de ser extraordinario o anormal. Esto hace que se tome como criterio la alta probabilidad de que el daño en el ámbito tecnológico ocurra, pues «la amenaza de causar un daño está por encima de los riesgos legales» a las actividades ordinarias. Aquel que manipula determinadas cosas o que se dedica a actividades peligrosas no puede pretender evitar del todo la causación de daños, aunque tome las medidas de diligencia exigibles. En ciertas actividades con drones, vehículos autónomos o robots, hacen que la adopción de medidas de precaución razonablemente exigibles no baste para evitar la causación de daños frecuentes o importantes.

[44] La STS de 27 de abril de 1998 señala que la previsibilidad de lo que puede acontecer es un factor decisivo.

[45] Martín Casals, M., «Una primera aproximación a los "Principios de Derecho europeo de la responsabilidad civil"», *InDret Revista para el Análisis del Derecho*, mayo de 2005, p. 16.

[46] La STS de 2 de marzo de 2000 limita la aplicación de la teoría del riesgo —fuera de los supuestos legalmente previstos— y no a todas las actividades de la vida. Esta teoría ha de resultar de aplicación a aquellas actividades que impliquen

los estándares medios[47], traduciéndose este en la alta probabilidad que existe para que se produzca el resultado lesivo.

Es previsible que en el uso de determinados aparatos tecnológicos se produzca un daño. De hecho, los drones disponen de una alta probabilidad de caída o de comprometer la seguridad aérea[48]; del mismo modo que los vehículos autónomos tienen un alto porcentaje de producción de un daño a tercero al discurrir por vías que son compartidas por personas y bienes. El riesgo de un vehículo autónomo puede equipararse a la probabilidad de acaecimiento de un accidente por un vehículo convencional, teniendo en cuenta que el uso del primero es estadísticamente menor, aunque en auge.

En términos generales, la existencia de un riesgo superior al normal es patente en el caso de drones y vehículos autónomos, ya que existe una elevada probabilidad que con su utilización se produzca un daño, siendo este resultado previsible por toda persona en condiciones normales.

El usuario de un dron, de un vehículo autónomo o quién se beneficia de un robot, ha de conocer el riesgo que producen tales aparatos y por ello tiene que tomar las medidas de seguridad que la prudencia y la razón de un hombre medio impone, con el objeto de salvaguardar los bienes y derechos de terceros que puedan verse afectados por el

---

un riesgo considerado anormal (riesgo superior al normal) en relación con los estándares medios. Así, SANTOS BRIZ, J., *La responsabilidad civil. Derecho sustantivo y derecho procesal*, (2ª ed.), Ed. Montecorvo, Madrid, 1977, pp. 408, afirma que no resulta suficiente un «peligro general inherente a toda suerte de actividad humana», sino que el peligro ha de ser considerable, en relación a los estándares ordinarios.

[47]   *Vid*. SSTS de 29 de mayo de 1999; de 31 de marzo de 2003; de 24 de enero de 2003; de 6 de noviembre de 2002

[48]   El pasado 3 de febrero de 2020, el Aeropuerto de Adolfo Suárez-Madrid Barajas tuvo que cerrar su espacio aéreo con el consiguiente retraso en numerosos vuelos. Ello fue debido a la detección de drones que podían comprometer la seguridad aérea [pueden consultarse en diferentes medios: https://elpais.com/politica/2020/02/03/actualidad/1580732176_100077.html; https://www.lavanguardia.com/local/madrid/20200203/473278294504/barajas-drones.html; https://www.20minutos.es/noticia/4139663/0/cerrado-espacio-aereo-barajas-drones/ (Última vez visitadas el 13 de febrero de 2020)].

eventual daño[49]. El usuario es quien ha de controlar al aparato tecnológico, pues solo este es quien tiene físicamente el poder de control del mismo. Ante un riesgo que se conoce y que es previsible [es previsible que un dron caiga y dañe a personas o cosas, al igual que es previsible que un vehículo autónomo atropelle a un peatón o colisione con una cosa] y que no se adoptan las medidas idóneas para la no producción del daño, se ha de responder. Es decir, una conducta puede reputarse como negligente si ante la previsión de un eventual daño por un riesgo inminente, no se tomaron las medidas adecuadas de previsión y diligencia[50] para eliminar la producción del daño. La creación de un riesgo que puede catalogarse como superior al normal, conlleva inexcusablemente a que el agente o usuario de tales aparatos tenga que elevar los estándares de pericia y diligencia[51]. En ese sentido, y ante las circunstancias de riesgo y previsibilidad del daño que pueden comportar estos elementos de la tecnología, se tenga como consecuencia la indispensabilidad de que sea el responsable el que acredite que extremó toda la diligencia necesaria para evitar el resultado dañoso, teniendo en cuenta que se le ha de exigir un progresivo aumento del cuidado al disponer del control de un peligroso aparato. Por las circunstancias y configuración de los drones, vehículos autónomos y

---

[49]   Así, la STS 9 de julio de 1994 determina que aquel que crea un riesgo debe de asumir y soportar las consecuencias derivadas de dicho actuar, debiéndose de acentuar el nivel de exigencia exigible por parte de su creador, que además se encuentra en su ámbito de control (STS de 16 de octubre de 2007). De la misma forma la STS de 27 de junio de 2001 aborda la obligación de extremar la precaución con mayor intensidad ante situaciones riesgosas cuando se pueda estar ante el peligro para la integridad física de las personas. En tal caso, impone la resolución, que debe de incluirse una actividad de vigilancia, control y mantenimiento, a fin de evitar el daño.

[50]   La doctrina del riesgo se traduce en la acentuación de la diligencia exigible, adoptando las medidas necesarias que hagan evitar los accidentes con consecuencias lesivas, con la consecuencia en caso de incumplimiento de una posición procesal más gravosa en el ámbito probatorio: la presunción de culpabilidad (STS 28 de julio de 2008).

[51]   La STS de 18 de marzo de 2016 impone a aquellas actividades creadoras de un riesgo superior al normal a una elevación proporcional de los estándares de pericia y diligencia, pues la falta de adopción o agotamiento de las más exigentes medidas de cuidado, justifica atribuir responsabilidad. El carácter anormalmente peligroso de la actividad causante, puede justificar la imposición de probar su falta de culpa.

robots, el control puede verse frustrado, ya que el usuario no puede evitar del todo la producción de un hipotético daño[52].

En principio, parece que la actual doctrina del riesgo puede aplicarse a la responsabilidad producida por drones, robots o vehículos autónomos, ya que pueden catalogarse como actividades anormalmente peligrosas, de las que existe un riesgo superior en relación con los estándares medios. Tampoco se ha de olvidar la necesidad del elemento culpabilístico, resultando insuficiente el cumplimiento de los reglamentos reguladores de la actividad para la exoneración de responsabilidad[53]. El usuario de tales aparatos tiene una clara obligación de previsión del daño, ya que es el que mejor conoce su actividad y el riesgo que comporta, así como la adaptación de su conducta ante la previsión de un inminente daño.

En muchas ocasiones, el daño resultará inevitable y en otras se podría haber evitado si el causante hubiera empleado toda la diligencia debida. Por ello, hay que atender a las circunstancias concretas que rodean a la persona, el tiempo y el lugar, así como si se disponían de los medios necesarios para evitar el resultado y no se hizo. Ciertas actividades que usan aparatos tecnológicos, comportan un riesgo superior al normal, debiendo de adoptarse un mayor esfuerzo de previsión, una diligencia extrema conforme a las circunstancias y de toda medida que evite el daño[54].

Los drones, robots o vehículos autónomos son elementos con una alta probabilidad de acaecimiento de un resultado dañoso importante, lo que comporta un cierto nivel de potencial peligrosidad, debién-

---

[52]   Es lo que SANTOS BRIZ, J., *La responsabilidad civil. Derecho sustantivo y derecho procesal*, ob.cit, p. 411, denomina como responsabilidad por un resultado dañoso no completamente controlable.

[53]   La STS de 24 de septiembre de 2002 expone claramente que la consecuencia de la aplicación de la teoría del riesgo es la inversión de la carga de la prueba ante actividades que implican un riesgo considerablemente anormal en relación con los estándares medios. No viene a resultar suficiente el cumplimiento de la diligencia reglamentaria para acreditar la falta de diligencia del demandado, sino que se obliga a acreditar que había adoptado las medidas necesarias para evitar la proximidad del daño. La explotación de una cantera produce innegables riesgos, y en dicho escenario, los accidentes son frecuentes, por lo que se está ante una clara situación de peligro.

[54]   *Vid.* STS de 18 de marzo de 2016.

dose de adoptar por el usuario cuantas medidas y diligencias sean necesarias para reducir el riesgo y el daño de bienes jurídicos de terceros. Estos aparatos se enmarcarían en un nivel de riesgo que puede catalogarse como superior al normal, debiendo su usuario elevar los estándares de pericia y diligencia en su utilización.

4. CONCLUSIONES

El uso de determinados aparatos tecnológicos ya sean drones, vehículos autónomos o robots, pueden considerarse como elementos productores de un eventual daño y fuente de exposición a un riesgo superior al normal. Esto hace que existan motivos suficientes para aplicar la actual corriente jurisprudencial de la teoría del riesgo, con las consecuencias relativas a la culpa. Mientras que no exista una norma especial que regule los criterios de atribución de la responsabilidad para este tipo de aparatos de la tecnología, como se pretende por los organismos de la UE y ocurrió, en el ámbito nacional, con el origen de la responsabilidad automovilística, parece ser que es la teoría del riesgo la que mejor se adapta. La teoría del riesgo no puede ser de aplicación general, ya que habrá que estar a las circunstancias concretas de cada elemento tecnológico, la persona, el tiempo, el lugar, la pericia y la forma en que se ha producido el evento lesivo.

Es evidente que, ante la carencia de una específica norma de responsabilidad objetiva, no pueda acogerse este tipo de responsabilidad para los daños originados por elementos de la tecnología, a excepción de las concretas reglas dispuestas en el RD 1036/2017 para aquellos drones que se encuentran en su ámbito de aplicación, así como otras aplicables con distinto fundamento [TRLGCU, el art. 1903 CC, etc.].

Por tanto, ante esta carencia normativa para los daños producidos como consecuencia del uso de tales aparatos de la tecnología, puede afirmarse que puede ser aplicable la teoría del riesgo, teniendo en cuenta que el riesgo por sí sólo no es generador de responsabilidad, ya que se estaría ante una superposición sobre sobre la responsabilidad objetiva que el legislador no ha declarado, requiriéndose del elemento culpa. El riesgo se traduce en la concreta situación creada que ha de catalogarse como actividad anormalmente peligrosa, cosa que no siempre será fácil por los operadores jurídicos —a pesar de definirse en los *PETL*.

Con este trabajo se llega a la conclusión que determinadas actividades, y dependiendo de las circunstancias concretas de cada caso, elementos como los drones, los robots y los vehículos autónomos son agentes creadores de cierto riesgo circunscrito a una actividad peligrosa que se puede catalogar de anormal. Esto hace que los usuarios de tales aparatos tengan que elevar proporcionalmente los estándares de pericia y diligencia con objeto de no producir o aminorar un hipotético daño ante la alta probabilidad de que este ocurra, por lo que ha de existir una alta previsibilidad por el sujeto responsable. La consecuencia directa de la doctrina del riesgo, radica en la culpa, por lo que la catalogación del carácter de anormalmente peligroso de la actividad causante del daño justificaría la imposición, a quien la desempeña, de la carga de probar su falta de culpa. Para el resto de actividades que no obtengan tal calificativo, en materia de prueba, han de regir las normas generales del art. 217 LEC, teniendo en cuenta que lo dispuesto en casos de facilidad y disponibilidad probatoria.

Entre las circunstancias sociales que rodearon a la STS de 10 de julio de 1943, cuando aún no existía norma que objetivara la responsabilidad automovilística, y la realidad jurídica actual marcada por el uso de drones, robots y vehículos autónomos, no existe mucha diferencia. Es probable que en un futuro se tome conciencia de la peligrosidad y el riesgo que tales aparatos suponen, para cuestionar la necesidad del dictado de normas que objetiven la responsabilidad civil, tal y como ya ocurrió con el fenómeno del automóvil. De hecho, tales aparatos tecnológicos comparten fundamentos con las normas objetivadoras de la responsabilidad civil: el eventual plus de peligrosidad, la utilización por el sector empresarial o el daño a bienes jurídicos importantes como la vida, la integridad física, el medio ambiente, etc. Mientras tanto, la teoría del riesgo es la que servirá como mecanismo de atribución de la responsabilidad en relación a aquellos daños ocasionados por elementos de la tecnología que comporten un plus de peligrosidad en los que haya que extremar la diligencia por sus usuarios, teniendo en cuenta que el usuario no podrá evitar que acontezca todo evento dañino por sobrada diligencia que haya adoptado.

BIBLIOGRAFÍA

Basozabal Arque, X., *Responsabilidad extracontractual objetiva: parte general*, Agencia Estatal del Boletín Oficial del Estado, Madrid, 2015.

Borrell Macià, A., *Responsabilidades derivadas de la culpa extracontractual civil*, 2ªed., Bosch, Barcelona, 1958.

Díaz Alabart, S., *Robots y responsabilidad civil*, Reus, Madrid, 2018.

Díez-Picazo, L. y Gullón, A., *Sistema de Derecho civil*, Vol. II, Tecnos, Madrid, 2005.

Fernández-Martín Granizo, M., *Los daños y la responsabilidad objetiva en el Derecho Positivo Español*, Aranzadi, Pamplona, 1972.

Heredero, JL., *La responsabilidad sin culpa. Responsabilidad objetiva*, Ediciones Nauta, Barcelona, 1964.

Manresa y Navarro, JM., *Comentarios al Código Civil (Tomo XII)*, 2ªed., Imprenta de la Revista de Legislación, Madrid, 1911.

Martín Casals, M., «La "modernización" del derecho de la responsabilidad extracontractual», en *Cuestiones actuales en materia de Responsabilidad Civil*, Ediciones de la Universidad de Murcia, Murcia, 2011.

Martín Casals, M., «Una primera aproximación a los "Principios de Derecho europeo de la responsabilidad civil"», *InDret Revista para el Análisis del Derecho*, mayo de 2005.

Rammert, W., "La tecnología: sus formas y las diferencias de los medios. Hacia una teoría social pragmática de la tecnificación", *Scripta Nova. Revista electrónica de geografía y ciencias sociales*, núm. 5, 2001.

Rocas Trías, E. y Navarro Michel, M., *Derecho de daños. Textos y materiales*, 7ª ed., Tirant Lo Blanch, Valencia, 2016.

Santos Briz, J., *La responsabilidad civil. Derecho sustantivo y derecho procesal*, (2ª ed.), Ed. Montecorvo, Madrid, 1977.

Yzquierdo Tolsada, M., *Responsabilidad civil extracontractual*, 3ª ed., Dykinson, Madrid, 2017.

DESAFÍOS LEGALES DE *BLOCKCHAIN* Y *ETHEREUM*, PROTECCIÓN DE DATOS Y RESPONSABILIDAD CIVIL

CRISTINA ARGELICH COMELLES
Profesora doctora de Derecho Civil, acreditada a Profesor contratado doctor
Universidad de Cádiz

SUMARIO: 1. Consideraciones previas acerca de la tecnología *blockchain*. 2. Retos de la tecnología *blockchain* en materia contractual. 2.1. Plataforma *blockchain*, consumidores 2.0 y contratos de adhesión. 2.2. Plataforma *ethereum* o la *blockchain* de los *smart contracts* personalizados. 3. Responsabilidad civil por errores de programación en la *blockchainización* de las prestaciones. 4.Tecnología *blockchain*, protección y encriptación de datos de carácter personal. Bibliografía.

1. CONSIDERACIONES PREVIAS ACERCA DE LA TECNOLOGÍA *BLOCKCHAIN*

En una primera aproximación, la tecnología *blockchain* consiste en un código en cadena que emite registros descentralizados para subvenir a las dificultades que planteaban los contratos electrónicos[1], relativos a la manipulación del contenido y la prueba de su emisión y recepción. Sus principios[2] se basan en determinados parámetros: integridad en red, poder distribuido, valor como incentivo, seguridad,

---

[1]   Bellamy, J., Hill, C., "Can the *Blockchain* Make Our Contracts Smarter?", *Cyberspace Lawyer NL 2*, vol. 21, núm. 11, 2016, págs. 6-12. Luu, L., Chu, D. H., Olickel, H., Saxena, P., Hobor, A., "Making *Smart Contracts* Smarter", en CCS 2016, *Proceedings of the 2016 ACM SIGSAC Conference on Computer and Communications Security*, New York, ACM, 2016, págs. 254-269.

[2]   Tapscott, A., y Tapscott, D., *Blockchain revolution: how the technology behind bitcoin is changing money, business, and the world*, New York, Penguin Random House, 2016, págs. 56-92.

privacidad[3], derechos preservados e inclusión. La tecnología *block-chain* está basada en una red peer-to-peer o P2P en la que los nodos, como terceros ajenos que comprueban la veracidad de los eventos, son iguales entre sí. Ello permite articular un registro distribuido que los hace menos vulnerables a ataques informáticos, por existir otros nodos que suplirían su actividad.

Este mecanismo opera a través de tres elementos[4] relacionados entre sí: la exactitud se vincula con la eficiencia de costes, mediante un libro mayor centralizado, y a su vez la exactitud se vincula con la descentralización por el PoW-*blockchain* o su prueba de trabajo. La tecnología *blockchain* se relaciona con su entorno mediante los Oracles u oráculos, que es una red de observadores externos que comprueban los eventos producidos durante la ejecución del contrato, responden a las instrucciones de las partes en el sistema o a eventos externos cuya existencia queda registrada, y producen automáticamente las consecuencias jurídicas programadas. Por otra parte, debemos señalar que existen otras plataformas como Logalty, que emite registros de tipo centralizado, aunque por ello menos seguros y vulnerables a ataques informáticos, pues carecen de esta red de observadores imparciales.

Las principales[5] plataformas de tecnología *blockchain* son *Blockchain* y *Ethereum*. *Blockchain*[6], utilizada por más de 38 millones de usuarios, permite adherirse a un *smart contract* predispuesto y comprar criptomonedas, la propia de la plataforma que es Bitcoin, así como Ether y Stellar. *Ethereum*[7], utilizada por 12 millones de usuarios, es una *blockchain* programable por la que se pueden crear *smart con-*

---

[3]   Chatzopoulos, D., Gujar, S., Fltings, B., Hui, P., "Privacy Preserving and Cost Optimal Mobile Crowdsensing Using *Smart Contracts* on *Blockchain*", en *2018 IEEE 15th International Conference on Mobile Ad Hoc and Sensor Systems (MASS)*, 2018, págs. 442-450.

[4]   Abadi, J., Brunnermeier, M., "*Blockchain* Economics", *CEPR Discussion Paper*, DP13420, 2019, págs. 1-53.

[5]   Existen otras plataformas como *Chainspace*. Véase Al-Bassam, M., Sonnino, A., Bano, S., Hrycyszyn, D., Danezis, G., "Chainspace: A Sharded *Smart Contracts* Platform", *NDSS*, 2018, págs. 1-16, disponible en: https://www.semanticscholar. org/paper/Chainspace%3A-A-Sharded-Smart-Contracts-Platform-Al-Bassam-Sonnino/11628f59857d7a85971e8b68496016e9d1737d9d.

[6]   *Blockchain*, disponible en: https://www.*blockchain*.com/ (consultado el 16 de marzo de 2020).

[7]   *Ethereum*, disponible en: https://www.*ethereum*.org/.

tracts personalizados y comprar la criptomoneda de la plataforma, que es Ether. Mediante esta plataforma, en lugar de operar con un *smart contract* predispuesto, se incorporan los datos a la plataforma en forma de *input*, que genera nuevas transacciones u *outputs*. Por tanto, a este *smart contract* lo podemos calificar de "personalizado", por su configuración mediante *Ethereum*, en contraposición a la adhesión contractual que posibilita *Blockchain*.

Ethereum, sin embargo, tiene un coste económico: los usuarios deben pagar unas *fees* o tasas en Ethers por cada operación que activan. Ello permite evitar actuaciones maliciosas y sostener el coste de mantenimiento de la plataforma, denominado gas[8], que es el coste de la computación sobre esta *blockchain*. Este coste se determina libremente por los mineros, conforme a las reglas del libre mercado, y quien ejecuta una transacción puede delimitar la cantidad máxima de gas que está dispuesto a gastar. Por el momento, este coste está desincentivando su extensión, a diferencia de la expansión que está experimentando *Blockchain*, así como por la inversión[9] que las partes necesitan realizar para la adquisición de equipos informáticos y la formación para operar en la plataforma *Ethereum*. Sin embargo, esta inversión tendrá sus externalidades positivas cuando los contratos tradicionales incorporen progresivamente[10] algunas cláusulas que se autoejecuten, para pasar a un segundo estadio de programas ayudados de IA que elaboren por sí mismos *smart contracts*. Por el contrario, la plataforma *Blockchain* permite la obtención de criptomonedas, convertibles a saldo canjeable en PayPal, por la fidelización de nuevos usuarios y contactos de usuarios ya registrados; no obstante, el coste material de la gratuidad es la cesión de datos de carácter personal.

De acuerdo con las plataformas de tecnología *blockchain* y sus posibilidades, podríamos distinguir entre dos clases de smart contract. Por

8   Ocariz, E. B., *Blockchain y Smart contracts. La revolución de la confianza*, Madrid, RC Libros, 2018, págs. 111-112, concreta que este concepto alude al término "gasolina", porque pone en funcionamiento el *smart contract* de que se trate.
9   Puterbaugh, D., "The future of contracts: automation, *blockchain* and *smart contracts*", *The Australian corporate lawyer*, vol. 27, núm. 1, 2017, págs. 24-26, señala claramente que este desincentivo obedece a que las empresas todavía operan en contratos escritos o *paper-based*.
10   Puterbaugh, D., "The future of contracts", *op. cit.*, págs. 24-26.

una parte, aquel en el que existe un acuerdo previo y que, por tanto, su contenido se pacta o personaliza, mediante la plataforma *Ethereum*. Por otra parte, aquel en el que no existe un acuerdo previo y que, al no estar personalizado, es suficiente con el uso de la plataforma *Blockchain* para comprobar los requisitos de validez y adherirse. En el primer caso, por la existencia del acuerdo *off-chain*, la tecnología *blockchain* se utiliza para garantizar la eficacia del pacto, donde se habrán previsto las prestaciones y la activación y desactivación del código informático. En el segundo caso, por la ausencia de un acuerdo previo, el acreedor predispone el contenido contractual, el deudor solicita la adhesión, y la plataforma *Blockchain* comprueba los requisitos de validez y la identidad del deudor para activar el código informático.

2. RETOS DE LA TECNOLOGÍA *BLOCKCHAIN* EN MATERIA CONTRACTUAL

Los *smart contracts*, y la tecnología *blockchain* que los hace posibles, plantean una serie de ventajas[11], relacionadas con la eficiencia material que implica la sustitución de la confianza de las partes por un control informático externo de las vicisitudes en la formación y ejecución del contrato. Esta confianza virtual se sustenta en tres elementos: la inmutabilidad de los eventos, pues quedan registrados sin posibilidad de alteración en la cadena de bloques; el cumplimiento de las prestaciones, que no se somete a la interpretación humana y se automatizan los remedios frente al incumplimiento; y la autoejecución del contrato conforme a lo pactado y programado.

---

[11]   Sobre las ventajas, O'Shields, R., "*Smart contracts*. Legal agreements for the *blockchain*", *North Carolina Banking Institute*, vol. 21, núm. 1, 2017, pág. 183, indica que presenta una mayor rapidez y cuidado en las transacciones, mayor eficiencia y un mayor cumplimiento, reduciendo los costes por litigación. También se observa, como señala Kemp, R., "Legal Aspects of Artificial Intelligence (v2.0)", *Cyberspace Lawyer NL 2*, vol. 22, núm. 1, 2018, pág. 18, una disminución de las tasas de error en determinadas operaciones, reducción de costos, retrasos injustificados, en virtud de más automatización, una reducción de la intermediación e intervención directa. Sobre las ventajas e inconvenientes en su conjunto, véase Allam, Z., "On *Smart Contracts* and Organizational Performance: A Review of *Smart Contracts* through The *Blockchain* Technology", *Review of Economic Business Studies*, vol. 11, núm. 2, 2018, págs. 137-156.

Sin embargo, muchos son los retos[12] que una aplicación extensiva de los *smart contracts* debe afrontar, como la utilización de un lenguaje menos técnico que los haga accesibles al público en general, y una regulación detallada y armonizada a nivel europeo que evite los abusos y solucione los desajustes analizados a lo largo de este trabajo. Principalmente, se refieren a la dificultad para programar los eventos extrínsecos al contrato, lo que obstaculiza la automatización de la ineficacia en sentido estricto, y las limitaciones derivadas de una aplicación acrítica de la codificación que ocasione resultados inadecuados. Por todo ello, podemos concluir que el éxito y la extensión de los *smart contracts*, para que se consolide como la evolución del comercio electrónico y constituya la alternativa al comercio tradicional, dependerá, por un lado, de la simplificación y, por otro lado, de la protección y seguridad jurídica que la codificación informática y la legislación proporcionen.

2.1. *Plataforma Blockchain, consumidores 2.0 y contratos de adhesión*

La plataforma *Blockchain* y la irrupción de su criptomoneda Bitcoin, tras otros intentos fallidos[13] y a la espera del lanzamiento en 2020 de la criptomoneda Libra[14], perteneciente a Facebook, han supuesto un revulsivo[15] para los *smart contracts*. Respecto de Bitcoin,

---

12   Salvador Coderch, P., "Contratos inteligentes y derecho del contrato", *InDret*, núm 3, págs. 1-5, disponible en: http://www.indret.com/pdf/editorial__1.pdf, plantea algunos de los interrogantes, referidos a la *selfhelp* o autoayuda, el alcance del pacto comisorio, la *exceptio non adimpleti contractus*, y el papel del Derecho del Consumo.

13   Entre ellos debemos mencionar *DigiCash, B-money* y *BitGold*. Esta última era la criptomoneda más tecnificada, pues se basaba en un sistema descentralizado a modo de clave público-privada para firmas digitales mediante una prueba de trabajo o *hashcash*. Sin embargo, no triunfó porque requería un quorum para las direcciones de red, lo que lo hacía vulnerable a los ataques informáticos. Para más detalle, véase Ocariz, E. B., *Blockchain y Smart contracts, op. cit.*, págs. 57-58.

14   *Libra* https://libra.org/en-US/.

15   Tapscott, A., y Tapscott, D., *Blockchain revolution, op. cit.*, pág. 102. O'Shields, R., "*Smart contracts*", *op. cit.*, pág. 179. Ocariz, E. B., *Blockchain y Smart contracts, op. cit.*, págs. 135-158.

el Tribunal Supremo[16] se pronunció por primera vez en un supuesto de estafa el 20 de junio de 2019. Estableció que se trata de "un activo patrimonial inmaterial, en forma de unidad de cuenta", usado como "activo de contraprestación o de intercambio en cualquier transacción", pero que "en modo alguno es dinero, o puede tener tal consideración legal". En este sentido, el surgimiento de Libra provocó que el Senado[17] de los Estados Unidos requiriese información sobre la denominada originalmente Facebook Coin, el 9 de mayo de 2019. El Senado identificaba como principales problemas que debía aclarar la plataforma la garantía de la privacidad, la protección e información financiera al consumidor, y el uso de la información proporcionada por el consumidor, en particular sus datos personales, lo que alude a los problemas que presentan las criptomonedas en general.

Una vez contextualizada la irrupción de *Blockchain*, debemos atender a los elementos que han favorecido su extensión. La plataforma *Blockchain* permite emitir un código en cadena, es decir, un registro inmodificable, que procede de una fuente fiable y segura y arbitra lo programado por las partes. La ventaja de esta tecnología es que un conjunto de terceros ajenos al contrato, denominados nodos, actúan en la plataforma P2P como fedatarios de las actuaciones de los intervinientes. Una vez que la red ha validado una conducta, le atribuye un hash, un código incorporado al registro que lo hace inalterable. Este código, como representación del contrato, queda incorporado en un registro distribuido. Desde ese momento, se esperan los datos que integran las variables establecidas, es decir, aquellas vicisitudes que afectan a la fase de ejecución del contrato, que proceden

---

[16]   STS de 20 de junio de 2019, https://www.maestreabogados.com/wp-content/uploads/2019/07/supremo-estafa-bitcoins.pdf.
[17]   La carta del Senado pide al fundador de Facebook que aclare los siguientes extremos: el funcionamiento del sistema de pago; la privacidad y la protección que se otorgará al consumidor; la información financiera que se tenga de los consumidores; los usos que se van a dar, en su caso, a esa información financiera; si Facebook pretende compartir o vender esa información o aquella que derive de los usos que realice el consumidor; la información que Facebook pueda tener relativa a la solvencia, capacidad crediticia, reputación, características personales o modos de vida sobre los usuarios; y las garantías que ofrezca Facebook para la protección de esa información. Puede consultarse la carta del Senado a Mark Zuckerberg en este enlace: https://www.banking.senate.gov/imo/media/doc/5.9.19%20Facebook%20Letter.pdf.

de unas fuentes fiables u oráculos. Cuando estas fuentes coinciden con el evento esperado y previsto por las partes en el contrato, generan el resultado previsto, dejando una constancia irreversible y permanente en el registro. Un ejemplo sería la recepción de la mercancía objeto del contrato, como modo que junto al título transmite la propiedad[18] en nuestro Derecho. Su ejecución se correspondería con el oráculo de geolocalización de la mercancía y su recepción, mediante un sistema de firma digital del destinatario para comprobar su identidad, generaría la orden de pago, para cuya facilitación es recomendable la conexión del objeto del contrato con el Internet of Things a la red. Asimismo, *Blockchain* proporciona la posibilidad de convertir el objeto de determinadas transacciones al método de pago PayPal y, por tanto, lo hace apto para el tráfico comercial en un entorno digital, por lo que resulta especialmente útil en la contratación con consumidores.

La utilización de registros de tipo descentralizado o distribuido como *Blockchain* permite que el smart contract esté programado en forma de código autoejecutable, incorporado a un registro que reside en miles de ordenadores, y que tiene carácter inmodificable, irreversible, inmune a manipulaciones o alteraciones y, por tanto, transparente. Ello dota a estos contratos de una seguridad y autenticidad[19] que no puede proporcionar la contratación tradicional, aunque también resultan inflexibles[20] y poco adaptables a nuevos eventos sin una programación adecuada, por lo que incluso se les ha calificado de dumb[21], en el sentido que no atienden a elementos extrínsecos. Asimismo, también proporcionan una mayor eficiencia y agilidad por su objetividad y automatismo, pues no hay margen a la ambigüedad y

---

[18]   Arruñada, B., "*Blockchain*'s Struggle to Deliver Impersonal Exchange", *Minnesota Journal of Law Science & Technology*, vol. 19, núm. 1, 2018, págs. 55-105, disponible en: https://papers.ssrn.com/sol3/papers.cfm?abstract_id=2903857.

[19]   Bellamy, J., Hill, C., "Can the *Blockchain* Make Our Contracts Smarter?", *op. cit.*, págs. 6-12.

[20]   Sin embargo, ello puede ser percibido por las partes como una limitación, por tratarse de contratos demasiado rígidos y con poca adaptación a nuevas circunstancias. En este sentido, se expresa Skalaroff, J. M., "*Smart Contracts and the Cost of Inflexibility*", *University of Pennsylvania Law Review*, vol. 166, 2017, págs. 263-303, disponible en: https://scholarship.law.upenn.edu/cgi/viewcontent.cgi?article=9605&context=penn_law_review.

[21]   Cawrey, D., "Why *Ethereum* Needs 'Dumb' Contracts", *CoinDesk*, 2016, disponible en: https://www.coindesk.com/*ethereum*-dao-dumb-smart-contracts.

no se requiere de acciones que materialmente puedan demorar la fase de ejecución del contrato.

Sin embargo, la implementación generalizada de *Blockchain* requeriría de una modificación en la admisión de las pruebas documentales, porque los certificados no presentan problemas de admisibilidad y esta plataforma no puede emitirlos por su naturaleza descentralizada. Para subvenir a este problema, debemos plantear dos alternativas para aportar un smart contract a un proceso judicial: por una parte, mediante el uso de la plataforma Logalty, que emite registros de tipo centralizado que sirven como prueba documental conforme al art. 265 LEC, pues son relativos al fondo del asunto; o, por otra parte, optar por la transformación de la codificación informática al lenguaje escrito. De acuerdo con lo establecido en sede de presentación de documentos públicos en el art. 267 LEC, puede aportarse mediante escritura pública e incluso soporte electrónico, como permite el art. 24 de la Ley 34/2002, para que sirva como prueba documental según lo contenido en el art. 265 LEC. Esta conversión[22] del lenguaje informático al ordinario, para el caso de que el contenido contractual no se haya personalizado, está contenido en las Condiciones Generales de la Contratación o en el propio contrato de adhesión, mediante la aceptación de los términos y condiciones a través del "*I agree button*".

Los protagonistas de la adhesión contractual mediante la tecnología *blockchain* son los *adprosumers* o consumidores 2.0. Los *adprosumers* no se limitan a adquirir un bien o servicio, sino que requieren una experiencia positiva de compra. Esta se concreta, en primer lugar, en reclamar información y transparencia, elemento que deriva de los controles de incorporación, contenido y transparencia que le asisten como consumidor. Asimismo, el consumidor 2.0 busca asesoramiento, atención personalizada y una determinada relación calidad-precio. Este último elemento, sin embargo, queda excluido del control de abusividad, pues solamente admite un control indirecto mediante un test circunstancial, relativo a la equivalencia de las prestaciones.

---

[22]   Dwivedi, V., Norta, A., "A Legally Relevant Socio-Technical Language Development for *Smart Contracts*", *2018 IEEE 3rd International Workshops on Foundations and Applications of Self Systems*, 2018, págs. 1-4, disponible en: https://ieeexplore.ieee.org/document/8599523.

A modo de reflexión prospectiva, los retos que plantean los *smart contracts* en relación con los *adprosumers* afectan principalmente a la protección de datos de carácter personal, referidos al control de identidad y los ficheros de solvencia, así como a los controles de abusividad que les asisten como consumidores. Estos controles deben revisarse porque únicamente podrá subsistir en su configuración tradicional el control de incorporación, relativo a las Condiciones Generales de la Contratación, por tratarse de un control formal y, por tanto, programable. Su cumplimiento podría comprobarse en dos estadios: en primer lugar, mediante la incorporación de las Condiciones Generales de la Contratación; y, en segundo lugar, durante su formación, a través la tecnología *blockchain*, que permite el cruce automático de información entre distintas instituciones para comprobar si las Condiciones Generales han sido incorporadas al contrato de una forma transparente.

Todo este panorama permite indicar que en un futuro los operadores jurídicos[23] deberán especializarse en este ámbito para poder ofrecer *smart contracts* personalizados, sin depender de servicios externos. En este sentido, el Consejo General de la Abogacía Española[24] presentó en el XII Congreso Nacional, celebrado el 9 de mayo de 2019, el Informe "Abogacía Futura 2020: áreas de negocio emergentes". En este informe se detallan como profesiones jurídicas del futuro la de programador de *smart contracts*, asesor de criptomonedas, o experto en derechos de autor de objetos impresos en 3D. Por lo que aquí interesa, el Informe revela que los abogados deberán elaborar modelos de *smart contracts*, y los colegios profesionales tendrán que ofrecer como servicio la certificación de *smart contracts* ajustados a Derecho, otorgando "sellos de calidad". Sin embargo, el Informe no considera las consecuencias de una eventual responsabilidad patrimonial de la Administración por una certificación inadecuada, especialmente cuando el destinatario final sea un consumidor y el contrato

---

[23] Fries, M., "*Smart Contracts*: Brauchen schlaue Verträge noch Anwälte?", *Anwaltsblatt*, Heft 2, 2018, págs. 86-90.

[24] Consejo General de la Abogacía Española, *Abogacía Futura 2020: áreas de negocio emergentes*, 2019, disponible en: https://www.congresoabogacia.es/noticia/presentacion-del-informe-abogacia-futura-2020-areas-de-negocio-emergentes-un-mundo-de-oportunidades-por-explorar/.

contenga cláusulas abusivas o no supere el control de transparencia. Finalmente, y de conformidad con la Orden PCI/487/2019, de 26 de abril, por la que se publica la Estrategia Nacional de Ciberseguridad 2019, aprobada por el Consejo de Seguridad Nacional[25], resultará clave la figura del ciberabogado, aunque la propia norma no lo describa así, pues se refiere en el Objetivo II a la importancia de formar a los profesionales del Derecho para que sean expertos en ciberseguridad.

2.2. Plataforma *Ethereum* o la *blockchain* de los *smart contracts personalizados*

Una vez precisado el funcionamiento de la tecnología *blockchain* y la principal plataforma que permite la adhesión contractual, es momento de prestar una especial atención a *Ethereum*. Esta plataforma es una *blockchain* programable, mediante la *Ethereum* Virtual Machine[26] o EVM, y posibilita la creación de *smart contracts* personalizados. Este contrato se ejecuta mediante un código completamente aislado, porque no tiene acceso a la red, al sistema de archivos, ni a otros procesos, e incluso tiene acceso limitado a otros *smart contracts*. En la actualidad, y por la garantía de su privacidad, constituye la plataforma mayoritaria[27] para el desarrollo y creación de *smart contracts*. *Ethereum* permite la creación de un smart contract desde el inicio, lógicamente con nociones de programación, por lo que, si se extiende su uso al público en general, deberá simplificarse el mecanismo.

En cuanto a su configuración, *Ethereum* opera mediante una *account* o cuenta con un seguimiento del estado, sus transacciones y las trasferencias de valor o información entre cuentas. En contraste, *Blockchain* se configura como una lista de transacciones, de modo que el beneficiario de una transferencia anterior remite todo o parte de lo que ha recibido a otra dirección. En el caso de *Ethereum*, las cuentas pueden ser de dos clases: las Externally Owned Accounts o EOA,

---

[25]   BOE de 30 de abril de 2019.
[26]   Para una explicación más detallada, atiéndase la guía que *Solidity*, por tratarse del código mediante el que opera *Ethereum*, ha elaborado al respecto, https://solidity.readthedocs.io/en/develop/introduction-to-smart-contracts.html#index-6.
[27]   Como hemos mencionado al inicio de estas líneas, *Ethereum* tiene más de 12 millones de usuarios registrados.

que se controlan mediante claves privadas por seres humanos; y las
Contract Accounts, cuyo mecanismo de funcionamiento es su código
interno y su control se efectúa por el código de contrato, que solamente se activa mediante una EOA. En consecuencia, el *smart contract*
configurado desde *Ethereum* es un código incorporado a una cuenta
de contrato, que ha sido programada para ser controlada por una
EOA, y que tiene una clave privada para restringir su acceso a quien
no disponga de esa clave. Este smart contract se ejecutará cuando se
active una operación desde una EOA y se envíe una transacción a
esta cuenta. Algunos ejemplos de la aplicación de *Ethereum* serían la
formalización de un contrato de sociedad multiparte, y los contratos
aleatorios como el de apuesta, en el que las partes remiten criptomonedas a una cuenta que las libera a favor del ganador.

En este sentido, debemos señalar una experiencia que puede tras-
ladarse a los *smart contracts* personalizados para extender su uso:
App Inventor[28], una aplicación de desarrollo de software creada por
Google Labs y desarrollada por el MIT Media Lab y el Instituto Tecnológico de Massachusetts. Esta plataforma sirve para la elaboración
de aplicaciones destinadas al sistema operativo Android. El usuario,
que no requiere de conocimientos de programación, puede enlazar
una cadena de bloques para crear la aplicación mediante unas herramientas básicas, pues además la plataforma ofrece una guía de inicio,
tutoriales y un foro de usuarios. Para que un destinatario final pueda
descargarse la aplicación creada, debe generarse un archivo en formato ".apk", y en la medida de lo posible que dicha aplicación acceda a
las plataformas de distribución digital para dispositivos móviles, con
la finalidad de generalizar su uso.

Existen dos perspectivas para poder crear la aplicación de que se
trate: la pantalla *designer*, consistente en el diseño visual que va a tener la aplicación, y la pantalla blocks, correspondiente a la programación que contiene la pantalla *designer*. Un icono, en realidad, consiste
en una imagen que se incrusta en la pantalla *designer*, que contiene la
programación y cuya pulsación la activa. En una misma aplicación,
cada función se automatiza en pantallas superpuestas, lo que el usuario medio identifica como iconos sobre los que clicar. Mediante los

---

[28]   *App Inventor* http://appinventor.mit.edu/explore/index-2.html.

bloques *"set"* y *"get"* se pueden atribuir unos determinados valores que, automatizados por la pulsación del usuario, emiten una orden. Los distintos eventos van incluidos en cada bloque, y se articulan de una manera visual a modo de "puzle", por tanto, resulta más fácil de utilizar que el lenguaje de programación, aunque con una formación inicial a nivel de usuario, pues sin ella no es suficiente. Asimismo, también pueden programarse en lenguaje condicional *if/then* y añadir tantos *else* como sea necesario, porque pueden ampliarse las entradas de cada "puzle" para que encajen los distintos remedios.

Para una adaptación de los *smart contracts* al usuario medio, lo que extendería su uso como ha sucedido con las criptomonedas, debería articularse un sistema a modo de "Smart Contract Inventor". Ello posibilitaría su creación sin necesidad de ser un programador, pues la informática es accesoria al Derecho, como la garantía del correcto desarrollo del código informático. Actualmente, las guías de programación de *smart contracts*, proporcionadas por Github[29] y Medium[30], tienen un alto contenido técnico dirigido solamente a programadores. Por ejemplo, EtherScripter permite arrastrar bloques que, una vez ensamblados unos con otros, crean una cadena a modo de código condicional lógico, e incluso pueden programarse repeticiones para configurar un *smart contract* básico. Otra experiencia posible, como idea prospectiva sujeta a su materialización, seria ShadowEth[31], una plataforma cuyo hardware permite crear y almacenar *smart contracts* privados y garantizar su confidencialidad en una *blockchain* pública, como es *Ethereum* en este caso. Sin embargo, estas posibilidades son todavía desconocidas por el público en general, y para promover su utilización debería simplificarse todavía más, pues este último ejemplo resulta de difícil[32] manejo para quien no tenga unas mínimas nociones de programación.

---

[29]   *Github* https://github.com.

[30]   *Medium* https://medium.com.

[31]   Yuan, R., Xia, Y.B., Chen, H.B., *et. al.*, "ShadowEth: Private smart contract on public *blockchain*". *Journal of Computer Science and Technology,* vol. 33, núm. 3, 2018, págs. 542-556.

[32]   Ocariz, E. B., *Blockchain y Smart contracts, op. cit.*, págs. 98-99, reconoce que la mejora de los compositores como *EtherScripter* será clave en la difusión de esta tecnología más allá de la comunidad informática.

Junto con la propuesta de crear un Smart Contract Inventor, en lugar de utilizar lenguaje de programación como Solidity, e incluso algunos proyectos existentes de programación de *smart contracts* mediante C# o Javascript, debería articularse una herramienta de composición visual o icono para facilitar que cualquier usuario sin ser programador pudiese incorporar cláusulas representadas en un icono y personalizar un smart contract. Esta simplificación fue la que permitió el uso de los ordenadores a usuarios no expertos, pues inicialmente estaban destinados únicamente a programadores informáticos. Estos utilizaban una línea de comandos para dar órdenes en forma de código informático, mediante el Microsoft Disk Operating System – más conocido como MS-DOS[33]–, hasta la creación de Windows. Este sistema operativo popularizó su uso mediante los iconos con su distribución inicial[34] –originada en 1985 y desarrollada posteriormente como Windows New Tecnhology o Windows NT[35] en 1993–, y cuya primera versión exitosa para el gran público fue Windows 95. Su composición interna como núcleo de tipo híbrido permitió a usuarios inexpertos ordenar una función clicando un icono, mediante la Graphical User Interface[36] o GUI, es decir, la interfaz gráfica de usuario. Como vemos, la clave del éxito fue la simplificación mediante iconos de las órdenes y la ocultación de la línea de comandos, solo disponible

---

[33] Sus versiones eran PC DOS 1.0 (lanzado en 1981), PC DOS 1.1, MS-DOS 2.0, PC DOS 2.1, MS-DOS 2.11, MS-DOS 3.2, PC DOS 3.3, MS-DOS, 3.3, MS-DOS 4.0, PC DOS 4.0, MS-DOS 4.01, MS-DOS 5.0, MS-DOS 6.22, MS-DOS 6.0, MS-DOS 6.2, MS-DOS 6.21, PC DOS 6.3, MS-DOS 6.22, PC DOS 7.0, MS-DOS 7.0, MS-DOS 7.1, y MS-DOS 8.0.

[34] Sus versiones fueron el Windows 1.00 (lanzado en noviembre de 1985), Windows 2.00 (lanzado en noviembre de 1987), y Windows 3.00 (lanzado en mayo de 1990).

[35] Sus versiones fueron Windows NT 3.1 (lanzado en abril de 1992), Windows NT 3.5 (lanzado en septiembre de 1994), Windows NT 3.51 (lanzado en mayo de 1995), Windows 95 (lanzado en agosto de 1995), Windows NT 4.0 (lanzado en julio de 1996), y las versiones sucesivas de Windows 98, Windows 2000, Windows Me, Windows XP, Windows Vista, Windows 7, Windows 8, Windows, 8.1, y Windows 10.

[36] Se trata de un programa informático que utiliza un conjunto de imágenes u objetos gráficos para representar la información y acciones disponibles en la interfaz, y su principal función es proporcionar un entorno visual sencillo para que un usuario sin conocimientos de programación pueda comunicar instrucciones al sistema operativo del ordenador.

para programadores. Actualmente, la creación de nuevos iconos es posible en determinadas páginas web[37], que lo ofrecen partiendo de una imagen. Por ello, de lo que se trata es de que la plataforma en la que se cree el smart contract contenga una herramienta que permita transformar un código informático, que resulte frecuente en la contratación, en un icono que lo represente. En este sentido, la línea de comandos sería parecida a la codificación en los *smart contracts*, pues en la línea de comandos el ordenador recibe las órdenes del usuario y las procesa, mientras que en la codificación del smart contract, el programador debe prever todas las eventualidades del contrato y codificarlas para que la autoejecución futura sea adecuada. En definitiva, consideramos por todo ello que evolucionar hacia la *iconification* u iconificación de las prestaciones contractuales de los *smart contracts* haría posible su acceso a usuarios no expertos.

3. RESPONSABILIDAD CIVIL POR ERRORES DE PROGRAMACIÓN EN LA *BLOCKCHAINIZACIÓN* DE LAS PRESTACIONES

Llegados a este punto, y habida cuenta de la importancia de la programación para la correcta ejecución del smart contract, debemos contextualizar la trascendencia económica de los ataques informáticos y los defectos de programación. El MIT Media Lab[38] señala que, desde principios de 2017, los hackers se han apropiado del equivalente a 1.800 millones de dólares en criptomonedas. Ello se debe a los bugs o errores en el programa informático de las plataformas correspondientes. En particular, atenderemos a los fallos en la plataforma *Ethereum*, conocidos como el ataque a The DAO[39] de 2016 y el ata-

---

[37]   *Iconifier,* por ejemplo, mediante el uso de imágenes en los formatos JPG, PNG o GIF permite crear en el momento un icono que lo represente, https://iconifier. net/.

[38]   Orcutt, M., "Once hailed as unhackable, *blockchains* are now getting hacked", *MIT Technology Review,* 2019, disponible en: https://www.technologyreview. com/s/612974/once-hailed-as-unhackable-*blockchains*-are-now-getting-hacked/.(consultado el 16 de marzo de 2020)

[39]   Atzei, N., Bartoletti, M., Cimoli, T., "A survey of attacks on *Ethereum smart contracts*", *Proceedings of the 6th International Conference on Principles of Se-*

que a Parity, a los que por su importancia nos referiremos a continuación, junto con otros casos[40] a los que nos remitimos.

The DAO fue la denominación de un proyecto impulsado por la sociedad alemana Slock.it UG. Consistía en un fondo de capital riesgo operado mediante un smart contract sobre la plataforma *Ethereum*, cuyo objetivo era la financiación de *startups* y que fue hasta su fecha la operación de *crowdfunding* más exitosa de la historia[41]. El 17 de junio de 2016 un hacker, conocido como The Attacker, aprovechó un bug en las *recursive calls* o retiradas repetidas de fondos. Al producirse antes de actualizar el balance, logró transferir en Ethers el equivalente a 40 millones de dólares a una cuenta de su control, y anunció acciones legales contra quieres pretendiesen privarle de los Ethers adquiridos. La *Ethereum* Foundation, formada por los inversores, desarrolladores y mineros de *Ethereum*, llegó al acuerdo de que el mal denominado "robo", pues en realidad se trata de una apropiación indebida, debía dejarse sin efecto mediante un *hard fork* de emergencia, ejecutado el 20 de julio de 2016. Este *hard fork* consistió en una alteración de la cadena de bloques para generar una nueva línea que iniciase desde el bloque anterior a la transferencia fraudulenta, porque el sistema impide modificar el contenido de cada uno de los sucesivos bloques por el encadenamiento de los *hashs*. Esta nueva cadena de bloques tiene una longitud que supera a la anterior, de modo que, aunque coexistan, acaba prevaleciendo la segunda porque los nodos tienen como referencia la cadena más larga. En consecuencia, todos los Ethers transferidos, incluyendo los fraudulentos, se traspasaron a una *recovery address* a través de una transferencia incluida en un bloque enlazado con el hash del bloque anterior al bug. Ello permitió la autocomposición del conflicto mediante la manipulación de la cadena de bloques, sin acudir a la jurisdicción ni exigir responsabilidad alguna al Attacker. A pesar de haber logrado el objetivo final, que era evitar

---

curity and Trust, vol. 10204, 2017, págs. 1-23.

[40]   Estos casos se refieren a *CoinDash ICO*, con una pérdida en criptomonedas de 10 millones de dólares, la Estafa del Proyecto Enigma, consistente en una preventa falsificada de *Tokens* que supuso una pérdida de 1.500 *Ethers*, el robo de *Tether,* que perdió el equivalente a 31 millones en *Tokens*, y la Estafa de Bitcoin Gold, que conllevó una pérdida del equivalente a 3 millones de dólares.

[41]   Consiguió recaudar en *Ethers* el equivalente a 150 millones de dólares por parte de 11.000 inversores desde el 30 de abril al 28 de mayo de 2016.

las consecuencias del ataque a la plataforma, como los inversores eran partidarios de mitigar sus consecuencias, y los desarrolladores y mineros consideraban que debían asumir ese fallo como riesgo del sistema, los nodos partidarios de asumirlas se escindieron en la plataforma *Ethereum* Classic[42], con su criptomoneda *Ethereum* Classic o ETC. Por su parte, quienes promovieron el *hard fork* mantuvieron el nombre de *Ethereum*[43] y su criptomoneda Ether, que es la única de las dos criptomonedas que se puede adquirir en la actualidad. Esta escisión, más allá de manifestar un descontento por la falta de asunción de los riesgos de la programación, carece de sentido práctico.

Existen auténticos ríos de tinta –referidos a lo largo de este apartado y a los que nos remitimos– que describen con mucho más detalle lo acontecido, pues la pretensión de estas líneas es acercar el error de programación a un lenguaje divulgativo para analizar sus consecuencias jurídicas. Sin embargo, todos desatienden lo que realmente sucedió, porque de nuevo necesitamos al Derecho. El *hard fork* o reprogramación consideramos que en realidad consiste en la aplicación de un viejo remedio jurídico: el enriquecimiento injusto. Descartamos el cobro de lo indebido porque la transmisión patrimonial en sí misma no era legítima, puesto que se aprovechaba de la falta de actualización del balance para efectuar las retiradas repetidas de fondos. La codificación informática no puede con todo, y buena muestra de ello son los "hackeos", por lo que resulta positivo y necesario que existan soluciones externas para revertir sus efectos. El Derecho se presta a unas valoraciones subjetivas que impide la objetividad u ortodoxia de la programación, pues no todo es reducible a un código informático. Sin embargo, haber permitido las consecuencias de la apropiación, además de haber hundido la plataforma, solamente habría servido para amparar el uso fraudulento de esta tecnología, o lo que es lo mismo: que el Derecho diese cobertura a que una programación maliciosa posibilite un acrecimiento patrimonial injustificado a costa de la plataforma. En este caso, lo podemos calificar de enriquecimiento injusto postmoderno, porque en lugar de que The Attacker restituyese lo obtenido, se optó por una reprogramación que permitió el reinte-

---

[42]   *Ethereum Classic* https://*ethereum*classic.org/.
[43]   *Ethereum* https://www.*ethereum*.org/.

gro del contenido económico a la plataforma. Por todo ello, debemos
señalar que la aplicación de la codificación informática sin moderar
sus desequilibrios llevaría a la imposibilidad de mitigar sus consecuencias. En definitiva, la subsistencia del código informático necesita
del Derecho. De lo contrario, no pueden evitarse las consecuencias de
llevar al extremo, o al absurdo, la expresión *Code is Law*. El Derecho
instrumenta alternativas ante la rigidez normativa; de igual manera,
la programación debe plantearlas, como en definitiva lo fue el *hard
fork*, aunque ello haga visible la vulnerabilidad del código, pues necesita adaptarse a nuevas realidades como el Derecho. En definitiva,
por encima de las ventajas objetivas que ofrece la programación, deben existir mecanismos externos para subsanar sus defectos, pues lo
opuesto sería la aplicación del Derecho sin atender al caso concreto
ni a la justicia material.

Por otra parte, otro ataque al que nos hemos referido inicialmente
es el de la billetera virtual Parity, que arbitraba un mecanismo de firmas múltiples en *Ethereum*. Un hacker introdujo una serie de errores
en el código fuente de la billetera digital, bloqueando el equivalente
en Ethers a 300 millones de dólares. Los programadores de Parity sa-
bían que existía este riesgo, pero no lo programaron por considerarlo
improbable, lo que demuestra la conveniencia de codificar tantos *else*
como sea necesario. De los errores se aprende, y de este suceso surgió
la creación de Mythril, una herramienta de exploración *blockchain* e
intercepción de errores que permite buscar, desensamblar y analizar
smart contracts en *Ethereum*, mediante el lenguaje de programación
Python, con la finalidad de dificultar futuros ataques.

Estos errores en la programación derivan del automatismo de estos contratos y, en consecuencia, de su irreversibilidad, porque no se
puede detener su ejecución sino solamente revertir sus efectos mediante la reprogramación, lo que supone la *Blockchainización* de las
prestaciones. Ningún código informático está exento de *bugs*, lo que
requiere su comprobación previa en aras de evitar resultados inadecuados y garantizar su ejecución sin intervención humana o reprogramación. Estos errores conllevan el incremento[44] de la inversión

---

[44] Bellamy, J., Hill, C., "Can the *Blockchain* Make Our Contracts Smarter?", *op.
cit.*, págs. 6-12.

para evitarlos y de los costes de indemnización por una programación defectuosa. Por ello, apuntamos que una extensión a la contratación en masa de los *smart contracts* debería llevar aparejada una responsabilidad de carácter objetivo de la plataforma que ofreciese la adhesión a un smart contract predispuesto, mediante la formalización de un contrato de seguro que cubriese los daños generados al adherente, sin tener que demostrar nada más que el perjuicio económico. Debemos advertir que la exigencia legal de la responsabilidad objetiva que proponemos puede conllevar que plataformas como *Blockchain* dejen de ser gratuitas, pues de algún modo complementario a la publicidad y la cesión de datos de carácter personal debe sufragarse el coste por el aseguramiento de esta responsabilidad. En el caso de la personalización de un smart contract, la responsabilidad debería tener carácter subjetivo, para individualizar la conducta del programador y de las partes y, de esta manera, establecer una compensación proporcional a la responsabilidad de los intervinientes.

4. TECNOLOGÍA *BLOCKCHAIN*, PROTECCIÓN Y ENCRIPTACIÓN DE DATOS DE CARÁCTER PERSONAL

Otro aspecto que plantea desajustes en este ámbito es la protección de datos de carácter personal y su encriptación. Con el surgimiento de los *smart contracts*, el Derecho tuvo que dar respuesta a dos problemas: por una parte, la ocultación de la identidad personal, pues la IP del dispositivo identifica a los equipos informáticos; y, por otra parte, la protección de datos de carácter personal, fruto de nuestro volcado a los sitios web que posteriormente los intercambian. Estos problemas han sido parcialmente resueltos con la encriptación de datos y una normativa europea de protección de datos. La encriptación de datos, tan frecuente en el uso de aplicaciones de mensajería, se basa en la denominada criptografía asimétrica, concebida por Whitfield Diffie, Martin Hellman y Ralph Merkle en 1976, y desarrollada mediante el algoritmo RSA por Ron Rivest, Adi Shamir y Leonard Adleman en 1977. Esta criptografía efectúa una encriptación de doble clave o clave pública: proporciona confidencialidad mediante la encriptación del mensaje con la clave pública del destinatario; y garantiza su autenticidad o garantía de origen, es decir, la firma electrónica o la encriptación del mensaje con la clave privada del emisor.

Por lo que se refiere a la protección de datos de carácter personal, el Reglamento 2016/679 del Parlamento Europeo y del Consejo de 27 de abril de 2016, relativo a la protección de las personas físicas en lo que respecta al tratamiento de datos personales y a la libre circulación de estos datos y por el que se deroga la Directiva 95/46/CE[45], regula esta materia. En particular, el art. 22 prohíbe el procesamiento automático de datos, salvo en tres casos, referidos en el apartado segundo: que la decisión sea necesaria para la celebración o la ejecución de un contrato entre el interesado y el responsable del tratamiento; que esté autorizada por el Derecho de la Unión o de los Estados miembros que se aplique al responsable del tratamiento, y que establezca medidas adecuadas para salvaguardar los derechos y libertades y los intereses legítimos del interesado; o que se base en el consentimiento explícito del interesado, opción habilitada en la mayoría de plataformas mediante el *"I agree button"*. Por tanto, los *smart contracts* solamente podrán procesarse automáticamente[46] si cumplen estos requisitos, que deberán matizarse. Al tratarse de un código informático, los *smart contracts* se ejecutarán si cumplen los requisitos del apartado segundo, que en realidad constituye una fuga respecto de la efectiva protección de datos. Respecto de las medidas que el responsable del tratamiento debe adoptar, creemos que es necesario el establecimiento en el smart contract de una cláusula que publicite las acciones que lleva a cabo la empresa para garantizar la protección de datos, a modo de Corporate Compliance[47]. Sin embargo, plantea contrariedades la última causa relativa al consentimiento, por falta de concreción, pues en realidad la cesión de datos se encuentra sujeta a la correcta prestación del consentimiento informado sobre el tratamiento de los mismos, especialmente cuando el uso de la plataforma es gratuito. La automatización de la ejecución del contrato impide que se pueda hacer efectivo en la

---

[45]   DOUE de 4 de mayo de 2016.

[46]   Finck, M., "*Smart contracts* as a form of solely automated processing under the GDPR", *International Data Privacy Law,* 2019, vol. 9, núm. 2, págs. 1-17, disponible en: https://academic.oup.com/idpl/advance-article/doi/10.1093/idpl/ipz004/5488488.

[47]   Fries, M., "Private Law Compliance through *Smart Contracts?*", *Compliance Elliance Journal,* vol. IV, núm. 1, 2018, págs. 11-18.

práctica el tercer requisito, porque no existe la posibilidad de revocar el consentimiento, máxime en un contrato de adhesión, una revocación que por el contrario permite la contratación electrónica.

BIBLIOGRAFÍA

Abadi, J., Brunnermeier, M., "*Blockchain* Economics", CEPR Discussion Paper, DP13420, 2019, págs. 1-53.

Al-Bassam, M., Sonnino, A., Bano, S., Hrycyszyn, D., Danezis, G., "Chainspace: A Sharded *Smart Contracts* Platform", NDSS, 2018, págs. 1-16, disponible en: https://www.semanticscholar.org/paper/Chainspace%3A-A-Sharded-Smart-Contracts-Platform-Al-Bassam-Sonnino/11628f59857d7a85971e8b68496016e9d1737d9d.

Allam, Z., "On *Smart Contracts* and Organizational Performance: A Review of *Smart Contracts* through The *Blockchain* Technology", Review of Economic Business Studies, vol. 11, núm. 2, 2018.

Arruñada, B., "*Blockchain*'s Struggle to Deliver Impersonal Exchange", Minnesota Journal of Law Science & Technology, vol. 19, núm. 1, 2018, págs. 55-105, disponible en: https://papers.ssrn.com/sol3/papers.cfm?abstract_id=2903857.

Atzei, N., Bartoletti, M., Cimoli, T., "A survey of attacks on *Ethereum smart contracts*", Proceedings of the 6th International Conference on Principles of Security and Trust, vol. 10204, 2017, págs. 1-23.

Bellamy, J., Hill, C., "Can the *Blockchain* Make Our Contracts Smarter?", Cyberspace Lawyer NL 2, vol. 21, núm. 11, 2016.

Cawrey, D., "Why *Ethereum* Needs 'Dumb' Contracts", CoinDesk, 2016, disponible en: https://www.coindesk.com/*ethereum*-dao-dumb-smart-contracts.

Chatzopoulos, D., Gujar, S., Fltings, B., Hui, P., "Privacy Preserving and Cost Optimal Mobile Crowdsensing Using *Smart Contracts* on *Blockchain*", en 2018 IEEE 15th International Conference on Mobile Ad Hoc and Sensor Systems (MASS), 2018, págs. 442-450.

Consejo General de la Abogacía Española, Abogacía Futura 2020: áreas de negocio emergentes, 2019, disponible en: https://www.congresoabogacia.es/noticia/presentacion-del-informe-abogacia-

futura-2020-areas-de-negocio-emergentes-un-mundo-de-oportu-
nidades-por-explorar/.

Dwivedi, V., Norta, A., "A Legally Relevant Socio-Technical Language Development for *Smart Contracts*", 2018 IEEE 3rd International Workshops on Foundations and Applications of Self Systems,
2018, págs. 1-4, disponible en: https://ieeexplore.ieee.org/docu-
ment/8599523.

Finck, M., "*Smart contracts* as a form of solely automated processing
under the GDPR", International Data Privacy Law, 2019, vol. 9,
núm. 2, págs. 1-17, disponible en: https://academic.oup.com/idpl/
advance-article/doi/10.1093/idpl/ipz004/5488488.

Fries, M., "Private Law Compliance through *Smart Contracts?*",
Compliance Elliance Journal, vol. IV, núm. 1, 2018, págs. 11-18.

Fries, M., "*Smart Contracts*: Brauchen schlaue Verträge noch Anwälte?", Anwaltsblatt, Heft 2, 2018, págs. 86-90.

Kemp, R., "Legal Aspects of Artificial Intelligence (v2.0)", Cyberspace Lawyer NL 2, vol. 22, núm. 1, 2018.

Luu, L., Chu, D. H., Olickel, H., Saxena, P., Hobor, A., "Making *Smart
Contracts* Smarter", en CCS 2016, Proceedings of the 2016 ACM
SIGSAC Conference on Computer and Communications Security,
New York, ACM, 2016, págs. 254-269.

O'Shields, R., "*Smart contracts*. Legal agreements for the *blockchain*",
North Carolina Banking Institute, vol. 21, núm. 1, 2017.

Ocariz, E. B., *Blockchain* y *Smart contracts*. La revolución de la confianza, Madrid, RC Libros, 2018, págs. 111-112.

Orcutt, M., "Once hailed as unhackable, *blockchain*s are now getting
hacked", MIT Technology Review, 2019, disponible en: https://
www.technologyreview.com/s/612974/once-hailed-as-unhacka-
ble-*blockchain*s-are-now-getting-hacked/.

Puterbaugh, D., "The future of contracts: automation, *blockchain* and
smart contracts", The Australian corporate lawyer, vol. 27, núm.
1, 2017.

Salvador Coderch, P., "Contratos inteligentes y derecho del contrato", InDret, núm 3, págs. 1-5.

Skalaroff, J. M., "*Smart Contracts* and the Cost of Inflexibility", University of Pennsylvania Law Review, vol. 166, 2017, págs. 263-303, disponible en: https://scholarship.law.upenn.edu/cgi/viewcontent.cgi?article=9605&context=penn_law_review.

Tapscott, A., y Tapscott, D., *Blockchain* revolution: how the technology behind bitcoin is changing money, business, and the world, New York, Penguin Random House, 2016, págs. 56-92.

Yuan, R., Xia, Y.B., Chen, H.B., et. al., "ShadowEth: Private smart contract on public *blockchain*". Journal of Computer Science and Technology, vol. 33, núm. 3, 2018, págs. 542-556.

BIG DATA Y RELACIONES LABORALES: EL DESAFÍO DE LA MINERÍA DE DATOS ANTE LOS DERECHOS FUNDAMENTALES EN LA EMPRESA

FRANCISCA BERNAL SANTAMARÍA
Profesora contratada doctorada (acreditada)
Universidad de Cádiz

SUMARIO: 1. El escenario de las relaciones laborales en la era del Big Bata: delimitación del objeto de estudio. 2. La irrupción de la era digital en los derechos de los candidatos a un empleo: 2.1. El perfil íntimo de los candidatos a un empleo en la toma de la decisión empresarial. 2.2. La injerencia tecnológica como aumento del control empresarial. 3. La tutela normativa y la acción sindical en la era digital: 3.1. La tutela normativa de los derechos fundamentales de los candidatos. 3.2. La gobernanza colectiva en la era digital. 4. Reflexiones ante la problemática relatada. Bibliografía.

1. EL ESCENARIO DE LAS RELACIONES LABORALES EN LA ERA DEL *BIG DATA*: DELIMITACIÓN DEL OBJETO DE ESTUDIO

La *cuarta revolución* dibuja un nuevo escenario en las relaciones laborales con claros efectos en los derechos fundamentales de los ciudadanos-trabajadores. En una sociedad globalizada surgen problemas conectados con el tratamiento de los datos personales de estas personas ante dispositivos y plataformas como: la nanotecnología, el Internet de las cosas, la red de redes, la inteligencia artificial, la tecnología portátil, la robótica, la videovigilancia, la realidad aumentada, la virtualización, la telemática, la microelectrónica, y los *wearables*.

Este universo de aplicaciones tiene la capacidad de generar una gran variedad de información de los ciudadanos-trabajadores. En esta lógica, tiene un protagonismo absoluto el *Big Data* con la digitalización de datos. La digitalización masiva de datos plantea serias tensiones en el ámbito social en general, y en el ámbito empresarial en particular.

Las tensiones se manifiestan desde la gestión de datos personales de los ciudadanos como futuros trabajadores, a la garantía y protección de sus datos personales una vez empleados, hasta las posibilidades de las empresas a la hora de implantar medidas de control y medidas disciplinarias basadas en decisiones automatizadas en digitales.

En esta sede de análisis, nos centraremos exclusivamente en los conflictos jurídicos que plantea el *Big Data* sobre los derechos de los candidatos a un empleo en esta nueva forma de gestión empresarial de los recursos humanos.

Sin duda, en el seno de las relaciones laborales el escenario narrado traza importantes desafíos y retos, pudiéndose destacar los siguientes.

Primero, es esencial dotar a la empresa de una total transparencia en la toma de decisiones empresariales ante los procesos de selección-contratación. Ello es relevante ante el cruce de datos masivos en esta era digital que revelan importantes aspectos de la personalidad y del modo de vida de los ciudadanos. En este apartado, se podría discutir cómo se viene a proyectar la disposición de estos datos por parte de las empresas.

En segundo lugar, y para garantizar el objetivo anterior, es primordial contar con instrumentos normativos en aras de proteger los derechos fundamentales (inespecíficos) de los ciudadanos-trabajadores afectados ante una gestión y un tratamiento automatizado. En este contexto, analizaremos el impulso normativo del legislador internacional y nacional aplicable a la materia.

En orden a lo expuesto, la mirada del legislador se debe posar sobre los desafíos a enfrentar en este ámbito necesitado de una protección singular en la empresa. Desde luego, la amplitud del poder de dirección y de control empresarial, y de los mismos cimientos de la libertad de empresa, se ha intensificado en las últimas décadas y viene a ser un pulso para que se implanten modificaciones de una norma que viene a cumplir cuarenta años.

En tercer lugar, y como resultado de lo anterior, consideramos el papel fundamental de la negociación colectiva como propulsora y veladora ante posibles injerencias empresariales en el derecho a la intimidad de los ciudadanos-trabajadores. En este clima, los representantes de los trabajadores tendrían que desempeñar un papel primordial ante los conflictos laborales que suscita el uso de la tecnología en el seno de las empresas.

Por último, y por cuanto a la metodología empleada, el estudio de los derechos afectados requiere una metodología clásica. Por tanto, para el planteamiento del problema descrito se acude a la normativa aplicable en España, principalmente, al Reglamento General de Protección de Datos (RGPD) y a la Ley Orgánica de Protección de Datos (LOPD)[1], así como a la doctrina que ha tratado el tema objeto de estudio.

2. LA IRRUPCIÓN DE LA ERA DIGITAL EN LOS DERECHOS DE LOS CANDIDATOS A UN EMPLEO

La era digital genera cambios vertiginosos e imprevisibles en la sociedad, en la economía y en el mercado laboral. Su imparable desarrollo ofrece grandes oportunidades y beneficios para las personas en general, pero también provoca ciertos recelos. Una preocupación importante es su capacidad para tratar a gran velocidad los datos personales adquiriendo *"una dimensión esencial las manifestaciones de identidad subjetiva, esas huellas digitales que las personas dejan al contratar una tarjeta de crédito, dar de alta una wifi navegar por Internet, realizar una compra, etc. Esa cesión constante de datos comporta un riesgo para la privacidad, y plantea la necesidad de una efectiva tutela de la persona frente al tratamiento de sus datos"*[2].

La incidencia de la era digital en el ámbito laboral provoca una serie de conflictos jurídicos de primer orden. Los ciudadanos manejan todo tipo de dispositivos informáticos y tecnológicos en el marco de su vida privada y de su vida personal, y ello dibuja una forma de relacionarnos y comunicarnos muy distinta de la de hace apenas unas pocas décadas. Se escenifica un contexto el que destaca la fiebre por el uso de dispositivos, el auge de las redes sociales tanto profesionales como personales, y la transformación digital de las ciudades. Al igual, ha ido evolucionando a un ritmo vertiginoso las comunidades virtuales y los servicios alojados en Internet, de forma que este tipo de fenómenos se ha ido multiplicando y relevando grandes y diversas cantidades de datos.

Así, se multiplica exponencialmente los volúmenes de datos, pues cada segundo, todo tipo de sensores en tabletas, teléfonos, junto las redes sociales y las transacciones en plataformas como *Amazon*, *AliExpress* o *Walapop* generan grandes cantidades de datos de los ciudadanos que revelan nuestros estados de ánimo y emociones, nuestros gustos, nuestras costumbres y nuestra forma y estilo de vida; incluso, delatan otros aspectos relacionados con nuestra esfera más íntima, como nuestra salud, nuestros hábitos y preferencias, nuestra ideología, creencias o nuestra vida afectiva, sexual o amorosa.

Todo ello, dibuja un perfil íntimo de la persona y puede terminar trazando un grupo de personas con un perfil similar. Con ello, la procedencia de los datos también nace desde las transacciones y el uso de distintas webs y de redes sociales, datos que generan las personas o las máquinas. Se trata de interacciones como las búsquedas en *Google*, subida de fotos y clics en *Facebook*, subida de fotos en Instagram, viralización de *tweets* o visualización de videos en *YouTube* o en otros sitios webs. Téngase en cuenta que somos millones de usuarios generando datos que se multiplican cada segundo desde dispositivos como teléfonos, ordenadores, redes sociales, tarjetas de compras y tarjetas de puntos, el GPS y un sinfín de dispositivos de nueva creación, etc.

No puede pasar por alto que cualquiera de los dispositivos que hemos listado llevan instalados sensores, aplicaciones, lectores de identificación, cámaras o micrófonos, y comparten entre sí un fin "*inquietante*": su capacidad para generar e interpretar datos. Unos datos que pueden ser gestionados para obtener información relevante sobre los ciudadanos-trabajadores.

Esta interacción y acumulación de datos hace posible recoger numerosos aspectos de la vida de la persona que usa ese tipo de dispositivos y de redes. Ello traza el aspecto fundamental de esta revolución: el acelerado *proceso de digitalización de datos con la utilización de algoritmos* característico del *Big Data*.

En una primera aproximación, se ha declarado la complejidad de formular un concepto de este término a pesar de la popularidad que ha adquirido en los últimos tiempos. En términos técnicos, se refiere a gigantescos conjuntos de datos, de tipo y naturaleza muy diferentes, datos que se generan continuamente a gran velocidad y a tiempo real, con capacidad para ser indexados y combinados con otras redes de conjuntos de datos. Los rasgos que se han destacado son el alcance, la variedad, la temporalidad y el tamaño. La dificultad se ha materializado en el terreno práctico, pero cualquiera que sea la definición que se acoja lo cierto es que la clave del *Big Data* está en su capacidad para capturar, procesar, analizar y gestionar cantidades ingentes, desordenadas y diversas de datos. Ello tiene como fin fundamental un cambio paradigmático como es el tratamiento de datos de forma sistemática para la toma inteligente de decisiones[3].

En esta sede de análisis nos quedaremos con el fin vehicular del *Big Data* al ser un instrumento con capacidad no solo para captar una gran cantidad y volumen de información, sino también para gestionarla con algoritmos, la computación y la analítica. La gestión de esta información permite que se accesible y utilizable para diferentes fines empresariales. Para ello es imprescindible la conversión de datos analógicos en datos digitales, de modo que sean porteadores de información y objeto de comunicación. Así, los datos digitales generan un valor añadido, son un factor de producción más en la sociedad moderna y quedan dotados de gran relevancia económica[4].

Del modo relatado, la tecnología, la posibilidad de analizar ingentes cantidades de datos, el aprendizaje automático y la inteligencia artificial unida a la amplia disponibilidad de encontrar datos de las personas en Internet facilita la creación de perfiles y la automatización de decisiones empresariales que producen efectos jurídicos sobre los ciudadanos-trabajadores.

En este punto, la creación de perfiles de candidatos-trabajadores se convierte en una herramienta para la toma de decisiones automatizadas y semiautomatizadas de la que resulta un considerable ahorro de costes y una mayor eficiencia para las empresas. No obstante, como

---

[3]   Williamson, B., *Big Data en Educación. El futuro digital del aprendizaje, la política y la práctica*. Ed. Morata, Madrid, 2018, p. 39.

[4]   Es reiterado recurrir a la metáfora al comparar *Big Data* con el petróleo crudo por su alto potencial y capacidad para generar riquezas. Aun más, ha expuesto el mayor rendimiento del *Big Data* frente a la industria petrolífera, no solo por las reservas ilimitadas de datos y porque estas se vean acrecentadas sin o contra la voluntad de los afectados, sino por el aumento constante de los depósitos de datos en manos de operadores globales y poderosos como Google, Amazon o Facebook. Hoffann-Riem, W., *Big Data. Desafíos también para el Derecho*, Thomson Reuters Aranzadi, Navarra, 2018, pp. 51-57.

vertiente negativa, tienen un alto potencial para afectar de forma significativa a los derechos y a las libertades de las personas. En ello, se ha considerado la necesidad de unas garantías adecuadas para evitar este y otros riesgos paralelos como es principalmente la intimidad, pero también, la segregación social, los estereotipos discriminatorios, y la opacidad en la que ni los propios sujetos afectados sean conscientes de que se están creando perfiles de su personalidad[5].

En cualquiera de los casos, la *hiperdatificación* o la dictadura de los datos afecta con especial virulencia a todos los aspectos de la relación laboral desde sus inicios, y como ejemplo de ello, afecta al proceso de selección y de contratación.

Un dispositivo interesante en los procesos de selección es la tecnología *wearable* con grandes ventajas para las empresas que la incorpora. Por ejemplo, obtener información sobre el nivel de capacitación de los candidatos, comprobar si una persona está capacitada para un trabajo concreto sin necesidad de desplazar a la persona a la oficina o a la fábrica. En la actualidad, se usa en procesos de selección de personal y en entrevistas de trabajo que simulan la ejecución de las tareas)[6]. Estos dispositivos ofrecen grandes ventajas a las empresas, entre ella, la recopilación de datos (*Big Data*) de diferente naturaleza sobre el registro de la actividad de las personas que redundan en la productividad empresarial. No obstante, no hay que olvidar que también podría invadir, en mayor o menor medida, la privacidad del aspirante, por ejemplo, si los datos de los trabajadores son filtrados, y en su caso, empleados para usos inadecuados. Igualmente, son dispositivos que pueden no tener una identificación segura, ni de la función de borrado

---

[5]   Se puede consultar en Directrices sobre decisiones individuales automatizadas y elaboración de perfiles a los efectos del Reglamento 2016/679, adoptadas el 3 de octubre de 2017. Toda la información de la labor y de las funciones disponible en https://ec.europa.eu/justice/article-29/documentation/index_en.htm.

[6]   La tecnología wearable es el conjunto de dispositivos electrónicos que están incorporados al cuerpo del trabajador permitiéndole interactuar *"continuamente"* de una u otra manera con el entorno o con otros usuarios o dispositivos. Se les ha denominado como ropa conectada, dispositivos que son vestibles o ponibles. Algunos ejemplos son un reloj de muñeca (*smartwatches*), cascos o gorra inteligente (*Smart Cap*), gafas (*Smart Glasses*), gafas de realidad virtual, ropa inteligente, pulseras interactivas, etc. La información sobre estos dispositivos por la empresa *VirtualWare*.

de datos. Así, también son vulnerables si se conectan con redes u otros dispositivos no seguros mediante el *bluetooth*. No se puede pasar por alto que es una filosofía que nació para cubrir las *"necesidades"* de los consumidores, y no de los empresarios, no para un entorno laboral. Se ha señalado que la tecnología *wearable* está en fase inicial y que queda un largo trayecto para que este tipo de dispositivos sean empleados con total seguridad y con adaptación al entorno laboral[7].

Visto que los avances tecnológicos han llegado a los procesos de selección y contratación de trabajadores, nos parece adecuado apuntar brevemente el rol desarrollado por plataformas virtuales como "agente de intermediación laboral". Los sitios web permiten compartir información entre demandantes de empleo y empresas reclutadoras, convirtiéndose en un espacio para interactuar perfecto en los procesos de selección de personal.

A pesar de esta labor de intermediación o punto de encuentro virtual, lo cierto es que estas *"redes de empleo"* no están calificadas como agencias de empleo, ni encuentran cobijo legal en la Ley de Empleo, ni en la Ley reguladora de las agencias de colocación[8].

2.1. El perfil íntimo de los candidatos a un empleo en la toma de la decisión empresarial

Las empresas son muy conscientes de esta realidad y son cada vez más las que recurren a un buen manejo del *Big Data* para la toma de decisiones sobre la política de selección de la empresa y sobre la gestión de sus recursos humanos. Una toma de decisiones que permite a los gestores de los recursos humanos *"predecir escenarios futuros y anticiparse"*, que podrán saber *"qué hará un empleado (comportamiento), qué conseguirá (rendimiento) y cómo estará (satisfacción)"*[9].

Conjuntamente, la digitalización masiva de los datos comporta una serie de riesgos para los ciudadanos general, y para los trabajadores en particular. Así, podría quedar afecta la propia libertad individual, las condiciones de vida y de trabajo en la que se desarrolla la actividad humana, los derechos fundamentales del ciudadano-trabajador, la protección frente a la discriminación y a la propia observancia de los principios más básicos recogidos en el Estado de Derecho.

Uno de los principales (y más perversos) usos de la dictadura de los datos es la creación de perfiles de ciudadanos. La gestión automatizada de los datos de las personas permite trazar predicciones de comportamiento. El mayor riesgo es que este perfil (de los resultados obtenidos de los algoritmos formulados) se empleé a modo de sesgo que excluya a determinados sectores (minoritarios) y ello entrañe una decisión discriminatoria. Por sectores minoritarios entiéndase a grupos vulnerables, entre otros, las mujeres, la clase social, los inmigrantes y las personas con discapacidad.

En este orden de ideas, la empresa debe tener especial cuidado a la hora de diseñar el algoritmo para que no albergue ningún sesgo discriminatorio. Téngase en cuenta que la tecnología tiene la capacidad de recabar información personal, aunque se prohíba considerarla (religión, discapacidad, ideología, etc.)[10]. Es decir, habida cuenta que el algoritmo se nutre de datos estadísticos, se puede dar la posibilidad que prediga datos íntimos de las personas, como son su ideología, su religión o su clase social. En síntesis, si tenemos en cuenta que *"la propia construcción del algoritmo requiere de datos que están sesgados por parámetros discriminativos"* y que *"cuando un algoritmo está al mando, en general, las minorías siempre están en desventaja"* nos lleva a que *"el procesamiento automatizado de datos incrementa exponencialmente las posibilidades de vulneración de los derechos de los trabajadores"*[11].

No obstante, el empleo de la tecnología facilita la búsqueda y el reclutamiento más optimo de trabajadores adaptado a las necesidades empresariales al considerar y valorar gran cantidad de información sobre los candidatos a un empleo. A sabiendas de este fin, cada vez son más las empresas que desean incorporar este tipo de adelantos para poner en marcha procesos automatizados de recogida de infor-

---

[10] El art. 9 RGPD prohíbe el tratamiento de datos personales que revelen el origen étnico o racial, las opiniones políticas, las convicciones religiosas o filosóficas, o la afiliación sindical, y el tratamiento de datos genéticos, datos biométricos dirigidos a identificar de manera unívoca a una persona física, datos relativos a la salud o datos relativos a la orientación sexual de una persona física.

[11] Todolí Signes, A., "La gobernanza colectiva de la protección de datos en las relaciones laborales: *"big data"*, creación de perfiles, decisiones empresariales automatizadas y los derechos colectivos", *Revista de Derecho social*, núm. 84, 2018, p. 74.

mación y de decisiones empresariales. La razón de ello descansa es ampliar la capacidad empresarial de recabar, tratar y transmitir información para dibujar un perfil completo de las personas que concurren a un empleo, *"en el que se incluyen, como teselas de un mosaico, aspectos profesionales y características individuales personales afines a su privacidad"*. Este espacio facilita *"un ilimitado e indiscriminado acarreo de circunstancias del candidato a un empleo, permitiendo que noticias anteriormente diseminadas aparezcan instantáneamente reunidas en un soporte digitalizado sin tener en cuenta su relevancia en relación con los requisitos de aptitud o con las obligaciones derivadas del contenido de la prestación laboral"*[12].

Por consiguiente, el ciudadano va dejando tras de si una huella registrada en su uso de la tecnología, una actividad que se podría registrar para perfilar su trayectoria personal y social. Este perfil dibuja una imagen concreta, una marca virtual, que puede ser considerada en un proceso de selección futuro. En efecto, la empresa puede diseñar un perfil determinado de candidatos a un empleo y crear una base de datos de candidatos posibles y candidatos descartados en función a la información que ha recolectado de las redes. Así, la identidad virtual reflejada en la red puede que no se ajuste a las preferencias empresariales, y que el interesado no tenga la oportunidad de realizar la entrevista, redundando desfavorablemente en su carrera profesional[13]. En

---

[12] Rodríguez Escanciano, S., "Los riesgos del denominado "data oursourcing" en el proceso de colocación: límites a la cesión de información entre los posibles sujetos intervinientes", *Revista Internacional y Comparada de Relaciones Laborales y Derecho del empleo*, vol. 7, núm. 2, abril-junio, 2019. Entre los múltiples factores que pueden influir en estos atentados el *habeas data* ocupa un lugar muy destacado la lesión de circunstancias personales derivada de la intervención de diversos agentes, expertos o sujetos externos que coadyuvan en el proceso de selección, dejando sumido al demandante de empleo en una clara situación de vulnerabilidad en cuanto al control y disposición de datos ante los frecuentes trasvases.

[13] Morato García, R. M., "El impacto de las redes sociales virtuales en los procesos de selección de trabajadores", *Comunicación presentada a la Ponencia General El Derecho del Trabajo y las relaciones laborales ante los cambios económicos y sociales*, en el X Congreso Europeo de Derecho del Trabajo y de la Seguridad Social, 21 al 23 de septiembre de 2011; y, Fernández Villazón, L. A., "Tratamiento automatizado de datos personales en los procesos de selección de trabajadores", *Relaciones laborales: Revista crítica de teoría y práctica*, núm. 1, 1994, pp. 510-538.

efecto, los datos que publican los usuarios y sus interacciones diarias en la era digital delinean un perfil muy preciso que revela sus intereses y sus actividades. Estos datos personales pueden ser utilizados por terceros, como futuros empleadores, para distintos fines, representando grandes riesgos, como la pérdida de la posibilidad de un empleo[14].

Con el fin de advertir a los usuarios de redes sociales, se expone que éstos deben plantearse los datos personales que publican y el perfil que utilizan para que se hagan conscientes que éstos pueden ser vistos por terceros a la hora de buscar un empleo, y podrían resultar injerencias indebidas en la intimidad de los ciudadanos[15].

En este espacio téngase en cuenta que la fase de selección de los trabajadores es el momento en el que la persona es más vulnerable, es decir, en la contratación la desigualdad entre empresario y trabajador cobra total realidad y mayor intensidad. Ante la desigualdad del aspirante al empleo, se puedan presentar un mayor grado de vulnerabilidad de sus derechos fundamentales.

La forma de operar plantea ciertos problemas en lo que afecta a la vulneración de determinados derechos fundamentales, principalmente, del derecho a la intimidad de los candidatos afectados. En efecto, los cimientos de este derecho se tambalean *"a raíz del almacenamiento y transmisión de datos personales"*. Igualmente, este tipo de injerencias afectan al *"principio de igualdad de oportunidades en el acceso al empleo e interdicción de discriminación"*[16].

En este enfoque, los candidatos deben tomar consciencia de que la información que publican en las redes sociales puede ser evaluadas por futuros seleccionadores laborales. Así, es habitual que las empre-

---

[14]   Grupo de Trabajo sobre Protección de Datos del artículo 29, Dictamen 5/2009 sobre las redes sociales en línea. Adoptado el 12 de junio de 2009. Este Grupo de Trabajo, creado por el artículo 29 de la Directiva 95/46/CE, es un organismo de la UE, con carácter consultivo e independiente, para la protección de datos y el derecho a la intimidad.

[15]   30ª Conferencia Internacional de Autoridades de Protección de Datos y privacidad Estrasburgo, 15-17 de octubre de 2008. Resolución sobre Protección de la privacidad en los servicios de redes sociales. Como resultado de esta Conferencia se adoptó un Memorándum para analizar los riesgos que comportaba las redes sociales en la intimidad de las personas y para proporcionar una serie de directrices a los reguladores, a los proveedores y a los usuarios de las redes.

[16]   V. Morato García, *op. cit.*

sas consulten las redes sociales de los candidatos a un empleo, y tengan en cuenta la reputación *online* de éstos a la hora de formar parte o no de la empresa reclutadora. En efecto, ya se ha advertido por diversos autores, la consideración especial que deben tener los usuarios de redes sociales, como candidatos en potencia, en su uso cuando suben fotos, realizan comentarios o cualquier otro reporte sobre su información. Así, las empresas en el momento de descarte de candidatos consideran factores como: fotos provocativas o inapropiadas, comentarios despectivos de empleos anteriores o cuando sean discriminatorios o racistas. Como reverso de lo apuntado, las empresas tienen en cuenta los perfiles de los usuarios cuando reportan información positiva sobre él que valorada para su contratación. Queda claro que la información que un candidato inserta en una red social profesional está pensada e ideada (tiene como finalidad) para compartir datos que puedan ser tenidos en cuenta en futuros procesos de selección. Es por ello, que no vemos injerencia alguna empresarial que pueda ser calificada como ilegitima cuando una empresa recurre a este tipo de redes. No obstante, el problema se presenta ante las posibles injerencias en redes sociales públicas, de la que la empresa desea obtener información de los candidatos al empleo. Es aquí donde la actuación de la empresa cobra especial interés al poder ser calificada como ilegítima. La primera cuestión que se ha planteado es si la información del candidato es de acceso general (y, por ende, calificada como pública) o es una información con filtros restrictivos de acceso que de forma previa ha configurado el sujeto interesado (el candidato al empleo). Así, si la información es pública, nada impide que la empresa pueda acceder a la misma. Además, tal y como ocurre con la problemática que entraña la *Ley Facebook*, puede tener escasa aplicabilidad que se impida el acceso de la empresa a estos datos, debido a que la empresa no está obligada a revelar los motivos finales determinantes por los que ha elegido a un candidato. En contrario, si la información es privada o semiprivada, *"el ordenamiento jurídico debería proteger estos espacios prohibiendo a los empresarios toda práctica dirigida a obtener acceso a los perfiles de sus demandantes de empleo, ventando incluso la vía del consentimiento previo para evitar así supuestos de voluntariedad ficticia, obtenida mediante coacción"*[17].

En definitiva, las indagaciones realizadas por las empresas en redes sociales no profesionales le llevan a conocer (y a valorar) no solo información profesional, sino también aspectos de la vida privada y personal del aspirante al empleo. En este punto, compartimos, que lo coherente en virtud de la norma de protección de datos, es que la empresa valore solo el perfil profesional del candidato y proceda para ello a indagar esta información en redes sociales profesionales, descartando indagaciones en redes sociales no profesionales, salvo que estas averiguaciones pudieran afectar de forma notoria al futuro desenvolvimiento de la normal ejecución de la prestación de servicios. De modo que solo en estos casos podría tener sentido tratar esa información o tener en cuenta para el proceso de selección, porque realmente podría formar parte de la certificación de la capacidad profesional del candidato al empleo. No obstante, se debería informar a los afectados sobre los datos que se van a buscar acerca de su comportamiento, de los posibles usos, y del procesamiento que se van a realizar con la información captada en las plataformas y redes sociales[18].

Pues bien, y para evitar este tipo de injerencias, concurren estrategias empresariales que impiden a la dirección del personal indagar en los perfiles virtuales de los candidatos a un empleo[19].

En el mismo sentido planteado, se aprueban medidas para impedir que las empresas puedan usar información personal (y privada) de las personas en un proceso de contratación. La iniciativa alemana, conocida como *Ley Facebook*, gira en torno a prohibir que aspectos personales e íntimos de los candidatos puedan ser revisados por los seleccionadores de personal, poniendo límites a esta práctica empresarial. La ley trata de tutelar los intereses de los usuarios afectados por este tipo de prácticas, su derecho a la intimidad como un inte-

---

[17]   Llorens Espada, J., "El uso de Facebook en los procesos de selección de personal y la protección de los derechos de los candidatos", *Revista De derecho social*, núm. 68, octubre-diciembre 2014, pp. 56 y 64.
[18]   García Coca, O., *La protección de datos de carácter personal en los procesos de búsqueda de empleo*, Ed. Laborum, Murcia, 2016, pp. 122-123.
[19]   Celaya, J., *La empresa en la Web 2.0: el impacto de las redes sociales en la estrategia empresarial*, Ed. Gestión 200, 2000.

rés digno de ser protegido. De esta forma, las empresas no podrán
consultar información personal de los candidatos en redes sociales
privadas (personales). No obstante, la medida permite que las empresas puedan consultar datos sobre aspectos laborales (experiencia,
titulación, competencias, etc.) de los aspirantes que se alojan en las
redes sociales profesionales.

No obstante, esta medida ha quedado sujeta a diversas críticas, entre ellas, la escasa aplicabilidad práctica de la misma, y, por tanto, su
dificultad para proteger a los sujetos afectados. En la misma línea, se
la tacha de no poder controlar en el terreno práctico la aplicación de
esta ley, al no poder comprobar las fuentes de información empleadas
por el seleccionador.

La idea central es que el tratamiento y la gestión de los datos de
carácter personal que recaba la empresa en un proceso de selección
debe tener como objetivos únicos: evaluar la capacidad o aptitud del
candidato de modo que el demandante consiga emplearse. En este
sentido, es esencial las prácticas empresariales en las que se indaga a
los candidatos en las redes sociales. Cabría distinguir entre la consulta
en redes sociales privadas de las redes sociales profesionales, e incluso
el tipo de datos de los demandantes de empleo, si son datos profesionales, o si se están considerando también los aspectos de la vida
privada del candidato. En efecto, lo más adecuado es que las empresas
procedan a consultar redes sociales profesionales – que no redes sociales privadas – y que se detengan en los datos de la vida profesional
del candidato al empleo. Es más, redes sociales profesionales como
LinkedIn o *Xing*, no se suben fotos ni comentarios personales ajenos
a la consecución de un empleo. Se ha afirmado que existe indefensión
para los demandantes de empleo al ser muy sencillo que una empresa
pueda consultar y registrar las redes sociales (profesionales, pero sobre todo privadas) de forma queda completar la información de los
candidatos y considerar aspectos personales decidirse por una futura
contratación. De esta forma, se podrían trazar situaciones de dudosa
legalidad. Una en la que se obtuviera la información a través de un
contacto del candidato al empleo y otra en la que la empresa trate de
ser un contacto del candidato con la sola intención de averiguar datos
de carácter personal del demandante y utilizarlos para la selección
del personal con otros fines. El objetivo de la empresa es recopilar
información que nada tiene que ver con la capacidad del trabajador,

de manera que los datos obtenidos en las redes sociales hagan de filtro sin que el candidato tenga la oportunidad de acudir a la entrevista de trabajo. Ello se traduciría en dejar al candidato en desigualdad de condiciones en el acceso al proceso de selección y pudiera constitutivo de una discriminación en el acceso al empleo[20].

2.2. La injerencia tecnológica como aumento del control empresarial

Claro que la mayor intensidad del control empresarial y de las injerencias empresariales en la vida de los ciudadanos tejen un juego de intereses confrontados que *"revela una lucha entre los derechos de los demandantes de empleo, futuros trabajadores, y las libertades y facultades de las que el empresario es titular. Siendo que los poderes del empresario constituyen una real amenaza para la afirmación de los derechos del ciudadano-trabajador"*. Así, *"nos encontramos en un terreno en el que el régimen de libertades, derechos y principios constitucionales lleva ineluctablemente asociado un sistema de límites sobre tales poderes"*[21].

No obstante, a pesar de esta necesidad de arbitrar límites a las injerencias empresariales, lo cierto es que como bien se ha expresado por la doctrina, esta era digital y tecnológica han ido forjando una realidad *"absolutamente impensable para una legislación laboral como la española que, en sus aspectos esenciales, y aún reformada en múltiples aspectos, procede en esencial del siglo pasado"*[22]. Es por tanto que las comunicaciones en las relaciones laborales, la potestad de control empresarial y el mismo derecho a la intimidad de los trabajadores ha quedado muy alejado de la visión del legislador español del siglo pasado. Así, éste no ha sido capaz de adaptar la normativa laboral a la realidad que reina en una sociedad laboral española globalizada y tecnológica.

En lo que afecta a las redes sociales se ha destacado el amplio abanico de funcionalidades que proyecta, como fuente de relaciones sociales, y como recurso en sectores y ámbitos muy diversos en los que destaca el mercado de trabajo, y de forma peculiar la influencia de las redes sociales (principalmente *Facebook*) en los procesos de selección y contratación de trabajadores. Así, el control empresarial podría alcanzar a la información que proyectan los candidatos a las

redes sociales, de modo que las empresas puedan utilizar las redes
sociales como una herramienta para buscar y reclutar personas en
los procesos de selección (y posterior evaluación) de los candidatos.
También se ha advertido que las redes sociales pueden ser un modo
de obtener información de los candidatos que concurren al proceso
de selección. Justamente, se destaca el recurso de *Facebook* en el denominado reclutamiento 2.0 como una infraestructura virtual para
buscar a trabajadores, con el funcionamiento a modo de agencias de
selección y colocación de personal, intermediando entre las empresas
y los usuarios de la red. De este modo, las empresas pueden contactar
con futuros candidatos, tanto aquellos que están proceso de búsqueda
activa de empleo, como aquellos otros *"candidatos pasivos que circulan por la red social"*. Al mismo tiempo, señala el auge de las redes
sociales como fuente de información, tanto profesional, como personal. De manera que *"entre la información presentada en las redes
sociales, concretamente en el caso de Facebook, se puede llegar a obtener la edad del candidato, los centros de estudio, el domicilio, gustos
y aficiones, creencias religiosas, políticas, tendencia sexual, círculo de
amigos, y un sinfín de fotos, vídeos, comentarios y opiniones personales de cada candidato, así como características de la personalidad y el
comportamiento individual"*[23].

Así es plausible que las empresas puedan hacer coincidir a los
candidatos calificados con oportunidades de empleo y alienando la
educación y el desarrollo de habilidades con las necesidades de la
economía. La educación, la experiencia laboral y los intereses se conectan para compilar un perfil de calificaciones precisos que puede
alinearse con las habilidades y experiencia que los empleadores necesitan. A medida que ello evolucione esta capacidad mejorará la eficacia con a que se hace coincidir a los solicitantes de empleo con los
puestos de trabajo. El peligro que comporta este tipo de fórmulas es
que permite la transmisión de datos (si combinación) a través del uso
de ficheros de datos, junto al peligro de la descontextualización de
la información, lo que creará un clima psicosociológico de control y
transparencia, esto es, la conciencia de poder ser conocidos en todos
sus aspectos. En esta era de la ubicuidad tecnológica, también llama-

---

[23] Llorens Espada., *op. cit.*

da tecnología disruptiva fruto de la confluencia de la globalización y de la tecnología ha trazado nuevos retos en el mercado de trabajo[24]. Junto a ello, se ha dibujado un marco pivotado sobre dos ejes, uno en el que el ciudadano-trabajador interacciona continuamente con su entorno, siendo o no conscientes de ello, como si fuera un diálogo interactivo continuo. Otro eje en el que las personas se han despojado de todo ropaje y se han convertido en ciudadanos de cristal, totalmente transparentes, conviviendo en una sociedad panóptica en la que todos los aspectos de las personas son conocidos[25].

Desde luego, los dispositivos descritos intensifican la capacidad de conocimiento y de control de la vida privada del ciudadano mediante datos públicos o recopilados por herramientas corporativas. Ello puede tener una clara afectación del derecho a la intimidad de los ciudadanos en su calidad de candidatos a una oferta de empleo. Claro que, por otra parte, la empresa puede acogerse a la libertad de empresa consagrada en el artículo 38 CE para defender la libertad de contratación lo que exige una libertad para tener información que le permita comprobar si las aptitudes y actitudes de los candidatos se alinean con la política de la empresa. No obstante, ello no es óbice para indagar de forma ilegítima en la vida privada del trabajador sin justificación alguna.

Con la exposición dada, las empresas podrían condicionar la selección de personal con los candidatos, dado que mediante el análisis de los datos de redes sociales pueden detectarse perfiles de trabajadores y ofertar los puestos de trabajo solo a ciertos sectores de la población,

---

[24]   La doctrina ha señalado que el cambio tecnológico ha dibujado un nuevo escenario anunciando una nueva forma de entender el mercado del trabajo y el empleo en el mundo digital, redundando en una verdadera disrupción o destrucción creativa con un proceso permanente de innovación característica de la maquinaria del capitalismo. V. Mercader Uguina, U. R., "El mercado de trabajo y el empleo en el mundo digital", *Revista de Información Laboral*, núm. 11, 2018; y Rodríguez Escanciano, S., "El derecho a la protección de datos personales en el contrato de trabajo: reflexiones a la luz del Reglamento europeo 2016/679", *Estudios financieros. Revista de Trabajo y Seguridad Social: Comentarios, casos prácticos: recursos humanos*, núm. 423, 2018, pp. 19-62.

[25]   V. Sánchez-Rodas Navarro, C., "Poderes directivos y nuevas tecnologías", *Temas Laborales*, núm 138, 2017, pp. 163-184; y Mercader Uguina. *Protección de datos y garantías de los derechos digitales en las relaciones laborales*, Francis Lefebvre, Madrid, 2018.

con el consiguiente sesgo social. Ello llevaría a hacer coincidir a los candidatos con las oportunidades de empleo.

3. LA TUTELA NORMATIVA Y LA ACCIÓN SINDICAL EN LA ERA DIGITAL

Como ya se ha señalado la era digital y la diversidad de mecanismos, aplicaciones, dispositivos y plataformas intensifican de forma muy intensa la capacidad de control empresarial sobre los aspectos de la vida privada de las personas, convirtiéndose, en una sociedad transparente o sociedad panóptica, en el que se es preso del *"feudalismo virtual"*[26]. A pesar de esta aseveración, lo cierto es que el marco normativo español no ha sido adaptado para atender la realidad de esta Era, por muy loable que sean las iniciativas emprendidas y que seguida se analizan.

En la actualidad, una gran parte de nuestra vida económica y profesional, social, pero también personal y privada se desarrolla en la red y en todo tipo de plataformas digitales como las que hemos anotado. Ello adquiere una importancia esencial para la comunicación humana y para el desarrollo de nuestra vida en sociedad. En este contexto, los poderes púbicos deben generar políticas legislativas que promuevan la igualdad y el pleno ejercicio de los derechos fundamentales en esta era digital. En este objetivo, y a pesar de reconocer el carácter innovador de nuestra Constitución al adelantarse a la protección del derecho a la intimidad (y de los derechos fundamentales) ante el impacto de la tecnología, lo cierto es que se demanda que la Carta Magna recoja los derechos fundamentales en la sociedad digital, de modo que eleve a rango constitucional una nueva generación de derechos digitales[27]. Llegados a este punto, es el momento de conocer impulso del legislador europeo (y nacional) en la materia para tutelar a las relaciones laborales en la era digital.

Teniendo en cuanta la escasez de preceptos que regulan las consecuencias jurídicas del uso de algoritmos en la toma de decisiones, la norma sobre protección de datos se muestra *"como un armazón legal esencial que ha de tener en mente cualquier operador jurídico que pretenda enfrentarse al asunto"*[28].

3.1. La tutela normativa de los derechos fundamentales de los candidatos

Desde hace décadas, la UE se ha preocupado en propulsar una tutela reforzada para delimitar y garantizar la protección de las libertades y de los derechos fundamentales de las personas físicas, de forma particular, del derecho a la vida privada, en lo que respecta al tratamiento automatizado de los datos personales[29].

La norma europea considera los retos que plantea la rápida evolución tecnológica y la globalización y considera ello ha hecho que los datos personales sean el recurso fundamental en la sociedad de la información, apreciando la centralidad de estos datos y sus aspectos positivos. No obstante, también destaca los riesgos tecnológicos, principalmente, que la información se más accesible por más actores, que sea más fácil de procesar complicando el control de su finalidad y de su uso. Para evitar este riesgo y en aras de reforzar la seguridad jurídica y la transparencia en esta era digital, la UE revisó las bases legales del modelo europeo de protección de datos y requirió a los Estados miembros a que elaborasen una nueva ley orgánica. Ante este mandato, el legislador español adoptó una nueva norma en su fuero interno, la LOPD.

En la faceta que nos ocupa, la LOPD pivota sobre tres ejes, la garantía de los derechos digitales de los ciudadanos conforme al artículo 18.4 CE (secreto de las comunicaciones), junto con el derecho a la intimidad personal y familiar enunciada en el artículo 18.1 CE.

Este escenario digital afecta a los cimientos del derecho a la intimidad, tambaleando los postulados en tres frentes. Uno, porque de alguna manera el derecho a la intimida se limita para ampliar el control empresarial de la actividad laboral, al ser un bien sacrificable y modulable si le permite a la empresa, de esa única manera, verificar el cumplimiento de la actividad. Dos, los ciudadanos convivimos en una sociedad tecnológica en constante interconexión virtual reduciendo cada vez más el espacio del derecho a la intimidad. Tres, las políticas de sitios webs obligan a revelar los datos personales como requisito de acceso o a aceptar las *cookies* para seguir navegando por ese espacio web. En este derribo del derecho a la intimidad en su vertiente más clásica, *"obliga a pensar y defender lo privado de manera diferente"*. Así, el control de la identidad de la persona concierne en que el sujeto afectado no pierda el control de los datos personales, de la información que se recoge, cómo se trata, con qué fines se utiliza y decidir en consecuencia con el propósito de impedir su tráfico ilícito y lesivo de su derecho a la dignidad. Se continúa señalando que la evolución de la tecnología y su capacidad para recolectar información es imparable. Por tanto, la defensa del interés legítimo del trabajador es controlar su identidad propia conforme al principio proclamado por el RGPD y por la LOPD. De esta forma, podrá ejercer un control sobre posibles usos indebidos para evitar las discriminaciones o exclusiones en el acceso al empleo o durante la relación laboral[30].

De esta manera, la protección de datos personales se va configurando como un derecho fundamental, autónomo e independiente, y se recoge como garantía que la persona tenga el control sobre sus datos personales, sobre su uso y su destino, que tenga un poder de disposición y control. En esta asunción personal, el afectado decide qué datos da al tercero, o que datos puede recabar ese tercero, incluso que la persona pueda saber qué datos tiene ese tercero, y para qué puse está utilizando, incluso pudiéndose oponer a esa posesión o uso. Con este postulado, se trata de evitar el tráfico ilícito de sus datos, que le sean lesivos para su dignidad y para afectación de sus derechos. En síntesis, se le reconoce la potestad al ciudadano para oponerse a que sus datos personales sean usados para fines distintos a aquel que justificó su obtención[31].

El problema que se plantea no es baladí, pues se pueden dar situaciones en las que los datos sean transformados en conocimiento y tengan un resultado en sí mismo inaceptable. Un ejemplo ilustrativo es *"si determinan la preferencia de un determinado sexo frente al otro, o el rechazo de determinadas personas con algunos componentes hereditarios o genéticos o con propensión a enfermar"*[32].

---

[30] V. Goñi Sein, *op. cit.* pp. 7-8.
[31] En este sentido, se pronuncian las SSTC 94/1998, de 4 de mayo; 292/2000, de 30 de noviembre. Así lo señala la propia Exposición de Motivos de la LOPD.
[32] Goñi Sein, *últ. op. cit.* p. 4.

Sucede que la LOPD conjuga varios principios que ordenan la tu-tela del derecho a la identidad de ciudadano. En esta sede de análisis es preciso anotar los siguientes:

1°) El principio de transparencia que ya se ha puesto de relieve, como aquel por el que el afectado debe ser informado acerca del tratamiento de sus propios datos.

2°) El principio de responsabilidad activa que exige una previa valoración del riesgo que puede generar el tratamiento de los datos personales para la adopción de las medidas que proce-dan con el fin de prevenirlo. Esta valoración y adopción queda encargada al responsable o al encargado del tratamiento de los datos. Este principio podría alcanzar a evaluaciones periódicas de los métodos empleados con el objeto de proteger la vida privada de las personas. Además, para garantizar este principio es adecuado que las personas encargadas del tratamiento e los datos dispongan de la formación adecuada para una correcta aplicación a fin de garantizar el derecho de protección de datos.

3°) El principio de confidencialidad enunciado en términos de se-creto profesional como un deber de los responsables y de los encargados del tratamiento de los datos.

4°) El principio de consentimiento como la manifestación del sujeto afectado de voluntad libre, informada e inequívoca por la que este acepta, ya sea mediante una declaración o una clara acción afirmativa, el tratamiento de datos personales que le concier-nen. Este principio es matizado al entender que no puede su-peditarse la ejecución del contrato a que el afectado consienta el tratamiento de los datos personales para finalidades que no guarden relación con el mantenimiento, desarrollo o control de la relación contractual. Con ello se puede exponer que tendría dudoso anclaje legal que el tratamiento de datos personales se hiciera depender del consentimiento del candidato a un empleo, dada la situación de fragilidad con la que está impregnada toda fase previa de una futura contratación laboral.

En cuanto a la tutela, de forma específica, el artículo 9 RGPD pro-híbe el tratamiento de datos personales que revelen el origen étnico o racial, las opiniones políticas, las convicciones religiosas o filosófi-cas o la afiliación sindical, y el tratamiento de datos genéticos, datos

biométricos dirigidos a identificar de manera unívoca a una persona
física, datos relativos a la salud, o datos relativos a la orientación sexual de una persona física. Este precepto hay que ponerlo en coalición
con el artículo. 9 LOPD que cataloga como categorías especiales de
datos los descritos. Así, dispone que, a fin de evitar situaciones discriminatorias, el solo consentimiento del afectado no bastará para levantar la prohibición del tratamiento de datos cuya finalidad principal
sea identificar su ideología, afiliación sindical, religión, orientación
sexual, creencias u origen racial o étnico. Desde esta perspectiva, se
prohíben estas prácticas lesivas contra el derecho a la protección de
datos[33].

Con respecto a la finalidad de los datos que se acopian del trabajador, se debe tener el consentimiento explícito de este y se le debe
indicar la finalidad del tratamiento de los datos, las fuentes y los medios que se utilizan, el tipo de datos que se va a tratar y las consecuencias, si has hubiera, de negar su consentimiento. Así, la empresa debe
garantizar que los datos de los que dispone sean tratados para fines
legítimos, es decir, ajenos a las creencias religiosas, a la ideología, a la
vida sexual, etc.

Si la empresa obtiene el consentimiento de la persona para tratar
sus datos, debe garantizar la finalidad de ese tratamiento de datos,
que sea legítima y que no suponga ninguna injerencia indebida en la
vida de la personal.

En este contexto, los empleadores deben tener cuidado en el tratamiento de datos personales referidos a situaciones como la vida
sexual, las ideas políticas, religiosas, afiliación de la persona. De forma que este tipo de datos, pueden ser recabados y considerados en
situaciones o circunstancias excepcionales, como aquellas que guarden *"una relación directa con una decisión en materia de empleo"*, y
siempre que se cumplan las disposiciones de la legislación nacional[34]

---

[33]   Desde la perspectiva de la libertad sindical, la prohibición de estas prácticas alcanza incluso a impedir el tratamiento de datos cuya finalidad sea identificar
la afiliación sindical del afectado y su inclusión en posibles listas negras de los
sindicalistas. V. Mercader Uguina, J. R. y De la Puebla Pinilla, A., "Protección de
datos y relaciones colectivas". *RTSS.CEF.* núm. 423, 2018, p.76

[34]   Oficina Internacional del Trabajo de la OIT, Protección de los datos personales
de los trabajadores, Repertorio de recomendaciones prácticas de la OIT, 1997.

En este nivel de protección, también cabría acudir al enunciado del art. 8. 11 LISOS cuando califica como infracción muy grave aquellos actos del empresario que fueren contrarios al respeto de la intimidad y consideración debida a la dignidad de los trabajadores[35]. En este sentido, el artículo 16. 1 letra c) del mismo cuerpo legal califica como infracción muy grave del empresario o de las agencias de colocación *"solicitar datos de carácter personal en los procesos de selección o establecer condiciones, mediante la publicidad, difusión o por cualquier otro medio, que constituyan discriminaciones para el acceso al empleo por motivos de sexo, origen, incluido el racial o étnico, edad, estado civil, discapacidad, religión o convicciones, opinión política, orientación sexual, afiliación sindical, condición social y lengua dentro del Estado"*. Igualmente, serían aplicables: el artículo 4. 2 letra c) ET que, en la relación de trabajo, los trabajadores tienen derecho a no ser discriminados directa o indirectamente para el empleo. También, la Ley de Empleo señala, de entre los objetivos generales de la política de empleo, garantizar la efectiva igualdad de oportunidades y la no discriminación, teniendo en cuenta lo previsto en el artículo 9.2 CE, en el acceso al empleo y en las acciones orientadas a conseguirlo, (…) sin que pueda prevalecer discriminación alguna, en los términos establecidos en el artículo 17 ET. Este principio de discriminación en acceso al empleo se enuncia también en los artículos 34 y 35 de la Ley de Empleo.

A pesar de la adopción y aplicación en el orden laboral de la LO-PD, *"el conflicto jurídico suscitado por las nuevas tecnologías digitales se mantiene huérfano de solución en nuestro ordenamiento jurídico laboral. No existe una normativa específica que contemple de alguna manera los problemas derivados de la utilización de los medios técnicos como mecanismos de control en el mercado laboral. El legislador ha omitido sistemáticamente en todas las reformas laborales, el tratamiento de los nuevos derechos vinculados al desarrollo de las TIC, pese a los delicados problemas aplicativos suscitados"*[36].

---

[35]   Real Decreto Legislativo 5/2000, de 4 de agosto, por el que se aprueba el texto refundido de la Ley sobre Infracciones y Sanciones en el Orden Social (BOE núm. 189, de 8 de agosto de 2000).

[36]   V. Goñi Sein, *op. cit.*

En tal sentido, la norma sobre protección de datos personales,
aunque aplicable a las relaciones de trabajo, ni encaja ni está diseñado para atender con total plenitud la problemática que acaece en
las relaciones laborales. Así, es tachada de un carácter individualista
en el que los derechos son otorgados a la persona del trabajador sin
atender ni relacionarlo con los derechos colectivos y sin considerar
las funciones de vigilancia y control de los representantes de los trabajadores[37].

Simultáneamente, la LOPD otorga un rol complementario a la
autonomía colectiva, de tal forma que expone, *"Los convenios colectivos podrán establecer garantías adicionales de los derechos y libertades relacionados con el tratamiento de los datos personales de
los trabajadores y la salvaguarda de derechos digitales en el ámbito
laboral"*[38].

3.2. La gobernanza colectiva en la era digital

Con motivo de que la norma sobre protección de datos personales
es ajena a la realidad social y económica que impera en la sociedad capitalista que asigna unos roles diferenciados a las partes del contrato
de trabajo, con poderes de negociación distanciados entre trabajador
y empresario. Esta diferencia y aras del carácter tuitivo del Derecho
laboral explica la necesidad de que existan representantes de los trabajadores que defiendan los intereses de los trabajadores. La defensa
de estos intereses es necesaria ante la gestión automatizada de sus
datos personales y ante las decisiones automatizadas que afecten a aspectos tan importantes como una sanción o un despido. Y ello porque
se hace difícil y complejo que un trabajador de forma individual se
pueda oponer a que sus datos personales sean automatizados o a que
se tomen decisiones automatizadas que les perjudiquen.

A pesar de considerar la necesidad de reformar la norma estatutaria, exponemos la eficiencia de articular medidas específicas y funciones concretas a los representantes de los trabajadores destinadas a

tal fin, principalmente en lo que afecta a los derechos de información y consulta[39].

Esta posibilidad es contemplada por el artículo 155 RGPD cuando recoge que los convenios colectivos, incluidos los convenios de empresa pueden establecer normas específicas relativas al tratamiento de datos personales de los trabajadores en el ámbito laboral, en particular en relación con las condiciones en las que los datos personales en el contexto laboral pueden ser objeto de tratamiento sobre la base del consentimiento del trabajador, los fines de la contratación, la ejecución del contrato laboral, incluido el cumplimiento de las obligaciones establecidas por la ley o por convenio colectivo, la gestión, planificación y organización del trabajo, la igualdad y seguridad en el lugar de trabajo, la salud y seguridad en el trabajo, así como a los fines del ejercicio y disfrute, sea individual o colectivo, de derechos y prestaciones relacionados con el empleo y a efectos de la rescisión de la relación laboral. En el mismo sentido, la OIT ha instado a que los representantes sean informados del almacenamiento de datos, de las reglas que lo gobiernan y de sus derechos. En este albur, se demanda la cooperación de los representantes de los trabajadores en la protección de los datos personales y en la elaboración de una política de empresa que respete la vida privada de las personas. De esta forma, la representación de los trabajadores podría tener a su disposición las reglas del algoritmo empleado en la toma de decisiones empresariales.

Para evitar estos conflictos jurídicos, se señala que el desarrollo por las empresas de políticas internas sobre el uso de las redes sociales, en el que las empresas puedan precisar y aclarar el uso que desde la empresa se hace de las redes sociales, y fijar una postura concreta para que los candidatos la conozcan. Así, podrían concertar los principios corporativos en forma de guía sobre la selección y colocación[40]. Claro que, dado el carácter voluntario de este tipo de protocolos,

---

[39]   Como referencia en esta materia, v. Garrido Pérez, E., "Los cambios sistemáticos, materiales y funcionales en los derechos de información y consulta de los representantes de los trabajadores del personal", *Temas laborales*, núm. 95, 2008, pp. 11-44; e, *idem*, "La impronta del Tribunal de Justicia de la Unión Europea en el tratamiento español de los derechos de información y consulta" *Temas Laborales*, núm. 130, 2015, pp. 351-393.

[40]   Llorens Espada., *op. cit.*, p. 65.

desde estas líneas apostamos por un esfuerzo fruto de la negociación colectiva para evitar posibles efectos adversos contra el derecho a la intimidad e injerencias indebidas en la esfera privada de los candidatos, de modo que se evite posibles discriminaciones y situaciones ilegítimas e ilícitas.

Aun a pesar de la ausencia de auténticas previsiones sobre los derechos colectivos de los trabajadores, lo cierto es que el artículo 80 RGPD dispone que el interesado tiene derecho a ser representado por una entidad, organización o asociación que actúe en el ámbito de la protección de sus derechos y libertades en la materia de protección de sus datos personales. La actuación de esta institución, que podría ser perfectamente la representación de los trabajadores, se enmarca en presentar en el nombre del interesado una reclamación ante la autoridad de control si considera que el tratamiento de los datos personales infringe la norma europea. Es evidente que el interesado (o su representante) para hacer valer los derechos vulnerados (derechos de acceso, rectificación, oposición, etc.) ante la Agencia Estatal de Protección de Datos, sin perjuicio de la posibilidad de acudir a la vía judicial[41].

Así, se produce un llamamiento para que los representantes de los trabajadores sean conscientes del interés legítimo de los trabajadores en cuanto a controlar sus datos personales que circulan en los sistemas de comunicación e información. De hecho, *"solo así puede ejercer un seguimiento sobre el uso secundario de esos datos y evitar la afectación negativa durante la relación laboral o su postergación para el empleo"*[42].

Ello se traduce en que los representantes de los trabajadores tengan derecho a conocer la lógica del algoritmo, la gestión y tratamiento de los datos considerados en la formulación concreta. Este derecho se tendría que incorporar al artículo 64.5 ET. Del modo dibujado, la capacidad de actuación de la empresa (en orden a la protección de da-

---

[41]   Información disponible en https://www.aepd.es/es.

[42]   Rodríguez Escanciano, S., "Participación de los representantes de los trabajadores en el tratamiento de los datos personales: Derechos de información y consulta", *Revista de la Comisión de lo Social de Juezas y Jueces para la democracia*, núm. 197, 2019, p. 7.

tos personales) se encontraría limitada por la intervención, vigilancia y control de los representantes[43].

En orden a incorporar esta *"nueva"* obligación empresarial de informar y consultar a los representantes de los trabajadores sobre las medidas de salvaguardas y medidas en el orden laboral de la protección de datos ya ha sido advertida por la doctrina que ha manifestado como parte integrante de los derechos de información y consulta recogidos en el artículo 64 ET[44]. Desde luego, podría manifestarse este derecho de información y consulta ante las decisiones de la empresa que pudieran provocar cambios relevantes en cuanto a la organización del trabajo en la empresa; e incluso dentro del derecho a emitir informe, con carácter previo a la ejecución por parte del empresario de las decisiones adoptadas por este.

Si la tecnología se dispone como medio de prueba del empresario, nada impide que también pueda ser empleada por la representación de los trabajadores en el ejercicio diario de su función de control y vigilancia de cara a evitar la indefensión del trabajador y a hacer efectivo el derecho a la tutela judicial efectiva.

En esta línea, se estudia la propuesta de que el algoritmo debería ser conocido, su modelo y las variables de ponderación utilizadas, el tipo y las clases de datos que, a partir del modelo, se han suministrado para llegar al algoritmo. Ahora bien, la controversia se suscita cuando este conocimiento de la propuesta de algoritmo (recuérdese que está diseñado por una persona) podría colisionar con los derechos de propiedad industrial, intelectual, y de forma concreta con el secreto empresarial. A pesar de esta colisión, compartimos que el conocimiento del algoritmo está totalmente justificado en los casos en los que éste pueda afectar a derechos fundamentales en el trabajo, en el acceso al empleo, en la igualdad o en la extinción del contrato de trabajo, de

---

[43]   Los derechos de información y consulta vienen a establecer unos límites a los poderes empresariales, y un instrumento para ampliar las funciones negociales. V. Monereo Pérez, J. L., *Los derechos de información de los representantes de los trabajadores*, Civitas, Madrid, 1992; y, Rodríguez Escanciano, "La participación en la gestión empresarial a través de la contratación colectiva", Comunicación presentada en el XVII Congreso nacional de AEDTT.

[44]   Palomo Vélez, R. I., *El modelo español de representación de los trabajadores en la empresa*, Tirant Lo Blanch, Valencia, 2017.

manera que una decisión de tal calibre no tendría que quedar a expensas de aquel.

Con ello se desea expresar que ante una vulneración de un derecho laboral se plantear la posibilidad de conocer el contenido del algoritmo (en los extremos expresados). Y sobre ello, la base de este planteamiento podría, desde luego, su posible impugnación y al derecho del trabajador afectado a una tutela judicial efectiva (art. 24 CE). En ello, se recuerda que los algoritmos (y la inteligencia artificial) no queda exenta de sesgos, de errores ni de discriminaciones de los programadores a los que el legislador no puede permanecer inmune. En síntesis, en los supuestos en los que los derechos e intereses de los trabajadores afectados justifican el conocimiento de los algoritmos. Además, la tecnología de por sí no contiene valores de su decisión o propuesta de decisión, no las puede argumentar ni motivar de forma razonable y justificada, *"explicando las razones que llevan a la propuesta"*. De manera que *"solo conociendo el algoritmo y los datos concretos que se le han suministrado sobre la persona que propone la decisión podrían saberse las razones de la propuesta"*[45]. Claro que los derechos o intereses de terceros perjudicados en otros usos de algoritmos como en personalizar la publicidad o en las preferencias del público serán más difíciles de hacer valer, de manera que no se justifica el conocimiento de estos algoritmos[46].

En definitiva, se aboga por *"evitar sesgos del algoritmo que no puedan ser controlados por el interesado, precisamente por desconocer las razones por las que se ha tomado dicha decisión"*. Con ello, la empresa debe explicar de forma clara y suficiente al afectado hasta tal punto que permita a éste expresar su punto de vista e incluso impugnar la decisión. O lo que es lo mismo, se trata de evitar la indefensión del sujeto al que le deniegan el empleo a una decisión automatizada[47].

4. REFLEXIONES ANTE LA PROBLEMÁTICA RELATADA

Tras analizar la problemática expuesta, llegamos a las siguientes reflexiones:

1º) Actualmente, es obligado acudir al dictado del RGPD destinado a proteger los derechos afectados en el ámbito socio-laboral al no existir una norma específica con el objetivo de garantizar el derecho a la protección en la era digital.

2°) La era digital y del *Biga Data* permite a las empresas manejar gran cantidad y diversidad de datos. Unos datos que si son tratados permiten elaborar perfiles y tomar decisiones automatizadas que afectan a los ciudadanos como aspirantes a un empleo.

3°) Es común que las empresas en sus políticas de recursos humanos implanten estrategias para hacer uso de las redes sociales (tanto personales, como profesionales) para obtener información (personal y profesional) de los candidatos al empleo. Una de las principales fuentes de información de las empresas es la consulta de las redes sociales. La utilización de estas redes se erige como una herramienta más en el proceso de selección, facilitando el mismo, aminorando el coste y su tiempo de duración.

4°) Los recursos tecnológicos, la era digital y, de forma específica, el *Big Data* amplian de forma muy intensa la potestad de control empresarial. Habida cuenta que la ampliación puede alcanzar límites insospechados que vulnerarían derechos fundamentales laborales, es conveniente trazar unos límites a la actuación empresarial en esta materia.

5°) La norma estatutaria precisa de un proceso de adaptación a la era digital y tecnológica que afecta a las relaciones laborales. Para ello, debe concretar reglas para incoar a las empresas a buscar la cooperación de los representantes de los trabajadores a la hora de negociar cláusulas obligacionales dispuestas a proteger los derechos de los ciudadanos-trabajadores afectados por la era digital.

6°) Considerando la velocidad vertiginosa con la que acaecen los cambios tecnológicos y la incapacidad del legislador para atender todos los aspectos relacionados con posibles injerencias empresariales, debe ser la negociación colectiva la encargada de instaurar políticas internas. El fin de estas políticas debe estar orientado a prohibir fórmulas y algoritmos que puedan resultar discriminatorios por indagar en aspectos privados e íntimos de los candidatos a un empleo totalmente ajenos a la ejecución de la actividad prestacional de servicios. La forma que tendría el sujeto afectado de probar que ha sido descartado por este tipo de métodos o políticas empresariales a la hora de demandar a la empresa es tener acceso al algoritmo por el que ha sido descartado del proceso de selección. Con esta aseveración, se hace necesario que los representantes de los trabajadores tengan acceso a este tipo de datos, como parte esencial de su derecho a la información.

7°) Es preciso que los derechos fundamentales de la persona en la era digital cuenten con un marco jurídico lo suficientemente eficiente como para adaptarse a la rapidez y a la intensidad inherente a la era digital. Ante esta tesitura, la norma estatutaria debe ceder su espacio a la autonomía colectiva por contar esta última con una capacidad de reacción más rápida a la hora de adaptarse a las necesidades de esta nueva era en el Derecho del Trabajo. Téngase en cuenta que la sociedad digital y su afectación a los derechos laborales presenta tanto dinamismo como los riesgos a proteger, de modo que deba ser la negociación colectiva la encargada de dotar a éstos de una protección adecuada.

BIBLIOGRAFÍA

- Calvo Gallego, F. J., "TIC y poder empresarial: reglas internas de utilización y otras cuestiones relativas al uso de Facebook y Redes Sociales", *Aranzadi Social: Revista Doctrinal*, vol. 4, núm. 9, enero, 2012.

- Cardona Rubert, M. B., "Tratamiento automatizado de datos personales del trabajador", *Revista de Trabajo y Seguridad Social*, 1994.

- Celaya, J., *La empresa en la Web 2.0: el impacto de las redes sociales en la estrategia empresarial*, Ed. Gestión 200, 2000.

- Cruz Villalón, J., *Protección de datos personales del trabajador en el proceso de contratación: facultades y límites de la actuación del empleador*, Bomarzo, 2019.

- De la Quadra-Salcedo y Fernández del Castillo, "Retos, riesgos y oportunidades de la sociedad digital", *Sociedad Digital y Derecho*, 2018.

- Fernández Villazón. L. A., "Tratamiento automatizado de datos personales en los procesos de selección de trabajadores", *Relaciones laborales: Revista crítica de teoría y práctica*, núm. 1, 1994, pp.. 510-538.

- García Coca, O., *La protección de datos de carácter personal en los procesos de búsqueda de empleo*, Ed. Laborum, Murcia, 2016.

- Garrido Pérez, E., "Los cambios sistemáticos, materiales y funcionales en los derechos de información y consulta de los representantes de los trabajadores del personal", *Temas laborales*, núm. 95, 2008, pp. 11-44.

- Garrido Pérez, E., La impronta del Tribunal de Justicia de la Unión Europea en el tratamiento español de los derechos de información y consulta, *Temas Laborales*, núm. 130, 2015, pp. 351-393.

- Goñi Sein, J. L., "Nuevas tecnologías digitales, poderes empresariales y derechos de los trabajadores: análisis desde la perspectiva del Reglamento Europeo de Protección de Datos de 2016", *Revista de Derecho social*, núm. 78, 2017.

- Llorens Espada, L., "El uso de *facebook* en los procesos de selección de personal y la protección de los derechos de los candidatos", *Revista de Derecho social*, núm. 68 (octubre-diciembre), 2014, pp. 53-66.

- Mercader Uguina, J. R. y De la Puebla Pinilla, A., "Protección de datos y relaciones colectivas". *RTSS.CEF.*, núm. 423, 2018, pp. 63-102.

- Mercader Uguina, J. R., *Protección de datos y garantías de los derechos digitales en las relaciones laborales*, Francis Lefebvre, Madrid, 2018.

- Mercader Uguina, J. R., "El mercado de trabajo y el empleo en el mundo digital", *Revista de Información Laboral*, núm. 11, 2018.

- Mercader Uguina, J. R., *Derecho del trabajo, nuevas tecnologías y sociedad de la información*, Lex Nova, 2002.

- Monereo Pérez, J. L., *Los derechos de información de los representantes de los trabajadores*, Civitas, Madrid, 1992.

- Morato García, R. M., "El impacto de las redes sociales virtuales en los procesos de selección de trabajadores", *Comunicación presentada a la Ponencia General El Derecho del Trabajo y las relaciones laborales ante los cambios económicos y sociales*, en el X Congreso Europeo de Derecho del Trabajo y de la Seguridad Social, 21 al 23 de septiembre de 2011.

- Palma Ortigosa, A., "Decisiones automatizadas en el RGPD. El uso de algoritmos en el contexto de la protección de datos", *Revista General de Derecho Administrativo*, núm. 50, 2019.

- Palomo Vélez. R. I., *El modelo español de representación de los trabajadores en la empresa*, Tirant lo Blanch, Valencia, 2017.

- Rodríguez Escanciano, S., "Los riesgos del denominado "*data oursourcing*" en el proceso de colocación: límites a la cesión de información entre los posibles sujetos intervinientes", *Revista Internacional y Comparada de Relaciones Laborales y Derecho del empleo*, vol. 7, núm. 2, abril-junio, 2019.

- Rodríguez Escanciano, S., "Participación de los representantes de los trabajadores en el tratamiento de los datos personales: derechos de información y consulta", *Revista de la Comisión de lo Social de Juezas y Jueces para la democracia*, núm. 197, 2019.

- Rodríguez Escanciano, S., "El derecho a la protección de datos personales en el contrato de trabajo: reflexiones a la luz del Reglamento europeo 2016/679", *Estudios financieros. Revista de Trabajo y Seguridad Social: Comentarios, casos prácticos: recursos humanos*, núm. 423, 2018, pp. 19-62.

- Taburet, L., La capacidad de predecir y comprender comportamientos humanos con *Big Data, disponible en* https://www.linkedin.com/pulse/la-capacidad-de-predecir-y-comprender-comportamientos-laura-taburet.

- Hoffann-Riem, W., *Big Data. Desafíos también para el Derecho*, Thomson-Reuters-Aranzadi, Navarra, 2018.

- Williamson, B., *Big Data en educación. El futuro digital del aprendizaje, la política y la práctica*, Ed. Morata, Madrid, 2018.

TIEMPO DE ALMACENAMIENTO DE INFORMACIÓN PERSONAL DEL INTERESADO EN EL SECTOR UNIVERSITARIO

JUAN FRANCISCO RODRÍGUEZ AYUSO
Profesor ayudante doctor (acreditado)
Universidad Internacional de La Rioja (UNIR)

1. INTRODUCCIÓN

Puede afirmarse que los principios relativos al tratamiento están compuestos por diversas exigencias normativas que disponen el modo en el que se tiene que producir la recogida, tratamiento y cesión de información del interesado con la finalidad de proteger su derecho fundamental a la protección de datos personales. Conviene señalar que, de forma específica en este ámbito, estos principios, lejos de ser simples fundamentos, tienen carácter normativo y van a aglutinar todas las interpretaciones de la norma, sustituyendo de forma directa a aquellas copiosas ausencias normativas que puedan tener lugar en la misma legislación resultado del vertiginoso desarrollo tecnológico, que, en múltiples casos, hace inútiles los intentos del legislador en su tarea de prevención normativa.

Resultado de lo anterior, tales principios disfrutan en el nuevo Reglamento General de Protección de Datos[1] y en la nueva Ley Orgánica de Protección de Datos Personales y Garantía de los Derechos Digitales[2], de una especial relevancia y trascendencia, debido al carácter fundamental que poseen, sirviendo, al mismo tiempo, de referencia a aquellos actores jurídicos que participan con el fin de que puedan satisfacer adecuadamente las implicaciones jurídicas y de responsabilidad social y empresarial vinculadas a las nuevas exigencias y requerimientos derivados de la protección de datos personales. Así pues, se puede afirmar que los principios rectores de las operaciones de tratamiento conforman e integran el contenido basal que integra el derecho fundamental recogido en el artículo 18.4 CE, el cual, por medio de estos, hace nacer un mecanismo tutelar que protege un uso adecuado de la información personal.

Algunos autores[3] califican estos principios o directrices como obligaciones para quienes determinan los fines y medios del tratamiento. No obstante, tienen una mayor trascendencia, pues no sólo afectan a responsables del tratamiento, sino también a toda persona física o jurídica que participe en la aplicación de los datos personales, lo que sirve de pauta normativa e interpretativa a todos los estamentos jurídicos que gestionan información de carácter personal.

En la nueva regulación, los principios se ubican dentro del Capítulo II (arts. 5 a 22) RGPD y en el Título II (arts. 4 a 10) LOPD donde se establecen pormenorizadamente pero, al mismo tiempo, con carácter general, las normas relativas al tratamiento y, como parte de las mis-

---

[1]   Reglamento (UE) 2016/679 del Parlamento Europeo y del Consejo, de 27 de abril de 2016, relativo a la protección de las personas físicas en lo que respecta al tratamiento de datos personales y a la libre circulación de estos datos y por el que se deroga la Directiva 95/46/CE (DOUE serie L núm. 119, de 4 de mayo de 2016).

[2]   Ley Orgánica 3/2018, de 5 de diciembre, de Protección de Datos Personales y Garantía de los Derechos Digitales (BOE núm. 294, de 6 de diciembre de 2018).

[3]   Podemos destacar a Bastidas Cid, Y. V., "El cumplimiento de los principios del tratamiento de datos personales establecidos en el reglamento general de protección de datos de la unión europea en proyectos de *Big Data*", *Informática y Derecho: Revista Iberoamericana de Derecho Informático (segunda época)*, núm. 6, 2019, p. 17; y Palma Ortigosa, A., "Principios relativos al tratamiento de datos personales", en *Protección de datos, responsabilidad activa técnicas de garantía*, Ed. Reus, Madrid, 2018, pp. 39-40.

mas, su base jurídica, las condiciones en las que debe proporcionarse el consentimiento, los requisitos aplicables a dicha aceptación por el titular de los datos en relación con los servicios de la sociedad de la información, el tratamiento de categorías especiales de datos personales, el manejo de datos personales referidos a condenas e infracciones de naturaleza penal, aquellos tratamientos que no requieren de una especial identificación, la información oportuna al interesado cuando los datos personales se obtienen o no directamente de él y, finalmente, los derechos que le corresponden y amparan frente a actuaciones inadecuadas o ilícitas de responsables y encargados del tratamiento.

2. PRINCIPIOS BÁSICOS

El artículo 5 del Reglamento general de protección de datos se titula *"Principios relativos al tratamiento"*, recogiendo la regulación concreta en relación con el tratamiento de los datos personales y las circunstancias que envuelven al mismo. Al amparo de esta previsión, más concretamente, de conformidad con la letra d) del apartado primero del artículo 5 RGPD, surge el artículo 4 LOPD, norma, esta última, que tiene por objeto, entre otros, adaptar el ordenamiento jurídico español al Reglamento general de protección de datos y completar sus distintas disposiciones (art. 1 LOPD), derogando la antigua Ley Orgánica 15/1999[4] y el Real Decreto-ley 5/2018[5], además de cuantas disposiciones de igual o inferior rango contradigan se opongan o resulten incompatibles con lo dispuesto en el RGPD y la presente LOPD (DD única).

Señala una parte de la doctrina[6], de notable criterio, que la redacción que ha buscado el legislador para la regulación de los principios que informan la nueva normativa tiene fundamentalmente un carácter continuista respecto de aquella que se contenía en la Directiva 95/46/CE[7], y, específicamente, con la contenida en la LO 15/1999, que transponía la citada Directiva.

En concreto, en la exposición de motivos del propio Reglamento, el legislador comunitario parte de la afirmación de que *"[l]os principios de la protección de datos deben aplicarse a toda la información relativa a una persona física identificada o identificable [...]"*[8], para, a renglón seguido, reproducir en la práctica los valores que conformaban el principio de calidad a que hacía referencia el artículo 4 LO 15/1999. Si antes se indicaba que el acto de recoger y tratar información personal sólo se permitía en aquellos supuestos en que ésta era pertinente, lógica y no excesiva en relación a unas finalidades concretas, explícitas y legítimas para las que se habían obtenido los mismos, en la actualidad, estos valores se matizan, postulando que los datos personales deberán ser tratados de manera lícita, leal y transparente, dentro de lo que se conoce como *"principio de licitud, lealtad y transparencia"* [letra a) del art. 5 RGPD][9].

En la elaboración parlamentaria de la norma comunitaria actualmente en vigor, se indicó en reiteradas ocasiones que una de las finalidades principales del nuevo Reglamento general de protección de datos era conceder al ciudadano, como titular de los datos, el poder sobre estos, de forma que pudiera supervisar y controlar las circunstancias que rodean su uso y tratamiento. Todo ello buscando dotar al interesado de mayor relevancia en un asunto en el que, efectivamente, es el principal actor. La asignación de este poder se evidencia en un conjunto de instituciones que así lo constatan y que parten de la necesaria transparencia en el momento en el que se recaban y tratan los datos por su titular.

Ahora, es fundamental que el propietario de los datos conozca de una manera mucho más profunda e intensa las circunstancias que van a rodear el tratamiento de sus datos, con el fin de que pueda manifestar su consentimiento de manera libre, informada y con pleno conocimiento. Es por ello por lo que también se menciona expresamente en el artículo 5 RGPD todo lo que concierne a la limitación de los fines del tratamiento [letra b) del art. 5 RGPD], que se corresponde con el término *"limitación de propósito"* y que atiende, en esencia, al deber de que a la información personal no se les pueda dar otra función distinta de aquella inicialmente comunicada al interesado, salvo que ambas sean compatibles.

---

[8] Considerando (26) RGPD.
[9] Sobre este principio, Muñoz Rodríguez, J., "Principios de protección de datos: licitud, lealtad, transparencia, minimización, exactitud, integridad y confidencialidad", *Economist & Jurist*, núm. 217, 2018, p. 19.

Junto a los términos de licitud, lealtad y transparencia en el trata-miento de los datos y de respeto a la limitación estricta de la finalidad, aparece nuevamente la exigencia del principio de adecuación de los datos, que en el Reglamento general de protección de datos se deno-mina, atendiendo a uno de sus matices, como *"principio de minimiza-ción de datos"* [letra c) del art. 5 RGPD]. Consiste en que, cuando se recoge la información personal del interesado, la solicitud no puede comprender mayor número de datos personales que los que efectiva-mente se necesiten, habiendo de encontrarse esta petición, además, amparada atendiendo a los fines perseguidos cuando se procede a tratar los datos; en otras palabras, este principio permite recoger sólo los datos personales que vayas a tratar, sólo cuando los vayas a tratar y tratarlos sólo para la finalidad declarada[10]. Abundando y concre-tando este argumento un poco más, conviene insistir en que el cono-cimiento y la tenencia de los datos personales constituye un valor en sí mismo, de modo que limitar la captura de información implica, de modo necesario, que única y exclusivamente sean recabados los datos personales necesarios para el objetivo perseguido.

Además de lo anterior, no conviene omitir un principio tan impor-tante como aquel que establece la exigencia de que la información sea exacta y, además, regularmente actualizada, estableciendo la ne-cesidad de que el responsable del tratamiento adopte todas aquellas acciones necesarias en orden a la supresión y rectificación sin demora de la información del individuo que sea inexacta con respecto al fin para el que han sido tratados; técnicamente, se puede denominar a este principio como *"principio de exactitud de los datos"* [letra d) del art. 5 RGPD y art. 4 LOPD].

Por lo demás, también se hace referencia al llamado *"principio de integridad y confidencialidad"* de los datos [letra f) art. 5 RGPD], que impone que la información del individuo tendrá que ser siempre co-rrectamente tratada y destinada al fin para el que fue solicitada, a fin de garantizar una protección notable, donde se incluye, en este caso, la prevención frente a tratamientos que no hayan sido expresamente

---

[10]   Puyol Montero, F. J., "Los principios del derecho a la protección de datos", *Reglamento general de protección de datos: hacia un nuevo modelo europeo de privacidad*, Ed. Reus, Madrid, 2016, pp. 137-140.

autorizados o ilícitos y para evitar que se pierdan, destruyan o se dañen accidentalmente, exigiendo, para ello, también que se apliquen salvaguardas apropiadas de carácter técnico y organizativo[11].

Será el responsable del tratamiento quien deberá ejecutar, atendiendo al tratamiento concreto de los datos personales que haya de realizarse, las medidas técnicas y organizativas que hayan de ser apropiadas para cada supuesto específico. La norma alude, de manera específica, a una concreta de estas medidas, ya que hace alusión a la técnica de la *seudonimización*, con la finalidad de ejecutar de manera apropiada los principios relativos a la protección de datos. No obstante, conviene advertir que, empleando esta técnica, sigue existiendo una probabilidad elevada de identificación de la persona física de modo indirecto, es decir, el empleo específico de la *seudonimización* no puede garantizar un conjunto de datos anónimos. Pese a ello, parece evidente la relevancia que esta técnica puede adquirir en el marco de tratamientos masivos de datos personales, toda vez que sirve de contrapeso a los riesgos que se detectan en el ámbito de tales tratamientos. Así las cosas, tanto la *seudonimización* como cualquier otra técnica podrá ser de gran utilidad cuando se persiga la protección de los datos de manera eficaz, sin obstaculizar, empero, la evolución de otras soluciones de carácter tecnológico.

Tanto en lo que afecta a la exigencia limitadora y restrictiva del plazo de almacenamiento de la información personal, como respecto al principio de integridad y confidencialidad de los mismos, hay que tener en cuenta que la implementación de medidas técnicas y organizativas es obligación exclusiva del responsable del tratamiento, que, bajo su cuenta y riesgo, tiene que adoptar aquellas medidas que sean más adecuadas y necesarias atendiendo a las características de los datos personales, las finalidades pretendidas con su tratamiento y demás circunstancias que rodean su uso y desarrollo.

Por último, y como corolario aglutinador de los anteriores, este precepto recoge el *"principio de responsabilidad proactiva"* (art. 5.2 RGPD). El nuevo Reglamento general de protección de datos introduce un cambio histórico en materia de responsabilidad, no ya por el importe de las sanciones, que también, sino por la incorporación

---

[11] Puyol Montero, *últ. ob. cit.*, p. 139.

del concepto de *accountability*[12], resumida en la afirmación popular acogida por la autoridad de control nacional de que el no incumplimiento no bastará, de tal suerte que, a partir de la fecha en que el Reglamento resulta aplicable, toda organización que proceda al tratamiento deberá procurar una atención proactiva del contenido de la normativa en materia de protección de datos personales.

Como manifestación de estos principios, el artículo 6 RGPD regula la licitud del tratamiento. Para que un tratamiento sea lícito, debe ampararse en alguna de las bases jurídicas que se exponen a continuación.

A) El consentimiento manifestado por el titular de la información personal con el fin de que se trate ésta atendiendo a una finalidad concreta y determinada [arts. 6.1.a) RGPD y 6 LOPD]. De acuerdo con la Agencia Española de Protección de Datos, sólo podemos acudir al consentimiento como base jurídica del tratamiento cuando, previamente, no concurra ninguna otra base jurídica[13]. Este consentimiento aparece definido por el artículo 4.11) del Reglamento como: "*[...] toda manifestación de voluntad libre, específica, informada e inequívoca por la que el interesado acepta, ya sea mediante una declaración o una clara acción afirmativa, el tratamiento de datos personales que le conciernen*".

Al amparo de esta definición, el artículo 7 de la norma comunitaria dispone aquellas exigencias que deben concurrir para recabar el consentimiento de manera adecuada, condiciones que establecen, de manera resumida, que el consentimiento se debe recabar por separado (la obtención del consentimiento debe producirse de forma independiente de las demás exigencias), de manera inequívoca y afirmativa (exigirá una conducta activa, lo que excluirá las casillas de "*no acepto*" sin marcar y las casillas premarcadas autorizando el tratamiento), granular (es decir, vertebrado, en su caso, entre los distintos tratamientos),

---

[12] Sobre esta cuestión, v. Bajo Albarracín, J. C.., "Consideraciones sobre el principio de responsabilidad proactiva y diligencia (*accountability*): experiencias desde el Compliance", *La adaptación al nuevo marco de protección de datos tras el RGPD y la LOPDGDD*, Ed. Wolters Kluwer, Madrid, 2019, p. 974.

[13] Agencia Española de Protección de Datos, *Guía para el cumplimiento del deber de informar*, Madrid, 2018.

nominativo (necesitando la identificación del organismo que asuma la responsabilidad y de aquellos que reciban la información del interesado en forma de cesión), demostrable y documentado (es preciso poder acreditar a posteriori quién consintió, cuándo y cómo lo hizo y de qué se le informó) y revocable (debiendo ser tan sencillo revocar el consentimiento como proporcionarlo)[14].

En definitiva, el consentimiento implica control, libertad por parte del interesado sobre sus datos. Si el titular no tiene realmente libertad para elegir o bien si la prestación del servicio exige (sin más posibilidades) el consentimiento para un tratamiento no relacionado con ese servicio, este consentimiento no es libre ni válido.

Por tanto, y siguiendo con las exigencias propias del precitado principio de responsabilidad proactiva, resulta preciso documentar el consentimiento como base jurídica del tratamiento. En concreto, será preciso documentar, al menos, los siguientes extremos:

1º) Quién consintió, luego hay que identificar al titular de datos por su nombre o por otro identificador, dependiendo de los casos.

2º) Cuándo consintió: en el consentimiento *offline*, será necesaria una copia del documento firmado y fechado; por su parte, en el consentimiento *online*, un archivo con sello de tiempo.

3º) Qué información recibió el particular, como la copia del documento de captura de datos firmado, vinculado a la política de privacidad, y demás avisos legales vigentes en aquel momento. Grabación del consentimiento verbal, así como de la información suministrada al titular de datos personales.

4º) Cómo se consintió: por escrito, con la copia de los documentos anteriormente citados.

5º) Si se ha revocado o no el consentimiento y, en caso positivo, cuándo. Sobre esta cuestión del consentimiento, el artículo 6 LOPD dispone que:

"1. De conformidad con lo dispuesto en el artículo 4.11 del Reglamento (UE) 2016/679, se entiende por consentimiento del afectado toda manifestación de voluntad libre, específica, informada e inequívoca por la que éste acepta, ya sea mediante

*una declaración o una clara acción afirmativa, el tratamiento de
datos personales que le conciernen.*

2. *Cuando se pretenda fundar el tratamiento de los datos en el
   consentimiento del afectado para una pluralidad de finalidades
   será preciso que conste de manera específica e inequívoca que
   dicho consentimiento se otorga para todas ellas.*

3. *No podrá supeditarse la ejecución del contrato a que el afectado
   consienta el tratamiento de los datos personales para finalidades que no guarden relación con el mantenimiento, desarrollo
   o control de la relación contractual".*

B) Que se traten los datos porque ello proceda de una necesidad
contractual de la que el titular forme parte o para que se apliquen, previa solicitud del mismo, actuaciones previas al contrato [art. 6.1.b) RGPD]. La propia existencia de una relación
previamente estipulada, o aquellos aspectos introductorios a la
misma, también justificaría que el tratamiento sea propiamente
legítimo.

C) En el caso en el que tratamiento se justifique como resultado
de cuanto disponga una norma con rango de ley [art. 6.1.c)
RGPD]. En este sentido, el artículo 8.1 LOPD añade que el tratamiento de datos personales únicamente podrá considerarse
fundado en el cumplimiento de una obligación legal exigible al
responsable del tratamiento, en los términos previstos en este
artículo, cuando así se disponga normativamente por parte de
la Unión Europea o los Estados miembros, que tendrá que disponer las exigencias que, de un modo general, deberá cumplir
el tratamiento y las modalidades de información personal, al
igual que aquellas situaciones en que se deba ceder esta para
cumplir cuanto dispone una norma con rango legal, la cual,
añade, tendrá la posibilidad también de establecer deberes
complementarios en materia de protección de la información o
cualquier otra establecida en el capítulo cuarto del Reglamento.

D) La obligación de dar protección al interés vital del sujeto afectado o de otras personas físicas [art. 6.1.d) RGPD], también
justificaría la licitud del tratamiento.

E) Cuando el tratamiento sea necesario para el cumplimiento de
una misión realizada en interés público o en ejercicio de po-

deres públicos conferidos al responsable del tratamiento [art. 6.1.e) RGPD]. Si bien, en estos casos, será necesaria la existencia de una ley que habilite el tratamiento y que proporcione tanto los intereses públicos de cometido como el desempeño de poderes públicos.

El apartado segundo del artículo 8 LOPD establece al respecto que el tratamiento de datos personales sólo podrá considerarse fundado en el cumplimiento de una misión realizada en interés público o en el ejercicio de poderes públicos conferidos al responsable, en los términos previstos en el artículo 6.1 letra e) RGPD, cuando derive de una competencia atribuida por una norma con rango de ley.

F) Cuando el tratamiento sea necesario para la satisfacción de intereses legítimos pretendidos por el responsable del tratamiento o por un tercero, siempre que, sobre dichos intereses, no prevalezcan los derechos y libertades fundamentales del interesado que requieran la protección de sus datos personales, en particular, cuando el afectado sea un niño [art. 6.1.f) RGPD]. En la interpretación de este apartado, surge siempre la necesidad de concretar la calificación de interés legítimo, concepto jurídico inconcreto que debe ser perfeccionado en cada caso atendiendo a las particularidades que concurran por parte del responsable del tratamiento y de los interesados, habiendo de otorgar preeminencia, si procede, a la tutela del derecho a la protección de datos del menor[15].

El interés legítimo es ahora particularmente importante para aquellas empresas cuyos tratamientos se basaban en los consentimientos prestados por sus titulares en el pasado. Esos consentimientos, que eran correctos cuando se obtuvieron, tienen que cumplir los nuevos requisitos impuestos por la regulación aplicable sobre la materia para seguir siendo correctos. Estas empresas afrontan la disyuntiva de acogerse a otra de las bases legitimadoras expuestas, o bien repetir de nuevo todo el proceso de consecución de consentimientos; y este se-

---

[15] Sobre esta importante (y controvertida) base jurídica del tratamiento, v. Fernández Samaniego, J. y Fernández Longoria, P., "El interés legítimo como principio para legitimar el tratamiento de datos", *Tratado de protección de datos: actualizado con la Ley Orgánica 3/2018, de 5 de diciembre, de Protección de Datos Personales y Garantía de los Derechos Digitales*, Ed. Tirant lo Blanch, Valencia, 2019, pp. 169-196.

gundo camino tiene inconvenientes, derivados, en especial, de la posibilidad de que el afectado, cada día más informado, sea más selectivo en la actualidad a la hora de tener que prestar su consentimiento.

En este sentido, el interés legítimo como base del tratamiento no es algo nuevo ni extraordinario. Está regulado en la nueva normativa en materia de protección de datos personales, claro, pero ya estaba presente en la anterior. A *priori*, que alguien pueda tratar los datos personales del interesado sin su consentimiento, porque concurra un interés legítimo en hacerlo, es una cosa que así, como parece lógico, requiere de una justificación jurídica suficientemente consistente.

3. ESPECIAL INCIDENCIA DE LAS RESTRICCIONES NORMATIVAS A LA CONSERVACIÓN

Relacionado con el objeto del presente estudio, dentro también del artículo 5 RGPD, se hace referencia a la obligación de que la información personal sea mantenida durante no más tiempo de aquel que sea necesario a los efectos de identificación de los interesados, en función de las finalidades previstas para el tratamiento de los mismos. Este principio es el conocido como *"principio de limitación del plazo de conservación"* [letra e) del art. 5 RGPD].

El plazo de almacenamiento de la información personal ha sido permanentemente objeto de controversia, derivado de la controversia que existe entre el período que cubre la responsabilidad del tratamiento mismo y aquellos que se vinculan a la prescripción de las acciones procedentes del negocio jurídico subyacente, sobre cuya base se han recogido dichos datos personales[16]. En este caso, la nueva normativa en materia de protección de datos personales, de manera genérica, determina que la vinculación entre el titular de los datos y los datos recabados/almacenados ha de ser la mínima imprescindible atendiendo a los fines en virtud de los cuales se ha solicitado el consentimiento al interesado. Finalizado este plazo, deberán suprimirse[17] cuando concurra alguna de las siguientes circunstancias:

1ª) Cuando ya no sean necesarios en relación con los fines para los que fueron recogidos o tratados de otro modo.

2ª) Cuando tengan que eliminarse para dar satisfacción a imperativos legales.

3ª) Cuando el consentimiento haya sido retirado.

4ª) Cuando exista o haya existido defecto en la recogida de ese consentimiento.

No obstante lo anterior, la obligación de supresión por cualquiera de las circunstancias identificadas debe entenderse conjuntamente con el interés o necesidad de la institución (académica, en este caso) de conservar la información para la acreditación del cumplimiento de sus responsabilidades y en particular, el cumplimiento de las finalidades para las que fueron originariamente obtenidos los datos, o para el cumplimiento de obligaciones legales. En concreto, no será obligatoria la supresión de los datos en los casos en los que concurra una o más de las siguientes circunstancias[18]:

1ª) Que se deba cumplir con una obligación legal que requiera el tratamiento de datos, impuesta por el Derecho de la Unión o de los Estados miembros, para cumplir con una misión en interés público o para ejercer poderes públicos conferidos al responsable.

2ª) Que los datos personales sean tratados con fines de interés público, fines de investigación científica o histórica o fines estadísticos, en la medida en que la supresión de los datos hiciera imposible u obstaculizara gravemente el logro de los objetivos de dicho tratamiento.

3ª) Que deban conservarse los datos en orden a poder ejercitar las libertades consistentes en poder expresarse e informarse.

4ª) Que se necesiten estos datos personales para la formulación, el ejercicio o la defensa de reclamaciones que pudieran producirse.

En cualquier caso, y de conformidad con lo dispuesto por el artículo 32 LOPD, antes de procederse a su eliminación por completo, será preciso someter los datos a un proceso de bloqueo que impida su tratamiento generalizado, accediendo únicamente a ellos para ponerlos a disposición de los jueces y tribunales, el Ministerio Fiscal o las

---

[18]   Apartado 3 del artículo 17 RGPD.

Administraciones Públicas competentes, en particular de las autoridades de protección de datos, para la exigencia de posibles responsabilidades derivadas del tratamiento y por el plazo de prescripción de las mismas. Este proceso de bloqueo deberá ser realizado, en todo caso, mediante un sistema que garantice que únicamente pueden acceder a ellos determinadas personas y exclusivamente ante casos de reclamaciones, acciones o requerimientos administrativos, así como acciones o requerimientos de carácter judicial.

Tras ello, se procederá a la destrucción definitiva de los datos, de modo que se garantice que la información no puede ser recuperada, bajo ningún concepto, por parte del responsable del tratamiento o, en su caso, por parte de terceros.

En los casos en los que los datos permanezcan en soporte no automatizado (formato papel), esta destrucción tendrá lugar mediante destructora el papel y delegará, en los casos en los que así lo determine, la gestión a un proveedor especializado[19]. En este supuesto, debe existir un acuerdo de encargado del tratamiento con dicho proveedor (con las especificidades propias de los arts. 28 RGPD y 33 LOPD) y garantizar que, efectuada la destrucción, se proporciona un certificado acreditativo de haber efectuado esta gestión de modo seguro, efectivo y satisfactorio.

En cambio, en los supuestos en los que los datos consten en soporte automatizado (formato electrónico), la destrucción garantizará que los datos no puedan ser recuperados con posterioridad, por ningún medio, alcanzando la totalidad de las bases de datos, archivos y copias de seguridad, con independencia de que los datos se encuentren en un *software* almacenado en recursos corporativos, en dispositivos de almacenamiento externo o en los propios equipos del responsable del tratamiento.

Además, en determinadas circunstancias, en lugar de suprimir los datos, se deberá proceder a la limitación del tratamiento de los mismos[20], limitación que impedirá el tratamiento de dichos datos per-

---

[19]   Buisán García, N., "El derecho de supresión en el nuevo reglamento europeo de protección de datos personales", *Actualidad Administrativa*, núms. 7-8, 2018.
[20]   Artículos 18 RGPD y 16 LOPD.

sonales, a salvo de la mera conservación. Procederá la limitación del tratamiento cuando:

1º) El titular de los datos personales proceda a impugnar la veracidad de la información personal que le concierne, dentro del lapso temporal que posibilite que el centro universitario determine que esta es exacta y correcta.

2º) Cuando el tratamiento es legítimo y el titular de los datos personales se opone a que estos se supriman, solicitando, en cambio, que se limite el tratamiento.

3º) Cuando la organización que asume la responsabilidad no necesita ya la información personal del interesado para dar satisfacción a la finalidad perseguida con el tratamiento, pero este los necesita para formular, ejercer o defender sus demandas.

4º) En el caso en el que el titular de los datos personales ejercite su derecho a oponerse al tratamiento implementado por el responsable, en tanto se procede a verificar si los argumentos lícitos por él argüidos adquieren preeminencia en relación con los aquel.

En cuanto a los plazos de conservación específicos atendiendo a las finalidades más comúnmente implementadas en los centros educativos, podemos establecer la siguiente clasificación.

3.1. Plazos de conservación de los datos personales de los empleados (personal docente y de investigación, personal de gestión y de administración, y profesores externos)

Dentro de este apartado, podemos establecer una clasificación de los tratamientos realizados con la información personal de los afectados atendiendo a los siguientes fines.

A) Documentación relativa a selección de personal (currículum, anotaciones de entrevistas y otra documentación generada en el marco de un proceso de selección). Aquí, el inicio del cómputo tendrá lugar desde la última actualización de la información, mientras que el plazo de conservación será de un año.

B) Datos identificativos de candidatos con los que hubiera surgido situación que pudiera derivar en responsabilidad (datos mínimos necesarios para identificar a la persona). En este caso, el plazo de conservación de los datos comenzará a contar desde que hubiera tenido lugar la situación de la que potencialmente se pudiera derivar responsabilidad, atendiendo al plazo legal para exigir responsabilidad (art. 1964.2 CC).

C) Documentación de carácter laboral o relacionada con el cumplimiento de obligaciones (documentación o los registros o soportes informáticos en que se hayan transmitido los correspondientes datos que acrediten el cumplimiento de las obligaciones en materia de afiliación, altas, bajas o variaciones que, en su caso, se produjeran en relación con dichas materias, así como los documentos de cotización y los recibos justificativos del pago de salarios y del pago delegado de prestaciones. Asimismo, toda la documentación de naturaleza contractual). El plazo, para estos supuestos, comenzará a contar desde la finalización de la relación laboral y se extenderá por un período total de cinco años, ya que, aunque el artículo 21 RD 5/2000[21] establece un periodo de cuatro años, se recomienda aumentarlo un año más, en tanto que es el período establecido para la responsabilidad civil contractual (art. 1964 CC).

D) Documentación contractual de los empleados (documentación asociada a la contratación, certificados de aptitud e informes de accidentes laborales y documentación necesaria para gestionar los seguros de salud, siniestros y fallecimiento). Comenzará a contar tras la finalización de la relación laboral y se extenderá durante un total de quince años, si estamos ante relaciones jurídicas iniciadas con anterioridad al 7 de octubre de 2005 (art. 1964.2 CC, reformado por Ley 42/2015[22]), o de cinco años, si estamos ante relaciones jurídicas iniciadas entre el 7 de octubre de 2005 y el 7 de octubre de 2015, así como las iniciadas a partir de esa fecha (el aludido art. 1964.2 CC).

---

[21] V. Real Decreto-Legislativo 5/2000, de 4 de agosto, por el que se aprueba el texto refundido de la Ley sobre Infracciones y Sanciones en el Orden Social (BOE núm. 189, de 8 de agosto de 2000).

[22] Ley 42/2015, de 5 de octubre, de reforma de la Ley 1/2000, de 7 de enero, de Enjuiciamiento Civil (BOE núm. 239, de 6 octubre de 2015).

E) Documentación relativa al sistema de información de denuncias internas (datos de los empleados recabados a través de las denuncias realizadas por los mismos -denunciante, denunciado y terceros implicados- incluida en el propio canal de denuncias o de denuncias tramitadas). En el caso de las denuncias realizadas, el plazo de conservación comenzará a contar desde el momento en el que se obtienen los datos y se extenderá durante un máximo de diez años, atendiendo a lo dispuesto en el artículo 24.4 LOPD. En cambio, para las denuncias finalmente tramitadas, el plazo se iniciará desde la producción de la situación objeto de conflicto o, en caso de no existir, desde la recepción de la denuncia, extendiéndose hasta un máximo de cinco años o, en su caso, hasta obtención de resolución judicial firme (el indicado art. 1964.2 CC).

F) Documentación relativa a cursos de formación realizados por empleados (títulos y certificados obtenidos por los empleados en los distintos cursos de formación). El plazo, como es lógico, comenzará a contar desde el momento de finalización de la relación laboral, extendiéndose hasta un total de cuatro años, merced al contenido del artículo 5.2 Orden TAS/2307/2007[23].

G) Registros de accesos (datos contenidos en los registros de accesos a los datos contenidos en las aplicaciones informáticas). El plazo contará desde que se obtuvieron y deberán conservarse hasta transcurridos dos años, siendo este el plazo recomendado atendiendo a las medidas de seguridad que se vienen aplicando por otros operadores en el mercado[24].

3.2. *Períodos de almacenamiento de la información personal del alumnado (prealumnos, alumnos y alumni)*

Dentro de este apartado, podemos establecer esta clasificación:

A) Información relativa a la preadmisión de los alumnos (datos y documentación que el prealumno proporciona para solicitar la admisión a los estudios). El período de tiempo comenzará: bien desde que finaliza la relación contractual (desde que dejan de ser alumnos) con aquellos prealumnos que acaban siendo alumnos, en cuyo caso se deberán conservar durante cinco años (art. 1964.2 CC); bien desde que el prealumno o potencial alumno es inadmitido o rechaza la admisión en los estudios en los que ha sido admitido, en cuyo caso se deberán conservar durante un año, siendo este el plazo recomendado, ya que no existe disposición legal que establezca plazo de conservación específico.

B) Información relativa a la matriculación de los alumnos (datos personales incluidos en la matrícula formalizada para iniciar estudios que resulten necesarios para la identificación del alumno). La conservación de los datos personales de los alumnos se iniciará desde que finaliza la relación contractual (desde que el alumno finaliza los estudios), habiendo de conservarse de forma indefinida, atendiendo a los artículos 2 y 6 de la Ley Orgánica 6/2001[25] (no existe disposición legal que establezca un plazo de conservación concreto).

C) Expediente académico (datos derivados del expediente académico del alumno en relación con los estudios cursados). Para este caso, nos remitimos a lo expuesto en la letra inmediatamente anterior.

D) Convalidaciones y adaptaciones (toda la información relativa a las solicitudes, resoluciones de las mismas y certificaciones académicas obtenidas en los estudios). En este caso, hemos de distinguir un único plazo de conservación, que se iniciará desde que finaliza la relación contractual (es decir, desde que el alumno finaliza los estudios), si bien el cómputo podrá tener una extensión distinta: una primera, que exigirá la supresión en el momento en el que el alumno se gradúa en los estudios correspondientes; una segunda, que se prolongará un total de dos años, en caso de que el prealumno que solicita convalidaciones o adaptaciones no llegue a formalizar la matrícula), y una tercera, que lo hará por tiempo indefinido, cuando contengan datos que deban incorporarse al expediente académico (por ejemplo, resolución y certificación de académica de las calificaciones obtenidas en estudios universitarios cursados en otra

---

[25]   Ley Orgánica 6/2001, de 21 de diciembre, de Universidades (BOE núm. 307, de 24 de diciembre de 2001).

universidad). En todos ellos, se trata de un plazo recomendado, ya que no existe disposición legal alguna que establezca plazo de conservación específico.

E) Exámenes y trabajos de evaluación académica (exámenes, trabajos y otros documentos de evaluación académica). Para el supuesto indicado, los datos personales de los alumnos se conservarán desde la fecha de publicación de las actas de calificación de dichos exámenes, trabajos u otros. Transcurridos dos años o hasta la resolución definitiva del último recurso en caso de que se hubiere interpuesto alguna reclamación o recurso en contra de la calificación obtenida en los mismos, los datos deberán suprimirse. De nuevo, estamos ante plazos recomendados, ya que no existe disposición legal que establezca plazo de conservación específico.

F) *Alumni* (toda la información relativa a la inscripción del alumno en los programas *alumni*). Los datos se conservarán desde que el interesado retira su consentimiento, ya que la condición de *alumni* es vitalicia, por lo que los datos personales facilitados voluntariamente se mantendrán de forma indefinida en tanto el interesado no solicite su supresión. El plazo para suprimirlos será de un año, si bien es un plazo recomendado, ya que no existe disposición legal que establezca plazo de conservación específico.

G) Grabaciones (grabaciones de imagen y voz relativas a las clases, tutorías, eventos y defensas de trabajos). El tiempo de conservación comenzará a contar desde que finaliza la relación contractual del alumno y se extenderá: durante un año, para grabaciones de datos genéricas; dos años, para grabaciones que sirvan para evaluar académicamente al alumno, o de forma indefinida, para clases particulares (en diferido) o *"Master Class"*, teniendo en cuenta que se encuentran protegidas por la Ley de Propiedad Intelectual[26].

---

[26]   Real Decreto-Legislativo 1/1996, de 12 de abril, por el que se aprueba el texto refundido de la Ley de Propiedad Intelectual, regularizando, aclarando y armonizando las disposiciones legales vigentes sobre la materia (BOE núm. 97, de 22 de abril de 1996).

H) Expedientes de beca (toda la información y documentación relativa a las solicitudes y concesiones de becas de carácter general). El plazo se iniciará desde que el alumno finaliza los estudios y hasta un período máximo de cinco años (art. 1964.2 CC).

BIBLIOGRAFÍA

Bajo Albarracín, J. C.., "Consideraciones sobre el principio de responsabilidad proactiva y diligencia (accountability): experiencias desde el *Compliance*", en *La adaptación al nuevo marco de protección de datos tras el RGPD y la LOPDGDD*, Ed. Wolters Kluwer, Madrid, 2019, pp. 973-981.

Bastidas Cid, Y. V., "El cumplimiento de los principios del tratamiento de datos personales establecidos en el reglamento general de protección de datos de la unión europea en proyectos de *Big Data*", *Informática y Derecho: Revista Iberoamericana de Derecho Informático (segunda época)*, núm. 6, 2019, pp. 15-48.

Buisán García, N., "El derecho de supresión en el nuevo reglamento europeo de protección de datos personales", *Actualidad Administrativa*, núms. 7-8, 2018.

Fernández Samaniego, J. y Fernández Longoria, P., "El interés legítimo como principio para legitimar el tratamiento de datos", en *Tratado de protección de datos: actualizado con la Ley Orgánica 3/2018, de 5 de diciembre, de Protección de Datos Personales y Garantía de los Derechos Digitales*, Ed. Tirant lo Blanch, Valencia, 2019, pp. 169-196.

Guerrero Picó, M. C., "Protección de datos personales e Internet: la conservación indiscriminada de los datos de tráfico", *Revista de la Facultad de Derecho de la Universidad de Granada*, núm. 8, 2016, pp. 109-139.

Muñoz Rodríguez, J., "Principios de protección de datos: licitud, lealtad, transparencia, minimización, exactitud, integridad y confidencialidad", *Economist & Jurist*, núm. 217, 2018, pp. 18-23.

Palma Ortigosa, A., "Principios relativos al tratamiento de datos personales", en *Protección de datos, responsabilidad activa técnicas de garantía*, Ed. Reus, Madrid, 2018, pp. 39-49.

Planas Santos, A., "El nuevo Reglamento General de Protección de Datos", *Actualidad administrativa: 2019*, Ed. Tirant lo Blanch, Valencia, 2019, pp. 701-804.

Puyol Montero, F. J., "Los principios del derecho a la protección de datos", en *Reglamento general de protección de datos: hacia un nuevo modelo europeo de privacidad*, Ed. Reus, Madrid, 2016, pp. 135-150.

Rodríguez Ayuso, J. F., *Control externo de los obligados por el tratamiento de datos personales*, Ed. Bosch, Barcelona, 2020.

Rodríguez Ayuso, J. F., "Cumplimiento de la normativa en materia de protección de datos personales en estado de alarma por parte de las Administraciones Públicas", en *Las respuestas del Derecho a las crisis de salud pública*, Ed. Dykinson, Madrid, 2020, pp. 92-93.

Trujillo Cabrera, C., "Las bases de legitimación del tratamiento de datos personales. En especial, el consentimiento", en *Protección de datos, responsabilidad activa técnicas de garantía*, Ed. Reus, Madrid, 2018, pp. 51-75.

Villarino Marzo, J., "Ya tenemos un Reglamento General de Protección de Datos... ¿y ahora qué?", *Revista de privacidad y derecho digital*, núm. 4, 2016, pp. 167-174.

LA EXCEPCIÓN PARA LA MINERÍA DE TEXTOS Y DATOS EN LA REFORMA DE LA PROTECCIÓN DE LOS DERECHOS DE AUTOR EN EL MERCADO DIGITAL DE LA UNIÓN EUROPEA

ANA GASCÓN MARCÉN

Profesora contratada doctora interina
Universidad de Zaragoza

SUMARIO: 1. Introducción. 2. La regulación de la minería de textos y datos: contexto normativo. 3. Las excepciones para la minería de textos y datos en la reforma de la protección de la propiedad intelectual. 3.1. Propuesta de la Comisión Europea. 3.2. La Directiva (UE) 2019/790 sobre los derechos de autor y derechos afines en el mercado único digital. 4. Conclusiones. Bibliografía

1. INTRODUCCIÓN

Según la Directiva (UE) 2019/790 [1], puede definirse la minería de textos y datos (o TDM por sus siglas en inglés) como toda "*técnica analítica automatizada destinada a analizar textos y datos en formato digital a fin de generar información que incluye, sin carácter exhaustivo, pautas, tendencias o correlaciones*"[2]. También ha sido descrita como "*el proceso de descubrir patrones interesantes de cantidades masivas de datos*"[3]. Cuando se quiere poner énfasis no en el proceso de extracción, sino en el conocimiento que genera, se denomina como *Knowledge Discovery from Data* (o KDD) descrito como "*la extracción no trivial de información implícita, previamente desconocida y potencialmente útil de los datos*"[4].

En un mundo cada vez más digitalizado donde se generan y analizan ingentes cantidades de datos (*Big Data*), la posibilidad de encontrar patrones es cada vez más relevante y se trata de una tendencia que irá en aumento con la tecnología 5G y la generalización del

Internet de las Cosas. La implantación de la inteligencia artificial en múltiples sectores puede tener un profundo impacto, y, en la mayoría de los casos, esta requiere acceder a una gran cantidad de datos para su entrenamiento y refinamiento, para lo que sirve la minería de textos y datos.

No es solo un elemento clave para la economía de datos[5], sino que puede servir para avanzar en la investigación biomédica[6], luchar contra el fraude[7] o la desinformación[8], proteger a los consumidores[9], evitar accidentes[10], o crear arte[11]. Se puede aplicar a multitud de sectores en los más diversos ámbitos. Por ejemplo, en el caso de la inves-

---

[5]   Strycharz, J., *Trend analysis, future applications and economics of TDM*, FutureTDM, 2016. Disponible en: https://project.futuretdm.eu/wp-content/uploads/2016/12/FutureTDM_D5.2-Trend-analysis-future-applications-and-economics-of-TDM.pdf (consultado el 19 de febrero de 2020).

[6]   Gonzalez, G. H., Tahsin, T., Goodale, B. C., Greene, A. C., y Greene, C. S., "Recent advances and emerging applications in text and data mining for biomedical discovery.", *Briefings in bioinformatics*, vol. 17, núm. 1, 2016, pp. 33-42.

[7]   Gupta, R. y Gill, N.S., "Financial statement fraud detection using text mining", *IJACSA*, Editorial Preface, vol. 3, núm. 12, 2012, pp. 189-191; y Wang, Y. y Xu, W., "Leveraging *deep learning* with LDA-based text analytics to detect automobile insurance fraud.", *Decision Support Systems*, vol. 105, 2018, pp. 87-95.

[8]   Shu, K., Sliva, A., Wang, S., Tang, J., y Liu, H., "*Fake news* detection on social media: A data mining perspective", *ACM SIGKDD Explorations Newsletter*, vol. 19, núm. 1, 2017, pp. 22-36; Hassan, N., Adair, B., Hamilton, J. T., Li, C., Tremayne, M., Yang, J., y Yu, C., "The quest to automate fact-checking", *Proceedings of the 2015 Computation+ Journalism Symposium*, 2015.

[9]   Ducato, R. y Strowel, A. M., *Limitations to Text and Data Mining and Consumer Empowerment: Making the Case for a Right to Machine Legibility*, CRIDES Working Paper Series, 2018.

[10]   Brown, D. E., "Text mining the contributors to rail accidents", *IEEE Transactions on Intelligent Transportation Systems*, vol. 17, núm. 2, 2015, pp. 346-355; Asian, S., Ertek, G., Haksoz, C., Pakter, S., y Ulun, S., "Wind turbine accidents: A data mining study", *IEEE Systems Journal*, vol. 11, núm. 3, 2016, pp. 1567-1578; Sanmiquel, L., Bascompta, M., Rossell, J. M., Anticoi, H. F., y Guash, E. ,"Analysis of occupational accidents in underground and surface mining in Spain using data-mining techniques", *International Journal of Environmental Research and Public Health*, vol. 15, núm. 3, 2018, p. 462; Sarkar, S., Vinay, S., y Maiti, J., "Text mining based safety risk assessment and prediction of occupational accidents in a steel plant", *2016 International Conference on Computational Techniques in Information and Communication Technologies (ICCTICT)*, 2016, pp. 439-444.

[11]   Véase https://www.nextrembrandt.com/ (consultada el 19 de febrero de 2020).

tigación, sobre determinados temas se publican tantos artículos que es imposible que una persona se los pueda leer todos[12], pero un programa sí es capaz de hacerlo, lo que podría servir para reutilizar los datos que aparecen en los mismos y, así, llegar a nuevas conclusiones y hacer nuevos descubrimientos.

Una de las actuales prioridades de la Unión Europea (UE) es aprovechar los datos "europeos" para crear valor añadido[13], empezándose a hablar de la soberanía digital[14]. La cuestión es si la UE se ha dotado de un marco jurídico que lo permita.

En el presente trabajo, se estudiará la regulación de la TDM en Estados Unidos, Japón y la UE antes de la reforma de la protección intelectual de los derechos de autor (apartado 2), para poner en contexto la reciente Directiva (UE) 2019/790 y examinar su excepción para la TDM (apartado 3).

2. LA REGULACIÓN DE LA MINERÍA DE TEXTOS Y DATOS: CONTEXTO NORMATIVO

En principio, los datos no están protegidos por el derecho de propiedad intelectual, pero sí puede estarlo el medio a través del cual estos son ordenados y expresados. Por ello, algunas de las actividades necesarias para desarrollar determinadas técnicas de TDM pueden encontrar barreras normativas.

En particular puede ser necesario, por ejemplo, copiar textos y convertirlos a un formato compatible para llevar a cabo la minería. Esto puede chocar con el derecho de reproducción cuando se trate de

---

12   Por ejemplo, en el campo de las humanidades un 82% de los artículos publicados nunca son citados, aunque la ausencia de citas no implica que no hayan sido leídos, y este dato puede ser incompleto. Véase Remler, D., "Are 90% of academic papers really never cited? Reviewing the literature on academic citations.", *London School of Economics*, 23 de abril de 2014. Disponible en: https://blogs.lse.ac.uk/impactofsocialsciences/2014/04/23/academic-papers-citation-rates-remler/ (consultada el 19 de febrero de 2020).

14   Propp, K., "Waving the flag of digital sovereignty", *Atlantic Council*, 11 de diciembre de 2019. Disponible en: https://www.atlanticcouncil.org/blogs/new-atlanticist/waving-the-flag-of-digital-sovereignty/ (consultado el 19 de febrero de 2020).

obras protegidas o con el de extracción de una base de datos que tiene una protección *sui generis* en la UE[15]. Evidentemente, el Derecho de protección de la propiedad intelectual no es absoluto y tiene límites como el de la copia privada o los fines educativos. La cuestión es si la TDM estaría cubierta por alguna excepción.

Antes de entrar a examinar la regulación de la UE, se va a realizar un breve ejercicio de Derecho comparado para saber qué ocurre en otros ordenamientos. El primer caso de estudio será Estados Unidos (EE. UU.) por tratarse de uno de los líderes mundiales en materia de TDM. El sistema norteamericano de protección de la propiedad intelectual, a pesar de ser similar al europeo en sus aspectos básicos, varía en ciertos elementos. Mientras la UE cuenta con excepciones específicas, en los EE. UU. se simplifica este régimen a través de una cláusula de excepción más abierta y general, que encaja con el sistema del *common law* y el peso que otorga al precedente judicial. Se trata de la excepción de *fair use*, que en España se ha traducido como uso justo, legítimo o razonable. Esta excepción se desarrolló jurisprudencialmente y se incorporó en 1976 a la sección 107 de la *US Copyright Act*.

Básicamente, este artículo establece que el uso de una obra protegida por derechos de autor, incluido el uso por reproducción en copias o por cualquier otro medio, para fines tales como críticas, comentarios, noticias, enseñanza o investigación, no es una infracción de los derechos de autor. Para determinar si el uso que se hace de una obra en un caso particular es *fair use*, se tiene en cuenta:

- el propósito y el carácter del uso, incluido si dicho uso es de naturaleza comercial o educativa sin fines de lucro;
- la naturaleza de la obra protegida por derechos de autor;
- la cantidad y la relevancia de la parte utilizada en relación con el trabajo protegido por derechos de autor en su conjunto; y

---

[15]   Para una visión más pormenorizada de las posibles afecciones a los derechos de propiedad intelectual protegidos en la UE de las técnicas de TDM véase: Rosati, E., *The Exception for Text and Data Mining (TDM) in the Proposed Directive on Copyright in the Digital Single Market – Technical Aspects*, European Parliament, 2018. Disponible en:
        https://www.europarl.europa.eu/RegData/etudes/BRIE/2018/604942/IPOL_BRI(2018)604942_EN.pdf (consultada el 19 de febrero de 2020).

- el efecto del uso sobre el mercado potencial o el valor de la obra protegida por derechos de autor.

Ante la duda sobre si el *fair use* cubre la TDM, los tribunales norteamericanos se han pronunciado afirmativamente en varias ocasiones. En *Authors Guild, Inc. v. Google, Inc*[16], en la que se recurrió contra la digitalización masiva de millones de libros de colecciones de bibliotecas de investigación, se determinó que el proyecto de digitalización estaba amparado por el *fair use* y se subrayó que *Google Books* había *"transformado el texto del libro en datos para fines de investigación sustantiva, incluida la minería de datos y de texto en nuevas áreas"*. En el caso conexo *Authors Guild v. HathiTrust*[17] se subrayó que *"las capacidades de búsqueda de la (Biblioteca Digital HathiTrust) ya han dado lugar a nuevos métodos de investigación académica como la minería de textos"*. Los jueces han destacado el beneficio que proporciona para el público esta técnica, porque facilita la recopilación de información y se trata de una funcionalidad altamente transformadora puesto que no sirve como sustituto del trabajo original, sino que tiene un fin completamente diferente[18]. Esto da una gran seguridad jurídica a aquellos que deseen aplicar TDM en los EE. UU., porque saben que no se van a enfrentar a costosos recursos por violación de los derechos de propiedad intelectual. Otros Estados, como Canadá, siguen una lógica similar[19].

No obstante, este acercamiento parece muy lejano del europeo, que se basa en excepciones específicas y con un margen muy inferior de los jueces en el marco de la tradición del *civil law*. Por ello, puede ser interesante mirar a un ordenamiento jurídico más similar al

---

16   *Authors Guild v. Google*, 770 F.Supp.2d 666 (S.D.N.Y. 2011). Rosati, E., "A closer look at the Google Books Library Project decision", *The IPKat*, 17 de noviembre de 2013. Disponible en: http://ipkitten.blogspot.com/2013/11/a-closer-look-at-google-books-library.html (consultada el 19 de febrero de 2020).

17   *Authors Guild v. HathiTrust*, 755 F.3d 87 (2d Cir. 2014).

18   Cox, K. L., *Issue Brief Text and Data Mining and Fair Use in the United States*, Association of Research Libraries, 2015, p. 3. Disponible en: https://www.arl.org/wp-content/uploads/2015/06/TDM-5JUNE2015.pdf (consultada el 19 de febrero de 2020).

19   Geist, M., "Fairness Found: How Canada Quietly Shifted from Fair Dealing to Fair Use", *The Copyright Pentalogy*, University of Ottawa Press, Ottawa, 2013, pp. 157-186.

europeo, como es el japonés. Japón fue el primer país en crear una excepción específica en el marco de la protección de los derechos de autor para la TDM. En 2009 modificó su Ley de protección de los derechos de autor para incluir un artículo 47 *septies,* que establecía que, para el análisis de información mediante el uso de un ordenador, se permitirá realizar una copia de una obra en una memoria o hacer una adaptación de una obra, en la medida que se considere necesario. Como se puede ver, se trataba de una excepción muy amplia, pues no limitaba los sujetos que podían aprovecharse de ella ni diferenciaba entre fines comerciales y no comerciales[20]. El único problema que tenía es que su redacción pronto hizo que se quedara anticuada, lo cual producía cierta inseguridad jurídica. Por ello, en 2018 se adoptó una modificación de la Ley, que entró en vigor en enero de 2019, que tenía por objetivo modernizar su redacción. El nuevo artículo 30 *quater* permite a todos los usuarios analizar trabajos protegidos por derechos de autor para realizar funciones de *aprendizaje profundo*; se considera que, al acceder a datos o información de una forma en la que el usuario no perciba la expresión con derechos de autor de las obras, no causaría ningún daño a los titulares de los derechos. El nuevo artículo 47 *quater* permite copias electrónicas incidentales de obras, reconociendo que este proceso es necesario para llevar a cabo actividades de TDM, y el nuevo artículo 47 *quinquies* permite el uso de obras protegidas por derechos de autor para la verificación de datos al realizar investigaciones[21]. Japón ha hecho todo lo posible por crear un marco jurídico que promocione el uso de la TDM y la inteli-

---

[20]   Caspers, M., Guibault, L., McNeice, K., Piperidis, S., Pouli, K., Eskevich, M. y Gavriilidou, M., *Baseline report of policies and barriers of TDM in Europe (extended version)*, FutureTDM, 2016, p. 75. http://www.futuretdm.eu/knowledge-library/?b5-file=4588&b5-folder=2227 (consultada el 19 de febrero de 2020).

[21]   European Alliance for Research Excellence, "Japan amends its copyright legislation to meet future demands in AI and *Big Data*", *EARE*, 3 de septiembre de 2018. Disponible en: http://eare.eu/japan-amends-tdm-exception-copyright/ (consultada el 19 de febrero de 2020).

gencia artificial, algo de lo que la UE podría aprender[22], y para lo que también modificó su normativa de protección de datos[23].

Habiendo establecido este marco jurídico como contexto, la cuestión es cómo estaba regulado este tema en la UE y si existían las mismas facilidades que en los EE. UU. o Japón. La respuesta es que no, hasta 2019 no hubo una excepción propia para la TDM.

Hasta ese momento existían dos normas de protección de los derechos de propiedad intelectual, que tenían un fuerte impacto en este sector: la Directiva 96/9/CE sobre la protección jurídica de las bases de datos[24] y la Directiva 2001/29/CE relativa a la armonización de determinados aspectos de los derechos de autor y derechos afines a los derechos de autor en la sociedad de la información[25]. Ambas contemplaban algunas excepciones que podrían haberse aplicado a la TDM, pero con bastantes dificultades[26].

Quizás la excepción más apropiada sería la que existía en ambas Directivas, que daba la posibilidad de que los Estados establecieran

---

[22]   Gascón Marcén, A., *Society 5.0: EU-Japanese cooperation and the opportunities and challenges posed by the data economy*. ARI 11/2020. Real Instituto Elcano. Disponible en: http://www.realinstitutoelcano.org/wps/portal/rielcano_en/contenido?WCM_GLOBAL_CONTEXT=/elcano/elcano_in/zonas_in/ari11-2020-gascon-society-5-0-eu-japanese-cooperation-and-opportunities-and-challenges-posed-by-data-economy (consultada el 19 de febrero de 2020).

[23]   Gascón Marcén, A., "La nueva protección de datos personales: una mirada a Japón desde Europa", *Los derechos individuales en el ordenamiento japonés*, Aranzadi, 2016, pp. 129-148.

[24]   Directiva 96/9/CE del Parlamento Europeo y del Consejo, de 11 de marzo de 1996, sobre la protección jurídica de las bases de datos, DOUE L 77, 27.3.1996, pp. 20-28.

[25]   Directiva 2001/29/CE del Parlamento Europeo y del Consejo, de 22 de mayo de 2001, relativa a la armonización de determinados aspectos de los derechos de autor y derechos afines a los derechos de autor en la sociedad de la información, DOUE L 167, 22.6.2001, pp. 10-19.

[26]   Para una visión más pormenorizada de las posibles excepciones a los derechos de protección intelectual protegidos en la UE aplicables a las técnicas de TDM véase: Geiger, C., Frosio, G. y Bulayenko, O., *The Exception for Text and Data Mining (TDM) in the Proposed Directive on Copyright in the Digital Single Market – Legal Aspects*, European Union, 2018. Disponible en: https://www.europarl.europa.eu/RegData/etudes/IDAN/2018/604941/IPOL_IDA(2018)604941_EN.pdf (consultada el 19 de febrero de 2020).

(si querían) excepciones o limitaciones a los derechos protegidos en caso de uso para investigación científica con finalidad no comercial[27]. No obstante, el hecho de ser sólo una opción hizo que se adoptara en algunos países, como Reino Unido, que fue el primer Estado miembro en adoptar la citada excepción en 2014[28]; después le seguirían otros, como Francia[29], Alemania, Estonia o Italia. Incluso cuando se adoptó se hizo de manera muy dispar, lo que tuvo como resultado una fragmentación normativa del mercado único, y es que la posibilidad dada a los Estados de poder introducir ciertas excepciones en su régimen interno según su voluntad difícilmente puede llevar a la armonización. Cabe recordar que la UE fomenta la investigación conjunta de entidades de varios Estados, haciéndolo un requisito de su financiación a través del programa Horizonte 2020 y su sucesor Horizonte Europa, lo cual no se ve facilitado con normativas dispares. Además, estas excepciones eran muy limitadas porque dejaban fuera cualquier aplicación con fines comerciales.

A esto se suma que requerir una licencia adicional para TDM da beneficios generales a los titulares de derechos sin ningún efecto incentivo, porque cuando los autores crean la obra no esperan beneficios por la aplicación de una técnica que probablemente ni conocen. Sin embargo, crea grandes dificultades -en ocasiones insuperables- a los que quieren usar TDM. Por lo tanto, se argumenta que la relevancia de los derechos de autor en este tipo de uso puede ser muy discutida, y limitarlo no debería considerarse como una explotación razonable de la obra[30].

---

[27]   Art. 5.3.a de la Directiva 2001/29/CE y art. 6.2.b de la Directiva 96/9/CE.
[28]   *The Copyright and Rights in Performances (Research, Education, Libraries and Archives) Regulations* 2014 que modificó la *Copyrights, Designs and Patents Act*. Disponible en:
       http://www.legislation.gov.uk/uksi/2014/1372/contents/made (consultada el 19 de febrero de 2020).
[29]   *Loi núm. 2016-1321 du 7 octobre 2016 pour une République numérique* que modificó el *Code de la Propriété Intellectuelle*. Disponible en:
       https://www.legifrance.gouv.fr/affichLoiPubliee.do?idDocument=JORFDOLE 000031589829&type=general&legislature=14 (consultada el 19 de febrero de 2020).
[30]   Rognstad, O.A. y Port, J., "The Right to Reasonable Explotation Concretized: An Incentive Base Approach", *Copyright Reconstructed: Rethinking Copyright's*

Los investigadores europeos se veían claramente desincentivados por estas barreras legales y han sido ampliamente superados por los de países como China o EE.UU., donde el uso de TDM se ha desarrollado mucho más[31]. Incluso en algunos casos los investigadores europeos se ven obligados a llevar a cabo TDM en Estados terceros que les ofrecen mayor seguridad jurídica[32]. Esta legislación ilustra, en opinión de Margoni y Dore, cómo ciertas disposiciones legales reprimen el desarrollo científico, en lugar de fomentarlo, con un daño significativo para los investigadores e instituciones de investigación con sede en la UE y para la competitividad socioeconómica europea en general[33].

Como se puede apreciar, esta fragmentación y barreras normativas parecen poco coherentes con la consecución de un auténtico mercado único digital, una de las prioridades de la Comisión Europea, y fueron muchos los que expresaron la necesidad de que esta propusiera una nueva excepción para la TDM[34]. El Parlamento Europeo en 2015 destacó la necesidad de evaluar adecuadamente la autorización de técnicas analíticas automatizadas para texto y datos[35].

Economic Rights in a Time of Highly Dynamic Technological and Economic Change, Kluwer Law International, 2018, p. 144.

[31]   Filippov, S., *Mapping Text and Data Mining in Academic and Research Communities in Europe*, The Lisbon Council Issue 16/2014, pp. 1 y 2.

[32]   Filippov, S. y Hofheinz, P., *Text and Data Mining for Research and Innovation: What Europe Must Do Next*, The Lisbon Council Issue 20/2016, p. 3. Disponible en:
https://lisboncouncil.net/publication/publication/134-text-and-data-mining-for-research-and-innovation-.html (consultada el 19 de febrero de 2020).

[33]   Margoni, T. y Dore, G., "Why We Need a Text and Data Mining Exception (But it is Not Enough)", *Actas del Congreso Interop 2016*, p. 57. Disponible en:
https://interop2016.github.io/pdf/INTEROP-13.pdf (consultada el 19 de febrero de 2020).

[34]   Triaille, J.P., de Meeûs d'Argenteuil, J. y de Francquen, A., *Study on the legal framework of text and data mining (TDM)*, Comisión Europea, 2014, p. 116. Disponible en:
https://publications.europa.eu/en/publication-detail/-/publication/074ddf78-01e9-4a1d-9895-65290705e2a5/language-en (consultada el 19 de febrero de 2020).

[35]   Resolución del Parlamento Europeo, de 9 de julio de 2015, sobre la aplicación de la Directiva 2001/29/CE del Parlamento Europeo y del Consejo, de 22 de mayo de 2001, relativa a la armonización de determinados aspectos de los derechos

3. LAS EXCEPCIONES PARA LA MINERÍA DE TEXTOS Y DATOS EN LA REFORMA DE LA PROTECCIÓN DE LA PROPIEDAD INTELECTUAL

3.1. Propuesta de la Comisión Europea

La propia Comisión Europea reconoció que la regulación existente sobre TDM no era la apropiada porque: las excepciones y limitaciones tenían carácter optativo y no estaban plenamente adaptadas al uso de las tecnologías en la investigación científica; en los casos en que los investigadores podían acceder lícitamente a los contenidos (por ejemplo, a través de suscripciones a publicaciones o licencias de acceso abierto), las condiciones de las licencias podían excluir la TDM; la creciente utilización de las tecnologías digitales en las actividades de investigación podía afectar a la posición competitiva de la UE como espacio de investigación, a menos que se tomaran medidas para eliminar la inseguridad jurídica existente en materia de minería de textos y datos[36].

Se consideraron cuatro posibles soluciones en la propuesta de Directiva que presentó la Comisión para adaptar los derechos de autor al nuevo mercado único digital[37]. La opción 1 consistía en iniciativas de autorregulación por parte del sector, sin crear regulación a nivel de la UE; la opción 2 era crear una excepción en la Directiva, pero esta solo sería aplicable a los usos con fines no comerciales de investigación científica (en línea con lo que existía en ese momento); la opción 3 autorizaba usos con fines comerciales de investigación científica, pero limitaba los beneficiarios de la excepción; la opción 4 iba más allá, ya que no restringía los beneficiarios[38]. La Comisión consideró que la opción 3 era la más proporcionada.

---

de autor y derechos afines a los derechos de autor en la sociedad de la información (2014/2256(INI)).

[36] Considerando 9 de la Propuesta de Directiva del Parlamento Europeo y del Consejo sobre los derechos de autor en el mercado único digital, COM/2016/0593final.

[37] Propuesta de Directiva del Parlamento Europeo y del Consejo sobre los derechos de autor en el mercado único digital, COM/2016/0593final.

[38] *Commission Staff Working Document Impact Assessment on the modernisation of EU copyright rules*, SWD(2016)301final.

Al final, la Comisión incluyó un artículo 3 en su propuesta, dedicado específicamente a la excepción obligatoria para la TDM, que cubría a los organismos de investigación con fines de investigación científica cuando tuvieran acceso legítimo a las obras. Esta opción mejoraba la seguridad jurídica y reducía los costes de adquisición de derechos para los centros de investigación que actúan en interés público, incluso cuando los proyectos de investigación tengan un posible resultado comercial. La condición de acceso legal prevista para el uso de esta excepción buscaba garantizar que no afectase al mercado de suscripción de los titulares de derechos[39].

Esta propuesta fue criticada por varias razones. Por un lado, porque la TDM debe considerarse solo como una primera, aunque importante, técnica de análisis de datos, por lo que, en opinión de Hilty y Richter, someter la TDM a una regla aislada conduciría a un desarrollo legal fragmentario e incoherente a largo plazo. En cambio, según ellos, solo los enfoques normativos holísticos que se adaptan a las interrelaciones generales de intereses pueden dar cuenta de la importancia social y económica de los análisis de datos. Además, también mostraban preocupación porque la propuesta de Directiva asumía que la TDM es de particular beneficio para la investigación científica y, sin embargo, esto no debe llevar a la conclusión de que la TDM no tiene el mismo alto potencial de innovación y descubrimiento para fines más allá de la investigación científica, por ejemplo, para las nuevas empresas o los periodistas[40].

En la misma línea, Margoni y Kretschmer consideraron la propuesta insatisfactoria y falta de ambición, porque el limitado número de beneficiarios no estaba justificado ya que excluía importantes sectores económicos y a las PYME, que no se podrían beneficiar de una herramienta de innovación de crucial importancia al encontrar insu-

---

[39]   *Documento de Trabajo de los Servicios de la Comisión. Resumen de la Evaluación de Impacto relativa a la modernización de la normativa sobre derechos de autor de la UE*, SWD(2016) 302 final.

[40]   Hilty, R.M. y Richter, H., *Position Statement of the Max Planck Institute for Innovation and Competition on the Proposed Modernisation of European Copyright Rules. PART B. Exceptions and Limitations. Chapter 1. Text and Data Mining*, 2017, pp. 3-4. Disponible en: https://pure.mpg.de/rest/items/item_2383669_7/component/file_2409840/content (consultada el 19 de febrero de 2020).

perables barreras a la hora de entrar en el mercado. Esto contrasta claramente, en su opinión, con derechos fundamentales tales como la libertad de expresión y la libertad de hacer negocios (arts. 11 y 16 de la Carta de los Derechos Fundamentales de la UE). Además, excluía otros propósitos comúnmente aceptados como fundamentales en las sociedades democráticas, como el periodismo[41].

Rosati también consideró que limitar la excepción a los organismos de investigación no tenía sentido por tres razones. Primero, porque, al menos en Europa, no son ellos los que se dedican principal o exclusivamente a las actividades de TDM. Segundo, porque, aunque ciertos editores ofrecen la posibilidad de realizar actividades de TDM como parte de sus modelos de licencia, ese no es el caso de todos. La razón final se relaciona con la naturaleza de la TDM, porque el acceso, la extracción y la copia de contenido para fines de investigación son etapas incidentales que no resultan en la reutilización externa de partes protegibles (expresivas) de una obra, sino que son más bien funcionales para acceder a aquellas partes que no están protegidas, incluidas las ideas, datos y hechos considerados por sí mismos[42].

3.2. La Directiva (UE) 2019/790 sobre los derechos de autor y derechos afines en el mercado único digital

La citada propuesta siguió el procedimiento legislativo ordinario[43], lo que significa que el Parlamento Europeo y el Consejo de la UE debían ponerse de acuerdo para su adopción y podían realizar las modificaciones que consideraran pertinentes. Durante las discusiones en el Grupo de Trabajo del Consejo, siguiendo una propuesta de la delegación holandesa, se agregó una nueva excepción opcional

---

[41] Kretschmer, M. y Margoni, T., "Data mining: why the EU's proposed copyright measures get it wrong", *The Conversation*, 24 de mayo de 2018. Disponible en: https://theconversation.com/data-mining-why-the-eus-proposed-copyright-measures-get-it-wrong-96743 (consultada el 19 de febrero de 2020).

[42] Rosati, E., "An EU text and data mining exception for the few: would it make sense?", *Journal of Intellectual Property Law & Practice*, vol. 13, núm. 6, 2018, pp. 429–430. Disponible en: https://doi.org/10.1093/jiplp/jpy063 (consultada el 19 de febrero de 2020).

[43] Conforme a los artículos 53.1, 62 y 114 del Tratado de Funcionamiento de la UE.

LA EXCEPCIÓN PARA LA MINERÍA DE TEXTOS Y DATOS EN LA REFORMA
DE LA PROTECCIÓN DE LOS DERECHOS DE AUTOR EN EL MERCADO
DIGITAL DE LA UNIÓN EUROPEA

263

que permitía condicionalmente TDM para fines comerciales. Al final, el Parlamento Europeo también otorgó el estatus obligatorio a esa excepción. Desgraciadamente, muchas de las enmiendas presentadas por miembros del Parlamento Europeo para mejorar la propuesta no tuvieron éxito y no aparecen en el texto final[44].

El proceso legislativo fue complicado porque la Directiva contenía algunos apartados bastante controvertidos, como el artículo 13 de la propuesta, que terminaría siendo el 17 de la Directiva, que fomentaba la creación de filtros previos por los intermediarios. Fue criticada, entre otros, por el Relator especial de Naciones Unidas para la promoción y protección del derecho a la libertad de opinión y expresión[45], algunas de las personas que hicieron posible la existencia de Internet como Vint Cerf o Tim Berners-Lee[46], o algunos de los más reputados investigadores europeos en la materia[47]. No obstante, ese no es el objeto de este trabajo.

Finalmente, pese a todas las críticas, se adoptó la Directiva (UE) 2019/790 del Parlamento Europeo y del Consejo, de 17 de abril de 2019, sobre los derechos de autor y derechos afines en el mercado único digital[48]. La Directiva contiene dos artículos dedicados a la TDM: el artículo 3, dedicado a los casos de TDM para fines de investigación

---

[44]   Véanse, por ejemplo, las modificaciones propuestas al texto en la enmienda 538 presentada por Julia Reda, Nessa Childers, Max Andersson, Michel Reimon y Brando Benifei que buscaba eliminar cualquier referencia a los organismos de investigación, los fines de investigación y el acceso legal.

[45]   Carta de Kaye, D., de 13 de junio de 2018, OTH41/2018. Disponible en: https://www.ohchr.org/Documents/Issues/Opinion/Legislation/OL-OTH-41-2018.pdf
(consultada el 19 de febrero de 2020).

[46]   Carta conjunta al Presidente del Parlamento Europeo de 12 de junio de 2018. Disponible en:
https://www.eff.org/files/2018/06/13/article13letter.pdf (consultada el 19 de febrero de 2020).

[47]   Carta conjunta a la Comisión Europea de 30 de septiembre de 2016. Disponible en:
https://peepbeep.files.wordpress.com/2016/10/30-september-2016-openletter-commission-w-s1.pdf (consultada el 19 de febrero de 2020).

[48]   Directiva (UE)2019/790 del Parlamento Europeo y del Consejo, de 17 de abril de 2019, sobre los derechos de autor y derechos afines en el mercado único digital y por la que se modifican las Directivas 96/9/CE y 2001/29/CE, DOUE L 130 de 17.5.2019, pp. 92-125.

científica, y el 4, que contiene una cláusula complementaria para los que no se puedan valer de la anterior.

El artículo 3.1 establece que los Estados miembros establecerán una excepción con respecto a las reproducciones y extracciones realizadas por organismos de investigación e instituciones responsables del patrimonio cultural con el fin de realizar, con fines de investigación científica, minería de textos y datos de obras u otras prestaciones a las que tengan acceso lícito. La excepción es obligatoria para todos los Estados -lo que cambia considerablemente el marco legislativo- y no queda limitada a fines no comerciales, pero sí aparecen muy limitados los beneficiarios.

El Parlamento Europeo y el Consejo añadieron varios considerandos a la redacción de la Comisión para aclarar varios de estos conceptos. Según el considerando 12 de la Directiva, el término "investigación científica" debe entenderse que engloba tanto las ciencias naturales como las ciencias humanas. Respecto a los "organismos de investigación", estos comprenden, además de las universidades y otros centros de educación superior y sus bibliotecas, entidades como los institutos de investigación y los hospitales que llevan a cabo investigaciones, y suelen desarrollar sus actividades sin fines lucrativos o en el contexto de una misión de interés público reconocida por el Estado. No han de considerarse organismos de investigación a los efectos de la Directiva aquellos organismos sobre los que las empresas comerciales tienen una influencia decisiva que permite a dichas empresas ejercer el control debido a situaciones estructurales, lo cual podría dar lugar a un acceso preferente a los resultados de la investigación. Un problema de esta definición es que deja fuera a los investigadores que no estén afiliados a un organismo de investigación.

Según el considerando 11, teniendo en cuenta que la propia UE anima a las universidades y los institutos de investigación a colaborar con el sector privado, los organismos de investigación también han de poder acogerse a la excepción cuando sus actividades de investigación se lleven a cabo en el marco de asociaciones público-privadas.

Respecto al "acceso lícito", el considerando 4 de la Directiva aclara que debe entenderse como el acceso a contenidos basado en una política de acceso abierto o por medio de disposiciones contractuales entre titulares de derechos y organismos de investigación o institucio-

LA EXCEPCIÓN PARA LA MINERÍA DE TEXTOS Y DATOS EN LA REFORMA
DE LA PROTECCIÓN DE LOS DERECHOS DE AUTOR EN EL MERCADO
DIGITAL DE LA UNIÓN EUROPEA

265

nes responsables del patrimonio cultural, como suscripciones, o por otros medios lícitos. Por ejemplo, en el caso de las suscripciones realizadas por organismos de investigación, se considera que las personas vinculadas a ellas y amparadas por esas suscripciones también tienen acceso lícito. El acceso lícito también comprende el acceso a contenidos disponibles de forma gratuita en línea.

El artículo 3.2 establece que las copias de obras u otras prestaciones hechas de conformidad con el apartado 1 podrán conservarse con fines de investigación científica, en particular para la verificación de resultados de la investigación.

El considerando 17 recoge que, habida cuenta de la naturaleza y el ámbito de aplicación de la excepción, limitados a las entidades que realizan actividades de investigación científica, el posible perjuicio para los titulares de derechos que pueda derivarse de esta excepción sería mínimo. En consecuencia, los Estados miembros no deben prever una indemnización para los titulares de derechos por los usos al amparo de las excepciones aplicables a TDM establecidas en la Directiva.

La excepción del artículo 3 se complementa con la del artículo 4 para el resto de beneficiarios y fines. Los Estados miembros establecerán una excepción o limitación con respecto a las reproducciones y extracciones de obras y otras prestaciones accesibles de forma legítima para fines de TDM. En el segundo apartado del artículo, se aclara que las reproducciones y extracciones realizadas podrán conservarse sólo durante el tiempo que sea necesario para fines de TDM. En el apartado 4.3, se añade que esta excepción se aplicará a condición de que el uso de las obras y otras prestaciones no esté reservado expresamente por los titulares de derechos de manera adecuada, como medios de lectura mecánica en el caso del contenido puesto a la disposición del público en línea (por ejemplo, a través de "robots.txt").

Hugenholtz critica que la cláusula de exclusión voluntaria del artículo 4 deja a los "mineros" con fines de lucro a merced de los propietarios del contenido, y esto pone a los desarrolladores de inteligencia artificial, periodistas, laboratorios de investigación comercial y otros innovadores en desventaja competitiva en comparación con los de EE.UU. El autor incluso se plantea si la innovación en Europa no hubiera estado mejor servida sin ninguna de las excepciones TDM

Ana Gascón Marcén

en la nueva Directiva[49]. Jiménez Serranía defiende que los efectos de las excepciones en la práctica quedan mitigados por el encorsetamiento de su formulación, que es susceptible de generar distorsiones competitivas, abogando por la adopción de un derecho de autor más "flexible"[50].

Se ha argumentado que la excepción para TDM debería ser mucho más amplia y cubrir cualquier tipo de uso, porque cuando hay un acceso lícito a una obra debería permitirse su "lectura" por parte de una máquina, al igual que la lectura humana de dichas obras no requiere una autorización adicional del titular de los derechos de autor[51].

Ambas excepciones se aplican a los mismos medios, salvo en lo relativo a los programas de ordenador[52], que no están cubiertos por el artículo 3, pero sí por el 4. Es decir, la excepción obligatoria para los organismos de investigación no se puede usar para realizar TDM de *software*, lo cual no resulta del todo comprensible.

Un elemento positivo de la norma es que el artículo 7 de la Directiva (UE) 2019/790 extiende la protección frente a las medidas tecnológicas que pudieran bloquear el disfrute de las excepciones de los artículos 3 y 4. Según establece el artículo 6.4 de la Directiva 2001/29/CE, los Estados miembros tomarán las medidas pertinentes para que los titulares de los derechos faciliten al beneficiario de la excepción los medios adecuados para disfrutar de la misma, siempre y cuando

---

[49]   Hugenholtz, B., "The New Copyright Directive: Text and Data Mining (Articles 3 and 4)", *Kluwer Copyright Blog*, 24 de julio de 2019. Disponible en: http://copyrightblog.kluweriplaw.com/2019/07/24/the-new-copyright-directive-text-and-data-mining-articles-3-and-4/ (consultada el 19 de febrero de 2020).

[50]   Jiménez Serranía, V., "Datos, minería e innovación: ¿Qvo vadis, Europa? Análisis sobre las nuevas excepciones para la minería de textos y datos", *Cuadernos de Derecho Transnacional*, vol. 12, núm. 1, 2020, pp. 247-258.

[51]   Caspers, M. y Guibault, L., "A right to 'read' for machines: Assessing a black-box analysis exception for data mining", *Proceedings of the Association for Information Science and Technology Computer Science*, vol. 53, núm. 1, 2016, pp. 1-5. Disponible en: https://asistdl.onlinelibrary.wiley.com/doi/epdf/10.1002/pra2.2016.14505301017 (consultada el 19 de febrero de 2020).

[52]   Cubiertos por la Directiva 2009/24/CE del Parlamento Europeo y del Consejo, de 23 de abril de 2009, sobre la protección jurídica de programas de ordenador, DOUE L 111 de 5.5.2009, pp. 16-22.

dicho beneficiario tenga legalmente acceso a la obra o prestación protegidas.

La Directiva (UE) 2019/790 debe ser transpuesta a los ordenamientos nacionales a más tardar el 7 de junio de 2021[53]. La efectividad de las excepciones va a depender de las medidas concretas que tomen los Estados miembros. Además, según el considerando 5 pueden seguir aplicando las excepciones y limitaciones que hubieran establecido conforme a las Directivas 96/9/CE y 2001/29/CE, siempre que no limiten el ámbito de aplicación de las excepciones o limitaciones obligatorias establecidas en la Directiva (UE)2019/790, las cuales, en algunos casos, pueden ser más generosas.

Communia[54] y la Asociación Europea de Bibliotecas de Investigación elaboraron una Guía para promover la correcta transposición de la Directiva en la que sugieren medidas concretas que se pueden tomar a nivel nacional. Uno de los consejos que dan es exigir que se establezcan períodos en los que se tenga que facilitar el acceso a los textos y datos en un plazo limitado de tiempo cuando se encuentren barreras tecnológicas que lo bloqueen, por ejemplo, un máximo de 72 horas[55]. Lo que se busca es que la excepción sea efectiva, porque los Estados pueden asegurarse de que se toman las medidas necesarias o, por el contrario, hacer tan oneroso su ejercicio que las vacíe de significado.

4. CONCLUSIONES

La creación de la excepción en la UE es un paso en la buena dirección porque mejora la seguridad jurídica, elemento fundamental para el uso de TDM. No obstante, la redacción finalmente adoptada

---

[53]   Art. 29.1 Directiva (UE) 2019/790.
[54]   Se trata de una asociación que aboga por políticas que amplíen el dominio
       público y aumenten el acceso y la reutilización de la cultura y el conocimiento.
       Véase https://www.communia-association.org (consultada el 19 de febrero de
       2020).
[55]   White, B. y Bogataj Jančič, M., "Articles 3-4: Text and data mining", *Guidelines for the Implementation of the DSM Directive*, Communia y Liber, 2019.
       Disponible   en: https://www.notion.so/Articles-3-4-Text-and-data-mining-
       9be17090ebc545b88ed9ac7d39e4e25a (consultada el 19 de febrero de 2020).

por el Parlamento Europeo y por el Consejo va a hacer que se pierdan muchas oportunidades, porque la excepción del artículo 3 es demasiado limitada. No se entiende, por ejemplo, que los periodistas que realizan una función esencial en las sociedades democráticas no disfruten de la excepción. Si lo que se intenta es fomentar la innovación en Europa, esto no se consigue protegiendo solo a los organismos de investigación, porque mucha de la investigación que se lleva a cabo en el continente la realizan entidades privadas. Además, el artículo 4 supone que solo las empresas ya consolidadas van a poder, en muchos casos, pagar las licencias necesarias para poder realizar TDM; quedarán fuera las empresas que tienen una buena idea de negocio basado en TDM, pero que no cuenten con un capital importante para ponerse en marcha. También se desincentiva la creación de *spin-off* universitarias, porque en el momento en que se conviertan en empresas dejarán de estar cubiertas por el artículo 3.

Los artículos 3 y 4 no consiguen poner a Europa a un nivel similar al de países como EE. UU. o Japón, donde, como se ha explicado, las excepciones son mucho más amplias. Además, con la salida del Reino Unido de la UE, es probable que este país, que ya no tendrá que seguir las normas de la UE y que fue el primero en crear la excepción sobre TDM, aproveche para crear una normativa más ventajosa para el desarrollo digital. Boris Johnson ya criticó en su momento la Directiva (aunque no hubiera podido aprobarse sin el apoyo del Reino Unido) y su Secretario de Estado de Negocios, Energía y Estrategia Industrial afirmó que el Gobierno no tenía intención de transponer la citada Directiva[56].

La Directiva no cumple con el objetivo de la Comisión de terminar con las desventajas competitivas de la UE en la materia, sino que se trata de una oportunidad perdida que, teniendo en cuenta lo difícil que ha sido aprobar la Directiva, parece improbable que se pueda reabrir en un futuro cercano. Desde luego, no parece estar en línea

---

[56] Respuesta de Chris Skidmore de 21 de enero de 2020 a la pregunta parlamentaria de Jo Stevens 4371 sobre *Copyright: EU Action*. Disponible en: https://www.parliament.uk/business/publications/written-questions-answers-statements/written-question/Commons/2020-01-16/4371 (consultada el 19 de febrero de 2020). Véase BBC, "Article 13: UK will not implement EU copyright law", *BBC News*, 24 de enero de 2020. Disponible en: https://www.bbc.com/news/technology-51240785 (consultada el 19 de febrero de 2020).

LA EXCEPCIÓN PARA LA MINERÍA DE TEXTOS Y DATOS EN LA REFORMA
DE LA PROTECCIÓN DE LOS DERECHOS DE AUTOR EN EL MERCADO
DIGITAL DE LA UNIÓN EUROPEA

269

con la prioridad de la actual Comisión Europea de preparar a Europa para la era digital[57].

Ahora hay que estar pendientes de la transposición de la Directiva por los diferentes Estados para ver las opciones que estos toman y si, al menos, intentan sacarles todo el provecho posible a las excepciones y hacerlas efectivas. Además, esta es una cuestión que no solo requiere un régimen jurídico apropiado, sino otras medidas que fomentan la innovación, como financiación y recursos (también personales) para la investigación y fomento del espíritu emprendedor.

Por otra parte, y antes de finalizar, es necesario aclarar que, si bien deben crearse excepciones útiles en la normativa de protección de los derechos de autor para fomentar el conocimiento, esto no quiere decir que la aplicación de la TDM no plantee otras cuestiones jurídicas muy relevantes que merecen un estudio pormenorizado. Existen problemas relativos a los sesgos discriminatorios de la aplicación de determinados algoritmos y los datos con los que se entrenan. Ciertas tecnologías, además, crean serios riesgos de violación del derecho a la protección de datos personales recogido en el artículo 8 de la Carta de los Derechos Fundamentales de la UE, desarrollado en el Reglamento General de Protección de Datos[58]. Un ejemplo sería alguno de los retos que plantea el reconocimiento facial[59].

Todo esto supone que la UE tiene que crear un marco jurídico coherente en materia de TDM que, por un lado, fomente la innovación y, por otro, defienda los derechos humanos.

---

[57]   von der Leyen, U., *Orientaciones políticas para la próxima Comisión Europea 2019-2024. Una Unión que se esfuerza por lograr más resultados. Mi agenda para Europa*, 2019. Disponible en: https://ec.europa.eu/commission/sites/beta-political/files/political-guidelines-next-commission_es.pdf (consultada el 19 de febrero de 2020).

[58]   Reglamento (UE) 2016/679 del Parlamento Europeo y del Consejo, de 27 de abril de 2016, relativo a la protección de las personas físicas en lo que respecta al tratamiento de datos personales y a la libre circulación de estos datos y por el que se deroga la Directiva 95/46/CE, DOUE L 119 de 4.5.2016, pp. 1-88.

[59]   Agencia de los Derechos Fundamentales de la Unión Europea, *Facial recognition technology: fundamental rights considerations in the context of law enforcement*, 2019. Disponible en: https://fra.europa.eu/en/publication/2019/facial-recognition-technology-fundamental-rights-considerations-context-law (consultada el 19 de febrero de 2020).

BIBLIOGRAFÍA

Agencia de los Derechos Fundamentales de la Unión Europea, *Facial recognition technology: fundamental rights considerations in the context of law enforcement*, 2019. Disponible en: https://fra.europa.eu/en/publication/2019/facial-recognition-technology-fundamental-rights-considerations-context-law (consultada el 19 de febrero de 2020).

Asian, S., Ertek, G., Haksoz, C., Pakter, S., y Ulun, S., "Wind turbine accidents: A data mining study", *IEEE Systems Journal*, vol. 11, núm. 3, 2016, pp. 1567-1578.

BBC, "Article 13: UK will not implement EU copyright law", *BBC News*, 24 de enero de 2020. Disponible en: https://www.bbc.com/news/technology-51240785 (consultada el 19 de febrero de 2020).

Borgesius, F. Z., *Discrimination, artificial intelligence, and algorithmic decision-making*, Council of Europe, Estrasburgo, 2018.

Brown, D. E., "Text mining the contributors to rail accidents.", *IEEE Transactions on Intelligent Transportation Systems*, vol. 17, núm. 2, 2015, pp. 346-355.

Caspers, M. y Guibault, L., "A right to 'read' for machines: Assessing a black-box analysis exception for data mining", *Proceedings of the Association for Information Science and Technology Computer Science*, vol. 53, núm. 1, 2016, pp. 1-5. Disponible en: https://asistdl.*online*library.wiley.com/doi/epdf/10.1002/pra2.2016.14505301017 (consultada el 19 de febrero de 2020).

Caspers, M., Guibault, L., McNeice, K., Piperidis, S., Pouli, K., Eskevich, M., y Gavriilidou, M., *Baseline report of policies and barriers of TDM in Europe (extended version)*, FutureTDM, 2016. Disponible en: http://www.futuretdm.eu/knowledge-library/?b5-file=4588&b5-folder=2227 (consultada el 19 de febrero de 2020).

Cox, K. L., *Issue Brief Text and Data Mining and Fair Use in the United States*, Association of Research Libraries, 2015. Disponible en: https://www.arl.org/wp-content/uploads/2015/06/TDM-5JUNE2015.pdf (consultada el 19 de febrero de 2020).

Ducato, R. y Strowel, A. M., *Limitations to Text and Data Mining and Consumer Empowerment: Making the Case for a Right to Machine Legibility*, CRIDES Working Paper Series, 2018.

European Alliance for Research Excellence, "Japan amends its copyright legislation to meet future demands in AI and *Big Data*", *EARE*, 3 de septiembre de 2018. Disponible en: http://eare.eu/japan-amends-tdm-exception-copyright/ (consultada el 19 de febrero de 2020).

Filippov, S. y Hofheinz, P., *Text and Data Mining for Research and Innovation: What Europe Must Do Next*, The Lisbon Council Issue 20/2016.

Filippov, S., *Mapping Text and Data Mining in Academic and Research Communities in Europe*, The Lisbon Council Issue 16/2014.

Frawley, W.J., Piatetsky-Shapiro, G. y Matheus, C.J., "Knowledge discovery in databases: An overview", *AI Magazine,* vol. 13 núm. 3, 1992, pp. 57-60.

Gascón Marcén, A., "La nueva protección de datos personales: una mirada a Japón desde Europa", *Los derechos individuales en el ordenamiento japonés*, Aranzadi, 2016, pp. 129-148.

Gascón Marcén, A., *Society 5.0: EU-Japanese cooperation and the opportunities and challenges posed by the data economy.* ARI 11/2020. Real Instituto Elcano. Disponible en: http://www.realinstitutoelcano.org/wps/portal/rielcano_en/contenido?WCM_GLOBAL_CONTEXT=/elcano/elcano_in/zonas_in/ari11-2020-gascon-society-5-0-eu-japanese-cooperation-and-opportunities-and-challenges-posed-by-data-economy (consultada el 19 de febrero de 2020).

Geiger, C., Frosio, G. y Bulayenko, O., *The Exception for Text and Data Mining (TDM) in the Proposed Directive on Copyright in the Digital Single Market – Legal Aspects,* European Union, 2018. Disponible en: https://www.europarl.europa.eu/RegData/etudes/IDAN/2018/604941/IPOL_IDA(2018)604941_EN.pdf (consultada el 19 de febrero de 2020).

Geist, M., "Fairness Found: How Canada Quietly Shifted from Fair Dealing to Fair Use", en *The Copyright Pentalogy,* University of Ottawa Press, Ottawa, 2013, pp. 157-186.

Gonzalez, G. H., Tahsin, T., Goodale, B. C., Greene, A. C., y Greene, C. S., "Recent advances and emerging applications in text and data mining for biomedical discovery", *Briefings in bioinformatics*, vol. 17, núm. 1, 2016, pp. 33-42.

Gupta, R. y Gill, N.S., "Financial statement fraud detection using text mining" Editorial Preface, 2012, vol. 3, núm. 12, pp. 189-191.

Han, J., Pei, J. y Kamber, M., *Data mining: concepts and techniques*, 3ª ed., Elsevier, 2011.

Hassan, N., Adair, B., Hamilton, J. T., Li, C., Tremayne, M., Yang, J., y Yu, C., "The quest to automate fact-checking", *Proceedings of the 2015 Computation+ Journalism Symposium*, July 2015.

Hilty, R. M. y Richter, H., *Position Statement of the Max Planck Institute for Innovation and Competition on the Proposed Modernisation of European Copyright Rules. PART B. Exceptions and Limitations. Chapter 1. Text and Data Mining*, 2017. Disponible en: https://pure.mpg.de/rest/items/item_2383669_7/component/file_2409840/content (consultada el 19 de febrero de 2020).

Hugenholtz, B., "The New Copyright Directive: Text and Data Mining (Articles 3 and 4)", *Kluwer Copyright Blog*, 24 de julio de 2019. Disponible en: http://copyrightblog.kluweriplaw.com/2019/07/24/the-new-copyright-directive-text-and-data-mining-articles-3-and-4/ (consultada el 19 de febrero de 2020).

Jiménez Serranía, V., "Datos, minería e innovación: ¿Qvo vadis, Europa? Análisis sobre las nuevas excepciones para la minería de textos y datos", *Cuadernos de Derecho Transnacional*, vol. 12, núm. 1, 2020, pp. 247-258.

Kretschmer, M. y Margoni, T., "Data mining: why the EU's proposed copyright measures get it wrong", *The Conversation*, 24 de mayo de 2018. Disponible en: https://theconversation.com/data-mining-why-the-eus-proposed-copyright-measures-get-it-wrong-96743 (consultada el 19 de febrero de 2020).

Margoni, T. y Dore, G., "Why We Need a Text and Data Mining Exception (But it is Not Enough)", *Actas del Congreso Interop 2016*, pp. 57-59. Disponible en: https://interop2016.github.io/pdf/INTEROP-13.pdf (consultada el 19 de febrero de 2020).

LA EXCEPCIÓN PARA LA MINERÍA DE TEXTOS Y DATOS EN LA REFORMA
DE LA PROTECCIÓN DE LOS DERECHOS DE AUTOR EN EL MERCADO
DIGITAL DE LA UNIÓN EUROPEA

273

Propp, K., "Waving the flag of digital sovereignty", *Atlantic Council*, 11 de diciembre de 2019. Disponible en: https://www.atlanticcouncil.org/blogs/new-atlanticist/waving-the-flag-of-digital-sovereignty/ (consultada el 19 de febrero de 2020).

Remler, D., "Are 90% of academic papers really never cited? Reviewing the literature on academic citations", *London School of Economics*, 23 de abril de 2014. Disponible en: https://blogs.lse.ac.uk/impactofsocialsciences/2014/04/23/academic-papers-citation-rates-remler/ (consultada el 19 de febrero de 2020).

Rognstad, O.A. y Port, J., "The Right to Reasonable Explotation Concretized: An Incentive Base Approach", en *Copyright Reconstructed: Rethinking Copyright's Economic Rights in a Time of Highly Dynamic Technological and Economic Change*, Kluwer Law International, 2018, pp. 121-162.

Rosati, E., "A closer look at the Google Books Library Project decision", *The IPKat*, 17 de noviembre de 2013. Disponible en: http://ipkitten.blogspot.com/2013/11/a-closer-look-at-google-books-library.html (consultada el 19 de febrero de 2020).

Rosati, E., "An EU text and data mining exception for the few: would it make sense?", *Journal of Intellectual Property Law & Practice*, vol. 13, núm. 6, 2018, pp. 429–430, https://doi.org/10.1093/jiplp/jpy063 (consultada el 19 de febrero de 2020).

Rosati, E., *The Exception for Text and Data Mining (TDM) in the Proposed Directive on Copyright in the Digital Single Market – Technical Aspects*, European Parliament, 2018. Disponible en: https://www.europarl.europa.eu/RegData/etudes/BRIE/2018/604942/IPOL_BRI(2018)604942_EN.pdf (consultada el 19 de febrero de 2020).

Sanmiquel, L., Bascompta, M., Rossell, J. M., Anticoi, H. F., y Guash, E., "Analysis of occupational accidents in underground and surface mining in Spain using data-mining techniques.", *International Journal of Environmental Research and Public Health*, vol. 15, núm. 3, 2018. 462.

Sarkar, S., Vinay, S. y Maiti, J., "Text mining based safety risk assessment and prediction of occupational accidents in a steel plant.", *2016 International Conference on Computational Techniques in*

Information and Communication Technologies (ICCTICT), 2016, pp. 439-444.

Shu, K., Sliva, A., Wang, S., Tang, J., y Liu, H "*Fake news* detection on social media: A data mining perspective.", *ACM SIGKDD Explorations Newsletter*, vol. 19, núm. 1, 2017, pp. 22-36.

Strycharz, J., *Trend analysis, future applications and economics of TDM*, FutureTDM, 2016. Disponible en: https://project.future-tdm.eu/wp-content/uploads/2016/12/FutureTDM_D5.2-Trend-analysis-future-applications-and-economics-of-TDM.pdf (consultada el 19 de febrero de 2020).

Triaille, J.P., de Meeûs d'Argenteuil, J. y de Francquen, A., *Study on the legal framework of text and data mining (TDM)*, Comisión Europea, 2014.

von der Leyen, U., *Orientaciones políticas para la próxima Comisión Europea 2019-2024. Una Unión que se esfuerza por lograr más resultados. Mi agenda para Europa*, 2019. Disponible en: https://ec.europa.eu/commission/sites/beta-political/files/political-guidelines-next-commission_es.pdf (consultada el 19 de febrero de 2020).

Wang, Y. y Xu, W., "Leveraging *deep learning* with LDA-based text analytics to detect automobile insurance fraud", *Decision Support Systems*, 2018, vol. 105, pp. 87-95.

White, B. y Bogataj Jančič, M., "Articles 3-4: Text and data mining", en *Guidelines for the Implementation of the DSM Directive*, Communia y Liber, 2019. Disponible en: https://www.notion.so/Articles-3-4-Text-and-data-mining-9be17090ebc545b88ed9ac-7d39e4e25a (consultada el 19 de febrero de 2020).

LA PRIVACIDAD DE LOS MENORES EN LAS REDES SOCIALES: EL FENÓMENO DEL *SHARENTING* Y SUS CONSECUENCIAS

Mª DOLORES MORENO MARÍN
Profesora sustituta interina de Derecho Civil
Universidad de Córdoba

1. INTRODUCCIÓN

Las nuevas tecnologías de la información y de la comunicación (TICs) han propiciado importantes progresos y ventajas para la sociedad. Concretamente, el uso de Internet y las redes sociales han supuesto una auténtica revolución en nuestras vidas, ya que suponen un cambio radical en la forma de comunicación e interacción entre las personas.

Este cambio social experimentado, hace que de manera habitual cada vez más personas compartan hechos de su vida cotidiana en las redes sociales. Pero dicho comportamiento no sólo atañe a personas adultas, sino que desde hace unos años la presencia de menores en las redes sociales se ha convertido en un fenómeno frecuente, bautizándose dicha práctica como *sharenting*.

Este anglicismo proviene de la fusión del término *share* (compartir) y *parenting* (crianza). Con esta nueva palabra nos referimos a la publicación en exceso por parte de los padres de fotos, vídeos o cualquier otro tipo de información de sus hijos en Internet, sobre todo en redes sociales.

Como prueba de dicha realidad, resulta interesante destacar el reciente estudio realizado por la empresa de seguridad en Internet AVG que, con datos aportados por ciudadanos de 10 países, entre ellos España, ha señalado que el 23 % de los niños tiene presencia en Internet incluso antes de nacer porque sus padres publican imágenes de las ecografías durante el embarazo. El porcentaje se multiplica rápidamente poco tiempo después ya que el 81 % está en Internet antes de cumplir los 6 meses.

En este sentido, los padres sin ser conscientes de ello, ya que partimos de la base de las buenas intenciones con las que los progenitores comparten fotografías, vídeos,... de los menores, van generando lo que los expertos en seguridad llaman identidad digital o huella digital del menor, que podría acarrearle serias consecuencias llegada su vida adulta. Y es que, al margen de los peligros que puede entrañar el no saber a dónde pueden ir a parar estas fotos, existe otra cuestión, no menos importante, que deberíamos plantearnos: ¿Pueden los padres publicar fotos de menores en redes sociales? ¿Se podría estar vulnerando el derecho a la intimidad del menor con dicho comportamiento?

Precisamente, el análisis de esta cuestión y las consecuencias que, en el ámbito de la responsabilidad civil, pueda llevar aparejadas, serán el objeto del presente estudio.

En una primera parte del trabajo, como base fundamental de la que debemos partir, analizaremos el reconocimiento de la titularidad del menor al derecho a la intimidad y, en consecuencia, también al derecho a la protección de datos personales.

Partiendo de la premisa anterior, para una mejor compresión del alcance y las repercusiones que en la esfera civil puede conllevar la vulneración de tales derechos, profundizaremos en los límites que deben tener en cuenta en todo momento los padres o tutores legales, en cuanto titulares de la patria potestad o tutela, cuando decidan publicar fotos de los menores, ya que son ellos los responsables de proteger que los derechos anteriormente mencionados no queden cercenados.

Para finalizar, explicaremos las pertinentes acciones a interponer así como las posibles personas legitimadas para ello, si la sobreexposición a la que han podido verse sometidos los menores en Internet por parte de sus progenitores, pudieran entrañar una verdadera intromisión ilegítima en sus derechos más personales e íntimos como son los que van a ser objeto de análisis en este trabajo.

2. EL MENOR DE EDAD COMO TITULAR DEL DERECHO A LA INTIMIDAD Y A LA PROTECCIÓN DE DATOS PERSONALES EN INTERNET

Hoy día la titularidad del derecho a la intimidad, a la propia imagen, honor y la protección de datos personales [1] por parte de personas menores de edad está fuera de toda duda. Y es que estos derechos de la personalidad, a su vez, consagrados como derechos fundamentales en el artículo 18 de nuestra Constitución Española son inherentes a la persona y les son atribuidos desde su nacimiento, con independencia de que ésta tenga o no la plena capacidad de obrar, esto es, la aptitud para ejercitar por sí mismo tales derechos[2].

Precisamente, es por este motivo por el que se afirma que, esta titularidad del menor sobre los derechos de la personalidad, será progresiva en cuanto a su ejercicio[3], ya que, como bien sabemos, el menor

---

[1] Hay tener en cuenta que la imagen de cualquier persona, sea adulto o menor, se considera un dato de carácter personal, puesto que permite identificarle justificando la protección que debe dispensar nuestro ordenamiento en este caso. Sobre este particular, Piñar Mañas, J.L., "El derecho fundamental a la protección de datos y la privacidad de los menores en las redes sociales", en *Redes sociales y privacidad del menor*, Reus, Madrid, 2011, pp. 61-85.

[2] Para un estudio pormenorizado sobre esta materia, resulta obligado hacer mención, entre otros autores, a: Aláez Corral, B., *Minoría de edad y derechos fundamentales*, Tecnos, Madrid, 2003, pp. 103 a 106; Gil Antón, A., "Redes sociales y privacidad del menor: un debate abierto", *Revista Aranzadi de Derecho y Nuevas Tecnologías*, n° 36, 2014, pp. 143-180; Lorente López, Mª, *Los derechos al honor, a la intimidad personal y familiar y a la propia imagen del Menor*, Thomson Reuters Aranzadi, Pamplona, 2015, pp. 89 y ss; Pérez Díaz, R., "La imagen del menor en las redes sociales", *Revista Doctrinal Aranzadi Civil- Mercantil*, n° 3, 2018, pp. 71-86; Sánchez Gómez, A., "El marco normativo tradicional para la protección de los derechos de la personalidad del menor. ¿Alguna asignatura pendiente en el siglo XXI?", *Revista Doctrinal Aranzadi Civil- Mercantil*, n° 11, 2016, pp. 29-79.

[3] Así lo entiende, Moretón Sanz, Mª F., "La adaptación de nuestro Derecho a la Convención", en *El desarrollo de la Convención sobre los Derechos del Niño en*

de edad en muchos casos carece de la madurez suficiente como para desarrollar plenamente estos derechos. En estos casos, corresponde a los padres o tutores legales, en cuanto titulares de la patria potestad o tutela, el deber y la responsabilidad de velar por estos derechos.

Al hilo de lo anterior, resulta conveniente resaltar la especial protección de la que gozan estos derechos cuando nos referimos a menores, debido a que es precisamente su minoría de edad la que los hace especialmente vulnerables ante posibles ataques a sus derechos[4].

Así lo pone de manifiesto la Instrucción 2/2006, de 15 de marzo, sobre el Fiscal y la protección del derecho al honor, intimidad y propia imagen de los menores cuando señala que "los derechos al honor, a la intimidad y a la propia imagen del menor se encuentran hiperprotegidos por nuestro ordenamiento jurídico. Estas garantías adicionales se justifican por el *plus* de antijuridicidad predicable de los ataques a estos derechos cuando el sujeto pasivo es un menor, pues no solamente lesionan el honor, la intimidad o la propia imagen, sino que además pueden perturbar su correcto desarrollo físico, mental y moral, y empañar en definitiva su derecho al libre desarrollo de la personalidad y a la futura estima social".

En tal sentido, la importancia de la protección de tales derechos es tal que, tanto la normativa internacional como nacional, han reconocido expresamente la titularidad del menor sobre estos derechos fundamentales.

Asimismo, en el plano internacional cabe señalar: la Declaración Universal de los Derechos Humanos, proclamada por la Asamblea General de las Naciones Unidas el 10 de diciembre de 1948[5], la Convención sobre los Derechos del Niño, adoptada por la Asamblea Ge-

---

España, Bosch, Barcelona, 2006, p. 80.

[4]   En tal sentido, Colás Escandón, A. Mª, "La defensa del interés del menor en el conflicto entre el derecho a la intimidad de los menores y los derechos y obligaciones derivados de la patria potestad de sus progenitores", *Revista Doctrinal Aranzadi Civil- Mercantil*, nº 9, 2017, pp. 29-72.

[5]   El art. 12 de la Declaración Universal de los Derechos Humanos señala que: "*Nadie será objeto de injerencias arbitrarias en su vida privada, su familia, su domicilio o su correspondencia, ni de ataques a su honra o a su reputación. Toda persona tiene derecho a la protección de la ley contra tales injerencias o ataques*".

neral de las Naciones Unidas el 20 de noviembre de 1989[6], o la Carta
Europea de los Derechos del niño aprobada por el Parlamento Europeo el 8 de julio de 1992[7].

En relación con el marco jurídico internacional habría que resaltar, tal y como ha señalado la doctrina[8], que la Convención de la ONU sobre los Derechos del Niño de 1989 es la primera norma que reconoce abiertamente que los menores son titulares de derechos fundamentales y, en consecuencia, será a ellos a quienes corresponda su ejercicio siempre y cuando sus condiciones de discernimiento se lo permitan.

Por lo que se refiere a la legislación española, las principales normas que hacen expresa alusión a estos derechos son: nuestra Carta Magna en su art. 18[9], cuyo desarrollo legislativo, en la esfera civil se lleva a cabo por la Ley Orgánica 1/1982, de 5 de mayo, sobre protección civil del derecho al honor, a la intimidad personal y familiar, y a la propia imagen. Especial mención hay hacer a la Ley Orgánica

---

[6] De vital importancia para la cuestión que nos ocupa es el art. 16 de la Convención sobre los Derechos del Niño que dispone: "*1. Ningún niño será objeto de injerencias arbitrarias o ilegales en su vida privada, su familia, su domicilio o su correspondencia, ni de ataques ilegales a su honra y a su reputación.*
2. El niño tiene derecho a la protección de la ley contra esas injerencias o ataques".

[7] La Carta Europea de los Derechos del niño indica: "*7. 20. Todo niño tiene derecho al ocio, al juego y a la participación voluntaria en actividades deportivas. Deberá poder, asimismo, disfrutar de actividades sociales, culturales y artísticas. Todo niño tiene derecho a no ser objeto por parte de un tercero de intrusiones injustificadas en su vida privada, en la de su familia, ni a sufrir atentados ilegales contra su honor*".

[8] Véase: Moreno Bobadilla, A., *Intimidad y menores*, Centro de Estudios Políticos y Constitucionales, Madrid, 2017, pp.114 a 116.

[9] El art. 18 de la Constitución Española estipula: "*1. Se garantiza el derecho al honor, a la intimidad personal y familiar y a la propia imagen.*
2. El domicilio es inviolable. Ninguna entrada o registro podrá hacerse en él sin consentimiento del titular o resolución judicial, salvo en caso de flagrante delito.
3. Se garantiza el secreto de las comunicaciones y, en especial, de las postales, telegráficas y telefónicas, salvo resolución judicial.
4. La ley limitará el uso de la informática para garantizar el honor y la intimidad personal y familiar de los ciudadanos y el pleno ejercicio de sus derechos".

1/1996, de 15 de enero, de protección jurídica del menor, que en su art. 4.1[10] atribuye expresamente estos derechos a los menores.

En cuanto al derecho a la protección de datos personales, su reconocimiento no sólo viene amparado por el art. 18.4 de la CE, sino también por el importante Reglamento (UE) 2016/679 del Parlamento Europeo y del Consejo, de 27 de abril de 2016, relativo a la protección de las personas físicas en lo que respecta al tratamiento de datos personales y a la libre circulación de estos datos. Para adaptar el Ordenamiento jurídico español a este reglamento, se ha promulgado la Ley Orgánica 3/2018, de 5 de diciembre, de Protección de Datos Personales y garantía de los derechos digitales, a la que nos referiremos más adelante.

Tal y como puede observarse, desde un punto de vista legal queda claro el reconocimiento expreso de los menores como titulares de derechos fundamentales[11]. Pero también es resaltado por la propia norma, la obligación que tienen los progenitores de respetar estos derechos y de protegerlos de posibles ataques de terceros[12]. Pero, ¿y si son los padres, a pesar de ser los verdaderos "guardianes" de la privacidad de sus hijos, los que ponen en riesgo estos derechos?

A continuación nos centraremos en el análisis de esta cuestión que representa la parte fundamental de este trabajo.

---

[10] Concretamente, este art. 4.1 dice: *"Los menores tienen derecho al honor, a la intimidad personal y familiar y a la propia imagen. Este derecho comprende también la inviolabilidad del domicilio familiar y de la correspondencia, así como del secreto de las comunicaciones".*

[11] Si bien, no han faltado autores que ven innecesario estas previsiones normativas puesto que los niños son personas, y como tales también se les extienden los derechos y libertades constitucionales. Como voces destacadas de esta posición, podemos señalar: Roca Trías, E., *Familia y cambio social (De la "casa" a la persona)*, Civitas, Madrid, 1999, p. 216, citando a Campbell, dice que "una cuestión elemental, a menudo olvidada, es que los niños son personas".

[12] El art. 4.5 de la Ley Orgánica 1/1996, de 15 de enero, de protección jurídica del menor señala que: *"Los padres o tutores y los poderes públicos respetarán estos derechos y los protegerán frente a posibles ataques de terceros".*

3. EL FENÓMENO DEL *SHARENTING* Y SUS CONSECUENCIAS

Por las importantes repercusiones que conlleva, se pone de manifiesto los peligros que puede acarrear para los menores que éstos suban a redes sociales sus propias imágenes sin ningún tipo de control debido a los riesgos a que pueden verse expuestos; nos referimos, entre otras, a prácticas tales como el ciberbullying, grooming o sexting.

En el presente trabajo no nos ocuparemos de estos supuestos, sino que nos centraremos en analizar la protección de la imagen del menor cuando son los propios padres los que a través de sus redes sociales (Facebook, Instagram, twitter...), o de aplicaciones como Youtube o Whatsapp suben fotos o vídeos de sus hijos menores.

3.1. *¿Pueden los padres publicar fotos de sus hijos menores en redes sociales?*

En relación con este supuesto, en primer lugar resulta conveniente tener claras las bases legales de las que debemos partir.

En tal sentido, es clave resaltar que, el derecho a la propia imagen, constituye un derecho fundamental reconocido en el artículo 18.1 de la Constitución, que permite a su titular la facultad de disponer de la representación de su aspecto físico que permita su identificación.

Precisamente, la representación fotográfica del menor, constituye un dato de carácter personal[13] y, como regla general impuesta por la ley, la disposición de la imagen a través de fotografías de una persona, requiere de su consentimiento[14].

Pero tratándose de menores, en cuanto al tratamiento de datos se refiere, la edad que tenga el menor resulta de vital importancia[15]. Y

---

[13]   Así viene reconocido en el art. 5.1 f del Real Decreto 1720/2007, de 21 de diciembre, por el que se aprueba el Reglamento de desarrollo de la L.O. 15/1999, de 13 de diciembre, de protección de datos de carácter personal.

[14]   Ley Orgánica 1/1982 sobre protección civil del derecho al honor, a la intimidad personal y familiar y a la propia imagen, en su art. 2 lo recoge expresamente.

[15]   En esta cuestión, resulta obligado hacer mención al Reglamento (UE) 2016/679 del Parlamento Europeo y del Consejo, de 27 de abril de 2016, relativo a la protección de las personas físicas en lo que respecta al tratamiento de datos

es que, según resulta de nuestra actual Ley Orgánica 3/2018, de 5 de diciembre, de Protección de Datos Personales y garantía de los derechos digitales, a partir de los 14 años el propio menor puede decidir sobre su privacidad en Internet, es decir, trasladándolo al tema que nos ocupa, es el menor el que presta su consentimiento para que se publiquen o no fotos en las redes sociales. Así se contempla en el art. 7 de la citada ley cuando dice: *"El tratamiento de los datos personales de un menor de edad únicamente podrá fundarse en su consentimiento cuando sea mayor de catorce años"*.

Si bien, antes de dicha edad, según reza la misma ley, *"el tratamiento de los datos de los menores de catorce años, fundado en el consentimiento, solo será lícito si consta el del titular de la patria potestad o tutela, con el alcance que determinen los titulares de la patria potestad o tutela"*, esto es, el consentimiento deberá ser recabado por los padres o representantes legales de los menores.

Esta posición, viene refrendada por el Tribunal Supremo[16] que, al tratar sobre el derecho a la propia imagen de los menores, establece con bastante claridad que *"la imagen, como el honor y la intimidad, constituye hoy un derecho fundamental de la persona consagrado en el artículo 18.1 de la Constitución, que pertenece a los derechos de la personalidad, con todas las características de estos derechos y que se concreta en la facultad exclusiva del titular de difundir o publicar su propia imagen pudiendo en consecuencia evitar o impedir la reproducción y difusión, con independencia de cuál sea la finalidad de esta difusión y que en el caso de menores tiene como presupuesto el hecho de que siempre que no medie el consentimiento de los padres o representantes legales de los menores con la ausencia del Ministerio Fiscal, la difusión de cualquier imagen de éstos ha de ser reputada contraria al ordenamiento jurídico (SSTS de 19 de noviembre de 2008; 17 de*

---

personales y a la libre circulación de estos datos, que establece en su art. 8 que la edad necesaria para que el menor pueda prestar su consentimiento para el tratamiento de sus datos será 16 años; pero se autorizó a los Estados miembros para establecer por ley una edad inferior a tales fines, siempre que esta no sea inferior a 13 años. En España, a través de la Ley Orgánica 3/2018, de 5 de diciembre, de Protección de Datos Personales, citada en el cuerpo del trabajo, que adapta a nuestro ordenamiento jurídico el citado Reglamento de la Unión Europea, dicha edad se ha fijado a los 14 años.

[16]   STS de 30 de junio de 2015 (*Tol* 5193594). Fundamento Jurídico 2º.

*diciembre 2013; 27 de enero 2014, entre otras). Es en definitiva, es la
propia norma la que objetiva el interés del menor y la que determina
la consecuencia de su desatención".*

Por lo tanto, no se planteará ningún problema cuando ambos progenitores están de acuerdo y prestan su consentimiento a la hora de decidir publicar fotos de sus hijos en redes sociales, puesto que están legitimados para poderlo hacer en el ejercicio de la patria potestad de la que son titulares.

Ahora bien, el problema surge cuando los progenitores no se ponen de acuerdo o están separados o divorciados. Hoy día, desgraciadamente es cada vez más frecuente encontrarse en los Juzgados con cuestiones litigiosas sobre este particular.

La discusión fundamental se centra en dilucidar si el hecho de subir fotos a una red social debe encuadrarse dentro de las cuestiones transcendentales y vitales para el desarrollo del niño y, por tanto, en lo que conocemos como patria potestad o, por el contrario, serían decisiones cotidianas que, siempre que fueran adecuadas y respetuosas con el menor, no se necesitaría el consentimiento de ambos padres y cualquiera de ellos podrían libremente tomar la iniciativa de colgar fotos[17].

A este respecto, la postura seguida por nuestros Tribunales es la de señalar que resulta necesaria la intervención de ambos progenitores para la publicación de imágenes del menor en redes sociales, por cuanto ésta es una faceta que se enmarca dentro de la patria potestad y, por lo tanto, no pertenece en exclusiva al titular de la guarda y

---

[17]   Resulta conveniente distinguir entre patria potestad y guarda y custodia. Mientras que la patria potestad podríamos entenderla como la representación general de los hijos, definida como un conjunto de derechos y obligaciones que los padres tienen en relación con sus hijos menores no emancipados y que, a la luz del art. 154 del Código Civil, siempre se ejercerá "en beneficio de los hijos, de acuerdo con su personalidad, y con respeto a su integridad física y psicológica"; la guarda y custodia se refiere al cuidado diario con los menores.
Como regla general, la patria potestad, es ejercida conjuntamente por ambos progenitores salvo supuestos excepcionales en los que algunos de los padres haya sido suspendido o privado de ella por resolución judicial. Ahora bien, en caso de separación o divorcio, lo normal será que ambos cónyuges mantengan la patria potestad, pero la custodia podrá ser atribuida en exclusiva a uno de ellos y que ésta sea compartida.

custodia. Serán ambos progenitores, en ejercicio conjunto de la patria potestad, los que consientan o no dichas publicaciones, ya que el artículo 156 del Código Civil declara expresamente que: *"la patria potestad se ejercerá conjuntamente por ambos progenitores o por uno solo con el consentimiento expreso o tácito del otro"*. Así lo ha establecido la Sentencia de la Audiencia Provincial de Barcelona de 15 de mayo de 2018[18] cuando señala que *"El tema de la imagen e intimidad de un menor de edad es tan delicado y de tanta trascendencia que deben ser ambos progenitores quienes decidan y consientan conjuntamente, salvo en los casos de privación o suspensión de la patria potestad"*.

La necesidad del consentimiento al que alude el art. 156 CC, no significa que deba prestarse de forma simultánea. Precisamente se recalca en la propia norma que podrá darse tanto expresa como tácitamente. Por ello, se entiende que existe consentimiento tácito si es habitual que ambos progenitores publiquen fotos en sus respectivas redes sociales. Igualmente, en caso de separación o divorcio, si, tal y como hemos comentado, ambos progenitores publicaban fotografías antes, se puede entender que así lo podrán seguir haciendo tras su ruptura. Si bien, dicha cuestión habrá de ser valorada atendiendo al caso concreto si surgieran desavenencias entre ellos.

Por lo tanto, si cualquiera de los progenitores quisiera publicar fotos de su hijo menor de catorce años en las redes sociales, y el otro progenitor se opone, deberá solicitar autorización judicial mediante un procedimiento de jurisdicción voluntaria amparado en el art. 156 CC. A sensu contrario, si un progenitor ya ha publicado fotos de su hijo menor sin pedir el consentimiento del otro, también éste será el cauce para solicitar por el progenitor que no lo ha dado la retirada de las fotografías del menor o incluso pedir que se prohíba que dicho

---

[18]   SAP de Barcelona de 15 de mayo de 2018 (*Tol* 6626350). Fundamento Jurídico 2°. En igual sentido, Auto de la AP de Asturias de 13 de marzo de 2019 (*Tol* 7231534); SAP de Santa Cruz de Tenerife de 6 de julio de 2018 (*Tol* 6849183); SAP de Pontevedra de 4 de junio de 2015 (*Tol* 5185164). Ésta última sentencia señala claramente en su Fundamento Jurídico 4° que: *"La representación legal de los hijos menores de edad la ostentan ambos progenitores, en cuanto titulares de la patria potestad (...). Con lo cual, de pretender el Sr. Adrián la publicación de fotos de su hijo menor en las redes sociales habrá de recabar previamente el consentimiento de la progenitora recurrente y, de oponerse ésta, podrá acudir a la vía judicial en orden a su autorización"*.

progenitor publique fotos del menor en lo sucesivo. En todo caso, el juez, oídas ambas partes, al Ministerio Fiscal y al propio menor si tuviera suficiente madurez y, en todo caso, si fuese mayor de 12 años tomará una decisión, la que proceda, atendiendo al caso concreto.

En mi opinión, si sobre este asunto no hay entendimiento por las partes, lo recomendable sería no publicar y evitar conflictos, dado que los verdaderos perjudicados serían los hijos. Llegar a judicializar un asunto familiar nunca es una buena solución. Precisamente, se aconseja, en supuestos de rupturas matrimoniales, hacer constar en el convenio regulador la manera de proceder en esta materia. En contra de lo que pudiera parecer, teniendo en cuenta la Era digital en la que vivimos, consideramos que sería más que sensato hacerlo.

En definitiva, se podría afirmar que los progenitores, si ambos estuvieran de acuerdo, tendrían libertad para publicar fotografías de sus hijos menores de 14 años dado que están legitimados para poderlo hacer en base al ejercicio la patria potestad. En caso de desacuerdo, podrá acudirse a la vía judicial en orden a su autorización[19].

En este sentido, ¿qué parámetros tendrá en cuenta el Juez para autorizar o no estas publicaciones? Para su decisión se valorará siempre tanto el interés superior del menor como también los usos sociales generalmente admitidos en nuestra sociedad; y es que, en una sociedad tan interconectada, es una práctica bastante aceptada socialmente el compartir nuestro día a día en redes sociales, si se me permite

---

[19] Habría que señalar cómo esta visión protectora del interés del menor, cuando por razones de madurez el menor no pueda prestar por sí mismo el consentimiento, se ve reflejada en el art. 3.2 de la Ley 1/1982 al disponer que: "el consentimiento habrá de otorgarse mediante escrito por su representante legal, quien estará obligado a poner en conocimiento previo del Ministerio Fiscal el consentimiento proyectado. Si en el plazo de ocho días el Ministerio Fiscal se opusiere, resolverá el Juez. No obstante, esta previsión legal no suele cumplirse en la práctica debido al propio dinamismo que entraña el uso de redes sociales, lo que queda constatado en la propia Instrucción 2/2006, de 15 de marzo ya comentada en este trabajo cuando, para referirse a esta situación, destaca que "estadísticamente son escasísimos los supuestos en los que los representantes legales cumplen las prescripciones de la Ley y ponen en conocimiento del Fiscal esos consentimientos proyectados. Pese a ello, los Sres. Fiscales se abstendrán de utilizar el incumplimiento de estas exigencias formales para impugnar negocios o actos respetuosos con los intereses del menor".

la expresión, estamos ante la Era de la visibilidad y los tribunales no pueden ser ajenos a esta realidad.

En lo que respecta al interés superior del menor, habrá que valorar si con dichas fotografía se atenta contra el honor, intimidad o imagen del menor, puesto que estaríamos ante un ataque a los intereses del menor o una intromisión ilegítima a su intimidad.

Por lo tanto, si ese tipo de imágenes fueran ofensivas o degradantes para el menor, no se admitirían bajo ningún concepto, ya que en todo momento primará el interés del menor. Incluso la propia la Ley 1/1996, de 15 de enero, de protección jurídica del menor, de modificación del Código Civil y de la Ley de Enjuiciamiento Civil, en su artículo 4.3, llega a anteponer este interés superior del menor, si la publicación, a pesar de contar con la aquiescencia de representantes legales o del propio menor, fuera perjudicial para él, al establecer que: *"se considera intromisión ilegítima en el derecho al honor, a la intimidad personal y familiar y a la propia imagen del menor, cualquier utilización de su imagen o su nombre en los medios de comunicación que pueda implicar menoscabo de su honra o reputación, o que sea contraria a sus intereses incluso si consta el consentimiento del menor o de sus representantes legales".*

Por otro lado, hemos señalado que hoy día es innegable que está socialmente aceptado compartir información a través de redes sociales. Bajo esta premisa, de la que nuestros tribunales son conscientes, se valorará el alcance de la publicación en dichas redes sociales. Puesto que si estas fotografías son compartidas únicamente dentro del grupo íntimo de familiares y amigos es muy distinto a si el perfil es público y al mismo puede tener acceso todo el mundo; ya que en este último caso, es probable que no se conceda el permiso solicitado al juez. Esta postura puede observarse en la SAP de Barcelona de 22 de abril de 2015[20] cuando señala en su Fundamento Jurídico 3° que: *"No se*

---

[20] SAP de Barcelona de 22 de abril de 2015 (*Tol* 5185582). En la misma línea se pronuncia la interesante SAP de Lugo de 15 de febrero de 2017 (*Tol* 6026914) que, aunque la reclamación en este supuesto la plantea la madre de unos menores contra la abuela, sigue la misma línea argumental al señalar lo siguiente en su Fundamento Jurídico 4°: *"la falta de prueba de que el acceso a la cuenta de Facebook de la demandada fuese público, y al no constar más que la posibilidad de acceso a las fotografías y comentarios realizados por la abuela de los meno-*

*ha acreditado que las fotos que publica la actora en redes sociales
atenten al derecho a la imagen del hijo común, pues ninguna prueba
documental se aporta al respecto, habiendo alegado la Sra. Maribel
que las destina únicamente a sus parientes y amigos. La Juzgadora
de 1ª Instancia ha referido con buen criterio, que ambas partes son
cotitulares de la potestad parental sobre su hijo y ambos deben velar
por la protección integral de su hijo restringiendo la privacidad de las
imágenes del menor remitiendo sus fotos únicamente a sus familiares
y amistades más cercanos, sin que se haya acreditado que ello no haya
sido así".*

Ahora bien, los padres deben evitar, en atención al interés superior
del menor, una sobreexposición de sus hijos en estos ámbitos, ya que
no debemos olvidar que, de acuerdo con las condiciones generales de
la mayoría de las redes sociales, desde el instante en el que "cuelgas"
una fotografía, estás cediendo derechos sobre dichas imágenes con los
riesgos que ello puede suponer[21]. Además, el mero hecho de compartir
fotos con terceros, hace que perdamos el control de las mismas.

Por todo ello, debemos ser conscientes de los posibles riesgos que
supone exponer la vida de los menores a través de estas aplicaciones,
ya que el control absoluto de todo lo publicado es imposible y los

---

*res de un círculo íntimo de familiares y amigos, entre los que se encontraría la
madre y los padres de los niños, no puede entenderse que se haya producido una
vulneración de los derechos a la intimidad y a la propia imagen de los menores,
por adecuarse la actuación de la abuela a los usos sociales cada vez más exten-
didos de publicación de noticias y fotografías del ámbito familiar entre los más
allegados. Sin embargo, la conclusión podría haber sido diferente si se tuviera
constancia de que tales datos estuvieran al alcance de cualquier usuario, sin que
la prueba practicada en autos haya acreditado tal extremo".*

[21] Esto es lo que ocurre en muchas plataformas como Facebook o Twitter donde,
al aceptar los términos y condiciones de uso, estás cediendo derechos sobre las
imágenes. En concreto, existe un apartado en estas cláusulas que dice lo siguiente: "con relación al contenido protegido por derechos de propiedad intelectual,
como fotografías y vídeos (en lo sucesivo, "contenido de PI"), nos concedes específicamente el siguiente permiso, de acuerdo con la configuración de la privacidad y las aplicaciones: nos concedes una licencia no exclusiva, transferible,
con derechos de sublicencia, libre de derechos de autor, aplicable globalmente,
para utilizar cualquier contenido de PI que publiques en Facebook o en conexión
con Facebook (en adelante, «licencia de PI»). Esta licencia de PI finaliza cuando
eliminas tu contenido de PI o tu cuenta, salvo si el contenido se ha compartido
con terceros y estos no lo han eliminado".

graves perjuicios que ello ocasione pueden dejar una huella, en este caso, digital difícil de borrar.

3.2. *Las posibles consecuencias legales derivadas de la sobre-exposición del menor de edad*

El fenómeno del *Sharenting* es una práctica tan habitual que hasta el propio diccionario británico Collins lo ha incluido en sus páginas en 2016.

Ahora bien, es conveniente matizar que no toda publicación por parte de los padres de fotos, vídeos o cualquier otro tipo de información de sus hijos en redes sociales, puede considerarse como intromisión ilegítima en los derechos de la personalidad del menor. Para que este comportamiento pudiera entrañar algún tipo de responsabilidad, debe entrarse a analizar si se ha producido una sobreexposición del menor en la Red.

Para considerar qué es sobreexposición[22] hay que analizar el tipo de información subida a las redes sociales, la frecuencia con que se hagan las publicaciones, si la configuración de privacidad de la aplicación es abierta o no, los seguidores que tengas e incluso el uso que haga con posterioridad el menor de su identidad, ya sea a partir de 14 años o una vez alcanzada la mayoría de edad.

Ya tuvimos ocasión de mencionar cómo el menor a partir de los 14 años es el que debe dar el consentimiento y no sus padres para publicar sus fotos en las redes sociales. Precisamente, esta cuestión es relevante puesto que será el menor quien decida.

Sentadas las ideas anteriores, podríamos hacernos la siguiente pregunta[23]: ¿podrían los hijos reclamar algún tipo de responsabilidad a

---

[22]   Ammerman Yebra, J., "El régimen de prestación del consentimiento para la intromisión en los derechos de la personalidad de los menores. Especial referencia al fenómeno del *sharenting*", *Actualidad jurídica iberoamericana*, N° Extra 8, 2, 2018, pp. 253-264.

[23]   Para un estudio detallado sobre el fenómeno del *sharenting*, resulta obligado hacer mención al interesante trabajo de STEINBERG, S.B.: "*Sharenting*: Children's Privacy in the Age of Social Media", *Emory Law Journal*, n°.66, 2017. En línea: disponible en: http://law.emory.edu/elj/content/volume-66/issue-4/articles/*sharenting*-children-privacy-social-edia.html (consultado el 10 de noviembre de

los padres en caso de que considerasen que esas fotos tomadas sin su permiso atentan contra su intimidad o imagen?

Parece que no podemos descartar dicha posibilidad. Prueba de ello, lo observamos en países de nuestros entorno en donde se están dando casos en los que los hijos han llegado incluso a denunciar a sus padres por considerar que la información y fotos publicadas durante su infancia han conculcado el derecho a su intimidad y reputación.

Así ha ocurrido, por ejemplo, en Austria, donde una joven ha denunciado a sus padres por haber colgado medio millar de fotos de su infancia en Facebook y mantenerlas accesibles a pesar de sus constantes peticiones para que fueran retiradas. Según recoge la revista austríaca *Die Ganze Woche que divulgaba la noticia, la chica, al cumplir 14 años se abrió una cuenta en Facebook y cuál es su sorpresa que sus padres habían estado colgando un sinfín de fotos desde su más corta infancia "sin pudor ni límites", recalca la joven. Ésta pidió insistentemente a sus padres que retirasen las imágenes a lo que estos se negaron, y ya con 18 años ha decidido exigírselo judicialmente*[24].

Otro supuesto similar ha acontecido en Italia, donde un Tribunal de Roma (orden del 23 de diciembre de 2017, procedimiento 39913/2015) ha dictado una sentencia pionera en este asunto. En dicha resolución, se obligaba a una madre a pagar 10.000 euros a su hijo de 16 años, si continuaba compartiendo fotos y comentarios en sus redes sociales sobre el menor y no procedía a eliminar los contenidos que ya estuvieran publicados[25].

2019). Esta autora deja claro los riesgos que entraña que los *padres compartan información sobre sus hijos en Internet. Estos padres actúan, por un lado, como custodios de la información personal de sus hijos y, por otro, como narradores de las historias personales de sus hijos.* Existe un conflicto de intereses ya que los niños algún día podrían resentir las revelaciones hechas años antes por sus padres.

24   Noticia   disponible   en   https://www.lavozdegalicia.es/noticia/tecnologia/2016/09/15/denuncia-padres-subir-facebook-fotos-infancia/0003_201609G15P69995.htm (consultado el 13 de noviembre de 2019).

25   Disponible en https://es.euronews.com/2018/01/09/sentenciada-a-pagar-10-mil-euros-a-su-hijo-si-publica-fotos-suyas-en-facebook (consultado el 13 de noviembre de 2019).

También en Francia, las autoridades francesas podrán imponer multas de hasta 45.000 euros y un año de prisión por publicar fotos íntimas de sus hijos en las redes sociales sin permiso[26].

Aunque en España[27] no se conocen por el momento supuestos en este sentido, en mi opinión, sería viable el que se pudieran llevar a cabo, dado que los menores cuentan con mecanismos legales suficientes para ello, pudiendo interponer las acciones pertinentes una vez alcancen la mayoría de edad, o bien mediante representación del Ministerio Fiscal cuando todavía fuesen menores.

Precisamente, esta legitimación del Ministerio Público para poder reclamar en nombre del menor, viene establecida expresamente en el art. 4.4 de la Ley Orgánica 1/1996, de 15 de enero, de protección jurídica del menor que señala: *"sin perjuicio de las acciones de las que sean titulares los representantes legales del menor, corresponde en todo caso al Ministerio Fiscal su ejercicio, que podrá actuar de oficio o a instancia del propio menor o de cualquier persona interesada, física, jurídica o entidad pública"*.

Tal y como puede observarse, el Fiscal no sólo podría actuar de oficio o a solicitud del propio menor, sino que también cualquier persona que fuese conocedora de contenidos en alguna red social que pudiesen perjudicar al menor, podría ponerlos en conocimiento de la Fiscalía.

Asimismo, entre las acciones que sería posible interponer, a mi entender, tendrían cabida las contempladas en el art. 9.2 de la Ley Orgánica 1/1982, de 5 de mayo, sobre protección civil del derecho al honor, a la intimidad personal y familiar, y a la propia imagen.

En tal sentido, en primer lugar, el art. 9.2 a), permite ejercitar la acción de cesación, solicitando, en este caso, el cese inmediato de la intromisión, que en casos de *sharenting* consistirá en la eliminación/ retirada de las fotografías de los menores o comentarios en cuestión.

---

[26]   Información disponible en https://www.lainformacion.com/asuntos-sociales/ Francia-multar-padres-publicar-hijos_0_915209973.html (consultado el 15 de noviembre de 2019).

[27]   Tradicionalmente la responsabilidad civil ha sido un campo ajeno a las relaciones de Derecho de familia. No obstante, en la actualidad se ha producido un cambio sustancial y se ha empezado a dar entrada a la aplicación de las normas del Derecho de daños para la solución de conflictos en el ámbito familiar.

Por otra parte, si lo que se quiere es evitar intromisiones futuras, será aplicable el art. 9.2 b), que se podrá adoptar para prevenir intromisiones inminentes o ulteriores, en cuyo supuesto, la decisión a tomar será la prohibición de publicaciones.

También procederá, atendiendo al art. 9.2 c), la acción de indemnización de los daños y perjuicios causados. Normalmente, el perjuicio resarcible será, en la mayoría de los casos de *sharenting*, de índole moral. A tal efecto, juega un papel relevante en esta cuestión el art. 9.3 LO 1/1982[28], al considerar que existe una presunción de daño cuando se produce una intromisión ilegítima en estos derechos. Dicho en otras palabras, el hecho de la existencia de una "intromisión ilegítima" hace presumir que se ha producido un daño, pero que se ha producido un daño, sigue diciendo el art. 9.3 que ha de indemnizarse, y la indemnización, dice expresamente, se extenderá al daño moral.

Finalmente, si se diera caso, sería perfectamente viable adoptar la medida que establece el art. 9.2 d), es decir, pedir la apropiación por el perjudicado del lucro obtenido con la intromisión ilegítima en sus derechos. En la actualidad, resulta interesante poner el acento en esta posibilidad, dada la existencia de conocidos canales de influencers y youtuber cuyas cuentas tienen un perfil público, que cuentan con miles de seguidores y que precisamente se lucran de contar sin tapujos la vida de sus retoños[29].

La dificultad en estos casos sería lógicamente probar los beneficios económicos reportados pero que en todo caso correspondería a los hijos[30].

---

[28] El art. 9.3 LO 1/1982 dispone: "*La existencia de perjuicio se presumirá siempre que se acredite la intromisión ilegítima. La indemnización se extenderá al daño moral, que se valorará atendiendo a las circunstancias del caso y a la gravedad de la lesión efectivamente producida, para lo que se tendrá en cuenta, en su caso, la difusión o audiencia del medio a través del que se haya producido*".

[29] Piénsese en el conocido caso en nuestro país del canal de la youtuber Verdeliss.

[30] Así lo mantiene Ammerman Yebra, J., "El régimen de prestación…", *op. cit.*, p. 262. Esta autora, hace alusión al llamado caso "DaddyOFive", en el que unos progenitores estadounidenses disponían de un canal de YouTube con en el que mostraban las bromas de mal gusto que les hacían a sus cinco hijos, y que normalmente acababan en lloros y autolesiones. En este supuesto, se llegó incluso a privar de la custodia de varios hijos de la pareja. Por lo tanto, en casos graves, se podría llegar a suspender o privar de la patria potestad, que en nuestro ordena-

4. CONCLUSIONES

Internet y las redes sociales han supuesto un cambio radical en la forma de comunicarnos. A pesar de las ventajas y facilidades que nos reporta, no podemos obviar los riesgos a los que podemos vernos expuestos con su uso, ya que la utilización de las nuevas tecnologías de la información y de la comunicación (TICs) suponen un campo abierto a posibles vulneraciones de derechos de la personalidad.

Precisamente, el *sharenting* ha surgido de esta nueva forma que tenemos de comunicarnos. Aunque lo normal será que los padres compartan información de sus hijos de manera coherente y conforme a los usos sociales imperantes en nuestro tiempo, es posible encontrarnos con supuestos en los que la sobreexposición del menor en redes sociales es más que evidente con los riesgos que ello conlleva, dado que estamos generando una huella digital del menor con información que pertenece a su privacidad y puede que cuando sean adolescente no estén de acuerdo con esta práctica. Tal y como puede observarse, existe un conflicto entre la libertad de los padres de compartir o publicar y el derecho del niño a su privacidad.

A partir de los 14 años será el propio niño quien decida qué fotografías se publican en Internet, ya que nuestra LOPDP 2018, reconoce esta edad como límite para prestar el consentimiento en materia de protección de datos. Para menores de 14, el consentimiento corresponde a los padres o tutores, dentro de las facultades que les confiere la patria potestad o tutela. Cuando los padres estuviesen separados, si no existe acuerdo respecto a la publicación de la fotografía y existiese oposición por parte de alguno de ellos, habría que acudir a un procedimiento de jurisdicción voluntaria, siendo el juez quien decida si procede la publicación.

En todo caso, es importante destacar que, si la fotografía pudiese perjudicar los intereses del menor, ni siquiera el consentimiento de los progenitores legitimaría la publicación de la misma, puesto que ha de primar el derecho de los menores al honor, a la intimidad personal y familiar y a la propia imagen, según lo dispuesto en el art. 4 de la Ley Orgánica 1/1996, de 15 de enero, de protección jurídica del menor.

---

miento estaría fundado en base al art. 170 CC al establecerse por incumplimiento de los deberes inherentes a la patria potestad.

Por todo lo expuesto, resulta indispensable recalcar la importancia de que los padres actúen con responsabilidad al publicar imágenes en las redes sociales y que conozcan qué límites existen para ello.

Al margen de las connotaciones éticas que sin duda comporta la práctica del *sharenting*, también las tiene legales. En tal sentido, en países de nuestro entorno se están dando casos de hijos que llegan a denunciar a sus padres porque consideran que esas fotografías que en su día le hicieron sin su consentimiento han podido dañar su reputación y vulnerado su intimidad. En España, tarde o temprano también nos encontraremos con estos casos, ya que los hijos cuentan con mecanismos legales suficientes para la defensa de sus derechos. A tal efecto, estarían legitimados para interponer las acciones previstas en el art. 9 LO 1/1982 una vez alcancen la mayoría de edad, o bien mediante representación del Ministerio fiscal cuando todavía sean menores.

BIBLIOGRAFÍA

Aláez Corral, B., *Minoría de edad y derechos fundamentales*, Tecnos, Madrid, 2003.

Ammerman Yebra, J., "El régimen de prestación del consentimiento para la intromisión en los derechos de la personalidad de los menores. Especial referencia al fenómeno del *sharenting*", *Actualidad jurídica iberoamericana*, Nº Extra 8, 2, 2018, pp. 253-264.

Colás Escandón, A.M., "La defensa del interés del menor en el conflicto entre el derecho a la intimidad de los menores y los derechos y obligaciones derivados de la patria potestad de sus progenitores", *Revista Doctrinal Aranzadi Civil- Mercantil*, nº 9, 2017, pp. 29-72.

Gil Antón, A., "Redes sociales y privacidad del menor: un debate abierto", *Revista Aranzadi de Derecho y Nuevas Tecnologías*, nº 36, 2014, pp. 143-180.

Lorente López, M., *Los derechos al honor, a la intimidad personal y familiar y a la propia imagen del Menor*, Thomson Reuters Aranzadi, Pamplona, 2015.

Moreno Bobadilla, A., *Intimidad y menores*, Centro de Estudios Políticos y Constitucionales, Madrid, 2017.

Moretón Sanz, M.F., "La adaptación de nuestro Derecho a la Convención", en *El desarrollo de la Convención sobre los Derechos del Niño en España*, Bosch, Barcelona, 2006, p. 80.

Pérez Díaz, R., "La imagen del menor en las redes sociales", *Revista Doctrinal Aranzadi Civil- Mercantil*, nº 3, 2018, pp. 71-86.

Piñar Mañas, J.L., "El derecho fundamental a la protección de datos y la privacidad de los menores en las redes sociales", en *Redes sociales y privacidad del menor*, Reus, Madrid, 2011, pp. 61-85.

Roca Trías, E., *Familia y cambio social (De la "casa" a la persona)*, Civitas, Madrid, 1999.

Sánchez Gómez, A., "El marco normativo tradicional para la protección de los derechos de la personalidad del menor. ¿Alguna asignatura pendiente en el siglo XXI?", *Revista Doctrinal Aranzadi Civil- Mercantil*, nº 11, 2016, pp. 29-79.

Steinberg, S.B., "*Sharenting*: Children's Privacy in the Age of Social Media", Emory Law Journal, nº.66, 2017.

GESTIÓN DE CRISIS DE REPUTACIÓN *ONLINE*: ASPECTOS LEGALES Y DE COMUNICACIÓN

CAROLINA PINA SÁNCHEZ
BOSCO CÁMARA PELLÓN
Despacho Garrigues

1. INTRODUCCIÓN: *FAKE NEWS* Y CRISIS REPUTACIONALES EN LA EMPRESA

En la magistral conferencia de inauguración de este Congreso Internacional, impartida por el ex Secretario de Estado de la Sociedad de la Información y Agenda Digital en España, Don Jose María Lasalle, se ha repetido en varias ocasiones la expresión "*cambio de paradigma*" para referirse a los grandes retos que la revolución digital está planteando a los juristas de hoy.

No cabe duda de que uno de los desafíos más acuciantes de la sociedad actual –calificada por la mayoría como una sociedad "*líquida*"- lo plantean las crisis de "*desinformación*", es decir, las crisis de reputación que generan en Internet las noticias falsas.

Aunque los bulos o noticias falsas no constituyan un fenómeno nuevo, su actual difusión en el entorno digital es mucho mayor. La información no fluye ya en una sola dirección, sino que es multidireccional. No es nominativa, sino anónima[1]. Y tampoco se trata de una información estática, sino totalmente dinámica o viral. Por este motivo, aquella famosa expresión del genial comunicador estadounidense Walter Lippmann, utilizada como paradigma comunicativo durante el siglo pasado *"Las grandes exclusivas de hoy, envolverán el pescado de mañana"*, carece de toda validez hoy en día.

A este respecto, Sánchez Férriz afirma lo siguiente: *"En la comunicación pública en Internet cada página o portal asociado a una persona física o jurídica es un medio de comunicación independiente de los demás, esto es, algo comparable a un periódico o a una emisora de radio o de televisión. No hay nada parecido al monopolio ni a la idea de servicio público y el derecho a la creación de páginas o portales se encuentra legalmente reconocido, sin que existan barreras jurídicas relevantes para su ejercicio. Además, no se dan aquí los condicionantes económicos propios de la creación de un periódico, una emisora de radio o de televisión, ya que la puesta en funcionamiento de un medio en Internet es prácticamente gratuita. El pluralismo social que se produce en estas circunstancias es, evidentemente, inconmensurable en comparación con el existente en la prensa"*[2].

En este estado de cosas, las *fake news* se han convertido en un importante enemigo de corporaciones empresariales, de sus directivos e, incluso, del correcto funcionamiento de las sociedades democráticas más desarrolladas, pues se trata de un fenómeno que ha afectado a varios procesos electorales en el mundo.

---

[1] Batalla, R., *"Libertad en Internet: La Red y las Libertades de Expresión e Información"*, en Cotino Hueso/Lorenzo (coord.), Tirant lo Blanch, Valencia, 2007, afirma: *"Internet, como mecanismo de comunicación entre personas, incluye en su tecnología los valores democráticos de apertura, participación y libertad de acceso. Quizá podamos incluir dentro de estos elementos democráticos también al anonimato. Si ello fuera así, se estaría haciendo más por difundir la democracia y limitar los intereses de los terroristas cuando se preserva un Internet abierto, que no cuando se restringe progresivamente. Aún más, la mejor manera de combatir el terrorismo sería involucrar en esta lucha al conjunto de la población, la mayoría silenciosa, y para ello lo más eficaz es un Internet abierto. Por ello, en el Congreso Internacional sobre democracia, terrorismo y seguridad, celebrado en Madrid en el 2005, se dijo que si se quería garantizar la libertad de expresión, había que asegurar que todos pudieran comunicarse anónimamente"*.

[2] *Ob. cit.*, p. 88.

Un estudio realizado en 2018 por el *Massachusetts Institute of Technology* (MIT)[3] reveló que las noticias falsas se difunden a una velocidad seis veces superior que las verdaderas. Todo ello tiene que ver con la reacción de frustración o rechazo que una *fakenNew* genera entre los usuarios de Internet.

Hace ahora justo dos años, en abril de 2018, la Comisión Europea, tras solicitar de un grupo de expertos un análisis sobre una posible normativa comunitaria sobre las *fake news*, decidió abandonar la idea y no legislar sobre ello. Su Informe no vinculante concluyó que la mejor fórmula de acometer este fenómeno era invertir en una mayor educación de los ciudadanos, propiciar la autorregulación de los medios e impulsar los incentivos a la prensa.

El tiempo ha venido a darle la razón: en enero de 2020, un grupo de investigadores italianos analizó los más de ciento veinte millones de *tweets* publicados sobre la crisis sanitaria causada por el *Covid-19*. El objetivo consistía en analizar la "*infodemia*" generada alrededor del coronavirus, es decir, sobre el riesgo de información falsa que podría sufrir cada país.

En el desarrollo de su trabajo, estos investigadores descubrieron un patrón interesante: cuando la amenaza del coronavirus se acercaba a un determinado país, la difusión de páginas no fiables descendía considerablemente. No es que desaparecieran las noticias falsas (pues el ritmo de mensajes poco fiables era el mismo), pero su alcance era mucho menor. Dicho de otro modo, en una situación de emergencia o riesgo, los usuarios no retuiteaban cualquier noticia, sino que la búsqueda de información fiable era mayor. El propio sistema se autorregulaba.

Descendiendo ahora al verdadero objeto de nuestro estudio, podemos comenzar planteando la siguiente cuestión: si cualquier noticia susceptible de generar curiosidad en Internet puede convertirse en viral, ¿el afectado por esta información debe actuar siempre? En tal caso ¿debe limitarse a proporcionar otra versión de los hechos? Y si no fuera suficiente ¿cuenta nuestro ordenamiento jurídico con

---

[3]   Soroush Vosoughi, Deb Roy y Sinan Aral, "The spread of ue and false news *online*", *Revista Science*, marzo 2018.

herramientas modernas para erradicar información falsa y evitar su difusión?

Para responder a esta pregunta, debemos citar, en primer lugar, un principio básico ampliamente conocido entre los profesionales de la comunicación y, a veces, olvidado en el mundo empresarial: el denominado *Efecto Streisand*.

Se denomina *Efecto Streisand a las consecuencias negativas que provoca el intento de* censurar cierta información, que termina siendo contraproducente, pues la noticia o información, siendo cierta o no, acaba teniendo mayor difusión que la que hubiera tenido si no se la hubiese pretendido acallar[4]. Se trata un principio esencial a tomar en consideración a la hora de decidir qué medidas deben adoptarse sobre una información falsa.

Como ahora veremos, la mayoría de los ejemplos reales, en los que la gestión de una crisis de reputación *online* ha sido resultado fallido dentro de una organización empresarial se ha debido, en gran medida, al quebrantamiento de este principio.

2. DERECHO AL HONOR FRENTE LIBERTAD DE INFORMACIÓN: LA TÉCNICA DE LA "PONDERACIÓN" EN LA JURISPRUDENCIA

Es sobradamente conocida la doctrina jurisprudencial relativa a la colisión entre los derechos de la personalidad (art. 18 CE) y la libertad de información (art. 20 CE), según la cual, la colisión entre ellos ha de hacerse "caso por caso" y sin fijar apriorísticamente los límites, teniendo siempre en cuenta la posición prevalente (que no jerárquica

---

[4]   El término *"Streisand"* debe su nombre al incidente protagonizado en 2003 por la cantante estadounidense Barbra Streisand, quien denunció a los titulares de una página web por publicar fotos aéreas de su casa de California. Los propietarios de la web alegaron que las imágenes trataban de documentar la erosión de la costa de California. La imagen se hizo viral en Internet, por la curiosidad que provocó el incidente. Con un desproporcionado intento de censurar una información meramente neutral, la cantante consiguió que una información intrascendente acabase obteniendo una gran repercusión mediática.

o absoluta) que, sobre los derechos de la personalidad, ostenta el derecho a la libertad de información.

Según dicha doctrina jurisprudencial, la prevalencia del derecho de información se asienta en el doble carácter de libertad individual y de garantía institucional de una opinión libre e indisolublemente unida al pluralismo político dentro de un Estado democrático, siempre que la información transmitida sea veraz y que esté referida a asuntos de relevancia pública que son del interés general por las materias a que se refieren y por las personas que en ellos intervienen.

Es decir, cuando la libertad de información se quiere ejercer sobre ámbitos que pueden afectar a otros bienes constitucionales, como la intimidad, el honor o la propia imagen, es preciso que su proyección sea legítima, que lo informado resulte de interés público, pues solo entonces puede exigirse de aquéllos a quienes afecta o perturba el contenido de la información que, pese a ello, se soporten en aras, precisamente, del conocimiento general.

En definitiva, la relevancia social de los hechos noticiables y no la simple satisfacción de la curiosidad ajena –con frecuencia mal orientada e indebidamente fomentada- es lo único que puede justificar que particulares, que no ejercen funciones públicas, asuman las perturbaciones o molestias ocasionadas por la difusión de una determinada noticia.

Esta limitación del derecho al honor, a la intimidad personal y familiar y a la propia imagen con motivo de la libertad de información, se resuelve mediante las denominadas técnicas de ponderación constitucional, teniendo en cuenta las circunstancias del caso [por todas, las SSTS de 13 de enero de 1999, 29 de julio de 2005, 21 de julio de 2008 (RJ 2008, 4489), RC núm. 3633/2001, 2 de septiembre de 2004, RC núm. 3875/2000, 22 de julio de 2008, 12 de noviembre de 2008 (RJ 2009, 4), RC núm. 841/2005, 19 de septiembre de 2008, RC núm. 2582/2002, 5 de febrero de 2009 (RJ 2009, 1365), RC núm. 129/2005, 19 de febrero de 2009, RC núm. 2625/2003, 6 de julio de 2009 (RJ 2009, 4455), RC núm. 906/2006, y 4 de junio de 2009 (RJ 2009, 3378), RC núm. 2145/2005].

Por ponderación se entiende, tras la constatación de la existencia de una colisión entre derechos, el examen de la intensidad y trascendencia con la que cada uno de ellos resulta afectado, con el fin de elaborar una regla que permita, dando preferencia a uno u otro, la resolución del caso mediante su subsunción en ella.

Dicha técnica de ponderación exige valorar [por todas, Sentencia del Tribunal Supremo (Sala de lo Civil, Sección 1ª) núm. 117/2011 de 3 marzo (JUR 2011\114514):

1°) En primer término, el peso en abstracto de los respectivos derechos fundamentales que entran en colisión. Además, la protección constitucional de las libertades de información y de expresión alcanza un máximo nivel cuando es ejercitada por los profesionales de la información a través de un vehículo institucionalizado de formación de la opinión pública como es la prensa, entendida en su más amplia acepción [por todas, SSTC 105/1990, de 6 de junio (RTC 1990, 105) FJ 4, 29/2009, de 26 de enero (RTC 2009, 29) FJ 4].

2°) En segundo lugar, el peso relativo de los respectivos derechos fundamentales que entran en colisión. En este sentido hay que tener en cuenta, por un lado, la "relevancia pública" de la información transmitida y, por otro lado, la "veracidad" de la información publicada, en el sentido, no de absoluta exactitud de la información publicada sino de que la información haya sido contrastada con fuentes fiables.

3. GESTIÓN DE CRISIS REPUTACIONALES EN LA EMPRESA. EJEMPLOS DE MALA Y BUENA GESTIÓN

Existen multitud de ejemplos reales en los que, según hemos anticipado, la gestión de una crisis de reputación *online* ha resultado fallida dentro de una organización empresarial debido, en gran medida, al quebrantamiento de este principio.

3.1. EJEMPLOS DE MALA GESTIÓN

3.1.1. *Nestlé frente a Greenpeace*

En marzo de 2010, Greenpeace lanzó una campaña, en más de 25 países, en la que se relacionaba a Nestlé con la deforestación de los bosques de Indonesia. La reacción de la multinacional fue solicitar a YouTube la retirada urgente de un impactante video con el eslogan "*Tómate un respiro*", que denunciaba que algunos proveedores de Nestlé usaban aceite de palma y provocaban la destrucción de las selvas de Indonesia, destruyendo el hábitat del orangután.

La multinacional respondió adoptando medidas legales, sin admitir haber utilizado algunos de sus proveedores aceite de palma. El intento de Nestlé de silenciar a Greenpeace tuvo un increíble efecto "llamada" que provocó que cientos de miles de cibernautas vieran el vídeo interesados en la denuncia de Greenpeace. Finalmente, Nestlé reconoció que algunos proveedores habían utilizado aceite de palma proveniente de dichas selvas.

Diez años más tarde, este ejemplo continúa siendo estudiado como un caso de gestión fallida de una crisis reputacional en Internet.

3.1.2. *Fariña*: novela y serie TV

A principios de 2018, el autor y los editores de la novela *Fariña*, que relataba el origen y consolidación de los principales clanes gallegos de la droga, recibieron una demanda civil interpuesta por el exalcalde de O Grove (Pontevedra), en la que se les acusaba de haber cometido una intromisión al honor y les reclamaba 500.000 euros de indemnización.

El demandante solicitaba, además, como medida cautelar el secuestro de la obra y la prohibición de que la misma siguiera siendo imprimida en España y distribuida públicamente, por las menciones personales que contenía el libro.

El Juzgado de Primera Instancia estimó la demanda al ordenar el secuestro del libro y prohibió imprimir más ejemplares. Meses más tarde, la Audiencia Provincial de Madrid no solo revocó la medida cautelar, sino que dictó una Sentencia en la que desestimaba su demanda.

La novela *Fariña* se convirtió en un *best seller* (libro más vendido en Amazon en 2018) y sus derechos fueron cedidos a una productora y a una cadena de TV, quienes llevaron a cabo una serie de enorme éxito.

En resumen, la opción por una medida desproporcionada –secuestro judicial de una obra con menciones veraces al basarse en fuentes judiciales– y la indignación que ello provocó, tuvieron un efecto muy perjudicial que debió valorarse previamente.

3.1.3 El modelo *737* Max de Boeing

La compañía estadounidense Boeing se enfrentó durante 2019 a la crisis más importante desde su nacimiento a principios del siglo XX. Los dos accidentes en los que se vieron involucrados sus modelos 737MAX, en Indonesia (189 fallecidos) y en Etiopía (157 fallecidos), golpearon no solo económicamente a la empresa (más de treinta mil millones de pérdidas en Bolsa y anuncios de reclamaciones millonarias por parte de las compañías aéreas), sino también a su reputación en el sector.

La gestión de la crisis por parte de la compañía a nivel comunicativo y reputacional ha sido criticada en diversos foros especializados, pues se limitó a la emisión de diversos comunicados con los que trató calmar los ánimos de los usuarios y las aerolíneas.

Sin embargo, más allá de explicar por qué se instaló en el modelo 737 MAX el *software* defectuoso causa de los accidentes, cómo funciona y cómo puede gestionar su uso el piloto, los usuarios criticaron con dureza en las redes sociales que no se iniciara una investigación interna tras el primer accidente y que, a continuación, la compañía no bajara a tierra todas las aeronaves.

Al ser las autoridades aéreas internacionales quienes tomaron esa decisión, la política de comunicación de Boeing sobre estos dos accidentes y sobre sus funestas consecuencias económicas y jurídicas para la Compañía se vio absolutamente desbordada.

3.2. Ejemplos de buena gestión

Si abundantes son los ejemplos de una gestión fallida de crisis de reputación, también existen múltiples casos en los que la elección de unas acciones de comunicación adecuadas o de unas medidas jurídicas proporcionadas, ha resultado exitosa.

3.2.1. *Domino's Pizza*

Fue famoso el incidente protagonizado por *Domino's Pizza* en 2010. Dentro de la web corporativa existe una sección (*www.showusyourpizza.com*) a disposición de los clientes, donde éstos pueden subir fotos de las pizzas que han pedido.   En septiembre de ese año, un usuario subió la foto de una pizza de la cadena totalmente pegada a la caja y aplastada.

Antes de que la información fuera viral, *Domino's Pizza* emitió un video en *YouTube*, en el que el CEO de la compañía, Patrick Doyle, aparecía con la misma imagen, reconocía su error y manifestaba que iban a aplicar el mismo trato que si ellos fueran los clientes.

Pocos días después, el cliente recibió en su casa la visita del propio chef de la compañía, con dos pizzas bajo el brazo y una tarjeta por valor de 500 dólares, como compensación.

Esta acción se movió rápidamente por las redes sociales, donde se alabó la actuación de *Domino's Pizza*, quien actuó con rapidez, investigó si había cometido o no un error, fue transparente y recompensó al cliente.

3.2.2. *Zara* y su camiseta a rayas

Una camiseta de rayas con una estrella amarilla le costó a *Zara* recibir fuertes críticas en Israel en el año 2010. El diseño hirió muchas sensibilidades, que vieron en la prenda un reflejo claro de los uniformes que llevaban los judíos en los campos de concentración nazis, a rayas y con una estrella de David cosida a la altura del pecho.

Inditex se apresuró a pedir disculpas a través de las redes sociales y a explicar que en realidad la estrella amarilla (5 puntas) estaba inspirada en las placas que lucían los *sheriff* en las películas clásicas estadounidenses del Oeste, nada que ver con la mítica estrella de David de 6 puntas.

A pesar de que la compañía contaba con argumentos legales para haber defendido la neutralidad de la prenda, decidió su retirada inmediata e informó que solo había estado a la venta *online* durante unas horas.

4. PROTOCOLO DE ACTUACIÓN ANTE CRISIS DE REPUTACIÓN *ONLINE*

A los clientes que nos solicitan asesoramiento en este tipo de situaciones –cada vez más frecuentes y complejas- solemos recomendar siempre que implementen internamente y prosigan un sencillo Protocolo de actuación en el que distingan entre tres fases: 1. Comité de crisis; 2. Análisis de situación, y 3. Diagnóstico.

Como veremos, dentro de la fase de diagnóstico habría que distinguir, a su vez, entre acciones de comunicación y medidas legales. La profundidad de las acciones a adoptar dependerá, lógicamente, en cada caso del grado de antijuridicidad y divulgación de la noticia.

4.1. Comité de Crisis

Una de las lecciones más importantes que aprende cualquier compañía que haya afrontado una crisis de reputación es la necesidad de que las personas de la organización que mejor conocen los hechos y tienen responsabilidades sobre las decisiones a tomar (por ejemplo, el Director de comunicación, el Responsable servicios jurídicos, el Responsable de cumplimiento, etc.) estén bien coordinadas desde el mismo instante en que se conoce la noticia falsa o información perjudicial.

Por lo tanto, tras detectar esta información, el primer paso deberá ser convocar un comité de crisis que analice los pasos a dar. ¿Quiénes deben formar parte de este Comité? El primer ejecutivo de la compañía afectada; el responsable del equipo legal; el director de comunicación; el responsable de cumplimiento, y la persona o personas que conozcan los hechos.

4.2. *Análisis de situación*

¿Cuáles son las funciones del Comité de crisis? Analizar la veracidad de los hechos; valorar el impacto; decidir las líneas de acción de comunicación; asumir la portavocía de forma centralizada; monitorizar el impacto, y decidir si se inician acciones legales.

Para valorar la veracidad de una noticia, resulta esencial tener en cuenta que una información es veraz no por ser totalmente cierta, sino porque el difusor de la información ha actuado con diligencia en la averiguación de los hechos.

Es decir, cualquier periodista, medio de comunicación o usuario de una red social que acude a unas fuentes fiables (*v. gr.*, un procedimiento judicial, un archivo policial, un registro público, webs corporativas, etc.) y publica una información contrastada por haber obtenida de ellas, puede sostener legítimamente que esa información es "*veraz*", aunque pueda ser parcialmente inexacta.

Nuestro Tribunal Constitucional tiene reiteradamente establecido que el artículo 20 CE, al regular el derecho a la información y definirlo como el derecho a comunicar o recibir libremente información "*veraz*", no exige una absoluta exactitud de la información publicada por el medio. La "*veracidad*" implica que la información haya sido contrastada por el medio, según los cánones de la profesionalidad informativa, es decir, acudiendo a fuentes solventes.

Lo que impone el requisito de la veracidad es que se emplee la debida diligencia profesional a la hora de contrastar el contenido de la noticia que se publica, de manera que "*lo transmitido como tal no sean simples rumores, ni meras invenciones o insinuaciones insidiosas, sino que se trate de una información contrastada según los cánones de profesionalidad, con independencia de que con el transcurso del tiempo la información pueda ser desmentida o no resultar confirmada*" [*por todas,* SSTC 52/2002, de 25 de febrero (RTC 2002\52), 139/2007 (RTC 2007, 139) y 29/2009, de 26 de enero].

Por lo tanto, la "*veracidad*" judicial no impide que el contenido de la noticia pueda ser controvertido o, incluso, desmentido posteriormente.

Esta idea resulta de vital importancia a la hora de decidir qué medidas procede adoptar ante una información perjudicial, pues si la noticia es esencialmente veraz, es decir, ha sido contrastada y no resulta injuriosa o insultante difícilmente podrá eliminarse o rectificarse.

En aquellos casos en que no estemos ante una información objetiva, sino ante la divulgación de pensamientos, ideas u opiniones en Internet, es decir, ante el ejercicio de la libertad de expresión, no será siquiera exigible la prueba de la verdad o de la diligencia en su averiguación ya que los juicios de valor, por su naturaleza abstracta, no se prestan a una demostración de su exactitud, a diferencia de los hechos noticiables, que sí serían susceptibles de prueba.

En este sentido, el Tribunal Constitucional en su Sentencia núm. 107/1988, de 8 de junio, afirma: *"Esta distinción entre pensamientos, ideas y opiniones, de un lado, y comunicación informativa de hechos, por el otro, cuya dificultad de realización destaca la citada STC 6/1988, tiene decisiva importancia a la hora de determinar la legitimidad de ejercicio de esas libertades, pues mientras los hechos, por su materialidad, son susceptibles de prueba, los pensamientos, ideas, opiniones o juicios de valor, no se prestan, por su naturaleza abstracta, a una demostración de su exactitud y ello hace que al que ejercita la libertad de expresión no le sea exigible la prueba de la verdad o diligencia en su averiguación, que condiciona, independientemente de la parte a quien incumba su carga, la legitimidad constitucional del derecho a informar, según los términos del art. 20.1 d) de la Constitución, y, por tanto la libertad de expresión es más amplia que la libertad de información por no operar, en el ejercicio de aquélla, el límite interno de veracidad que es aplicable a ésta, lo cual conduce a la consecuencia de que aparecerán desprovistas de valor de causa de justificación las frases formalmente injuriosas o aquellas que carezcan de interés público y, por tanto, resulten innecesarias a la esencia del pensamiento, idea u opinión que se expresa"*.

Por lo tanto, la libertad de expresión, al tener como objeto la formulación de ideas y pensamientos, sin la pretensión de sentar hechos o afirmar datos objetivos, dispone de un campo de acción solo delimitado por la ausencia de expresiones indudablemente injuriosas o sin relación con las ideas u opiniones que se expongan y que resulten innecesarias para su exposición.

Por su parte, el Tribunal Supremo, en Sentencia de 23 octubre de 2015 (JUR 2015/251691), con cita de abundante jurisprudencia del

Tribunal Constitucional, afirma: "*Dado que, como se ha visto, según la doctrina del Tribunal Constitucional y nuestra propia jurisprudencia, las libertades de expresión e información alcanzan el máximo nivel de prevalencia frente al derecho al honor cuando los titulares de éste son personas públicas, ejercen funciones públicas o resultan implicados en asuntos de relevancia pública (SSTC 107/1988, 110/2000 y 216/2013), y teniendo en cuenta que: (I) el demandante/recurrido era una persona de relevancia pública, por ser presidente de una de las mayores empresas constructoras del país; (II) el artículo periodístico informaba sobre un caso de posible corrupción económica y política de gran significación en la sociedad española contemporánea; (III) los datos puramente objetivos (información) eran básicamente ciertos; y (IV) el texto que puede incidir en el derecho al honor del demandante es claramente expresivo de una opinión conectada con los hechos investigados penalmente a los que se refiere en su conjunto la información; el juicio de ponderación ha de inclinarse hacia la primacía de la libertad de expresión sobre el derecho al honor, conforme a los criterios jurisprudenciales antes expuestos. A cuyo efecto, debemos tener en cuenta que la libertad de expresión, según su propia naturaleza, comprende la crítica de la conducta de otro, aun cuando sea desabrida y pueda molestar, inquietar o disgustar a aquel contra quien se dirige (SSTC 6/2000, de 17 de enero, F. 5; 49/2001, de 26 de febrero, F. 4; y 204/2001, de 15 de octubre (RTC 2001, 204) , F. 4), pues así lo requieren el pluralismo, la tolerancia y el espíritu de apertura, sin los cuales no existe sociedad democrática (SSTEDH de 23 de abril de 1992, Castells c. España, § 42, y de 29 de febrero de 2000, Fuentes Bobo c. España, § 43).*

En su análisis de la situación concreta a la que se enfrente la empresa, el Comité de crisis deberá plantearse si la información publicada encierra una mera opinión –por sí misma subjetiva y no susceptible de corrección, salvo que sea manifiestamente insultante- o si se transmite es una información objetivamente falsa.

Para acertar con las decisiones a tomar, también deberá resolver cuestiones como la importancia y difusión que posee la información (¿dónde se ha publicado?, ¿se ha difundido con *bots* o *trolls*?), quién es el autor (¿se citan fuentes?, ¿podría estar detrás de la información una empresa de la competencia?) o si, finalmente, las acciones a tomar por la empresa podrían desembocar, en caso de no disponer de toda la información, en un efecto aún más perjudicial que la noticia publicada.

4.3. Diagnóstico: acciones de comunicación y medida legales.

En función de la progresiva falta de veracidad de la noticia, las medidas a adoptar pueden dividirse en tres niveles.

4.3.1. Nivel 1: la noticia es claramente falsa o insultante

En primer lugar, si la noticia es manifiestamente ilícita, deberán adoptarse acciones de comunicación urgentes tales como elaborar un comunicado oficial, designar un portavoz de la compañía que interactúe con los *stakeholders,* poner a disposición de clientes y proveedores en la web corporativa un panel de cuestiones y respuestas (*Q&A*) sobre los hechos publicados, etc.

Asimismo cabrá solicitar la retirada inmediata de las redes sociales, a través de sus propios mecanismos legales, los llamados *NTD* (*Notice & Take Down).* Estos instrumentos que las propias redes ponen a disposición de los usuarios permiten denunciar contenidos ilícitos (por motivos como incitación al odio, suplantación de personalidad, vulneración de derechos propiedad intelectual, etc.). Se trata de herramientas ciertamente desconocidas por muchos usuarios quienes, en ocasiones, optan por alternativas jurídicas más lentas y costosas.

En caso de que la información no sea eliminada, podrá ejercitarse una acción civil por intromisión en el derecho al honor, al amparo de lo previsto en la Ley Orgánica 1/1982, de 5 mayo, que reputa ilícita *"la imputación de hechos o la manifestación de juicios de valor a través de acciones o expresiones que de cualquier modo lesionen la dignidad de otra persona, menoscabando su fama o atentando contra su propia estimación".*

En el ejercicio de estas acciones, deberá valorarse siempre que solo las expresiones falsas o insultantes pueden tener cabida en esta vía, pues, según hemos analizado previamente, siempre que se publiquen hechos veraces -es decir, contrastados con un estándar de profesionalidad razonable- su difusión estará amparada por la libertad de información (art. 20 CE). Del mismo modo que será lícito emitir juicios de valor sobre ellos, incluso cuando sean duros, molestos o incómodos, pues estarán amparados por la libertad de expresión[5].

4.3.2. Nivel 2: la noticia es inexacta

En aquellos casos en que la información publicada contenga datos ciertos y también inexactitudes que causen perjuicio a una compañía, existe la opción de solicitar su aclaración o rectificación, al amparo de la Ley Orgánica 2/1984, reguladora del Derecho de Rectificación (art. 1 LODR). No obstante, en el ejercicio de este derecho deberá tenerse presente que:

1º) La rectificación no persigue dar a conocer la veracidad de los hechos, pues solo ampara la inserción de la versión de los hechos del perjudicado, por ser distinta a la publicada. Esto supone, en la práctica, una ventaja para el afectado por una noticia, pues se le permite proporcionar una versión distinta, sin tener que demostrar su veracidad.

2º) El que un medio de comunicación acoja una solicitud de rectificación y la publique no implica que deba *eliminar la información* anterior. Es decir, no existe el deber de *sustituir* una versión por otra[6]. Como ahora veremos, el medio de comunicación digital deberá velar porque la información inicialmente publicada aparezca vinculada a la información posterior.

3º) La Ley Orgánica 3/2018, de 5 diciembre, de Protección de Datos Personales y Garantía de los Derechos Digitales, ha introducido importantes novedades en materia de derecho de rectificación. En primer lugar, el artículo 85 exige que los responsables de redes sociales y servicios equivalentes adopten protocolos adecuados para posibilitar el ejercicio del derecho de rectificación ante los propios usuarios que difundan contenidos ilícitos (es decir, cabe la *"rectificación entre usuarios"*, limitándose la prestadora de servicios a proporcionar los medios para poder ejecutarla y a su publicación posterior). En segundo lugar, el artículo 86 establece la posibilidad de que cualquier persona afectada por una noticia pueda pedir a un medio de comunicación digital que incluya un aviso de actualización suficientemente visible junto a las noticias que le conciernan, con el fin de que la noticia original refleje, en todo momento, su situación actual. Este *"derecho de actualización"* es especialmente sensible en las informaciones sobre investigaciones policiales o judiciales no actualizadas. De este modo, el afectado por una noticia de esta índole podrá pedir del medio de comunicación que las noticias posteriores hagan referencia a la decisión posterior, en caso de serle favorable.

4°) Finalmente, solo pueden ser objeto de rectificación los hechos, no los juicios de valor o las meras opiniones (por todas, Sentencias del Tribunal Constitucional de 22 diciembre de 1986)[7].

3.4.3. Nivel 3: la noticia es esencialmente veraz

En aquellos supuestos en que la información publicada responda a un principio esencial de veracidad y no quepa proporcionar al medio de comunicación otra versión de los hechos o, al menos, un incremento objetivo de la información publicada para matizar los aspectos más perjudiciales de la noticia, lo más aconsejable será limitarse a monitorizar la información y adoptar una posición reactiva.

5. CONCLUSIONES

Las *fake news* se han convertido en un poderoso enemigo, no solo de las empresas y sus directivos, sino también del correcto funcionamiento del mercado. Por ello, cualquier empresa puede sufrir una crisis reputacional en Internet y debe estar preparada para ello.

Desde el momento en que una compañía conoce la existencia de una información perjudicial susceptible de despertar curiosidad en Internet, las personas de su organización que poseen conocimiento de los hechos y tengan responsabilidades sobre las decisiones a tomar (p. ej., por el director de comunicación, el responsable de servicios jurídicos, el responsable de cumplimiento, etc.) deberán estar coordinadas.

Para analizar la veracidad de la noticia y las decisiones a tomar, resulta primordial partir de la premisa de que una información es veraz no por ser cierta, sino porque el difusor de la información ha actuado con diligencia en su averiguación.

En aquellos casos en que la empresa se enfrente a noticias falsas de alta viralización, podrá llevar a cabo acciones de comunicación (*ad ex.*, comunicado oficial, panel de preguntas y respuestas en la web corporativa, etc.) pero también deberá plantearse el ejercicio de acciones legales.

En función del grado de difusión e ilicitud de la información, cabrá optar entre: (I) Solicitar la retirada inmediata de las redes sociales, a través de sus propios mecanismos (*Notice & Take Down*). (II) Ejercitar frente al medio de comunicación, el periodista o el propio usuario el derecho de rectificación recogido en la Ley Orgánica 2/1984. (III) Ejercitar una acción civil por intromisión en el derecho al honor, al amparo de lo previsto en la Ley Orgánica 1/1982, asumiendo que si los hechos son veraces -es decir, contrastados con diligencia- y su interés es general, su difusión estará amparada por la libertad de información (art. 20 CE).

En aquellos casos en que la empresa se enfrente a *fakes news* de menor difusión, las acciones a tomar podrán limitarse a monitorizar la información, modular la posición de la compañía según el recorrido de la noticia, contactar con los *stakeholders* o adoptar una posición meramente reactiva.

BIBLIOGRAFÍA

Batalla, R., "*Libertad en Internet: La Red y las Libertades de Expresión e Información*", en *Cotino Hueso y Lorenzo (coords.)*, *Tirant lo Blanch, Valencia, 2007.*

Soroush Vosoughi, D. R. y Sinan, A., "The spread of ue and false news *online*", *Revista Science*, marzo 2018.

Parte Tercera

LA EMPRESA, LOS EMPRESARIOS Y LOS NUEVOS MODELOS DE NEGOCIO

¿CUÁL ES LA RELACIÓN ENTRE LA INTELIGENCIA ARTIFICIAL, LA Internet DE LAS COSAS Y EL *BIG DATA*? PLANTEAMIENTOS JURÍDICOS Y SOCIALES

ROSETA VILLARROYA SANCHIS[1]
Junior Consultant
Govertis Advisory Services S.L.

SUMARIO: 1. Convergencia conceptual: Internet de las Cosas, *Big data e Inteligencia Artificial*. 2. *Retos jurídicos y sociales derivados de esta convergencia*. 3. *Respuestas y posibles soluciones*. *Bibliografía*.

1. CONVERGENCIA CONCEPTUAL: INTERNET DE LA COSAS, *BIG DATA* E INTELIGENCIA ARTIFICIAL

Existe una relación esencial entre tres fenómenos que forman parte de la llamada revolución 4.0: el *big data*, la Inteligencia Artificial y la Internet de las Cosas. Estos tres elementos forman parte de un todo integrado que no ha dejado de plantear retos tanto a nivel social como jurídico.

En primer lugar, para poder entender el impacto de esta convergencia, debemos desgranar a qué nos referimos cuando hablamos de cada uno de estos elementos. La *Internet de la Cosas* (o IoT por sus siglas en inglés) es un concepto más o menos novedoso que ya ha sido objeto de estudio en diferentes planos: tanto a nivel técnico y de seguridad como en relación con diversos marcos normativos. El Grupo

---

[1]   Proyecto de investigación y redacción del Informe sobre estado del arte en materia de IoT en el marco una beca de investigación de Govertis Advisory Services.

de Trabajo del artículo 29 en su Dictamen 223[2] define la IoT como aquella infraestructura en la que miles de millones de sensores incorporados a dispositivos comunes y cotidianos ("objetos" como tales, u objetos vinculados a otros objetos o individuos) registran, someten a tratamiento, almacenan y transfieren datos y, al estar asociados a identificadores únicos, interactúan con otros dispositivos o sistemas haciendo uso de sus capacidades de conexión en red.

No nos referimos, por tanto, a la mera existencia de softwares en los objetos cotidianos, sino que, según algunos autores[3], se trata de una auténtica revolución: si hasta ahora la Red ha servido para conectar, a través de la mediación de los ordenadores, a los humanos entre sí, ahora serán los objetos mismos quienes se integrarán en la WWW como miembros de pleno derecho, emitiendo, recibiendo y en ocasiones procesando ellos mismos la información.

El IoT es calificado por algunos especialistas[4] como uno de los agentes clave de la cuarta revolución industrial, junto con la Inteligencia Artificial (en adelante IA), la robótica, la impresión 3D y 4D, la nanotecnología, la biotecnología o la ciencia de los materiales, entre otros.

A menudo se suele confundir el concepto de IoT *(Internet of Things)* con el de IoE *(Internet of Everything)*. Se define[5] el IoE como la posibilidad de unir a personas, procesos, datos y cosas de manera que se produzcan las conexiones más relevantes y valiosas jamás vistas. IoE abarca tanto las tecnologías *machine to machine* como IoT, siendo, por tanto, IoE un concepto más amplio y que incluiría el Internet de las Cosas.

Otra vertiente de la Internet de las Cosas es aquella que se liga a la robótica. La denominada "Internet de las cosas robóticas" (*IoRT*, del inglés "*Internet of Robotic Things*") surge para cerrar la brecha entre

---

2   Dictamen 223 de 16 de septiembre de 2014 sobre la evolución reciente del Internet de los Objetos elaborado por el Grupo de Trabajo del artículo 29, p. 4.

3   Galzacorta, I., "Hacer pública la red de las cosas. Internet of Things y Dingpolitik", *ILEMATA*, núm. 24, 2017, p. 94.

4   Schwab, K., *La cuarta revolución industrial* en Barrio, M., *Internet de las Cosas*, Reus, Madrid, 2018, p. 18.

5   Balfour, R., Building the "Internet of Everything" (IoE) for first responders. IEEE Long Island Systems, Applications and Technology Conference, 2015.

¿CUÁL ES LA RELACIÓN ENTRE LA INTELIGENCIA ARTIFICIAL,
LA INTERNET DE LAS COSAS Y EL BIG DATA? PLANTEAMIENTOS
JURÍDICOS Y SOCIALES

317

lo físico y lo puramente digital. Pero ¿cómo se logra esto? Los robots poseen sensores en sus sistemas que les proporcionan información sobre cómo actuar o relacionarse en el entorno. Ir un paso más allá implicaría que los robots pasasen a servirse también de los datos generados por los sensores de su entorno: es ahí donde se ve claramente el papel fundamental que tendría la IoT, al proporcionar datos de utilidad para que los robots actúen en consecuencia.

Pero ¿cuál es el origen de esta nueva tecnología? Fue Kevin Ashton, profesor del *Massachussets Institute of Technology*, quien acuñó el término en el RFID Journal[6] en el año 2009, si bien el concepto se venía planteando desde la década de los 90, cuando surge la idea de conectar dispositivos entre sí a partir de etiquetas RFID. Estas etiquetas podrían considerarse uno de los precedentes que abrirían paso a la actual IoT, en la medida en que plantearon la posibilidad de conectar objetos de nuestro día a día; uno de los primeros usos que se les dio fue poner estas etiquetas en los productos para saber cuándo dejaban de estar en stock.

Sin embargo, la IoT va un paso más allá, ya que con ella se da el salto de los objetos "pasivos" a los objetos "activos" o "inteligentes", de manera que los objetos no solo recaban información, sino que la procesan y transforman, enviándola a Internet[7]. De esta manera, ya existe la posibilidad de unir a personas, procesos, datos y cosas de manera que se produzcan las conexiones más relevantes y valiosas jamás vistas, lo cual superaría la propia noción de la Internet de las Cosas[8].

En toda esta evolución, la tecnología 5G ha constituido un aliado clave. De hecho, las previsiones incuantificables de numerosos organismos[9] sobre la proyección del mercado de los objetos conectados no serían posibles sin esta nueva tecnología.

El segundo elemento clave de esta convergencia tecnológica sería el *Big Data*. Existen numerosas definiciones al respecto, pero todas

---

6   Consultado en: https://www.rfidjournal.com/articles/view?4986.
7   Barrio, M., *Internet de las Cosas*, Reus, Madrid, 2018, p. 21.
8   Balfour, R., Building the "Internet of Everything" (IoE) for first responders. IEEE Long Island Systems, Applications and Technology Conference, 2015.
9   Entre ellos, Business Insider y Cisco.

ellas atribuyen a este fenómeno tres cualidades esenciales: volumen, variedad y veracidad. Por su parte, la Agencia Española de Protección de Datos en su Guía[10] entiende el *Big Data* como conjunto de tecnologías, algoritmos y sistemas empleados para recolectar datos a una escala y variedad no alcanzada hasta ahora y extraer información de valor mediante sistemas analíticos avanzados soportados por computación en paralelo. También podría definirse el *Big Data*, según lo que se desprende de la Recomendación Y.3600 de la ITU (*International Telecommunication Union*) como *"un paradigma que permite la recolección, almacenamiento, manejo, análisis y visualización, -potencialmente bajo limitaciones a tiempo real- de datos extensos con características heterogéneas*[11].

Con ello, si atendemos al hecho de que son los millones de objetos conectados los que generan una cantidad masiva de datos, veríamos cómo se establece una conexión clave entre la IoT y el *Big Data*, ya que es gracias al primero que se produce o genera el segundo.

El tercer concepto sería el de Inteligencia Artificial (en adelante IA), al cual se le han atribuido diversas definiciones. Un ejemplo sería la definición propuesta por la Comisión Europea[12], que entiende por IA todos los sistemas que manifiestan un comportamiento inteligente, pues son capaces de analizar su entorno y pasar a la acción -con cierto grado de autonomía- con el fin de alcanzar objetivos específicos.

Según el Informe de Accenture[13], la Inteligencia Artificial se configura como un nuevo factor de producción y no como un mero impulsor de la productividad, lo cual supondría una auténtica transformación del panorama existente hasta el momento. Otro elemento distintivo de la IA sería su capacidad de autoaprendizaje, la cual marcaría la diferencia respecto a los avances tecnológicos de otras épo-

---

[10]   Agencia Española de Protección de Datos. Código de buenas prácticas en protección de datos para proyectos *Big Data*, p. 3.

[11]   Recommendation ITU-T Y.3600. *Big Data*-Cloud computing based requirements and capabilities, p. 2.

[12]   Comisión Europea. *IA para Europa. Comunicación de la Comisión al Parlamento europeo, al Consejo Europeo, al Consejo, al Comité Económico y Social Europeo y al Comité de las Regiones.* COM (2018) 237 final {SWD(2018) 137 final} Bruselas, 25.4.2018, p. 1.

[13]   Informe Inteligencia Artificial: el futuro del crecimiento, Accenture, p. 4.

¿CUÁL ES LA RELACIÓN ENTRE LA INTELIGENCIA ARTIFICIAL,
LA INTERNET DE LAS COSAS Y EL BIG DATA? PLANTEAMIENTOS
JURÍDICOS Y SOCIALES

319

cas[14]. Además, aquí entra también en juego el concepto de aprendizaje profundo o *deep learning* ya que, volviendo al término de *IoRT*, las acciones de los robots se basan en este aprendizaje generado a partir de los datos de los sensores IoT, que acaban dotando de mayor "inteligencia" a los sistemas artificiales[15]. En este sentido, la IA supera las limitaciones físicas del capital y el trabajo para abrir nuevas fuentes de valor y crecimiento.

De esta manera, IoT e Inteligencia Artificial se relacionan en la medida en que los datos generados por dispositivos IoT, para tener valor, han de ser analizados a través de determinadas técnicas de IA, mientras que la Inteligencia Artificial, para encontrar su razón de ser, se ha de "alimentar" de los datos -que pueden ser producidos de forma masiva a partir de dispositivos IoT-. No en vano Barry Smyth, catedrático de informática en el *University College de Dublín*, declaraba que la IA se "alimenta" de *Big Data* en la medida en que *"los datos son a la IA lo que la comida a los seres humanos"*[16].

Si en la actualidad el IoT se alza como un fenómeno que conecta billones de objetos[17], y son precisamente estos los que generan una cantidad masiva de datos *(Big Data)* que será tratada y procesada a través de técnicas de Inteligencia Artificial, queda establecida, pues, la relación existente entre Inteligencia Artificial, *Big Data* e IoT.

---

[14]   Dictamen C440 del Comité Económico y Social Europeo de 6 de diciembre de 2018 sobre «Inteligencia artificial: anticipar su impacto en el trabajo para garantizar una transición justa», p. 3.

[15]   Información recuperada de Bejerano, P., Diferencias entre machine learning y *deep learning* (8 de febrero de 2017). Blog Thinkbig.com de Telefónica https://blogthinkbig.com/diferencias-entre-machine-learning-y-deep-learning (consultado el 1 de octubre de 2019).

[16]   Informe Inteligencia Artificial: el futuro del crecimiento, Accenture, p. 11.

[17]   Según el Informe Dreams of a connected world: 80 Internet of things stats and facts, en 2020 habrá más de 50 billones de dispositivos conectados, el doble que hace 5 años. Consultado en https://safeatlast.co/blog/iot-statistics/ el 19 de agosto de 2019.

2. RETOS JURÍDICOS Y SOCIALES DERIVADOS DE ESTA CONVERGENCIA

Con todo ello, lo que resulta especialmente relevante es el hecho de que, cada vez más, la sociedad se mueve en entornos conectados por IoT (desde hogares inteligentes hasta dispositivos llevables, entre otros) y, con la extensión de estos objetos a nuestra esfera diaria, surge también la necesidad de proporcionar un adecuado encaje jurídico para proteger efectivamente los derechos de los individuos, sobre todo el derecho a la privacidad y la protección de datos.

Son innumerables los retos que plantea el Internet de las Cosas y se podría decir que todos ellos derivan de su naturaleza novedosa y todavía cambiante. El Dictamen 223 sobre la evolución creciente del Internet de los Objetos[18] enuncia una serie de problemas asociados a esta nueva tecnología, tales como la asimetría de la información, la falta de control, la dudosa calidad del consentimiento, la revelación invasiva de pautas de comportamiento, la limitación de la posibilidad de mantenerse en el anonimato o la primacía del concepto de eficacia frente al de seguridad.

Además, *"la protección de datos se relaciona con el principio de seguridad de la información mientras que el concepto de privacidad se relaciona con la protección de los sujetos en sí mismos"*[19] lo cual enlazaría con el concepto de relaciones asimétricas de poder. Si pensamos la posición de Facebook, por ejemplo, respecto a sus millones de usuarios, podremos identificar claramente dicha asimetría[20]. Ante la ausencia de esta simetría entre las partes, la cuestión entonces surge en torno a en qué medida el consentimiento prestado por el usuario es libre, específico, informado e inequívoco, tal y como exige el nuevo Reglamento General de Protección de Datos (en adelante RGPD) de

---

[18] Dictamen 223 de 16 de septiembre de 2014 sobre la evolución reciente del Internet de los Objetos elaborado por el Grupo de Trabajo del artículo 29, p. 7.

[19] Morte, R., "¿Protección de datos/privacidad en la época del *Big Data*, IoT, wearables...? Sí, más que nunca", *ILEMATA*, 24, 2017, p. 224

[20] Véase al respecto Santamaría, F.J., "Internet de las Cosas: un desafío para la protección de datos personales", *Actualidad Administrativa*, 7, 2015, p. 3 donde se refiere a la falta de control y asimetría de la información.

¿CUÁL ES LA RELACIÓN ENTRE LA INTELIGENCIA ARTIFICIAL,
LA INTERNET DE LAS COSAS Y EL BIG DATA? PLANTEAMIENTOS
JURÍDICOS Y SOCIALES

321

la UE de 27 de abril de 2016 -norma suprema y de referencia en esta materia- como base de licitud del tratamiento de datos personales.

De esta manera, se vuelve a hacer referencia a las premisas básicas que debe cumplir el consentimiento, pero también al concepto de transparencia[21], el cual cobra una importancia crucial en la medida en que solo aquella información que se presente de manera transparente y clara servirá de base para dicho tratamiento[22]. En este sentido, la Agencia Española de Protección de Datos entiende que la transparencia es la piedra angular, que incluso supera todo aquello relativo al consentimiento en términos más estrictos según la legislación de protección de datos[23].

Los desafíos que suponen los entornos IoT en cuanto a la protección de datos personales están estrechamente relacionados con el grado de cumplimiento de los principios esenciales que contempla el RGPD[24]. Dichos principios no constituyen meras pautas orientativas, sino que tienen naturaleza jurídica normativa, esto es, son de obligado cumplimiento[25].

El principio de limitación de la finalidad supone que los datos solo se pueden recoger con fines determinados, explícitos y legítimos, siendo este uno de los principios que más comprometido se ve con el inmenso flujo de datos que generan los dispositivos IoT. Esta cuestión ya ha sido objeto de reflexión tanto en el Código de buenas prácticas elaborado por la Agencia Española de Protección de Datos o el ya mentado Dictamen 223. En este sentido, el Grupo de Trabajo sobre protección de datos del Artículo 29 (en adelante GT29) se manifestó

---

[21]   González, A., "Responsabilidad proactiva en el tratamiento masivo de datos", *ILEMATA*, 24, 2017, p. 122 hace referencia a la actividad ordinaria de las personas en entornos conectados mediante sensores (IoT) en los que la persona usuaria difícilmente es consciente de que sus datos están siendo recabados y ésta se hace de manera inadvertida.

[22]   El Dictamen 8/2014 de 16 de septiembre identifica al principio de transparencia con el principio de lealtad, p. 18.

[23]   Agencia Española de Protección de Datos. Código de buenas prácticas en protección de datos para proyectos *Big Data*, p. 16.

[24]   Principios incardinados en el Capítulo II RGPD, artículos 5 a 11.

[25]   Diversos autores se han manifestado sobre esta cuestión, entre ellos, Aparicio, J., *Comentarios a la Ley Orgánica de Protección de Datos de Carácter Personal*, Civitas, Madrid, 2010.

afirmando que *"los datos personales no podrán usarse para finalidades incompatibles con aquellas para las que los datos hubieran sido recogidos"* aunque sigue *"lo que no significa que no puedan utilizarse para finalidades diferentes para las que se recogieron, si no que éstas no deben ser incompatibles"*.

Consecuentemente, se elaboró el Dictamen 203 de 2 de abril sobre la limitación de la finalidad[26], estableciendo una serie de premisas básicas que deberán seguirse para dilucidar si las finalidades posteriores del tratamiento de datos personales son diferentes, pero no incompatibles, con la finalidad inicial. Si bien esto último entra en contradicción con los fundamentos de la Sentencia del Tribunal Constitucional 292/2000, en tanto que se desprende que el término "incompatible" ha de ser entendido como equivalente a "distinto".

Otros principios relativos a la protección de datos de carácter personal que se ven sustancialmente afectados por la circulación de datos en entornos IoT serían los de minimización y limitación del plazo de conservación. En este sentido, González[27] entiende que estos, junto con el ya citado principio de limitación de la finalidad, constituyen los principios afectados de manera más significativa.

Otras cuestiones que cabe plantearse tienen que ver con la calidad de los datos cuando estos proceden de dispositivos IoT, teniendo en cuenta la posibilidad de que se vean "infectados" por *malware*, por ejemplo, ya que uno de los retos todavía pendientes de la IoT es mejorar la seguridad para así proporcionar confianza a los usuarios[28]. El GT29 también se ha manifestado sobre las categorías especiales de tratamiento[29], ya que estas se ven especialmente comprometidas cuando se trata de datos que, en principio, no tienen una naturaleza sensible pero que, con la aplicación de determinadas técnicas -de Inteligencia Artificial, por ejemplo-, pueden llegar a constituir información sensible[30] o incluso suponer la posibilidad de re-identificación.

---

[26]   Accesible en https://ec.europa.eu/justice/article-29/documentation/opinion-recommendation/files/2013/wp203_en.pdf
[27]   González, A., ob. cit., p. 120.
[28]   Dictamen 223 de 16 de septiembre de 2014 sobre la evolución reciente del Internet de los Objetos elaborado por el Grupo de Trabajo del artículo 29, p. 3.
[29]   Ibidem, p. 19.
[30]   Véase también Santamaría, F.J., ob. cit., p. 5.

¿CUÁL ES LA RELACIÓN ENTRE LA INTELIGENCIA ARTIFICIAL,
LA INTERNET DE LAS COSAS Y EL BIG DATA? PLANTEAMIENTOS
JURÍDICOS Y SOCIALES

323

Además, otros autores[31] se dedican a estudiar cuestiones relacionadas con los retos que supone el IoT para la protección de datos personales, tales como la anonimización y disociación -con los riesgos de reidentificación que existen -, la propiedad intelectual de las bases de datos[32] o la protección jurídica de los algoritmos. Por su parte, Llaneza[33] afirma que la cadena de responsabilidad en el tratamiento de datos cuando nos encontramos en entornos IoT es confusa y, además, existe una cantidad superior de sujetos involucrados, lo cual supone claramente un reto jurídico y para lo cual se requerirán diversas estrategias en materia de seguridad[34].

Los retos de carácter social tampoco quedan fueran del ámbito del IoT puesto que estos entornos entrañan grandes desafíos para nuestra democracia. Ya existen conceptos como *Dingpolitik*[35] para referirse a la democracia orientada a las cosas: *"la esfera de «lo político» no sólo se halla constituida por voluntades humanas y voces desencarnadas, sino que se halla más bien repleta de una multitud de objetos, de aparatos, artefactos y dispositivos materiales que son ellos mismos elementos constituyentes, de pleno derecho, de cada comunidad política"*[36]. De esta manera, este nuevo reto requeriría nuevos mecanismos de acción y participación política.

Por último, cabe plantearse cuestiones como ¿los datos son siempre objetivos? ¿Y si están viciados? ¿Cómo aseguramos que no se instaure el denominado *"capitalismo de vigilancia"*[37]? Como ciudadanos, ¿dónde quedan nuestras herramientas de conocimiento para

---

[31] Pérez, C., "Aspectos legales del *Big Data*", *Revista de Estadística y Sociedad*, 68, 2016.

[32] Materia a la que también se dedica Díaz, G.F., "Comercialización del *Big Data*", *Univ. Estud. Bogotá*, 14, 2016, pp. 111-128.

[33] Llaneza, P., "Seguridad y responsabilidad en la Internet de las Cosas", *Diario La Ley Ciberderecho*, 17, 2018, p. 2.

[34] Agencia Española de Protección de Datos. Código de buenas prácticas en protección de datos para proyectos *Big Data*, p. 28.

[35] Galzacorta, I., "Hacer pública la red de las cosas. Internet of Things y Dingpolitik", *ILEMATA*, 24, 2017, p. 102.

[36] Galzacorta, I., ob. cit., p. 94.

[37] Zuboff, S., *The age of surveillance capitalism: the fight for a human future at the new frontier of power.* Public Affairs, 2019.

adaptarnos a los cambios? ¿Nos encaminamos hacia una dictadura de los datos? ¿Se podrían causar discriminaciones indirectas?[38]

Todas estas preguntas nos adentrarían en planteamientos de calibre más filosófico, pero del todo necesarios cuando se trata de reflexionar sobre la deriva de nuestra sociedad, ya que, como se afirma en el *Statement on Statement of the WP29 "the benefits to be derived from big data analysis can therefore be reached only under the condition that the corresponding privacy expectations of users are appropriately met and their data protection rights are respected"* [39].

3. RESPUESTAS Y POSIBLES SOLUCIONES

Frente a esta situación, no han sido pocas las acciones que han provenido del Derecho con la finalidad de dar cabida jurídica a todos estos retos. En este sentido, el Reglamento General de Protección de Datos (RGPD) constituye la máxima expresión de la voluntad europea de tratar de dar respuestas globales a cuestiones que también son globales y que desbordan las fronteras físicas.

De esta manera, el RGPD se alza como la norma suprema de obligado cumplimiento para todos los estados de la UE, los cuales deberán estar a lo dispuesto en esta, embarcándose rápidamente tanto empresas como instituciones públicas en el camino de la protección de datos y, por tanto, de las personas en su esfera más esencial. Junto con los ya citados principios de obligado cumplimiento (artículos 5 a 11) el RGPD introduce el concepto de responsabilidad proactiva, el cual expresa claramente la voluntad del legislador europeo de prevenir antes que sancionar. Según algunos expertos[40], este principio abarcaría medidas como, por ejemplo, las evaluaciones de impacto que se realizan de manera previa al tratamiento de datos de carácter

---

[38]   Cotino, L., "Riesgos e impactos del *Big Data*, la Inteligencia Artificial y la robótica", *Revista General de Derecho Administrativo*, 50, 2019, p. 13.

[39]   Statement on Statement of the WP29 on the impact of the development of *big data* on the protection of individuals with regard to the processing of their personal data in the EU, p. 2.

[40]   González, A., ob. cit, p. 125.

¿CUÁL ES LA RELACIÓN ENTRE LA INTELIGENCIA ARTIFICIAL,
LA INTERNET DE LAS COSAS Y EL BIG DATA? PLANTEAMIENTOS
JURÍDICOS Y SOCIALES

325

personal que, sin duda, deberán llevarse a cabo cuando se traten datos a gran escala, como es el caso de los dispositivos IoT.

Otra novedad de la normativa es el principio de privacidad desde el diseño y por defecto, que casaría con el enfoque preventivo y proactivo del Reglamento. La privacidad desde el diseño implicaría tener en consideración la privacidad y el cumplimiento de la normativa en materia de protección de datos desde la fase inicial del proyecto, de manera que la privacidad se integre en las nuevas tecnologías y prácticas empresariales directamente, desde el principio, como un componente esencial[41]. Por su parte, la privacidad por defecto se refiere a la necesidad de ofrecer siempre el grado máximo de seguridad.

Además, existen numerosas técnicas encaminadas a la anonimización y seudonimización. Sin embargo, tal y como afirma la Agencia Española de Protección de Datos, si determinadas técnicas no son combinadas con otra(s), no se garantiza la imposibilidad total de reidentificación. De hecho, lo que se propone es que los riesgos existentes sean reevaluados de manera regular, casando dicha premisa con la responsabilidad proactiva en su sentido más amplio.

Además, el RGPD contempla una serie de derechos del interesado, que regula y detalla específicamente, tales como el derecho de acceso, oposición, supresión, o la posibilidad de retirar el consentimiento, entre otros[42]. Respecto al esencial derecho de acceso, es común que los usuarios de dispositivos IoT no puedan acceder a los datos primarios, ya que existen muchas prácticas que obstaculizan dicho acceso. El Grupo de trabajo del artículo 29 considera que estas actitudes impiden el ejercicio efectivo del derecho de acceso, y sostiene que *"las partes interesadas en la IoT deben tomar medidas para que los usuarios puedan ejercer este derecho de manera efectiva y ofrezcan a los usuarios la posibilidad de elegir otro servicio que quizás el fabricante del dispositivo no proponga"*[43].

---

[41] Agencia Española de Protección de Datos e ISMS Forum. Código de buenas prácticas en protección de datos para proyectos *Big Data*, p.20. Consultado en: http://www.agpd.es

[42] Dictamen 223 de 16 de septiembre de 2014 sobre la evolución reciente del Internet de los Objetos elaborado por el Grupo de Trabajo del artículo 29, p. 22-23.

[43] Dictamen 242 de 5 de abril de 2017 sobre el derecho a la portabilidad de los datos elaborado por el Grupo de Trabajo del artículo 29, p. 21.

Por su parte, respecto al derecho de oposición y la posibilidad de retirar el consentimiento, dada la conexión constante de los objetos que utilizamos en nuestro día a día, las partes responsables han de ofrecer la posibilidad de desconectar dichos dispositivos cuando la persona interesada así lo desee, estableciendo mecanismos sencillos y accesibles. Ello se suele dar, sobre todo, en el ámbito de los dispositivos llevables, de forma que se deberá ofrecer la posibilidad de "volver" a la funcionalidad original del objeto, esto es, desconectarlo. Ejemplos de mecanismos de gestión del consentimiento son las llamadas *sticky policies* o *privacy proxies*[44]

También se introduce como respuesta a todos estos retos el concepto de seguridad integral ya que *"una seguridad orientada únicamente a los dispositivos, productos o servicios podría ser incompleta e incluso inútil si no se tiene en cuenta su modo de utilización. Si cambia la forma de utilizar el servicio, podría cambiar el marco legislativo que le afecte y por lo tanto el usuario podría quedar desprotegido*"[45] lo cual cobra una relevancia especial en el marco de la Internet de las Cosas. Se hace así necesario un entorno colaborativo que unifique la perspectiva integradora jurídica, tecnológica y empresarial[46].

Finalmente, como proponen ya algunos expertos[47], un derecho líquido o biodegradable parece una solución adecuada desde el punto de vista jurídico, ya que solo de esta manera el Derecho podrá adecuarse a su función como elemento regulador de una sociedad que avanza sin freno. La respuesta podría darse, por tanto, introduciendo esta nueva concepción que entiende el Derecho como una rama compuesta por reglas que se revisen continuamente con el objetivo de dar mejor cabida a las situaciones futuras. Ello se liga estrechamente con la dinámica adoptada en el terreno de la protección de datos consistente en una revisión constante de lo ya esclarecido, con la finalidad

---

[44]   Dictamen 223 de 16 de septiembre de 2014 sobre la evolución reciente del Internet de los Objetos elaborado por el Grupo de Trabajo del artículo 29, p. 8.

[45]   Sánchez-Alcón, J.A., López-Santidrián, L. y López, J.F., "Solución para garantizar la privacidad en Internet de las cosas", *El profesional de la información*, 24, 1, 2015, p. 65.

[46]   Barrio, M., ob. cit. p. 51.

[47]   Cotino, L., ob. cit, p. 21.

¿CUÁL ES LA RELACIÓN ENTRE LA INTELIGENCIA ARTIFICIAL, LA INTERNET DE LAS COSAS Y EL BIG DATA? PLANTEAMIENTOS JURÍDICOS Y SOCIALES

327

de examinar nuevos riesgos en un contexto en el que los tiempos son escasos y cambiantes.

Frente a los retos de carácter social, atendiendo a los datos extraídos de dos encuestas de referencia -la del Eurobarómetro,[48] realizada en marzo de 2019, y la del CIS, elaborada en mayo de 2018,[49]- se puede observar cómo la protección de datos y la privacidad constituyen una de las nuevas preocupaciones entre la ciudadanía, incluso posicionándose dicha preocupación en el pódium de la clasificación.

Respecto a la lectura de las políticas de privacidad en los sitios web, en España únicamente el 9 % de los usuarios de Internet reconoce leer completamente estas políticas de privacidad, mientras que un 40 % afirma leerlas parcialmente, lo cual implica que la mitad de los internautas españoles no lee nada de estos apartados y declaraciones de privacidad.

Sin embargo, lo verdaderamente llamativo es la razón por la cual los internautas no leen dichas políticas: el motivo principal en todos los países de la UE para no leerlas es porque las encuentran muy largas, siendo el segundo motivo más citado (como en el caso de España) el hecho de que resulten poco claras o difíciles de comprender -opinión que comparte el 70% de los entrevistados por el CIS-. Estos datos también serían extrapolables a las políticas de privacidad en las redes sociales.

Los datos del CIS arrojan que 3 de cada 4 entrevistados están muy de acuerdo con que las redes sociales no deberían comunicar datos personales a terceros sin autorización, y que un 57% está muy de acuerdo con que las redes sociales no deberían cambiar sus políticas de privacidad sin el consentimiento de los usuarios

Teniendo en cuenta estos datos, se podría afirmar que la ciudadanía muestra una clara preocupación por su privacidad, pero lo que resulta especialmente revelador es el hecho de que algunas personas ya están intentando comprender cómo se tratan sus datos personales y tratando de cambiar la configuración de privacidad de aplicaciones que utilizan. Ello enlaza directamente con el concepto propuesto por la socióloga estadounidense Shoshana Zuboff de *"capitalismo de*

---

[48]   El Eurobarómetro entrevistó a 27.000 europeos en marzo de 2019.
[49]   Barómetro de mayo 2018, Estudio 3213.

vigilancia". Esta nueva forma de denominar el sistema en el que vivimos nos remite a la idea de que, lo que empezó con la publicidad en línea personalizada ha acabado con todo un sistema etéreo e inabarcable en el cual se controlan nuestras acciones y se enfocan nuestros gustos y preferencias.

Uno de los factores que sustenta este capitalismo de vigilancia es la asimetría que existe entre el usuario y las entidades u organizaciones que utilizan y se lucran a costa de sus datos personales. Zuboff[50] compara la actividad de los usuarios en la red con la posición de los pueblos indígenas a la llegada de los españoles a América: los españoles llegaron a las costas del continente americano y, en un idioma que solo entendían ellos y de manera unilateral, informaron a los lugareños de qué iban a hacer con sus tierras. Lo mismo sucede en la red: utilizando una terminología que la mayoría de las personas no comprende y de manera unilateral, se da por informados a los usuarios sobre cuestiones que afectan de manera esencial a su privacidad.

En la misma línea estaría Llaneza[51], la cual afirmaba en una entrevista que *"el consentimiento en Internet no existe".* El motivo de esta afirmación es que el consentimiento ha de ser libre, específico e informado, pero, en este contexto de falta de información y de herramientas por parte del usuario medio, ¿se cumplen estas condiciones indispensables que legitiman el tratamiento de datos personales? Todo ello contribuye a gestar una sensación de indefensión que invade a muchos de los usuarios.

Frente a todo esto, el primer paso es conseguir la toma de conciencia respecto a nuestra posición. Una vez conscientes, los usuarios podrán demandar tanto a las instituciones como a las entidades que tratan sus datos que se les informe, de manera que su posición deje de ser pasiva, resultando expresiones inaceptables como la del director de Google entre 2001 y 2010: «*si estás haciendo algo que no quieres que los demás sepan, tal vez, en primer lugar, no deberías hacerlo*».

---

[50]   Blanco, L., Qué es el oscuro capitalismo de vigilancia de Facebook y Google y por qué lo comparan con la conquista española. BBC News Mundo. Consultado en: https://www.bbc.com/mundo/noticias-47372336, el 1 de marzo de 2019.

[51]   Serrano, P., Capitalismo de vigilancia: el mundo feliz en el que el producto eres tú (y prefieres no saberlo). El Economista. Consultado (8 de junio de 2019) de: https://www.eleconomista.es/economia/noticias/9924888/06/19/Capitalismo-de-vigilancia-el-nuevo-mundo-feliz-en-el-que-el-producto-eres-tu-y-no-lo-sabes.html.

¿CUÁL ES LA RELACIÓN ENTRE LA INTELIGENCIA ARTIFICIAL,
LA INTERNET DE LAS COSAS Y EL BIG DATA? PLANTEAMIENTOS
JURÍDICOS Y SOCIALES

329

Las campañas de concienciación lanzadas desde las instituciones y organismos suponen un punto fuerte en la alianza entre los usuarios y el sistema. A nivel europeo, la Comisión anima a los usuarios a leer las declaraciones de confidencialidad y a optimizar sus opciones de privacidad, organizando en su página web una sección dedicada a las preguntas más frecuentes y dando respuestas fáciles y comprensibles.

En el ámbito español también se pueden encontrar varias iniciativas. En primer lugar, el Instituto Nacional de Ciberseguridad lanza campañas[52] de concienciación que explican de forma sencilla, utilizando infografía o vídeos, cuestiones relativas a las redes sociales, los dispositivos utilizados en el trabajo, los móviles, compras *online* o configuración de contraseñas. Además, la Agencia Española de Protección de Datos destaca por su labor divulgativa a través de la publicación de numerosas guías. En este caso, la Guía para el Ciudadano[53] es una muestra de la voluntad de la AEPD de orientar y dar luz no solo a entidades u organizaciones particulares, sino también a la ciudadanía.

Google y la Organización de Consumidores y Usuarios, en colaboración con la AEPD y el Instituto Nacional de Ciberseguridad, han anunciado el lanzamiento de la segunda edición de su campaña "Vive un Internet seguro", cuya finalidad es continuar informando a los internautas y darles las herramientas necesarias para asegurar su protección en materia de privacidad y seguridad en Internet, habilitando una plataforma[54] accesible y gratuita donde se puede encontrar una guía para padres y educadores, consejos, test, entre otros.

Por otra parte, también cabe señalar el auxilio que prestan a las instituciones algunas entidades cuya labor pasa por denunciar y ejercer la presión social. Un ejemplo de ello sería la organización *Privacy Internacional*[55], encargada de llevar a cabo campañas tácticas y estratégicas para luchar contra la vigilancia mundial y el mal uso de los datos personales, llamando así a nuevos actores a movilizarse por la seguridad y a los gobiernos a encaminar medidas de protección.

---

[52] Consultado en: https://www.osi.es/es/campanas.
[53] Consultado en: https://www.aepd.es/media/guias/guia-ciudadano.pdf.
[54] Consultado en: https://viveInternetseguro.org/?_ga=2.118806153.149690011.1569926083-363139414.1569926083.
[55] Consultado en: https://privacyinternational.org/campaigns.

Cuando se hace referencia a la concienciación, aunque se está poniendo el foco en los usuarios, también cabe extender el concepto a las propias entidades que trabajan con dispositivos IoT, ya que de estos parten las configuraciones esenciales en materia de privacidad. En este sentido, se necesita una verdadera asunción por cada individuo tanto de su importancia como de las responsabilidades que de ello se derivan para todos. Por tanto, cualquier integrante de una organización debe conocer los riesgos y tener claras las pautas de actuación ante una brecha de seguridad, así como el mecanismo de intervención. La exigencia de este nivel de conocimiento no es solo para el encargado, sino también para los demás miembros de la organización, ya que todos deben conocer y asumir su responsabilidad al respecto.

Con todo ello los usuarios, empoderados al disponer de herramientas y conocimiento necesario para conocer a qué se están destinando sus datos, podrán ser parte activa de esta relación con las entidades y administraciones que tratan sus datos, ubicándose, por fin, en una posición igualitaria y simétrica.

¿CUÁL ES LA RELACIÓN ENTRE LA INTELIGENCIA ARTIFICIAL,
LA INTERNET DE LAS COSAS Y EL BIG DATA? PLANTEAMIENTOS
JURÍDICOS Y SOCIALES

331

BIBLIOGRAFÍA

Agencia Española de Protección de Datos. Código de buenas prácticas en protección de datos para proyectos *Big Data*. Consultado en: http://www.agpd.es.

Aparicio, J., *Comentarios a la Ley Orgánica de Protección de Datos de Carácter Personal*, Civitas, Madrid, 2010.

Balfour, R., *Building the "Internet of Everything" (IoE) for first responders*. IEEE Long Island Systems, Applications and Technology Conference, 2015.

Comisión Europea, IA para Europa. Comunicación de la Comisión al Parlamento europeo, al Consejo Europeo, al Consejo, al Comité Económico y Social Europeo y al Comité de las Regiones. COM (2018) 237 final {SWD (2018) 137 final} Bruselas, 25.4.2018.

Barrio, M., *Internet de las Cosas*, Reus, Madrid, 2018.

Cotino, L., "Riesgos e impactos del *Big Data*, la Inteligencia Artificial y la robótica", *Revista General de Derecho Administrativo*, 50, 2019.

Díaz, G.F., "Comercialización del *Big Data*", *Univ. Estud. Bogotá*, 14, 2016, pp. 111-128.

Galzacorta, I., "Hacer pública la red de las cosas. Internet of Things y Dingpolitik", *Ilemata*, 24, 2017, pp. 93-114.

González, A., "Responsabilidad proactiva en el tratamiento masivo de datos", *Ilemata*, 24, 2017, pp. 115-129.

Llaneza, P., "Seguridad y responsabilidad en la Internet de las Cosas", *Diario La Ley Ciberderecho*, 17, 2018.

Morte, R., "¿Protección de datos/privacidad en la época del *Big Data*, IoT, wearables…? Sí, más que nunca", *Ilemata*, 24, 2017, pp. 219-233.

Pérez, C., "Aspectos legales del *Big Data*", *Revista de Estadística y Sociedad*, 68, 2016, pp. 18-21.

Santamaría, F.J., "Internet de las Cosas: un desafío para la protección de datos personales", *Actualidad Administrativa*, 7, 2015.

Zuboff, S., *The age of surveillance capitalism: the fight for a human future at the new frontier of power*. Public Affairs, 2019.

INTERNET DE LAS COSAS: RETOS PARA LA COMUNICACIÓN Y LA COMPETENCIA

EUGENIO OLMEDO PERALTA[1]
Profesor titular de Derecho Mercantil

JORGE GONZÁLEZ VÁZQUEZ
Licenciado en Periodismo
Universidad de Málaga

SUMARIO: 1. El papel del Internet de las Cosas en la revolución digital: 1.1. De los datos a la información, de la información a la acción. 1.2. Implicaciones jurídico-económicas del ecosistema de dispositivos IoT. 2. IoT y competencia empresarial en el mercado: 2.1. Plataformas digitales y empresas con especial incidencia para la competencia en los mercados (UPSCAM). 2.2. Acceso a datos. 2.3. El caso de *Amazon dash button*. 2.4. Problemas de competencia y distribución del empleo de altavoces inteligentes IoT. 2.5. IoT, mercado de medios y pluralismo informativo. 2.6. Algunas conductas anticompetitivas desarrolladas mediante dispositivos IoT: *self-preferencing* y precios personalizados. Bibliografía.

1. EL PAPEL DEL INTERNET DE LAS COSAS EN LA REVOLUCIÓN DIGITAL

Aunque los datos difieren de unas fuentes a otras, se contabiliza que en la actualidad aproximadamente treinta mil millones de dispositivos están conectados a Internet[2], una cifra que no para de crecer

---

[1] Trabajo realizado en el marco del Proyecto Nacional de I+D del Ministerio de Economía y Competitividad "Mecanismos de cooperación para una aplicación más eficiente del Derecho y la Política de la Competencia en Europa" (Euro-CoopComp . DER2017-84414-P) del que es investigador principal del Dr. Eugenio Olmedo Peralta.

[2] De conformidad con una de las tecnológicas más desarrolladas en la materia, Cisco Visual Networking Index, 27.100 millones de dispositivos estarán conectados a Internet en 2021. V. Cisco, *Annual Internet Report (2018–2023) White*

exponencialmente. Si consideramos los datos de conjunto, el uso que hoy hacen de Internet los objetos inanimados supera con creces el uso humano; es decir, hoy día el número de operaciones y conexiones que se llevan a cabo a través del *Internet de las Cosas* (*Internet of Things, IoT*) y la cantidad de datos que se transmite a partir de estos dispositivos es muy superior al flujo de datos de las personas usuarias de Internet[3].

Pero ¿qué hemos de entender por Internet de las Cosas? Se trata de sistemas informáticos conectados que, mediante sensores de múltiples tipos (velocidad, peso, presión, temperatura, ...), obtienen información de los objetos que los incorporan o de su entorno, analizan esta información aplicando algoritmos y la procesan a través de procedimientos que incorporan en muchos casos inteligencia artificial, de manera que pueden ofrecer una respuesta acorde con los datos recabados inicialmente como, por ejemplo, emitir una orden directa de actuación a los dispositivos que incorporan dichas tecnologías.

Este proceso de captura de datos, análisis, procesamiento y respuesta se hace sobre la base de la conexión de los dispositivos a redes de Internet. Las mayores potencialidades de este sistema derivan de su efecto multiplicador, pues cuanto mayor es el número de dispositivos interconectados, mayores serán las posibilidades de comunicación e interacción entre ellos (*machine to machine communication, M2M*) y, por ende, más precisa la interpretación de los datos, así como la correspondiente respuesta automática. En consecuencia, el IoT no es simplemente la extensión del Internet tradicional, sino la creación de un ecosistema de redes e infraestructuras interconectadas que combinan datos, herramientas analíticas y procesamiento de algoritmos para simplificar procesos y llevar a cabo actuaciones[4].

Paper, 2020, disponible en https://www.cisco.com/c/en/us/solutions/collateral/executive-perspectives/annual-Internet-report/white-paper-c11-741490.html.

[3] Según Cisco, en la actualidad el flujo de Internet ocupado por dispositivos de IoT supera el 70% del tráfico global. Cfr. *Cisco Visual Networking Index*, cit.

[4] Rabassa, V., "Connected objects, voice assistant, digital platform and data: a new way of consuming, an increasing market power for the tech giants?", Contribución a *Panel 2: Digital Platforms' Market Power*, European Commission - DG Competition, *Shaping competition policy in the era of digitalization*, 17 January 2019, p. 1, disponible en https://ec.europa.eu/competition/information/digitisation_2018/contributions/valerie_rabassa.pdf.

Por otro lado, el Internet de las Cosas no es un fenómeno nuevo, sino que, en sus formas más simples, lleva empleándose desde hace ya varias décadas en sectores como la gestión logística del transporte o en usos industriales[5]. Actualmente, los cambios más relevantes se deben a que su uso ha trascendido la industria para incorporarse al ámbito doméstico y servir de instrumento en la articulación de las relaciones comerciales entre particulares y empresas.

Como hemos apuntado, el sistema del IoT se basa en la transferencia continua de datos desde sensores y dispositivos integrados en objetos que permanecen conectados a una red de Internet fija o inalámbrica. Es preciso, no obstante, clarificar el concepto de "cosa" que se emplea en este contexto, pues el mismo comprende tanto a objetos como a animales e incluso a las propias personas, que pueden ofrecer datos a través de distintos sensores incorporados a su propio cuerpo (*in-body*) o de dispositivos incorporados a objetos de uso cotidiano como relojes, prendas de vestir o gafas (*wearables*). En resumen, la noción de "cosa" del IoT no se refiere tanto a la naturaleza inanimada del objeto, sino a la falta de una manifestación de voluntad humana para la emisión de los datos que se transmitan, a diferencia de lo que ocurre en el Internet ordinario.

1.1. *De los datos a la información, de la información a la acción*

Al conectarse dispositivos al IoT es posible captar infinidad de datos sobre el estado de los objetos a los que se incorpora (una máquina, un animal, una persona…) o del entorno que los rodea gracias a los sensores de los que disponen. Estos datos, que pueden referirse a casi cualquier tipo de magnitud mesurable, serán posteriormente codificados y transmitidos a tiempo real a través de Internet a un centro de

---

[5]   Se atribuye el primer uso del término a Kevin Aston en 1999, para referirse a un sistema de conexión a Internet a través de sensores de los objetos físicos y que permitiría la automatización de la captación de datos. Su empleo se preveía especialmente útil para su incorporación en la distribución de productos. Astonk, K., "That "Internet of the Things' thing", *RFID Journal*, 2009, disponible en https://www.rfidjournal.com/articles/view?4986 . Piénsese en los primeros usos de esta tecnología a través de etiquetas RFID para gestionar los flujos de transportes de mercancías o el control de inventarios.

Eugenio Olmedo Peralta / Jorge González Vázquez

procesamiento. Es allí donde los datos se estructuran y se convierten en información, dado que considerados individualmente carecen de valor.

Las herramientas asociadas al IoT permiten aumentar la información estructurada que se puede captar del entorno, a partir de nuevas tecnologías como el reconocimiento facial en el etiquetado de fotografías y vídeos, o el reconocimiento de voz para la obtención de mensajes expresados oralmente. La conexión continuada de los objetos a Internet posibilita la monitorización y recogida de datos a tiempo real, sometiendo la información obtenida a un proceso de actualización continua, algo que facilita su acumulación y su comparación histórica para apreciar la evolución de tendencias. Pero, al mismo tiempo, el procesamiento de estos datos a través de algoritmos decisionales facilita la celebración de transacciones y de contratos de forma automática cuando se cumpla alguna condición preestablecida (interpretación algorítmica).

Este proceso de transformación de los datos en información, de la información en conocimiento y del conocimiento en actuación ha experimentado también una evolución que marca el desarrollo de objetos más inteligentes en el ecosistema del IoT. Un primer nivel de inteligencia es ofrecido por la propiedad de la identidad unívoca, esto es, la posibilidad de asignar a un objeto una identidad propia y diferenciada de los demás, lo que se consigue, por ejemplo, a través de una etiqueta RFID[6]. Un nivel más avanzado de inteligencia en los objetos es el que permite su geolocalización, identificando su posición y trayectoria a través de tecnología GPS. En un siguiente nivel de inteligencia los objetos pueden ofrecer información sobre el contexto en el que se encuentran (temperatura, humedad, sonidos recibidos...).

Con la incorporación a diferentes tipos de objetos de nuevas y más ambiciosas funcionalidades puede conseguirse ampliar las utilidades de estos dispositivos. Cada vez más, estos usos están encontrando su sitio en las rutinas diarias de consumidores y empresas. Así, por

---

[6] Las etiquetas RFID o de identificación por radiofrecuencia son etiquetas dotadas de un chip que se incorporan a un objeto para poder detectarlo de forma inalámbrica, con lo que se consigue su trazabilidad, algo que es especialmente útil para el seguimiento de mercancías mientas están siendo transportadas o distribuidas. Estas etiquetas se graban a través de un tipo especial de impresoras.

ejemplo, pueden colocarse dichos dispositivos en neveras inteligentes para que comprueben las existencias de productos y hagan pedidos de comida de forma automática. Con todo, no se ha de pensar que la presencia del IoT en la vida de las personas sea un fenómeno distante o más propio de un futuro no muy remoto, pues actualmente este tipo de dispositivos está presente en la mayor parte de la población a través de los *smartphones*, que incorporan una multitud de sensores (sonido, luz, aceleración, …) que transfieren constantemente a través de Internet la información captada. La cuestión sobre el consentimiento del usuario en la transmisión de estos datos es un problema jurídico que debe ser atendido en otro estudio.

El IoT se sostiene sobre un sistema de tres capas: *hardware* -los dispositivos que captan la información-, infraestructura -las redes de Internet, que actualmente afrontan el reto de un tráfico de datos que crece exponencialmente y cuya limitación puede actuar como cuello de botella- y el *software* de aplicaciones y servicios que crean valor a partir del procesamiento de los datos.

1.2. Implicaciones jurídico-económicas del ecosistema de dispositivos IoT

Desde una perspectiva concurrencial, el principal problema jurídico que deriva del IoT es que la captación y procesamiento de los datos se producen normalmente a través de plataformas digitales que desarrollan sus actividades en mercados bilaterales en los que se producen importantes efectos de red[7]. En este contexto, el dominio de una suma de datos cada vez mayor confiere un substancial poder de mercado a estas plataformas digitales, que puede ser utilizado para el desarrollo de prácticas anticompetitivas o para expandir su dominio a

---

[7] Para una aproximación al complejo problema de los mercados multilaterales y la economía de plataforma desde la perspectiva del Derecho antitrust, *vid.*, entre otros, Wismer, S.-Bongard, C.-Rasek, A., "Multi-Sided Market Economics in Competition Law Enforcement", *Journal of European Competition Law & Practice*, núm. 8/4, 2017, pp. 257-262; Evans, D. S., *The Antitrust Economics of Two-Sided Markets*, 2002, disponible en SSRN: https://ssrn.com/abstract=332022

otros mercados[8]. El dominio de los datos -o, mejor dicho, de las fuentes de captación continua de datos- puede erigir barreras de entrada insalvables en los mercados de la revolución digital.

El grado en que esta tecnología afecte al mercado dependerá en gran medida de los distintos niveles de uso. Así, el IoT puede ser empleado a nivel industrial por las empresas de diversos sectores para sus procesos productivos, a nivel público por las distintas administraciones y, también, por parte del consumidor, normalmente en relaciones con las entidades que le prestan bienes o servicios. Por ejemplo, una compañía aseguradora puede utilizar dispositivos *wearables* para monitorizar el estado de salud y actividad de sus clientes, datos que le facilitará el cálculo actuarial del riesgo asegurado -que así se determinará, también, con mayor exactitud-, pudiendo repercutir en el importe de la prima.

En suma, el empleo de dispositivos conectados al IoT posibilita el desarrollo de actividades públicas y privadas con mayor eficiencia, reduciendo los costes en que se incurre y mejorando los procesos de toma de decisiones, tanto en lo que respecta a la disponibilidad de mayor cantidad de información como porque la misma es más inmediata, se actualiza de forma continua y permite responder tempestivamente a los cambios a medida que van acaeciendo. El empleo de estas tecnologías puede, desde la perspectiva general, producir también externalidades positivas que redunden en un mayor ahorro energético o conductas más respetuosas con el medio ambiente.

En estas páginas centraremos nuestro análisis en el empleo del IoT por parte de las empresas para el desarrollo de su actividad en el mercado, en competencia con sus rivales. En dicho contexto, son muchas las compañías -sobre todo, las que adoptan la tipología de plataformas- que llevan años en la carrera por innovar y resultar más competitivas en la captación, almacenamiento, acceso y análisis de datos de sus clientes. Esta información se obtiene, en muchos casos, a partir de la prestación de servicios que se ofrecen a los usuarios como "gratuitos" y que, en cambio, son retribuidos a través de la cesión

---

[8]   *Vid.* Japan Fair Trade Commission, *Guidelines Concerning Abuse of a Superior Bargaining Position in Transactions between Digital Platform Operators and Consumers that Provide Personal Information, etc.* (draft), 2019, p. 1.

de los datos[9]. De este proceso se generarán problemas jurídicos de índole muy variada, que abarcan desde la protección de datos hasta la posibilidad de llevar a cabo prácticas comerciales discriminatorias, pasando por condicionar el pluralismo informativo.

2. INTERNET DE LAS COSAS Y COMPETENCIA EMPRESARIAL EN EL MERCADO

Las empresas que operan en el marco del IoT basan sus modelos de negocio en el *business intelligence*, entendido como el desarrollo de la estrategia empresarial sobre la base del análisis de los datos captados por una empresa. Cuando aplicamos este procesamiento de información a datos captados a través de dispositivos inteligentes conectados al IoT, hablaremos de *thingalytics*[10] o de análisis de datos procedentes de las cosas.

El factor central en esta forma de proceder es el reconocimiento de que el control de la información -concebida como datos procesados- confiere poder de mercado. Las plataformas están utilizando su potencial para llegar a un amplio espectro de la población y ocupar cada vez una mayor cantidad de datos. El control de éstos y de los flujos que los generan puede situar a las plataformas digitales en una posición de dominio en el mercado difícilmente disputable. Los datos y el ecosistema tecnológico en el que éstos se generan a partir de

---

[9]   En el ámbito de la economía digital, los datos son el precio. Así lo reconocía de forma expresa el considerando 13 de la Propuesta de Directiva del Parlamento Europeo y del Consejo, relativa a determinados aspectos de los contratos de suministro de contenidos digitales, de 9 de diciembre de 2015, COM(2015) 634 final, 2015/0287 (COD) -texto que, sin embargo, no se mantuvo en el texto final de la Directiva aprobada-: *"los participantes en el mercado ven a menudo, y cada vez más, la información sobre las personas como un valor comparable al dinero. Con frecuencia los contenidos digitales no se intercambian por un precio, sino por una contraprestación diferente al dinero, es decir, permitiendo el acceso a datos personales o a otro tipo de datos"*. Vid. Edelman, B.-Geradin, D., "An introduction to the Competition Law and Economics of "Free"", *Competition Policity International – Antitrust Chronicle*, 23 de agosto de 2018.

[10]   El término resulta de la fusión de los vocablos anglosajones «thing» (cosa) y «analytics» (análisis). V. Bates, J., *Thingalytics, Smart Big Data Analytics for the Internet of Things*, Software AG, Darmstat, 2015, pp. 67 y ss.

dispositivos de IoT conformarán una barrera de entrada difícilmente salvable en ciertos mercados.

2.1. Plataformas digitales y empresas con especial incidencia para la competencia en los mercados

Las plataformas digitales estructuran su funcionamiento poniendo a disposición de terceros un medio articulado a través de tecnologías de la información y la comunicación y de la gestión masiva de datos, mediante el cual se entra en conexión con otros usuarios, pudiendo emplear esta estructura para entablar relaciones de intercambios de información o de bienes y servicios[11]. Normalmente, estas plataformas permiten la vertebración de mercados multilaterales en el que interaccionan distintas categorías de usuarios. Por ejemplo, en una determinada plataforma se pueden conectar los prestadores de los bienes y servicios, con sus potenciales consumidores, con empresas interesadas en ofrecer publicidad personalizada, etc. Se distinguen así diferentes categorías de usuarios que se interrelacionan y que obtienen utilidades de la presencia de agentes en los otros sectores. Las prestaciones en torno a las que se articula la plataforma pueden ser de índole muy variada, comprendiendo la venta de productos físicos de toda clase, la comercialización de aplicaciones informáticas, motores de búsqueda, contenidos digitales, servicios de transporte o alojamiento, redes sociales, etc.[12]

La relevancia de estas plataformas desde la perspectiva de la competencia es que tienen acceso a una gran cantidad de datos procedentes de los distintos segmentos que se relacionan a través de ella y ello les permite obtener un importante poder de mercado. Este fenómeno del creciente poder de mercado de las plataformas digitales está promoviendo que ciertos ordenamientos jurídicos consideren la necesidad de modificar sus normas de competencia para darles un tratamiento más adecuado. Es el caso de la proyectada décima reforma de la *Gesetz gegen Wettbewerbsbeschränkungen* alemana (GWB), que

---

[11]   Commission Staff Working Document, *Online Platforms*, SWD (2016) 172 final.
[12]   Filistrucchi, L., Geradin, D. y Van Damme, E.C., "Identifying Two-Sided Markets", *TILEC Discussion Paper*, núm. 2012-008, 2012.

está considerando la modificación de sus §§18-20 y la introducción del nuevo §19a para dar un mejor tratamiento al poder de mercado derivado del dominio de los datos.

Estas reformas están introduciendo la noción de empresas con especial incidencia para la competencia en los mercados [*undertakings with paramount significance for competition across markets* (UPSCAM)] como concepto para referirse a aquellas entidades que gozan de una posición estratégica en los mercados de conformidad con las precisiones del informe Furman[13]. El ámbito de aplicación de este concepto, no obstante, es bastante restringido, limitándose a las grandes empresas con una importancia mayor para la competencia entre distintos mercados[14]. Y es que el concepto se refiere, precisamente, a su efecto sobre la competencia en diferentes mercados o a través de mercados (*across markets*), de donde deriva que sólo se podrán considerar como tales a aquellas empresas que tengan una presencia significativa en mercados multilaterales o en red.

Los criterios que se emplean para determinar que una empresa tiene una relevancia especial para la competencia en el mercado son, entre otros:

1º) Su posición de dominio en el mercado.

2º) La especial solidez de su situación financiera.

3º) El acceso a recursos importantes para la competencia, considerándose especialmente el acceso a los datos de los usuarios.

4º) La conexión con otras empresas y su integración vertical en varios niveles de la cadena de producción y distribución[15].

---

13   Furman, J., *et al.*, *Unlocking digital competition. Report of the Digital Competition Expert Panel*, OGL, Reino Unido, marzo de 2019, accesible en https://assets. publishing.service.gov.uk/government/uploads/system/uploads/attachment_data/file/785547/unlocking_digital_competition_furman_review_web.pdf , que se refiere a empresas «with strategic market status».

14   Básicamente en su ámbito de aplicación se incluirán las GAFAM (*Google, Amazon, Facebook, Apple* y *Microsoft*) y alguna gran compañía operadora de plataforma más (*Alibaba, Tencent...*).

15   Sobre los efectos de la integración dentro de redes contractuales de cara a los consumidores, v. Noto La Diega, G. y Walden, I., "Contracting for the 'Internet of Things': Looking into the Nest", *Queen Mary University of London, School of Law Legal Studies Research Paper*, núm. 219, 2016.

5°) El desarrollo de su actividad en otros mercados relacionados.

6°) La existencia de barreras de entrada legales o materiales.

7°) La relevancia de sus actividades para que terceros puedan acceder a los mercados de prestación de servicios y venta de productos, así como su influencia sobre las actividades empresariales de terceros (por ejemplo, una plataforma de venta de apps móviles). Tendrán una consideración especial aquellas empresas que asumen la posición de *gatekeeper*, decidiendo sobre la entrada de otras empresas en un mercado digital.

La necesidad de ofrecer a estas empresas una regulación especial deriva de las fuertes dinámicas hacia una rápida concentración empresarial como causa, principalmente, de los efectos de red, de las ventajas que emanan del dominio de los datos y de los efectos asociados de fortalecimiento, que hacen necesaria una rápida intervención de la autoridad para evitar una posición anticompetitiva indeseada[16].

La reforma de la GWB alemana impone especiales obligaciones a los UPSCAM a causa de la posición privilegiada que ocupan en el mercado[17]. Así, en particular, se les prohíbe:

1°) Tratar las ofertas de sus competidores de una forma distinta a las propias, cuando la actividad de la empresa sea ofrecer acceso a mercados de venta de productos o prestación de servicios, esto es, la prohibición de discriminación y de *"autopreferencia"* (*self-preferencing*).

2°) Dificultar o bloquear directa o indirectamente la actividad de los competidores en un mercado en el que la empresa dominante pueda expandir rápidamente su posición, incluso sin ser dominante en tal mercado, siempre que esta posibilidad de bloqueo sea susceptible de dificultar significativamente el proceso competitivo.

---

[16]   Memoria del Proyecto de Borrador del Ministerio Federal de Asuntos Económicos y Energía Alemán, sobre la décima modificación de la GWB para una Ley de competencia 4.0 proactiva y centra en lo digital (Ley de digitalización de la GWB), pp. 72-73, accesible en https://www.bmwi.de/Redaktion/DE/Downloads/G/gwb-digitalisierungsgesetz-referentenentwurf.pdf?__blob=publicationFile&v=10.

[17]   *Cfr.* § 19a.2 GWB.

3°) Crear o aumentar las barreras de entrada a un mercado a través del uso de datos relevantes para la competencia que se hayan obtenido de otro lado del mercado en un mercado bilateral o multilateral que domine la UPSCAM, incluso cuando dichos datos se hayan combinado con otros datos significativos para la competencia procedentes de otras fuentes, más allá del mercado dominado. Igualmente, se prohíbe que la plataforma imponga a los operadores que en ella actúan -a través de condiciones generales o a través de cláusulas contractuales-, la obligación de permitir el acceso a los datos que ellas capten como requisito para operar.

4°) Dificultar la interoperabilidad de productos o servicios o la portabilidad de los datos, impidiendo la competencia.

5°) Ofrecer información insuficiente a otras empresas sobre el alcance, la calidad o el éxito de su actuación en el mercado que controlan o dificultarles la medición del valor de su actividad comercial (por ejemplo, si una plataforma distribuidora de contenidos digitales en *streaming* no informa a una productora del número de visualizaciones de los contenidos que ésta ofrece).

En todo caso, como ocurre ante cualquier conducta de abuso de posición de dominio, se ofrecen posibilidades de defensa a estos UPSCAM, siempre que puedan probar que su comportamiento está justificado, que se fundamenta en razones de eficiencia, en una *meeting-competition defence*, etc.

2.2. Acceso a datos

El acceso a datos, bien por medios propios, bien a través de los usuarios de las plataformas que dominan, bien mediante el uso de dispositivos del IoT, conforma la principal fuente de poder de mercado de los UPSCAM. Tales datos resultan claves para la actividad en el mercado actual, pero también afectan a las posibilidades de innovación, desplegando sus efectos igualmente en mercados potenciales o futuros, en los que suelen estar implicadas aplicaciones móviles y dispositivos del IoT[18].

Las opciones normativas que se han manejado por ahora para afrontar la cuestión se basan en posiciones de *data-for-all*, que parten de considerar que los datos son un bien público, de modo que las empresas que los dominan están obligadas a compartirlos[19]. En tal sentido, la reforma proyectada de la GWB alemana ofrece a los datos la consideración de recurso esencial (*essential facility*)[20], estipulando como conducta de abuso de posición de dominio la negativa por parte de una empresa -no necesariamente una UPSCAM- a permitir el acceso a sus datos a otras empresas a cambio de una remuneración adecuada (FRAND)[21], siempre que se considere que el acceso a los mismos es objetivamente necesario para competir en un mercado situado aguas arriba o aguas abajo en la cadena de producción o distribución y considerando que tal negativa a suministrar los datos suponga una amenaza para la competencia en dicho mercado[22]. De

---

[18]   Entre una amplia bibliografía, v. Lundqvist, B., "*Big Data*, Open Data, Privacy Regulations, Intellectual Property and Competition Law in an Internet of Things World", *Stockholm Faculty of Law Research Paper*, núm. 1, 2016.

[19]   Sobre el proceso de creación de valor y de poder de mercado a partir de la captación de *Big Data* resulta de gran interés las reflexiones de Krezepicki, A., Wright, J.D. y Yun, J.M., "The Impulse to Condemn the Strange: Assessing *Big Data* in Antitrust", *CPI Antitrust Chronicle*, vol. 2, núm. 2, 2020, pp. 16-20, quienes observan el fenómeno como un proceso de dos fases, limitando así la calificación automática como anticompetitiva de las conductas de captación de datos.

[20]   Sobre la doctrina de las *essential facilities* en el Derecho de la competencia, Calvo Caravaca, A. L. y Rodríguez Rodrigo, J., *La doctrina de las facilidades esenciales en Derecho antitrust europeo*, Monografías de la Revista de Derecho de la Competencia y la Distribución, núm. 6, La Ley, Madrid, 2012; Villar Rojas, F. J., *Las instalaciones esenciales para la competencia: un estudio de Derecho público económico*, Comares, Granada, 2004; y Olmedo Peralta, E., "Una vuelta a la aplicación de la doctrina de las facilidades esenciales (essential facilities) a la propiedad intelectual e industrial", *Revista de Derecho de la Competencia y la Distribución*, núm. 19, 2016.

[21]   *Fair, Reasonable and Non-Discriminatory*, esto es, el acceso a tal recurso ha de hacerse en condiciones justas, razonables y no discriminatorias. Para un análisis del significado de esta cláusula desde la perspectiva de la propiedad industrial, Rodilla Martí, C., *Consorcios de estandarización, patentes esenciales y cláusulas FRAND*, Tirant lo Blanch, Valencia, 2016, pp. 153 y ss.

[22]   Un profundo análisis de las posibilidades de acceso a los datos como fuente de riqueza y recurso esencial para el desarrollo tecnológico y la competencia lo

nuevo, quedarán a salvo aquellos casos en que la negativa pueda quedar objetivamente justificada[23].

2.3. El caso de Amazon dash button

Una de las primeras aplicaciones de los dispositivos IoT en el comercio con consumidores a gran escala fue el modelo de contratación automatizada para la adquisición de productos a través de *Amazon dash button*. El empleo de estos dispositivos comenzó en 2016 y estuvo operativo hasta que se decidió sacarlos del comercio el 31 de agosto de 2019. En concreto, se trata de dispositivos de pequeño tamaño (botones), que podían ser adheridos a cualquier superficie –normalmente en electrodomésticos o muebles del hogar- conectados al IoT y que, simplemente pulsando el botón que incorporan, permitían hacer compras automáticas gestionadas por la plataforma Amazon. El mero accionamiento del *Dash Button* transmitía una orden directa de compra del producto a Amazon, perfeccionándose de forma automática a través de esta plataforma el contrato de compraventa, de conformidad con las preferencias (cantidad, gama del producto...) previamente indicadas, empleando el medio de pago registrado en la plataforma y procediéndose al envío de los productos al domicilio comunicado a Amazon. Con estos dispositivos se conseguía perfeccionar los contratos de consumo en dos nanosegundos, ocupándose Amazon de la puesta de los productos a disposición del consumidor. Por su propio funcionamiento, los productos a los que se dirigió este medio de compra fueron aquellos de consumo doméstico reiterado, tales como detergentes, productos de limpieza y de aseo, etc.

A primera vista, el uso de estos dispositivos no resultó un gran éxito comercial para *Amazon*. Tampoco pretendió serlo. Se trató simplemente de un experimento comercial para saber cómo se podría automatizar el procedimiento de compra de productos diarios a través de dispositivos IoT, sin tener que realizar siquiera una compra *online*

---

ofrece Drexl, J., "Designing Competitive Markets for Industrial Data - Between Propertisation and Access", *Max Planck Institute for Innovation & Competition Research Paper*, núm. 16-13, 2016.

[23] *Cfr.* § 19.4 GWB según la décima propuesta de reforma. V. Memoria de la décima reforma de la GWB, ob. cit., pp. 71-72.

Eugenio Olmedo Peralta / Jorge González Vázquez

o, mejor dicho, sin tener que realizar la compra *online* a través de dispositivos de acceso activo (ordenador, *smartphone*...). Sin embargo, si consideramos el empleo de estos dispositivos a largo plazo, sí podemos valorarlo como un éxito, en tanto que sirvió para facilitar el desarrollo y uso por los consumidores de altavoces inteligentes (como el propio de *Amazon Echo -Alexa-, OK Google, Cortana o Siri*).

Esta forma de automatización de los procesos de compra no es exclusiva de Amazon. Otras plataformas, como *Kwik,* también ofrecen dicha posibilidad, incluso permitiendo a los consumidores una mayor personalización, de modo que sean ellos los que elijan el producto o productos que asocian a cada botón. Igualmente, el sistema creado por esta plataforma es más abierto, ya que permite a cada marca decidir sobre las plataformas de pago y las condiciones de envío que prefieran.

Con todo, el empleo de estos botones, y particularmente el de *Amazon dash button*, se ha enfrentado a varios -y relevantes- problemas jurídicos. Uno de los más significativos fue planteado en Alemania ante el Tribunal Regional de Múnich por una asociación regional de consumidores[24]. En este litigio la *Verbraucherzentrale North Rhine-Westphalia* alegaba que el empleo de *Amazon dash button* era contrario a la normativa de protección de consumidores, en el sentido de que no ofrecía a éstos una información suficiente sobre el producto o su precio. De conformidad con la normativa civil alemana, para la perfección de cualquier transacción se ha de ofrecer al comprador información sobre el precio y las características del producto, así como sobre las condiciones de envío. De este modo, este tipo de contratos sólo sería válido si el consumidor confirma de manera expresa su compromiso a realizar un pago por los productos, expresado de forma no ambigua mediante términos claros.

A nuestro juicio, el modo en que se planteó el litigio ante el Tribunal Regional de Múnich es sólo una muestra de la obsolescencia de la normativa civil sobre la perfección de los contratos y de la necesidad de actualizarla para dar cabida a las nuevas formas de contratación, de conformidad con las prácticas y medios de celebración que estas

---

[24]   Sentencia del Tribunal Regional de Múnich de 10 de enero de 2019 (*Verbraucherzentrale North Rhine-Westphalia v. Amazon*).

tecnologías ya están posibilitando. Al ponerse el foco en el litigio en
cuestiones de *lege lata*, no se pudieron analizar otras cuestiones con-
flictivas del empleo de estos dispositivos que afectan directamente al
sector de la gran distribución comercial desde una óptica antitrust.
Nos referimos, por ejemplo, a la posibilidad de que, junto a la difusión del empleo de estos botones, las plataformas que los distribuyen
–que, como ya hemos visto, tienen un poder de mercado especialmente robusto gracias a los datos que controlan- lleven a cabo prácticas
comerciales abusivas, tales como el *bundling*, el *tying* o, incluso, que
incorporen cláusulas que puedan abusar de la situación de dependencia económica de los usuarios del otro lado del mercado bilateral (los
proveedores), como los acuerdos de precio mínimo garantizado[25]. A
través de éstos, la plataforma, que cuenta con el poder de tener una
cuota inmensa de clientes en el otro lado del mercado bilateral, consigue arrancar de los proveedores el compromiso de ofrecerles sus productos al mínimo precio, asegurándoles que no los comercializarán
a otros distribuidores a precios iguales o inferiores. Gracias a estos
acuerdos, la plataforma puede garantizar al consumidor final que ad-
quirirán el producto al menor precio de mercado, haciendo, por tanto, muy atractivo el uso de estos dispositivos, de lo que, *prima facie*,
parecería que se derivaría un beneficio directo para los consumidores.
Pero esta conducta conducirá, *a fortiori*, a un fortalecimiento aún
mayor de la posición de dominio de la plataforma, levantando una
barrera de entrada relevante para otros eventuales intermediarios en
la distribución del producto y presionando el margen de beneficios de
los fabricantes, que tendrán que acogerse a las condiciones impuestas

---

[25]   Sobre estas conductas, Estevan de Quesada, C., *Explotación de la dependencia
económica en las redes de distribución*, Aranzadi, Cizur Menor, 2017, pp. 139 y
ss.; Zabaleta Díaz, M., *La explotación de una situación de dependencia económica como supuesto de competencia desleal*, Marcial Pons, Madrid, 2002; *idem*,
"La dependencia económica del proveedor de la gran distribución", en *Derecho
de la competencia y gran distribución*, coord. Cachafeiro, García-Pérez, López-
Suárez, Aranzadi, Cizur Menor, 2016, pp. 57-89; Ruiz Peris, J. I., "El abuso de
dependencia económica en el Derecho de defensa de la competencia en el marco
de la lucha contra las conductas abusivas", en *Derecho de la competencia y gran
distribución*, coord. Cachafeiro, García-Pérez, López-Suárez, Aranzadi, Cizur
Menor, 2016, pp. 31-55.

por la plataforma. Esta conducta podría igualmente excluir a otros competidores del mercado de la gran distribución.

Esta problemática, especialmente en lo que respecta a la vertiente de la competencia en el sector de la distribución comercial, afecta no sólo a estos botones, sino también a cualquier dispositivo de uso doméstico conectado al IoT que permita realizar transacciones automáticas, tales como lavadoras o frigoríficos inteligentes. Tales dispositivos pueden incorporar sensores de distintos tipos que permitan identificar el nivel de productos o consumibles que tienen y realizar pedidos de forma automática a medida que se reducen sus niveles. A su vez, estos dispositivos pueden estar conectados a la plataforma de venta directamente o realizar dicha conexión comunicándose con un dispositivo intermedio (como pueden ser los altavoces inteligentes).

En estos casos nos encontramos con problemas similares sobre la competencia y la distribución, tales como la limitación de los vendedores con los que se puede contactar, ya sean directos o plataformas intermediarias o la posibilidad de considerar "precios mínimos garantizados". Pero podrá generarse también una barrera de entrada a la competencia quizá más grave manifestada en la preinstalación de aplicaciones (*native available services*[26]) en estos dispositivos. Así, aunque en teoría se permita al consumidor cambiar de plataforma con la que el dispositivo contrate, en la mayoría de los casos el consumidor final no modificará los parámetros preestablecidos[27], redundando en un fortalecimiento de la posición de dominio de la plataforma que haya conseguido entrar como referencia en el producto.

---

[26]   En sus distintas formas, según el tipo de dispositivo de que se trate: *skills, actions*, etc.

[27]   Por su similitud con el supuesto considerado, v. Decisión de la Comisión Europea de 16 de diciembre de 2009, asunto 39.530, *Microsoft (tying)*, en el que se discutía la preinstalación de Windows Media Player como como reproductor de audio por defecto (*default*) en ordenadores con el sistema operativo Windows. Aunque se pudieran instalar los reproductores de otros proveedores, el hecho de incorporar ya el sistema operativo una herramienta constituía una fuerte barrera de entrada que dificultaba que un porcentaje amplio de usuarios decidiera la adquisición de programas desarrollados por otras empresas.

2.4. Problemas de competencia y distribución del empleo de altavoces inteligentes IoT

En los últimos años se ha disparado la venta y utilización de los llamados altavoces inteligentes. Se trata de dispositivos tales como Amazon Echo (Alexa), Siri (Apple), Cortana (Microsoft), OK Google o Bixby que se encuentran conectados al IoT y que permiten la realización de múltiples tareas a partir de órdenes recibidas de los usuarios – normalmente, con activación por voz- o de otros dispositivos conectados al mismo ecosistema de IoT. Mediante el uso de estos aparatos pueden llevarse a cabo acciones de lo más diversas, que van desde la reproducción de música, el control de otros dispositivos domésticos conectados (calentadores, persianas...), la búsqueda de información en Internet, hasta la celebración de transacciones económicas con distintas empresas.

Pese al amplio abanico de tareas que pueden realizarse a través de estos dispositivos, centraremos nuestras reflexiones en aquellas que permiten la adquisición de productos o la contratación de servicios mediante su empleo. Así, los usuarios pueden utilizar los altavoces inteligentes para identificar y localizar un proveedor para el producto o servicio que desean adquirir (por ejemplo, pedir una pizza). Los principales problemas para la competencia que se derivan del empleo de estos altavoces inteligentes surgen a partir del control de una enorme cantidad de datos que tienen las plataformas sobre las preferencias de los clientes, así como del uso de la inteligencia artificial y de mecanismos de aprendizaje automático por parte de estos dispositivos[28].

Dichos dispositivos, al estar conectados a un ecosistema de IoT, desarrollan una actividad continuada de captación de datos y aprendizaje a través de algoritmos inteligentes (*smart algorithms*). Con ellos se permite no sólo que los consumidores puedan contratar bienes o servicios, sino que éstos transmitan gran cantidad de información sobre sus preferencias a las empresas y que éstas, tras su procesado informático, puedan dirigir de una forma personalizada sus productos o servicios a los consumidores, lo que podría conducir al establecimiento de precios u ofertas personalizados, que prevean las necesidades y

---

[28]   Rabassa, V., "*Connected objects, voice assistant...*", *ob. cit.*, p. 2.

la predisposición de los consumidores a contratar -y a pagar- en cada momento y lugar.

Con el uso y difusión de estos dispositivos se generan importantes efectos de red, tanto directos como indirectos. Así, a mayor número de objetos conectados en el ecosistema dominado por el asistente de voz, y cuantas más aplicaciones se encuentren controladas por éste, más atractivo resultará su uso para los consumidores, puesto que podrán realizar una mayor cantidad de tareas con ellos. Y, en lo referente al otro lado del mercado bilateral, cuanto más popular sea un determinado dispositivo, mayor será el interés de las empresas proveedoras de productos o servicios para estar presentes en dichos dispositivos y ofrecer sus prestaciones a través de ellos[29].

Estos altavoces son un elemento más que se inserta en el ámbito de una plataforma digital prestadora de distintos tipos de servicios (multimedia, motores de búsqueda, venta de aplicaciones, distribución comercial...) que presentan los caracteres propios de un mercado bilateral. Al incorporarse los altavoces inteligentes a este sistema se consigue una mayor interacción con la plataforma de uno de los lados del mercado (los consumidores), mediante el asistente de voz. Pero, al mismo tiempo, también se obtiene la conexión de otros dispositivos inteligentes que el consumidor tenga en su casa conectados al asistente de voz (M2M, *Machine-to-Machine communication*). Tanto el propio usuario al comunicarse con el altavoz como los demás dispositivos inteligentes estarán constantemente transmitiéndole datos, que éste analizará a través de inteligencia artificial y aplicando técnicas de aprendizaje automático. Estos datos tendrán gran valor para la plataforma que los controla, pues permitirá diseñar un perfil claro de los consumidores –tanto individualmente considerados como de forma agregada- y, además, podrá utilizarlos para ofrecer servicios más atractivos a los usuarios del otro lado del mercado, esto es, para los proveedores de servicios, reforzando la posición de dominio que la plataforma ostenta también en ese lado del mercado.

Consideraremos los efectos que el uso de estos dispositivos produce sobre la competencia a través del ejemplo de tres tareas que,

---

[29]   Rabassa, *últ. ob. cit.*, p. 4.

usualmente, se llevan a cabo utilizando estos asistentes de voz: pedir una pizza, consultar el tiempo y acceder a información periodística.

En el primer caso, el procedimiento de contratación de un producto o servicio -como una pizza- a través de estos dispositivos se descompone en cuatro pasos:

(1) Una vez que el altavoz ha recibido la información del pedido del usuario, utiliza un motor de búsqueda para localizar los proveedores -las pizzerías- que se encuentren cercanas al lugar de la localización y que presten sus servicios hacia esa zona.

(2) En segundo lugar, se selecciona una pizzería de entre las opciones propuestas.

(3) Seguidamente, se ajusta la petición en función de la oferta de la pizzería y las preferencias manifestadas por el usuario. En este momento, el altavoz puede comunicarse con el usuario pidiendo posibles matizaciones sobre sus preferencias (tipo de pizza, tamaño, ingredientes…).

(4) Finalmente, el asistente de voz comunica a la pizzería de forma informática los datos necesarios para la transacción: dirección de envío, datos de pago, etc., información que se encuentra ya almacenada en el dispositivo.

El primer problema para la competencia que se deriva de esta forma de proceder es la posibilidad de que el altavoz excluya a determinados proveedores o dé preferencia a otros. Así, es posible que, mediante negociaciones comerciales entre la plataforma que controla el dispositivo de voz y empresas distribuidoras de productos o prestadoras de servicios haya un acuerdo previo para favorecer una oferta definida[30]. Esto, en un primer momento, puede quedar reflejado en la preinstalación de acciones nativas (*skills, actions,* …) en el altavoz, de modo que se facilite la contratación de productos teniendo previamente instalada una aplicación específica o funcionalidad de

---

[30] Así, por ejemplo, puede ser que *Amazon Echo* tenga preinstaladas las aplicaciones de *Pizza Hut* y *Dominos* y que el consumidor pueda elegir; es posible que otra plataforma sólo tenga instalada una (aquélla con la que haya llegado a acuerdos de distribución previamente) y que no permita el acceso a otras plataformas, etc.

una determinada marca. Esta práctica puede generar el consecuente problema del cierre del mercado a competidores.

Nuestro segundo ejemplo no se refiere a la adquisición de bienes físicos, sino a la prestación de servicios digitales, como es la consulta del tiempo a través del dispositivo. Cuando se pregunta a un asistente de voz "¿qué tiempo hace?", normalmente ofrecerá la información con respecto al programa que tenga preinstalado -que será, normalmente, el dominado por la plataforma que distribuye el dispositivo- y ello pese a que es posible que existan otras aplicaciones que puedan dar esa información y que pudieran estar, también, instaladas. En este caso, nuevamente, el hecho de no estar disponibles *a priori* estas aplicaciones -y, por consiguiente, ese prestador de servicios de información- implicará su exclusión del mercado para la mayor parte de los clientes. Ello podrá dar lugar, en particular, al desarrollo de conductas de abuso del dominio del titular de la plataforma tales como el *self-preferencing*.

2.5. IoT, mercado de medios y pluralismo informativo

En la actualidad existen varias fórmulas y distinciones conceptuales para medir el pluralismo de los medios de comunicación, pero la mayoría de ellas, si no todas, coinciden en que la concentración de la propiedad en los mercados de medios es una de las principales categorías para calcular y evaluar dicho pluralismo.

A escala global, la concentración de la propiedad de los medios se entiende como una de las mayores amenazas para el pluralismo informativo, ya que puede reducir la diversidad de las voces periodísticas y, con ello, la heterogeneidad en los discursos mediáticos. Esta concepción se emplea, por ejemplo, en el *Media Pluralism Monitor* (MPM)[31], un proyecto que evalúa las condiciones para el pluralismo de los medios en todos los estados miembros de la Unión Europea, así como en los países candidatos, centrándose en las profundas transformaciones que han experimentado los mercados y sistemas de medios en las últimas décadas a raíz del desarrollo de la tecnología en

---

[31] El MPM ha sido desarrollado por el *Centre for Media Pluralism and Media Freedom*, adscrito al *European University Institute* (EUI).

la denominada Sociedad de la Información y el Conocimiento y que
-como hemos mencionado- afectan la pluralidad y la diversidad de
las ofertas informativas; de ahí que, para garantizar el pluralismo, la
competencia en los sistemas de medios se perciba como indispensable.

La información -entendida como un negocio específico, dotado
no sólo de valor económico sino también democrático- es costosa
de producir, pero cotiza bajo en los mercados. Es por ello que para
poder ser rentable, la lógica de este negocio tiende hacia la concentración. Expertos en la materia han creado cuatro clasificaciones para los
principales tipos de concentración que experimentan hoy los medios
de comunicación:

1. Horizontal – Fusiones dentro del mismo mercado.
2. Vertical – Concentración de los diferentes niveles de producción.
3. Diagonal o de medios cruzados – Fusiones de diferentes tipos
   de medios.
4. Conglomerado – Cuando una empresa externa al sector mediático adquiere activos de medios.

La concentración de proveedores de Internet, tanto de servicios
como de contenidos informativos, forma parte de la tercera clasificación, donde también tienen entrada los dispositivos conectados al
IoT. Pongamos un ejemplo: cuando a través del comando de voz se
le ordena a uno de estos dispositivos que identifique cuáles son las
principales noticias en algún momento del día, el dispositivo ofrecerá
resultados según el programa o app que tenga preinstalado, arrojando
los titulares de ciertos medios de comunicación con una línea editorial
específica, algo que -al excluir otros medios- podría suponer una limitación al pluralismo informativo, terminar validando o construyendo
en las audiencias determinados tipos de ideología y, a la postre, condicionar aspectos económicos, políticos, sociales, etc., de la vida, entre
los más destacables la intención de voto.

Los resultados del MPM indican que la mayoría de los países de la
UE, dentro de su política de medios, establecen ciertos límites o umbrales para la concentración horizontal en los mercados de medios de
comunicación tradicionales que garantizan una pluralidad informativa y diversidad suficientes, aplicando las leyes generales de competencia tanto en su vertiente antitrust como de control de concentraciones.

Sin embargo, la posición de dominio en el mercado de intermediarios digitales y plataformas que no producen contenido propio, pero que funcionan como canales de entrega, no se tratan con el mismo enfoque; esto es, que no se considera la posición de mercado de otros actores como las empresas de alojamiento, los motores de búsqueda y las redes sociales, estas últimas de particular relevancia debido a su alcance global, fortaleza económica y el rol vehicular que desempeñan hacia las noticias.

A pesar de que no son medios en el sentido estricto del término, las redes sociales desempeñan funciones similares a éstos, actuando como *gatekeepers*, personalizando los contenidos que ofrecen a sus usuarios y construyendo la imagen de una esfera pública[32]. Otra razón para considerar estas plataformas en la evaluación de las condiciones del pluralismo informativo proviene del hecho de que compiten con los medios de comunicación en igualdad de condiciones por la publicidad *online*, cuando los medios no tienen el alcance de dichas plataformas.[33] Y otra gran ventaja competitiva sobre los medios de comunicación tradicionales es el manejo de datos: el volumen de información que, según hemos visto, estas plataformas recopilan sobre los rasgos y preferencias de personalidad de los individuos y que les permite diseñar una publicidad muy dirigida, híper segmentada y potencialmente más efectiva.

Con todo lo anterior, cabría plantearse la creación de nuevos modelos para medir el pluralismo informativo, que no estén basados sobre todo en el número o en la tipología de empresas que integran una concentración en el mercado de medios o en la cantidad de compañías que compiten entre sí en el sistema mediático, sino también en la infinidad de otras opciones que hoy tienen los usuarios, y donde intervienen factores como algoritmos, intermediarios, dispositivos conectados y, definitivamente, el IoT.

---

[32] Tucker, C. y Marthews, A., "Social Networks, Advertising and Antitrust", *Competition Policy International – Antitrust Chronicle*, 28 de enero de 2016.
[33] Por ejemplo, en el año 2019 el portal estadístico de Facebook computó 2.5 billones de usuarios activos al mes.

2.6. *Algunas conductas anticompetitivas desarrolladas mediante dispositivos IoT: self-preferencing y precios personalizados*

Hasta ahora hemos considerado que el control de distintos tipos de ecosistemas de IoT por las plataformas digitales les permite incrementar su posición de dominio en los mercados afectados -principalmente en el de la distribución comercial-, lo que propicia prácticas restrictivas de la competencia, fundamentalmente por lo que respecta a conductas de abuso de posición de dominio. Entre ellas, por su especial incidencia, destacaremos dos: el trato privilegiado a los propios productos o servicios (*self-preferencing*) y la aplicación de precios personalizados.

Las conductas de *self-preferencing* incluyen aquellas prácticas desarrolladas por una plataforma operativa en un mercado bilateral en explotación de su doble condición de gestión de la plataforma y empresa activa en el lado empresarial del mercado. En tal sentido, a través de estas prácticas la plataforma ofrece algún tipo de trato preferente a la oferta que esa misma empresa (u otra de su mismo grupo) hace a los consumidores en el otro lado del mercado bilateral. Tales tratos preferentes pueden adoptar múltiples formas, tales como ser el primer resultado en una búsqueda de productos, ser la aplicación instalada por defecto en el dispositivo para llevar a cabo una determinada actuación, dar publicidad de cierta forma a los productos o servicios de dicha empresa, lanzar especiales ofertas comerciales, etc.

Como vemos, al quedar los dispositivos de IoT generalmente embebidos en el ecosistema controlado por una de las grandes plataformas digitales (los GAFAM), los productos y servicios que estos presten pueden recibir un trato privilegiado con respecto a los de otros proveedores que actúen a través de la misma plataforma, pero, en este caso, sólo como simple proveedores. Evidentemente esta forma de actuar podrá constituir una conducta de abuso de posición de dominio por exclusión de los competidores.

Por otro lado, las plataformas digitales disponen de muchos mecanismos para captar una infinidad de datos sobre las preferencias y conductas de los consumidores, bien a través de los dispositivos de IoT que incorporen a su ecosistema, bien mediante otra forma de captación de datos de éstos (*cookies*, cesión de datos por parte de otras empresas...). Este proceso da lugar, en suma, a que las plataformas tengan una gran cantidad de datos sobre los consumidores que pueda manifestarse, en particular, en la predisposición a contratar o a pagar de éstos en un determinado momento. Al dominar esta información, las plataformas consiguen reducir drásticamente la asimetría informativa que hay en la contratación, disminuyéndose de forma importante los costes de transacción y, a la postre, eliminando las razones para que las empresas hayan de fijar unas condiciones contractuales unitarias para todos los consumidores, pudiendo practicarse ofertas y fijando precios personalizados para cada consumidor, en función de los datos que de ellos se tienen y de las distintas circunstancias en que se encuentren[34].

La aplicación de precios personalizados o, más ampliamente, de condiciones contractuales personalizadas aprovechan los datos que la plataforma tiene de los consumidores para realizar ofertas comerciales personalizadas en un intento de maximizar los beneficios[35]. Estas prácticas, en particular, podrán venir aparejadas a conductas de *self-preferencing*, o, también, ser comercializadas a través de los servicios de publicidad que prestan respecto de los productos o servicios de otros proveedores.

---

[34] Sobre este particular, Peppet, S. R., "Regulating the Internet of Things: First Steps Towards Managing Discrimination, Privacy, Security & Consent", *Texas Law Review*, núm. 93, 2014, pp. 85-176.

[35] Un análisis más completo de este interesante asunto es ofrecido por Manta, I. D. y Olson, D. S., "Hello Barbie: First They Will Monitor You, Then They Will Discriminate Against You. Perfectly", *Alabama Law Review*, núm. 67, 2015, pp. 152 y ss.

BIBLIOGRAFÍA

AA.VV., *The Internet of Things, Industrie 4.0 Unleashed*, Springer, Munich, 2018.

Astonk, K., "That "Internet of the Things' Thing", *RFID Journal*, 2009, disponible en https://www.rfidjournal.com/articles/view?4986.

Barrio Andrés, M., *Internet de las cosas*, 2ª ed., Reus, Madrid, 2020.

Bates, J., *Thingalytics, Smart Big Data Analytics for the Internet of Things*, Software AG, Darmstat, 2015.

Calvo Caravaca, A. L. y Rodríguez Rodrigo, J., *La doctrina de las facilidades esenciales en Derecho antitrust europeo*, monografías de la Revista de Derecho de la Competencia y la Distribución, núm. 6, La Ley, Madrid, 2012.

Cisco, *Annual Internet Report (2018–2023) White Paper*, 2020, disponible en https://www.cisco.com/c/en/us/solutions/collateral/executive-perspectives/annual-Internet-report/white-paper-c11-741490.html.

Commission Staff Working Document, *Online Platforms*, SWD (2016) 172 final

Drexl, J., "Designing Competitive Markets for Industrial Data-Between Propertisation and Access", *Max Planck Institute for Innovation & Competition Research Paper* núm. 16-13, 2016.

Edelman, B. y Geradin, D., "An introduction to the Competition Law and Economics of "Free"", *Competition Policity International – Antitrust Chronicle*, 23 de Agosto de 2018.

Estevan de Quesada, C., *Explotación de la dependencia económica en las redes de distribución*, Aranzadi, Cizur Menor, 2017.

Evans, D. S., *The Antitrust Economics of Two-Sided Markets*, 2002, disponible en https://ssrn.com/abstract=332022

Filistrucchi, L., Geradin, D. y Van Damme, E. C., "Identifying Two-Sided Markets", *TILEC Discussion Paper*, núm. 2012-008, 2012.

Furman, J., *et al.*, *Unlocking digital competition. Report of the Digital Competition Expert Panel*, OGL, Reino Unido, marzo de 2019, accesible en https://assets.publishing.service.gov.uk/government/

uploads/system/uploads/attachment_data/file/785547/unlocking_digital_competition_furman_review_web.pdf.

Gershenfeld, N., *When Things Start to Think*, Hodder & Stoughton, Londres, 1999.

Greengard, S., *The Internet of Things*, The MIT Press, Cambridge (MA), 2015.

Japan Fair Trade Commission, *Guidelines Concerning Abuse of a Superior Bargaining Position in Transactions between Digital Platform Operators and Consumers that Provide Personal Information, etc.* (draft), 2019.

Kellmereit, D. y Obodovski, D., *The Silent Intelligence: The Internet of Things*, DnD Ventures, San Francisco (CA), 2013.

Krezepicki, A., Wright, J. D. y Yun, J. M., "The Impulse to Condemn the Strange: Assessing *Big Data* in Antitrust", *CPI Antitrust Chronicle*, Vol. 2, 2, 2020, pp. 16-20.

Lundqvist, B., "*Big Data*, Open Data, Privacy Regulations, Intellectual Property and Competition Law in an Internet of Things World", *Stockholm Faculty of Law Research Paper*, núm. 1, 2016.

Manta, I. D. y Olson, D. S., "Hello Barbie: First They Will Monitor You, Then They Will Discriminate Against You. Perfectly", *Alabama Law Review*, núm. 67, 2015, pp. 135-187.

Nenadic, I. y Milosavljevič, M., "Adapting the Understanding of Media Market Plurality to the New Digital Realities", Centre for Media Pluralism and Media Freedom, European University Institute, 2019.

Noto La Diega, G. y Walden, I., "Contracting for the 'Internet of Things': Looking into the Nest", *Queen Mary University of London, School of Law Legal Studies Research Paper*, núm. 219, 2016.

Olmedo Peralta, E., "Una vuelta a la aplicación de la doctrina de las facilidades esenciales (essential facilities) a la propiedad intelectual e industrial", *Revista de Derecho de la Competencia y la Distribución*, núm. 19, 2016.

Peppet, S. R., "Regulating the Internet of Things: First Steps Towards Managing Discrimination, Privacy, Security & Consent", *Texas Law Review*, núm. 93, 2014, pp. 85-176.

Rabassa, V., "Connected objects, voice assistant, digital platform and data: a new way of consuming, an increasing market power for the tech giants?", contribución a *Panel 2: Digital Platforms' Market Power*, European Commission - DG Competition *Shaping competition policy in the era of digitalization*, 17 January 2019, disponible en https://ec.europa.eu/competition/information/digitisation_2018/contributions/valerie_rabassa.pdf.

Rodilla Martí, C., *Consorcios de estandarización, patentes esenciales y cláusulas FRAND*, Tirant lo Blanch, Valencia, 2016.

Ruiz Peris, J. I., "El abuso de dependencia económica en el Derecho de defensa de la competencia en el marco de la lucha contra las conductas abusivas", en López-Suárez, M., García-Pérez, R. y Cachafeiro García, F. (coords.), *Derecho de la competencia y gran distribución*, Aranzadi, Cizur Menor, 2016, pp. 31-55.

Tucker, C. y Marthews, A., "Social Networks, Advertising and Antitrust", *Competition Policy International – Antitrust Chronicle*, 28 de enero de 2016.

Villar Rojas, F. J., *Las instalaciones esenciales para la competencia: un estudio de Derecho público económico*, Comares, Granada, 2004.

Wismer, S., Bongard, C. y Rasek, A., "Multi-Sided Market Economics in Competition Law Enforcement", *Journal of European Competition Law & Practice*, 8, núm. 4, 2017, pp. 257-262.

Zabaleta Díaz, M., "La dependencia económica del proveedor de la gran distribución", en *Derecho de la competencia y gran distribución*, López-Suárez, M.García-Pérez, R. y Cachafeiro García, F. (coords.), Aranzadi, Cizur Menor, 2016, pp. 57-89.

Zabaleta Díaz, M., *La explotación de una situación de dependencia económica como supuesto de competencia desleal*, Marcial Pons, Madrid, 2002.

LOS PRECIOS PERSONALIZADOS COMO PRÁCTICA ANTICOMPETITIVA DE DISCRIMINACIÓN MEDIANTE EL USO DE ALGORITMOS

MARÍA PASTRANA ESPÁRRAGA
Doctoranda del área de Derecho Mercantil
Universidad de Málaga

1. INTRODUCCIÓN

Las nuevas posibilidades que ofrecen las tecnologías de la comunicación y la computación en el ámbito de la captación, el procesamiento y análisis masivo de datos están produciendo un impacto notable en múltiples aspectos de la economía en general. El desarrollo de la economía digital ha permitido operar importantes avances para la sociedad como el incremento de la conectividad o un mayor y mejor acceso a fuentes de información, así como al comercio *online* por parte de millones de usuarios [1]. La digitalización y, sobre todo, el desarrollo de plataformas digitales, han permitido a su vez la construcción de nuevos sistemas o modelos económicos como, por ejemplo, lo que hoy día se conoce como "economía colaborativa". Todos estos cambios permiten una mayor oferta de productos y servicios, de mayor calidad, más innovadores o personalizados de los que se derivan mayores beneficios tanto para los consumidores como para las empresas.

---

[1]   Gawer, A., "*Big data*: bringing competition policy to the digital era", DAF/COMP/WD (2016)74, 2016, pp. 1-18, en concreto, p. 3.

A pesar de tratarse de avances que, en principio, aportan grandes beneficios a la sociedad, resulta imprescindible realizar un estudio detallado del uso que los agentes económicos y, sobre todo, las empresas, hacen de esas nuevas tecnologías, y si esto afecta, y de qué manera, a la innovación y la competencia entre ellas, así como, en última instancia, al bienestar social.

Las empresas de los diferentes sectores están invirtiendo cada vez más recursos en el desarrollo de herramientas informáticas basadas en algoritmos, *big data* e inteligencia artificial, a través de los cuales puedan captar todo tipo de información de sus usuarios. Dentro del proceso de creación de valor a partir de los datos extraídos, cada uno de los eslabones cumple una función: los dispositivos y los usuarios entregan los datos que, interpretados de forma global o individualizada, conforman lo que conocemos como *big data*. En segundo lugar, los algoritmos son el instrumento que se utiliza para interpretar dichos datos y otorgarles valor, convirtiéndolos en información. Finalmente, la inteligencia artificial utiliza dicha información para adoptar decisiones o dar órdenes a procesos sencillos, pudiéndose extraer de ellos conclusiones e información que serán determinantes para definir las estrategias comerciales de las empresas. Dentro de estas herramientas, las empresas están haciendo uso de los algoritmos de aprendizaje y del *big data* que funcionan sobre la base de la acumulación de información y reglas sobre su procesado y que, a la postre, les permitirá conseguir una ventaja competitiva frente al resto de competidores. El uso de estos recursos les permite realizar análisis predictivos de la demanda estimada -y de los factores que influyen en sus variaciones-, de las preferencias del consumidor o de los cambios históricos y futuros de precios, permitiendo acumular una mayor cantidad de información (y de mayor calidad) que posibilitará ofrecer bienes y servicios más innovadores, aumentando, en ocasiones, la competencia y el bienestar de los consumidores, afectando, de este modo, en gran medida, tanto a la oferta como a la demanda.

El uso de la información obtenida de este modo permite a las empresas reducir sus estructuras de costes, a raíz de una mejor asignación de los recursos y un aumento de la calidad de sus procesos y de los bienes y servicios que producen. Esto se podría proyectar en mejores precios para los consumidores o en mejores productos y servicios. En el caso de los algoritmos de precios, estos permiten tomar decisiones sobre la base de diferentes factores como son el *stock* disponible o la demanda anticipada. Como resultado, los precios pueden ser más dinámicos e incluso, personalizados[2] . Si bien el uso de algoritmos para la determinación de los precios es una práctica reciente, siempre han sido utilizados. Pensemos, por ejemplo, en las compañías aéreas. Éstas han ido definiendo los precios de sus billetes en función de los datos prospectivos del servicio, es decir, cuándo sale el vuelo, el porcentaje de ocupación del avión en el momento de la reserva, etc.

Este tipo de conductas puede producir un efecto sobre la competencia. Es por ello que hay que analizar la normativa y la doctrina aplicable para ver si las normas actualmente existentes son adecuadas para afrontar esta problemática[3] derivada del uso de algoritmos informáticos, su gestión por inteligencia artificial y el control de enormes cantidades de *big data* por parte de los gigantes tecnológicos.

En concreto, la nueva realidad está propiciando un entorno en el que pueden desarrollarse nuevas conductas restrictivas de la competencia, como pudieran ser los precios personalizados o la diferenciación de calidades en función del perfil de cada consumidor. Aplicando precios personalizados se estaría produciendo una discriminación entre los consumidores a los que se les aplicarían diferentes ofertas por los mismos bienes o servicios en función de sus preferencias o su disponibilidad a pagar por ellos. Esta discriminación se lleva a cabo a través del empleo de algoritmos que permiten identificar información relevante del consumidor.

---

[2]   OECD, "Algortithms and Collusion. Competition Policy in the Digital Age", 2017, p. 16; Schumpeter, J., "Flexible Figures, A Growing Number of Companies are Using `Dynamic´ Pricing", *The Economist*, 2016, disponible en: https://www.economist.com/business/2016/01/28/flexible-figures.

[3]   Entre otros, OECD, *"Algortithms and Collusion. ..."*, *ob. cit.*, p. 36; Robles Martín-Laborda, A., "Cuando el cartelista es un robot. Colusión en mercados digitales mediante algoritmos de precios", *Actas de Derecho Industrial y Derecho de Autor*, 2018, p. 6; Ezrachi, A.-Stucke, M.E., "Artificial Intelligence & Collusion: When Computers Inhibit Competition", *University of Illinois Law Review*, núm. 5, 2017, pp. 1775-1810.

2. USO DE ALGORITMOS PARA LA DETERMINACIÓN DE PRECIOS EN EL MERCADO

En primer lugar, es importante señalar que aún no se ha formulado una definición única y consensuada sobre qué ha de entenderse por algoritmo a estos efectos [4]. En este sentido, la definición propuesta más completa[5] es aquella que considera que un algoritmo es un listado de operaciones simples aplicadas mecánica y sistemáticamente a un conjunto de datos[6] y expresadas mediante un lenguaje informático. Así, un algoritmo *«no es más que una secuencia ordenada y finita de instrucciones que ha de ser aplicada a un número finito de datos para llevar a cabo una tarea específica»*[7]. Es decir, se trata de ciertas operaciones que siguen una serie de instrucciones para resolver un problema a partir de los *inputs* informativos (datos) que se le ofrecen[8]. De este modo, permiten a los ordenadores resolver problemas complejos, hacer predicciones y tomar decisiones más eficientemente que los humanos, alcanzando nuevos niveles de inteligencia[9]. Por ello, cada vez adquieren más importancia para las empresas y, en consecuencia, para la sociedad. Dado que cada vez son más las compañías que adoptan sus decisiones sobre la base de la información que obtienen aplicando algoritmos al comportamiento de los clientes, la doctrina ha llegado a adoptar el término de *"Algorithmic Business"* para referirse a este tipo de conductas, al uso de complejos algoritmos para mejorar las decisiones empresariales a través de las predicciones de análisis y la optimización de procesos en la empresa, con el objetivo

---

[4] OECD, *"Algortithms and Collusion..."*, *ob. cit.*, p. 8.
[5] Wilson, R.A.-Keil, F.C., *The MIT Encyclopedia of the Cognitive Sciences*, MIT Press, 1999, p. 11, disponible en: http://www.aiai.ed.ac.uk/project/oplan/documents/1999/1999-MITECS.pdf
[6] OECD, *"Algortithms and Collusion ...."*, *ob. cit.*, p. 8. Los algoritmos pueden ser representados en múltiples maneras (idiomas, diagramas, códigos, programas...) y, gracias a la evolución sufrida en el ámbito de la informática, estos pueden ser desarrollados automáticamente a través del procesamiento de datos y la realización de complejos cálculos.
[7] Robles Martín-Laborda, A., *ob. cit.*, p. 4.
[8] Hickman, L., "How algorithms rule the world", *The Guardian*, 1, 2013, p. 2, disponible en: https://www.theguardian.com/science/2013/jul/01/how-algorithms-rule-world-nsa.
[9] OECD, *"Algortithms and Collusion ...."*, *ob. cit.*, p. 9.

de lograr la automatización de estos últimos para una mayor diferenciación competitiva[10].

Sin embargo, a pesar de encontrarnos ante una definición aparentemente comprensible, no es fácil conocer cómo trabajan los algoritmos, cómo deciden qué quieren mostrarnos y qué no, provocando que nuestras decisiones se basen en las suyas[11].

En este sentido, el uso de algoritmos influye de forma notable sobre ambas vertientes del mercado, la de la oferta –determinación de precios, lugares, calidades, etc.- y la de la demanda –consiguiendo estimular comportamientos de compra por parte de los consumidores–, llegando a plantear posibles problemas para el Derecho de la competencia.

Por lo que respecta a la oferta, el uso de algoritmos está permitiendo a las empresas reducir su estructura de costes gracias a una mejor asignación de los recursos y un aumento de la calidad, influyendo en gran medida sobre las operaciones llevadas a cabo por las compañías como son el planeamiento, el área comercial y la logística[12]. De producirse un uso de la información que los algoritmos ofrecen en un contexto de competencia, ello podría proyectarse en beneficios para los consumidores, tales como una reducción de precios o la oferta de mejores productos o servicios. En el caso de los algoritmos de precios, éstos permiten tomar decisiones sobre la base de diferentes factores como son la información que tiene la empresa sobre el consumidor, sobre sus circunstancias personales, el *stock* disponible o la demanda anticipada. Como resultado, los precios pueden ser más dinámicos, diferenciados, e incluso, personalizados[13]. Un ejemplo, puede ser el comercio *online*, el cual usa nuestro historial de búsqueda e información personal para recomendarnos otros artículos que nos pueden interesar.

---

[10] Ezrachi, A.-Stucke, M.E., *Virtual Competition: The Promise and Perils of the Algorithm-Driven Economy*, Harvard University Press, United States, 2016.

[11] Bundeskartellamt 18th Conference on Competition, Berlin, marzo 2017.

[12] OECD, "*Algotithms and Collusion ..*", *ob. cit.*, p. 15.

[13] Schumpeter, J., "Flexible Figures, A Growing Number of Companies are Using 'Dynamic' Pricing", *ob. cit.*; OECD, "*Algotithms and Collusion...*", *ob. cit.*, p. 16.

Sobre la base del estudio elaborado por la OECD sobre algoritmos y colusión[14], se puede realizar una clasificación del tipo de algoritmos usados por las compañías en función de la estrategia que estas siguen. En este sentido, se señala la existencia de cuatro tipos de algoritmos, a saber: *monitoring algorithms, parallel algorithms, signalling algorithms* y, *por último, self-learning algorithms.*

Este último tipo es el que potencialmente puede producir más problemas dado que su empleo requiere cada vez de menor intervención humana. Estos algoritmos permiten el aprendizaje autónomo y automático y se caracterizan por conseguir una gran capacidad predictiva, de aprender y readaptarse constantemente a las acciones pasadas, presentes y futuras de otros actores del mercado, bien seres humanos bien agentes artificiales, lo que puede provocar un alto riesgo de colusión. La posibilidad de prescindir del elemento humano dificulta las tareas de imputación de la conducta, lo que provoca el problema de que sea más difícil encuadrar estas conductas dentro de las normas del Derecho de la competencia.

Para el tema tratado en este artículo hemos de indicar que tienen gran importancia tanto los algoritmos de monitorización como los de señal o alerta. Esto es así ya que, los primeros nos permiten seguir la conducta de cada usuario y, de ahí, extraer información importante para la oferta de los productos o servicios por la empresa. Por otro lado, los segundos permitirán identificar a las empresas el momento exacto en que han de lanzar una conducta comercial activa frente a cada consumidor en particular.

Sin embargo, los algoritmos no sólo son empleados por las empresas, sino que también pueden beneficiarse de su uso desde el lado de la demanda, favoreciendo al consumidor y facilitándole la toma de decisiones. A ello se hace alusión con la expresión de *"Algorithmic consumers"*[15], refiriéndose al cambio en el proceso de toma de decisiones por parte del consumidor. En tal sentido, los algoritmos serían utilizados para comparar precios y calidades de los productos y servicios ofertados, predecir las tendencias del mercado y tomar

---

[14]   OECD, *"Algoritithms and Collusion .."*, *ob. cit.*, pp. 24-32.
[15]   Gal, M. S.-Elkin-Koren, N., "Algorithmic Consumers", *Harvard Journal of Law and Technology*, vol. 30, 2017, p. 5.

mejores decisiones más rápidamente[16]. Este análisis de la oferta no se realiza, normalmente, por los consumidores de manera directa, sino que tiene lugar de forma mediata a través de la participación de otros empresarios que actúan como intermediarios ofreciendo servicios de la sociedad de la información (comparadores de precios). Así, existen numerosas páginas web y aplicaciones móviles dedicadas a ello como son, por ejemplo, *Google Shopping, Trivago, Booking, TripAdvisor* o *Skyscanner,* entre otras. A través de todas ellas el consumidor puede comparar las características de los diferentes servicios ofertados por las empresas, sus precios e incluso acceder a las opiniones y valoraciones de las experiencias de otros usuarios. Además, algunas de estas aplicaciones, utilizando inteligencia artificial, permiten predecir la evolución futura de los precios, llegando a recomendar a los usuarios cuándo es el momento idóneo para la adquisición de los bienes o servicios en mercados en los que los precios de los productos son especialmente fluctuantes, como ocurre en el transporte aéreo.

Por todo ello, es importante analizar si podemos encontrarnos antes nuevas realidades en las que puedan generarse nuevas conductas contrarias a la competencia, como pudieran ser, en este caso, los precios personalizados o la diferenciación de calidades en función del perfil de cada consumidor.

3. LA APLICACIÓN DE PRECIOS PERSONALIZADOS COMO CONDUCTA DE DISCRIMINACIÓN FRENTE A LOS CONSUMIDORES

Aplicando algoritmos a las grandes cantidades de datos (*big data*) que captan de los distintos factores que influyen en el proceso productivo y de comercialización, las empresas pueden analizar e identificar más eficientemente las preferencias de los consumidores o estimar cuánto están dispuestos a pagar por un determinado bien o servicio, por ejemplo. Ello permite a las empresas superar la necesidad de fijar precios objetivos e iguales para todos los consumidores, proponiendo la individualización de los precios de los bienes y servicios ofertados

---

[16]   OECD, "*Algortithms and Collusion...*", *ob. cit.*, p. 17.

para hacerlos más atractivos en función del perfil de cada uno de sus usuarios.

En este sentido, podemos encontrarnos con dos tipos de precios, los precios dinámicos y los precios personalizados. Aunque estos últimos son a los que dedicamos nuestro análisis en este capítulo, es importante definir brevemente en qué consisten los primeros y cuál es su distinción.

En este sentido, cuando hablamos de precios dinámicos nos referimos al ajuste del precio en función de los cambios que tienen lugar tanto desde el punto de vista de la oferta como desde el punto de vista de la demanda. Este tipo de estrategia de precios puede mantener el mercado en equilibrio, evitando tanto un exceso de oferta, como una insatisfacción de la demanda[17]. Éstos han sido utilizados, por ejemplo, por las aerolíneas.

Por otro lado, cuando hablamos de precios personalizados nos referimos a la práctica llevada a cabo por las empresas, mediante la cual estas utilizan los datos observados, recopilados u ofrecidos voluntariamente por los consumidores sobre su conducta o sus características, con el objetivo de fijar diferentes precios en función del perfil de cada consumidor -bien de forma individual o grupal- basándose, principalmente, en una valoración de la predisposición de éstos a pagar por un determinado bien o servicio[18]. Todo ello como consecuencia del uso de la gran cantidad de datos personales que son recolectados unido a las nuevas posibilidades de tratamiento de dichos datos que nos ofrecen las nuevas tecnologías como son los algoritmos o la inteligencia artificial[19]. Si bien, la aplicación de precios personalizados puede resultar beneficiosa en ocasiones desde la perspectiva de los consumidores, en muchas otras, en cambio, puede suponer una

---

[17]   OECD, "Algortithms and Collusion...", ob. cit., p. 16.
[18]   UK COMPETITION AND MARKET AUTHORITY (MCA), "Pricing algorithms: Economic working paper on the use of algorithms to facilitate collusion and personalised pricing", Crown, July, núm. 25, 2019, p. 36.
[19]   Botta, M.,-Wiedemann, K., "To discriminate or not to discriminate? Personalised pricing in online markets as exploitative abuse of dominance", European Journal of Law and Economics, 2019, p. 2; y, Shiller, B.R., "First degree price discrimination using big data", Economics Department of Brandeis University, núm. 12, 2019, p. 9.

conducta perjudicial a sus intereses[20]. Por el contrario, del lado de la oferta, los empresarios, normalmente, obtendrán siempre un beneficio de la aplicación de este tipo de precios, pues fueron ellos quienes los decidieron.

A través del uso de los precios personalizados se podrían llevar a cabo conductas de discriminación de los consumidores al aplicar diferentes ofertas en función de diversas variables como el perfil creado por la empresa sobre la preferencia o la disponibilidad a pagar de cada consumidor. Para ello, es necesaria la utilización de algoritmos que nos ayuden a identificar las necesidades del consumidor, el valor que le dan al producto o servicio en particular, así como cuánto estarían dispuestos a pagar en cada caso (por ejemplo, saber identificar cuándo se está buscando un billete de avión para un viaje de ocio, familiar o de trabajo y, en función de ello, ofrecer unos u otros precios). Nos referimos, por ejemplo, al uso de algoritmos encargados de comparar precios en línea para poder determinar el precio óptimo en cada situación[21], aumentando los precios cuando los consumidores se adelantan a la búsqueda o compra de un bien o servicio y disminuyéndolo cuando éste no le interesa.

En la determinación de precios mediante este tipo de algoritmos se hace uso, entre otros métodos, de un árbol de decisión donde se asignan pesos a los parámetros para así sugerir la opción óptima, dado un conjunto particular de datos y circunstancias en cada consumidor, analizando los datos más relevantes, estableciendo y comparando diferentes opciones de compra. Dichos parámetros de decisión y sus respectivas ponderaciones se diseñan para conseguir optimizar las decisiones de las empresas en atención al perfil creado de cada usuario. En el desarrollo de este proceso, los algoritmos más avanzados actúan mediante dinámicas de aprendizaje automático, es decir, es el propio algoritmo el que aprende de sus propios análisis de datos anteriores (y de los resultados de las decisiones adoptadas) para redefinir sus nue-

20   UK COMPETITION AND MARKET AUTHORITY (MCA), "Pricing algorithms: Economic working paper on the use of algorithms to facilitate collusion and personalised pricing", ob. cit., p. 36.
21   Autoridade da Concorrência, "The AdC warns that using algorithms to coordinate market prices is incompatible with the Portuguese Competition Law", *Issues Paper on Digital Ecosystems, Big Data and Algorithms*, julio 2019.

vos parámetros de decisión, liberando al algoritmo de las preferencias predefinidas que se hayan demostrado menos eficientes. Por ejemplo, según las acciones pasadas del consumidor, un algoritmo puede concluir que a este le gusta comprar productos similares a los que compraron sus amigos cercanos o tiene más predilección en comprar un determinado producto los fines de semana que los días de diario, y cambiar, así, los parámetros de decisión utilizados[22].

Tradicionalmente, los economistas han identificado la existencia de tres posibles grados de discriminación. El primero de ellos basado en la discriminación de los consumidores mediante el ajuste del precio del producto a la disponibilidad del consumidor a pagar, obteniendo, así, el máximo beneficio de venta. En segundo lugar, la discriminación de los clientes mediante la aplicación de descuentos una vez alcanzada una determinada cuota de compra específica. Y, por último, la oferta de diferentes precios a diferentes grupos de consumidores como, por ejemplo, la aplicación de tarifas especiales en diversos servicios para estudiantes o niños que no superen una determinada edad[23].

En relación con el primer grado de discriminación mencionado, gracias a las nuevas técnicas de análisis basadas en el *big data*, las plataformas *online* pueden dividir a sus clientes en grupos más pequeños, siendo más fácil identificar en estos casos la disponibilidad a pagar por un determinado producto de cada uno de los consumidores que forman estos grupos y, consecuentemente, ajustar el precio en función de ello[24].

Sin embargo, este uso de los algoritmos para establecer precios personalizados en función de las características o circunstancias de cada usuario puede plantear problemas en el Derecho de la competencia. Por un lado, puede incrementar el riesgo de colusión en los mercados gracias a la existencia de una mayor transparencia e interacción en los mismos[25]. De este modo, es importante plantearnos si

---

[22]   Gal, M.S.-Elkin,-Koren, N., *ob. cit.*, pp. 5-9.
[23]   Botta, M.-Wiedemann, K., *ob. cit.*, p. 3; OECD, "Personalised pricing in the digital era", Background note by the secretariat, DAF/COMP(2018)13, 2018b, p. 9.
[24]   OECD, *"Personalised pricing in the digital era, ob. cit.*, p. 9.
[25]   Autoridade da Concorrência, "Personalised pricing in the digital era", Joint Meeting OECD Competition Committee and OECD Committee on Consumer

compartir la información procesada y los mecanismos de aprendizaje integrados en los algoritmos de distintas compañías podría suponer una práctica de colusión en el Derecho de la competencia. Es decir, si puede haber coordinación de precios compartiendo el algoritmo por el que se personalizan los precios, aun cuando los precios finalmente aplicados por las empresas "en el acuerdo" sean distintos al tener que afrontar distintos *inputs* de datos sobre sus consumidores.

En vistas a este posible mayor riesgo de colusión entre empresas, también se ha hecho referencia a la aparición de una posible "tensión" entre colusión y precios personalizados debido a que, con la existencia de este tipo de precios, las empresas son capaces de extraer más y mejor información de sus consumidores llegando a ser menos necesaria la existencia de un acuerdo con el competidor[26]. En este sentido, cabe preguntarnos si podrían desaparecer los acuerdos entre diferentes empresas en el mercado como consecuencia de la aparición de este nuevo tipo de prácticas en los mismos.

Por otro lado, aunque la aplicación de precios personalizados puede ser considerada como una nueva práctica de negocio en los mercados actuales, dentro del artículo 102 TFUE, ¿estaríamos ante un abuso de posición de dominio por explotación?

Recordemos que, para apreciar si una empresa ha incurrido en una explotación abusiva de su posición dominante, es necesario analizar el conjunto de las circunstancias y, en particular, los criterios y condiciones – en este caso, de la aplicación de los precios personalizados–, así como, examinar si dichos precios pretenden privar o limitar la posibilidad de elección del comprador, impedir el acceso al mercado de los competidores, aplicar a sus socios comerciales condiciones desiguales para prestaciones equivalentes o reforzar su posición de dominio mediante la distorsión de la competencia[27]. Además, en el análisis sobre si la aplicación de precios personalizados puede constituir una práctica restrictiva de la competencia, es necesario que al establecer diferencias entre los precios de los productos y servicios ofertados en

---

Policy, Roundtable 28 november 2018, note by Portugal, pp. 10-11.
[26]   Schwalbe, U., "Algorithms, machine learning, and collusion", *Journal of Competition Law & Economics*, núm. 14, 4, pp. 568-607, en concreto, p. 572.
[27]   STJUE de 9 de noviembre de 1983, Michelín/Comisión, Asunto 322/81.

relación con transacciones equivalentes, se estén creando desventajas para algunos consumidores en comparación con otros.

Es importante estudiar el impacto que tiene el uso de estos precios personalizados en el beneficio de los consumidores, hacer frente a los nuevos retos ante los que nos encontramos e identificar posibles soluciones para ello. En general, puede percibirse un cierto rechazo de los consumidores frente al uso de precios personalizados por parte de las empresas ya que, si ellos conocen que han pagado un precio más alto que un amigo o un familiar por un determinado bien o servicio, lo más seguro es que no vuelvan a comprar en otra ocasión dicho producto, ni ningún otro, al mismo vendedor. Cuando para establecer dichos precios se utilizan algoritmos, el consumidor desconoce o no es plenamente consciente de los parámetros que estas nuevas técnicas de análisis toman en consideración[28]. De este modo, al usar este tipo de estrategias, las empresas están asumiendo el riesgo de perder la confianza de su cliente y, como consecuencia, afectar a la reputación de su marca.

Debido a que el efecto de una discriminación de precios en los consumidores puede resultar ambiguo, no puede interpretarse, a *priori*, que el uso de precios personalizados se trate de una práctica discriminatoria, sino que habría que analizar, en principio, caso a caso para concluir que estamos, o no, ante una práctica prohibida por el Derecho de la competencia. Es decir, analizar si se cumplen cada uno de los requisitos necesarios para afirmar que nos encontramos ante un abuso de posición de dominio por explotación.

Algunas de las principales medidas propuestas que se pueden adoptar para hacer frente a este tipo de prácticas serían las siguientes: en primer lugar, limitar la cantidad de datos de carácter personal recolectados por las diferentes plataformas *online*; en segundo lugar, compartir estos datos con las compañías competidoras; y, finalmente, aumentar la transparencia de las plataformas cuando éstas adopten una estrategia de personalización de precios[29].

Por último, también sería interesante analizar y considerar la inclusión de estas prácticas no sólo dentro de la normativa de defensa

---

[28]   Botta, M.-Wiedemann, K., *ob. cit.*, p. 8.
[29]   Botta, M.-Wiedemann, K., últ. *ob. cit.*, pp. 15-16.

de la competencia, sino también dentro de las normas de competencia desleal como prácticas de deslealtad frente a los consumidores.

En conclusión, gracias al uso de los diferentes tipos de algoritmos existentes, del *big data* y de la inteligencia artificial, así como su influencia en el mercado, las empresas pueden llevar a cabo nuevas prácticas que no encontraban cabida, hasta ahora, en las normas prohibitivas del Derecho de defensa de la competencia, siendo fundamental su actual estudio y análisis. Tal y como lo explica la OCDE[30], en este caso concreto, se aplicarían cuatro instrumentos principales con el objetivo de mitigar este tipo de prácticas discriminatorias, a saber: el uso de normas sobre protección del consumidor, protección de datos, protección de la competencia y antidiscriminación. Estas reglas tienen como principal objetivo el aumento de transparencia en los mercados, así como la elección de los propios consumidores, prohibiendo la discriminación de precios en algunas circunstancias.

4. CONCLUSIONES

Como sabemos, cada vez es mayor el uso de algoritmos por parte de las empresas con el objetivo de incidir en la fijación de precios de los bienes o servicios ofertados, de modo que, a través de su aplicación, se logre maximizar sus beneficios. Sin embargo, esto dependerá del tipo algoritmo utilizado, del mercado específico en que sean usados, cómo sean configurados, etc. Mediante el uso de este tipo de algoritmos y gracias a la gran cantidad de datos de los que pueden disponer hoy día las empresas, el uso de precios personalizados en función de las características de cada consumidor es cada vez más frecuente, gracias a prácticas como la discriminación de búsqueda o la aplicación de descuentos personalizados. A través del uso de estos precios personalizados se podría estar produciendo una discriminación de los consumidores al aplicar diferentes ofertas en función de diversas variables como son las preferencias o la disponibilidad a pagar de cada uno de ellos.

---

[30]   OECD, "Personalised pricing in the digital era", Background note by the secretariat, DAF/COMP (2018b) 13.

De este modo, nos encontraríamos ante prácticas discriminatorias que, como hemos indicado, pueden plantear problemas en el Derecho de la competencia, siendo necesario hacer frente a su regulación. Sin embargo, la regulación del uso por parte de las empresas de este tipo de precios, los precios personalizados, se trata de un tema complejo ya que, de momento, han sido pocos los casos que se han detectado por parte de las autoridades de competencia[31]. Las empresas podrían alegar la existencia de una justificación objetiva y argumentar que el precio establecido, aunque sea discriminatorio, es válido dada la mayor eficiencia que promueven. Serán las autoridades de competencia las que tengan que establecer si verdaderamente esto es así.

En concreto, son dos los tipos de prácticas anticompetitivas ante las que podemos encontrarnos. Por un lado, una conducta de abuso de posición de dominio por explotación, al amparo del artículo 102 TFUE y, en segundo lugar, la existencia de una coordinación de precios al compartir el algoritmo por el que se personalizan los precios. En este sentido, para evitar la aparición de este tipo de prácticas sería imprescindible comenzar alcanzando una mayor protección de la privacidad y mejores medidas de seguridad en relación con las políticas de datos, con el objetivo de impedir a las empresas llegar con detalle a tanta información de sus usuarios o consumidores[32].

Sin embargo, aunque a priori puedan parecer sencillas las medidas o recomendaciones a seguir por las diferentes empresas, es importante analizar en profundidad cada una de ellas ya que se debe tener cuidado al establecer cómo van a ser llevadas a cabo y cuál sería su repercusión en los mercados. Por ejemplo, con respecto a la primera medida mencionada en el epígrafe anterior, la limitación de datos de carácter personal, no podemos olvidar que se trata de un tema muy delicado donde, además, hemos de tener en cuenta toda la normativa actual sobre protección de datos y protección de los consumidores. Por otro lado, en relación con la segunda medida, la obligación de

[31] De Streel, A.-Jacques, F., "Personalised pricing and EU law", 2019, disponible en:
https://www.econstor.eu/bitstream/10419/205221/1/de-Streel-Jacques.pdf
[32] Bar-Gill, O., "Algorithmic Price Discrimination: When Demand Is a Function of Both Preferences and (Mis) Perceptions", *The Harvard John M. Olin Discussion Paper Series*, 05, pp. 18-32.

compartir datos con los competidores, es necesario recordar que el hecho de compartir los datos recolectados de los clientes actuales o potenciales no sería suficiente. Esto es debido a que, aunque se estén compartiendo dichos datos, no ocurre lo mismo con los algoritmos o sistemas de análisis encargados de procesarlos y analizarlos con el objetivo de establecer las estrategias de precios.

Por lo tanto, seguiría existiendo una clara desventaja para aquellas empresas –sobre todo, las pequeñas y medianas empresas– que no tengan la posibilidad de acceso a estas nuevas tecnologías. En este sentido, podríamos considerar también el dominio de grandes cantidades de *big data* como una *essential facility* y, por tanto, la calificación como anticompetitiva de la conducta negativa injustificada de acceso a éstos por los competidores.

Finalmente, no podemos olvidar la necesidad de estudiar este tipo de prácticas bajo las normas de competencia desleal, ya que podríamos encontrarnos ante nuevas prácticas de deslealtad frente a los consumidores.

BIBLIOGRAFÍA

Autoridade da Concorrência, "Personalised pricing in the digital era", Joint Meeting OECD Competition Committee and OECD Committee on Consumer Policy, Roundtable 28 november 2018, Note by Portugal.

Autoridade da Concorrência, "The AdC warns that using algorithms to coordinate market prices is incompatible with the Portuguese Competition Law", Issues Paper on Digital Ecosystems, *Big Data and Algorithms*, julio 2019.

Borenstein, S., "Rapid Price Communication and Coordination: The Airline Tariff Publishing Case", en J.E. Kwoka Jr.-L.J. White (eds.), *The Antitrust Revolution: Economics, Competition and Policy*, Oxford University Press, New York, 1994, pp. 310-328, disponible en:

http://global.oup.com/us/companion.websites/fdscontent/uscompanion/us/pdf/kwoka/9780195322972_09.pdf

Botta, M.-Wiedemann, K., "To discriminate or not to discriminate? Personalised pricing in *online* markets as exploitative abuse of dominance", *European Journal of Law and Economics*, 2019, pp. 1-24.

Bundeskartellamt 18th Conference on Competition, Berlin, marzo 2017.

Ezrachi, A.-Stucke, M. E., "Artificial Intelligence & Collusion: When Computers Inhibit Competition", *Unversity of Illinois Law Review*, núm. 5, 2017, pp. 1775-1810.

Ezrachi, A.-Stucke, M. E., *Virtual Competition: The Promise and Perils of the Algorithm-Driven Economy*, Harvard University Press, United States, 2016.

Gal, M. S.-Elkin-Koren, N., "Algorithmic Consumers", *Harvard Journal of Law and Technology*, vol. 30, 2017.

Gawer, A., "*Big data*: bringing competition policy to the digital era", DAF/COMP/WD(2016)74, 2016, pp. 1-18.

Hickman, L., "How algorithms rule the world", *The Guardian*, 1, 2013, disponible en https://www.theguardian.com/science/2013/jul/01/how-algorithms-rule-world-nsa

Kostopoulos, L., "The role of data in algorithmic decision-making", *United Nations Institute for Disarmament Research*, 2019, pp. 1-13.

OECD, "Price Discrimination", Background note by the Secretariat, DAF/COMP/2016)15, 2016.

OECD, "Personalised pricing in the digital era", Background note by the secretariat, DAF/COMP(2018)13, 2018b.

OECD, "Algortithms and Collusion. Competition Policy in the Digital Age", 2017.

Robles Martín-Laborda, A., "Cuando el cartelista es un robot. Colusión en mercados digitales mediante algoritmos de precios", *Actas de Derecho Industrial y Derecho de Autor, 2018*.

Shiller, B. R., "First degree price discrimination using *big data*", *Economics Department of Brandeis University*, núm. 12, 2019, pp. 1-36, disponible en:

https://www.brandeis.edu/economics/RePEc/brd/doc/Brandeis_WP58R2.pdf

Schumpeter, J., "Flexible Figures, A Growing Number of Companies are Using `Dynamic´ Pricing", *The Economist*, 2016, disponible en:

https://www.economist.com/business/2016/01/28/flexible-figures

Schwalbe, U., "Algorithms, machine learning, and collusion", *Journal of Competition Law & Economics*, núm. 14, 4, 2018, pp. 568-607.

UK Competition and Market Authority (CMA), "Pricing algorithms: Economic working paper on the use of algorithms to facilitate collusion and personalised pricing", *Crown, july*, núm. 25, 2019.

Wilson, R. A.-Keil, F. C., *The MIT Encyclopedia of the Cognitive Sciences*, MIT Press, 1999, disponible en: http://www.aiai.ed.ac.uk/project/oplan/documents/1999/1999-MITECS.pdf

PERSONALIZACIÓN DE PRECIOS A TRAVÉS DE LA INTELIGENCIA ARTIFICIAL Y EL *BIG DATA*.

ISABEL ANTÓN JUÁREZ[1]
Profesora titular acreditada de Derecho Internacional privado

1. INTRODUCCIÓN

En la actualidad las personas de forma individual generamos una gran cantidad de datos. El "*like*" de la red social *Facebook,* la foto que se sube a Instagram, la cuenta cliente que debemos formalizar para poder comprar productos mediante una web o las noticias que leemos a diario. Todas estas acciones que se acaban de describir son datos[2].

---

[1]   "El presente trabajo forma parte de los resultados del Proyecto de investigación DER-2017-82353-P: "*Big Data* e Internet de las cosas: Nuevos retos para el Derecho de la competencia y de los bienes inmateriales", financiado por el Ministerio de Ciencia, Innovación y Universidades - Agencia Estatal de Investigación (AEI) y el Fondo Europeo de Desarrollo Regional (FEDER, UE) "Una manera de hacer Europa" (Programa Estatal de Fomento de la Investigación Científica y Técnica de Excelencia), del cual es investigador principal el Prof. Dr. Á. García Vidal".

[2]   Herrero Suárez, C., "*Big Data* and Antitrust Law", *Revista Electrónica de Direito*, nº1 (vol. 18), 2019, p. 6.

Es lo que se denomina <<huella digital>>. Todos estos datos almacenados y procesados con el correspondiente algoritmo pueden aportar información muy valiosa a las empresas sobre comportamientos de compra y gustos de los consumidores.

El *big data* es una herramienta muy poderosa pero también valiosa en la economía digital actual. El uso de datos masivos juega un papel transcendental en los modelos de negocio actuales. Se puede apreciar como en los últimos años ha habido un cambio en los modelos de negocio. De este modo, se podría afirmar que en muchos sectores de actividad se ha pasado de comprar productos a adquirir servicios. Diferentes ejemplos nos permitirán entender las nuevas realidades de la economía digital. Hace unos años se compraban *cd-roms* para escuchar música, ahora se consume ese producto mediante plataformas electrónicas como *Spotify*. También existía la tendencia de adquirir películas o incluso series para reproducirlas en reproductores de *dvds* que se tenían en casa, ahora todo se encuentra en plataformas como *Netflix o Amazon video* donde el consumidor lo puede consumir en *streaming* o descargarlo en un dispositivo para verlo donde desee. De la misma forma sucede con otros productos como la ropa, donde ya existen plataformas que por el pago de una suscripción, te permiten usar ropa durante un mes y cambiarla por otra.

Al estudiar *big data,* no es posible dejar de destacar a los gigantes tecnológicos *(Google, Facebok, Amazon)* actuales. Éstos no lo hubieran sido plataformas tan importantes sin los datos de sus consumidores. Para estas plataformas, los datos juegan un papel crucial en sus negocios. Sin embargo, aparentemente al consumidor brindan un servicio gratis. Sin embargo, nada más lejos de la realidad. Tras el escándalo de *Facebook y Cambridge Analytica*, los ciudadanos empezaron a ser más conscientes de que ese "uso gratuito" de la red social o del buscador no era a cambio de nada[3]. Tiene un precio para el

---

[3] En 2018, Facebook perdió más de 32.000 millones de euros en Wall Street en poco tiempo, sin embargo, junto con esa pérdida de millones también se dejo gran parte de su reputación y la confianza de sus usuarios. Esto es así porque dos periódicos estadounidenses destaparon que *Cambridge Analytica*, una consultora que trabajó para el presidente D. Trump recopiló información personal de millones de estadounidenses a través de la red social Facebook con fines electorales. Estas filtraciones también afectaron a 2,7 millones de europeos, lo que hizo que

PERSONALIZACIÓN DE PRECIOS A TRAVÉS DE LA
INTELIGENCIA ARTIFICIAL Y EL *BIG DATA*.

381

consumidor. Y no es otro que el acceso a sus datos[4]. Esto es lo que se conoce como los mercados de doble cara[5]. Además, hay que tener en cuenta, que los datos no sólo aportan valor a la plataforma electrónica que los recopila, si no que también puede venderlos a terceros, para los cuales también pueden ser muy útiles y vitales para sus negocios. Estas transacciones con los datos ha dado lugar a que surjan figuras como los *brokers* de datos. Se trata de empresas cuyo negocio es almacenar datos personales de diversas fuentes para después agregarlos, analizarnos y usarles para distintos fines, desde intentar descifrar[6]

Así, no es de extrañar que los datos masivos hayan sido considerados por la revista *The Economist* como "el petróleo del siglo XXI"[7]. La realidad es que el valor de los datos es transcendental en la economía digital. De hecho, los datos ya no sólo guardan importancia para las empresas sino también para los gobiernos, debido a que analizados de forma precisa pueden hacer unas predicciones precisas y ahorrar mucho tiempo y dinero. Pero como cualquier aspecto, tiene sus implicaciones, positivas y negativas. Actualmente, si en pocas líneas se pudiera resumir la visión de las autoridades al respecto, especialmente las relativas a la competencia y a las de protección de datos se

---

el presidente de la compañía tuviera que dar explicaciones ante el Parlamento Europeo, y fue multado tanto por las agencias nacionales de protección de datos, como la italiana, la inglesa o la española.

[4]   European Data Protection Supervisor, Privacy and competitiveness in the age of *big data*: The interplay between data protection, competition law and consumer protection in the Digital Economy, March 2014, p. 10. Disponible en https:// edps.europa.eu/sites/edp/files/publication/14-03-26_competitition_law_big_data_en.pdf (consultado el 11 de marzo de 2020).

[5]   Para un mayor detalle *vid. Evans D.S, "Two-Sided Market definition", ABA Section of Antitrust Law, p. 1-2, disponible en* https://papers.ssrn.com/sol3/papers. cfm?abstract_id=1396751 (consultado el 11 de marzo de 2020).

[6]   *Vid. esta definición proviene del informe de la Federal Trade Commission del año 2014, p. 9, este informe resulta especialmente interesante y se puede tener en cuenta también para el Derecho antitrust europeo. En él se estudia al detalle en qué consiste este negocio, su impacto, etc. tras analizar en profundidad a nueve data brokers.*

[7]   The Economist, "Fuel of the future:Data is given rise to a new economy", 6 de mayo de 2017, disponible en https://www.economist.com/briefing/2017/05/06/ data-is-giving-rise-to-a-new-economy (consultado el 12 de marzo de 2020).

podría decir que su actitud es de recelo[8]. Esto es así debido a que *big data* puede plantear problemas en relación con la privacidad debido al tratamiento que sobre los datos personales realizan las empresas.

De este modo, el impacto del *big data* en la economía, los mercados y los derechos de las personas no es nada desdeñable. En este trabajo se va a realizar un estudio de un aspecto concreto, la personalización de precios al consumidor a través del *big data* y de la inteligencia artificial y las implicaciones que tienen estas prácticas a la luz del Derecho de la competencia europeo.

2. APROXIMACIÓN AL *BIG DATA* Y A LA INTELIGENCIA ARTIFICIAL

2.1. El concepto de big data

El término de datos masivos, macrodatos o *big data* es tan utilizado como vago e impreciso. No hay un consenso sobre el término[9], sin embargo, se ha definido *big data* atendiendo a sus características. Por lo tanto, sobre este concepto se podrían destacar cuatro características, las cuales son: volumen, variedad, velocidad y valor. Es lo

---

[8]   Sobre todo este recelo de la Comisión Europea y de las autoridades nacionales de competencia se debe al propio *modus operandi de los gigantes tecnológicos. Facebook es uno de ellos, el cual fue multado por la Comisión Europea con 110 millones de euros por presentar información engañosa cuando compró Whats-app en 2014.Decisión de la Comisión de 18 de mayo de 2017, asunto M.8228. También Google, en estos últimos años ha sido vigilado muy cerca y multado por las autoridades de competencia europeas por diferentes prácticas anticompetitivas. De hecho, en los años 2017 a 2019 se le ha sancionado tres veces, imponiéndole tres multas que suman más de 8.000 millones de euros. La primera multa fue en 2017, el montante de la multa ascendía a 2.424 millones y la razón fue por favorecer su comprador de productos Google Shopping. La segunda llegó en 2018, por valor de 4.343 millones, consecuencia del abuso de posición de dominio con su sistema operativo Android. La tercera, en marzo de 2019, por prácticas anticompetitivas en el mercado de la publicidad en buscadores de terceros, lo que permitía cimentar su posición dominante en ese mercado.*

[9]   Claici, A., "*Big data* y política de competencia", cit., , p. 253; Herrero Suárez, "*Big Data* and Antitrust Law", cit., p. 6.

PERSONALIZACIÓN DE PRECIOS A TRAVÉS DE LA
INTELIGENCIA ARTIFICIAL Y EL *BIG DATA*.

383

que los expertos han calificado como las cuatro "uves"[10]. Vamos a continuación a detallar cada una de las características:

1) *Volumen*. Esta característica se refiere a la cantidad. Los datos son masivos porque son muchos los que se pueden generar, almacenar y cada vez con menos coste[11]. La generación de datos y su recopilación crece de forma exponencial hoy en día debido a la digitalización de la economía.

2) *Velocidad*. Esta característica hace referencia al ritmo al que se generan, almacenan y procesan los datos. Esta velocidad permite también que tengan un rápido impacto en la economía. Esta velocidad de almacenamiento y procesamiento de datos por algunas empresas ha permitido que se utilicen los datos en tiempo real dando lugar a un fenómeno conocido como *"now-casting"*[12]. Éste consiste en el uso de datos recientes que se actualizan de forma rápida aplicados a hechos o situaciones en el presente, esto permite realizar predicciones con un grado importante de precisión. Esta técnica se puede utilizar tanto para la predicción meteorológica como para mejorar la producción de una empresa o incluso detectar un repunte de gripe en la población debido al número de búsquedas en Internet de remedios para dicha enfermedad[13].

3) *Variedad*. Actualmente los datos son variados debido a que la capacidad de recopilarlos y procesarlos se ha ampliado y

---

[10] Brühl, V., "*Big data*, Data Mining, Machine Learning und Predictive Analytics-ein Konzeptioneller Überblick, CFS working paper series, nº 617, 2019, pp. 3 -4;Guido Carli di Roma, L., "*Big data* fra potere di mercato e potere di orientamiento informativo e di opinione", *Osservatorio di Proprietà intellettuale Concorrenza e Comunicazioni*, noviembre 2016, p. 2; Herrero Suárez, "*Big Data* and Antitrust Law", *cit.*, p. 6; Puyol Montero, J., "Aproximación jurídica y económica al *big data*", Tirant lo Blanch, Valencia, 2015, pp. 9 y ss. Stucke M.E, Grunes A.P., *Big Data* and Competition Policy, Oxford University Press, 2016, p. 15.

[11] Claici, A., "*Big data* y política de competencia", *cit., p. 253*

[12] *Vid.* Stucke M.E, Grunes A.P., *Big Data and Competition Policy*, Oxford University Press, 2016, pp. y OCDE, *Big data*: Bringing Competition Policy to the Digital Era, 2006, p. 6. Disponible en https://one.oecd.org/document/DAF/COMP(2016)14/en/pdf (consultado el 15 de marzo de 2020).

[13] OCDE, *Big data*: Bringing Competition Policy to the Digital Era, 2006, p. 6. Disponible en https://one.oecd.org/document/DAF/COMP(2016)14/en/pdf (consultado el 15 de marzo de 2020).

mejorado considerablemente[14]. Así, las compañías ya no sólo conocen la dirección de los clientes, ya sea física o digital (IP), sino que pueden conocer datos muy particulares como fechas de nacimiento, sexo, gustos a través de los historiales de compra, si se está casado o no, si se tienen hijos y así un largo etc. Esta variedad en los datos tratados con el correspondiente algoritmo permite que las empresas puedan obtener información muy valiosa sobre los consumidores. Esta información permite conocer ya no sólo hábitos de compra y gustos con el fin de enviarle al consumidor publicidad adaptada a sus preferencias sino también les permitiría averiguar un aspecto que vamos a estudiar en el presente trabajo y es el "precio de reserva de los clientes". El precio que los clientes estaría dispuestos a pagar por un producto o servicio. Esto podría dar lugar a que las empresas aplicaran para el mismo producto un precio diferente en función del cliente.

4) *Valor.* Los datos son masivos y muy variados, pero sin el procesamiento adecuado las empresas no pueden obtener información fiable y alineada a la consecución de sus objetivos. Es decir, en ese escenario de datos masivos y desordenados no aportarían ningún valor. Por ese motivo, "un análisis adecuado" del *big data* es imprescindible[15]. Para que la quinta "v" que muchos expertos señalan (veracidad) exista, es necesario una análisis preciso mediante sistema de *deep learning* rama importante de la inteligencia artificial.

2.2. *Entre la inteligencia artificial, el algoritmo y el deep learning*

Como ya se ha puesto de manifiesto, los datos masivos sin el almacenamiento y el procesamiento adecuado pueden resultar de poca utilidad para las empresas. Para que los datos ostenten valor es necesario recurrir a técnicas de análisis de datos, también conocido

---

[14]   *Idem*, p. 6.
[15]   *Vid.* Stucke M.E, Grunes A.P., *Big Data and Competition Policy*, cit, p. 22. *Vid* también, Claici, A., *"Big data y política de competencia"*, cit., p. 253; Herrero Suárez, *"Big Data and Antitrust Law"*, *cit.*, p. 7.

PERSONALIZACIÓN DE PRECIOS A TRAVÉS DE LA
INTELIGENCIA ARTIFICIAL Y EL *BIG DATA*.

385

como *big analytic*. Por lo tanto, la inteligencia artificial es clave para el almacenamiento, procesamiento y uso del *big data*. En esta parte del estudio vamos a estudiar qué es inteligencia artificial, algoritmo, *machine learning* y *deep learning*.

La inteligencia artificial es un término amplio, el cual se ha definido de forma diversa en atención al aspecto al que enfocaba el autor que la definía[16]. Se puede decir que se trata de un campo de la ciencia y también de la ingeniería que persigue tanto entender desde un punto de vista informático un comportamiento inteligente como la creación de artefactos que emulan este comportamiento[17]. Así, se podrían destacar las siguientes características atribuibles a la inteligencia artificial[18]:

1) Emular capacidad del cerebro humano.

2) Capacidad de entender el lenguaje natural.

3) Capacidad de determinar el grado de complejidad de los problemas que se planteen.

4) Capacidad de aprendizaje y mejora.

5) Capacidad de abstracción. Es decir, la posibilidad de trabajar con conceptos en lugar de eventos. En la actualidad este aspecto se encuentra poco desarrollado.

6) Capacidad aleatoria y de creatividad. De la misma manera, en términos generales, en la actualidad, los sistemas de inteligencia artificial no tienen un gran desarrollo de este aspecto.

---

[16] Navas Navarro, S., "Derecho e inteligencia artificial desde el diseño. Aproximaciones" en Navas Navarro, S., Inteligencia artificial. Tecnología y Derecho, Tirant lo Blanch, Valencia, 2017, pp. 23-24.

[17] Pino Diez, R., Gómez Gómez, A., Abajo Martínez, N., *Introducción a la inteligencia artificial: sistemas expertos, redes neuronales y computación evolutiva*, Universidad de Oviedo, 2001, p. 5 y ss. *Vid.* también Communication from the Commission to the European Parliament, the European Council, the European Council, the European Economic and social commitee and the Committee of the regions. Coordinated Plan on Artificial Intelligence, COM/2018/795 final, p. 1. (consultado el 15 de marzo de 2020).

[18] Gómez Sáncha, S., "Inteligencia Artificial", en M. Barrios Andrés, *Legal Tech. La transformación digital de la abogacía*, La Ley Wolters Kluwer, Madrid, 2019, pp. 112-113.

Por lo tanto, la inteligencia artificial se trataría de la disciplina con la que se pueden desarrollar programas de cómputo inteligente, programas que intentan emular el cerebro humano[19]. Este término es muy amplio, por eso es necesario reseñar que la inteligencia artificial se divide a su vez en diferentes áreas tales como los sistemas expertos, la demostración automática de teoremas, el reconocimiento de la voz y los patrones, la robótica, el *machine learning* o las redes neuronales entre otras.

Otro término importante en el presente trabajo debido a la relación que guarda con el *big data* son los algoritmos. Sin el correspondiente tratamiento, es decir, sin el algoritmo correspondiente los datos pueden tener escaso valor y potencial. De este modo, por algoritmo debe entenderse las instrucciones que la máquina debe ejecutar para la resolución de un problema. En términos generales, un algoritmo sería el procedimiento que se crea en base a un conjunto de reglas estructuradas (*data inputs*) para dar un resultado[20]. El algoritmo es la receta de cocina de un plato que queremos elaborar. La regla de multiplicar podría ser un sencillo algoritmo. También nosotros mismos, en nuestro día a día usamos algoritmos no automáticos, *ad ex.* cuando tenemos que decidir la ropa que debemos usar. En ese caso, utilizamos *data inputs* (el tiempo que hace, la ocasión o lo cómodo que nos queremos sentir) y esos datos los sopesamos en atención a nuestras circunstancias (si tengo que ir a una entrevista de trabajo, debería ir formal y no en chándal, a pesar de que en mi día a día me gusta ir cómodo)[21]. Un aspecto importante es que a la máquina no se le dan las instrucciones en lenguaje natural, los programadores deben traducir las reglas en el lenguaje de programación correspondiente.

La realidad es que los algoritmos hoy en día pueden conseguir objetivos espectaculares gracias al *deep learning*. El *deep learning* es parte del *machine learning,* área de la inteligencia artificial[22]. No

[19]   Gómez Sáncha, S., "Inteligencia Artificial", cit., p.113.
[20]   Gal M.S, "Algorithms as Illegal Agreements", *Berkeley Tecnology Law Journal*, 2018, p. 9.disponible en https://papers.ssrn.com/sol3/papers.cfm?abstract_id=3171977 (consultado el 20 de marzo de 2020).
[21]   *Ibidem, p. 9.*
[22]   El *machine learning* es la capacidad de la maquina de aprender por sí misma, de autoaprendizaje. En otras palabras, se trata de un área de la inteligencia artificial

PERSONALIZACIÓN DE PRECIOS A TRAVÉS DE LA
INTELIGENCIA ARTIFICIAL Y EL *BIG DATA*.

387

obstante, no todo *machine learning* tiene porque incluir técnicas de *deep learning*. Este último consiste en que el sistema sigue la técnica de machine learning pero usando una red neuronal artificial que se compone de un número de niveles jerárquicos. Las redes neuronales son construcciones matemáticas algebraicas complejas que intentan

---

que consiste en que los sistemas aprendan a realizar tareas que llevan a cabo los humanos y que no pueden programarse como tradicionalmente se ha venido haciendo. Es decir, con programadores introduciendo códigos concretos a las máquinas. Aquí el término "aprendizaje" debe entenderse como la capacidad de la máquina de poder diferenciar entre imágenes de objetos, de animales o de personas, detectar las diferentes cláusulas que componen un contrato, traducir un texto de un idioma a otro, entre otras muchas. Este proceso de aprendizaje se desarrolla en dos fases: 1)acumulación de datos; 2) entrenamiento de la máquina. En la primera fase se almacenan una gran cantidad de datos. En función del objetivo perseguido se deben acumular unos datos u otros. Si el objetivo de la máquina es detectar cláusulas problemáticas que se repiten en los contratos de distribución comercial, se deberán acumular muchos contratos de este tipo. Es decir, hay que proporcionarle a la máquina muchos datos. En la segunda fase se debe diferenciar dos tipos de entrenamiento, estos son: a) el entrenamiento asistido; b) entrenamiento desasistido. En el primero, el ser humano está detrás, es éste el que enseña a la máquina estableciendo una guía de aprendizaje. En el segundo, "el desasistido" la máquina debe aprender por sí misma. El ser humano proporciona unas reglas y un objetivo a alcanzar. Sobre este particular *vid.* Gómez Sáncha, S., "Inteligencia Artificial", *cit.*, p.114. Esta parte de la inteligencia artificial es realmente apasionante y prometedora, ya que antes los sistemas estaban programados en base a unas reglas precisas y concretas, por lo que el número de respuestas que podían aportar eran también limitadas. Sin embargo, con estos nuevos *softwares* las posibilidades de las máquinas van mucho más allá, pudiendo brindar a la sociedad oportunidades ilimitadas. Hoy en día ejemplos no nos faltan, uno podría ser *Alpha Zero*, programa que juega al ajedrez, mediante el uso de la inteligencia artificial, el cual fue creado por *Deep Mind*, propiedad de google. El programa *Deep Blue* (propiedad de IBM) supuso un hito y cambio de paradigma a finales de los 90 en cuanto a lo que se conocía en ese momento en relación al desarrollo computacional. En 1997, *Deep Blue* se batió en duelo con el campeón de ajedrez Gary Kasparov en 1997, la máquina ganó. Este programa se basaba en reglas, tenía una gran capacidad de análisis en poco tiempo por lo que antes de realizar la siguiente jugada podía analizar muchas posibilidades. Sin embargo, *Deep blue* fue derrotado en 2017 por *Alpha Zero*, un programa que a través del *machine learning*, juega contra sí mismo y extrae autoaprendizaje de todas las horas de juego que realiza. Esa capacidad de autoaprendizaje le permite una mejora en las estrategias sin límites. https://www.lavanguardia.com/deportes/otros-deportes/20171214/433624379301/alpha-zero-deep-mind-gary-kasparov-ajedrez-inteligencia-artificial.html (consultado el 15 de marzo de 2020).

simular la red neuronal del cerebro humano con el objetivo de emular su funcionamiento[23]. El término *"deep"* (profundo) es debido a que existen muchas capas de análisis. Básicamente el funcionamiento podría ser el siguiente: en el nivel 1 de jerarquía la red aprende algo simple, una vez aprendido, envía la información al nivel 2. En este segundo nivel, se procesa la información, se combina con otros datos, se compone una información algo más compleja y se remite al nivel 3. Y así sucesivamente. El *deep learning* presenta un gran potencial debido a que permite su aplicación a grandes volúmenes de datos y poder obtener predicciones a partir de los mismos.

Actualmente las compañías implementan técnicas de *deep learning* en campos muy variados. *Ad ex.* para identificar el uso de fármacos ya conocidos a nuevas enfermedades, para el análisis de imágenes médicas con el fin de aumentar las posibilidades de diagnóstico en un menor tiempo y con menor coste, para identificar potenciales clientes identificar marcas y logotipos de empresas publicados en redes sociales o para un aspecto relacionado con el objetivo del presente trabajo la predicción de los gustos de los clientes.

3. DERECHO DE LA COMPETENCIA Y *BIG DATA*

3.1. *El cambio de perspectiva de las autoridades de competencia*

La OCDE elaboró un informe en el año 2013 donde ponía de manifiesto distintos métodos que se podían utilizar para estimar el valor económico de los datos[24]. De ese informe se puede extraer la conclusión de que la acumulación de datos para las compañías puede implicar una ventaja competitiva en muchos sectores de la economía actual. El hecho de que los datos puedan implicar tal ventaja ha dado

---

[23]   Gómez Sáncha, S., "Inteligencia Artificial", cit., p.115. Para un mayor detalle *vid* también Goodfellow, I., Bengio, Y., Courville, A., *Deep Learning*. MIT Press, 2016.

[24]   OECD (2013-06-18), "Exploring Data-Driven Innovation as a New Source of Growth: Mapping the Policy Issues Raised by *"Big Data"*", OECD Digital Economy Papers, No. 222, OECD Publishing, Paris. http://dx.doi.org/10.1787/5k47zw3fcp43-en (consultado el 16 de marzo de 2020).

PERSONALIZACIÓN DE PRECIOS A TRAVÉS DE LA
INTELIGENCIA ARTIFICIAL Y EL *BIG DATA*.

389

lugar a que la visión de las autoridades de competencia haya cambiado en estos años. Así, de una perspectiva más laxa en cuanto a que la acumulación y procesamiento de datos personales no era demasiado relevante para la adquisición de poder de mercado, se ha pasado a un visión mucho más atenta, preocupada por los nuevos escenarios que puede plantear la recopilación, almacenamiento y uso de datos para la competencia[25]. De este modo, se podría afirmar que se ha añadido recientemente otra fuente de adquisición de poder de mercado para las empresas que operan en mercados digitales, esta es el *big data*[26].

A nuestro juicio, esta preocupación actual por las autoridades de competencia puede ser entendida debido a dos factores:

1) Las concentraciones entre grandes compañías tecnológicas en poco tiempo, entre ellas *Facebook/WhatsApp*[27] y *Microsoft/Linkedin*[28];

2) El uso de información personal por las compañías tecnológicas que a simple vista ofrecen un servicio gratis al consumidor. En un primer momento, el impacto del uso de esta información sobre los consumidores por parte de las empresas se consideraba que no tenía verdadera relevancia para el Derecho de la competencia. Sin embargo, nada más lejos de la realidad. Ese uso de datos masivos de los consumidores por parte de las empresas que ofrecen servicios de mensajería, de transporte, de venta de bienes en mercados digitales ha hecho replantearse la situación a las autoridades de competencia.

En atención a lo anteriormente expuesto, se puede decir hay dos premisas que se han tenido que reconsiderar[29]:

---

[25] Sobre este particular *vid. Herrero Suárez*, "*Big Data and Antitrust Law*", *cit.*, p. 9.

[26] La profesora C. Herrero señala en su trabajo "*Big Data* and Antitrust Law", *cit.*, p. 10 "*que hasta hace poco tiempo las investigaciones que se realizaban sobre las vías de adquisición de poder de mercado de las grandes empresas tecnológicas se centraban básicamente en el control de infraestructuras y en la posesión de derechos de propiedad industrial o intelectual. La adquisición de poder de mercado a través de información personal se consideraba poco realista*".

[27] European Commission, 3rd October 2014, case COMP/M.7217.

[28] European Commission, 6th December 2016, case COMP/M.8124.

[29] Herrero Suárez, "*Big Data* and Antitrust Law", op. cit., p. 10.

1) *Los datos masivos no son una fuente de poder mercado.* Actualmente la consideración debe ser justo la contraria. La recopilación, tratamiento y uso de datos por las empresas puede implicar una fuente de poder de mercado y creación de barreras de entrada.

2) *La privacidad es un elemento ajeno al Derecho de la competencia.* Las cuestiones que afectan a la privacidad de las personas presentan tal relevancia que han transcendido de las disciplinas relativas a protección del consumidor o protección de datos. Tanto es así que va afectar a la definición de mercado relevante y puede dar lugar a la existencia de nuevos ilícitos antitrust debido a la necesidad de puntualizar las teorías sobre los efectos anticompetitivos o la teoría del daño al consumidor y a los mercados.

3.2. Los problemas que puede plantear el big data desde la perspectiva concurrencial

El uso de datos masivos en la economía digital ha creado nuevos escenarios económicos, sociales y también concurrenciales. Esto puede dar lugar a que determinadas conductas de las empresas, muchas de ellas novedosas, donde se combina *big data* e inteligencia artificial para restringir la competencia deban ser estudiadas a la luz del art. 101 TFUE y del art. 102 TFUE pero también en relación al *Reglamento (CE) n° 139/2004 del Consejo, de 20 de enero de 2004, sobre el control de las concentraciones entre empresas*[30].

En relación a las concentraciones de empresas, se podría afirmar que es el sector de la competencia donde más repercusión se ha apreciado la problemática que conlleva el *big data*[31]. Los casos más importantes a nivel europeo han sido hasta la fecha las concentraciones de *Google/DoubleClick*[32], *Facebook/WhatsApp*[33], *Microsoft/Linke-*

---

[30]   DOUE L 24, de 29 de enero de 2004.
[31]   Herrero Suárez, "*Big Data* and Antitrust Law", cit., p. 18. *Vid.* también Stucke M.E, Grunes A.P., *Big Data and Competition Policy*, Oxford University Press, 2016, p. 69.
[32]   European Commission, 11 March 2008, case COMP/M.4731.
[33]   European Commission, 3 October 2014, case COMP/M.7217.

PERSONALIZACIÓN DE PRECIOS A TRAVÉS DE LA
INTELIGENCIA ARTIFICIAL Y EL *BIG DATA*.

391

din[34] y *Appel/Shazam*[35]. En todas estas operaciones los datos han sido
un aspecto clave. De hecho, se ha dado la situación de que en muchos
casos las cuotas de mercado y volumen de negocio de las compañías
involucradas no era *a priori* problemático, ya que se trataba de empresas jóvenes, con poca cuota de mercado. Sin embargo, el problema
para la competencia surgía en relación al importante valor que apor-
taban estas empresas respecto de los datos que poseían. Así, autoridades de competencia como la alemana o la austriaca decidieron añadir
un criterio nuevo para que una concentración debiera ser notificada a
las autoridades a pesar de que los umbrales de volumen de negocio no
presentaban relevancia. Este nuevo criterio tiene que ver con el valor
de la transacción[36]. Aspecto crucial en la actualidad y que cada vez es
más común debido a que las grandes tecnológicas son muy proclives
a comprar *startups* que desarrollan aspectos muy concretos pero con
un extraordinario valor para sus negocios y que puede implicar restricciones de competencia. Esto ha dado lugar a que la Comisión en
2016 emitiera una consulta pública sobre la revisión de los criterios
para que se considere que una concentración deba ser notificada a las
autoridades europeas[37]. En definitiva, estas iniciativas ponen de manifiesto como las autoridades de competencia debido al impacto de la
economía digital deban valorar ya no sólo la transacción desde una
perspectiva económica, teniendo en cuenta el volumen de negocio de
las empresas, sino también las implicaciones que para la privacidad
pueden tener dichas concentraciones.

Por otro lado, desde la perspectiva del art. 101 TFUE, podría ser
interesante el estudio de los problemas jurídicos que pueden surgir
cuando las empresas realizan acuerdos colusorios mediante la utilización del *big data* y la inteligencia artificial[38]. *Ad ex.* en los casos en los

---

[34] European Commission, 6 December 2016, case COMP/M.8124 .
[35] European Commission, 6 September 2018, case COMP/M.8788 .
[36] *Vid. al respecto Claici, A., "Big data y política de competencia", cit.,* , *p. 267.*
[37]   *Vid. la consulta en* https://ec.europa.eu/competition/consultations/2016_mer-
ger_control/index_en.html.
[38] Sobre este particular en la doctrina *vid.* Deng, A., "When Machines Learn
to Collude": Lessons from a Recent Resarch Study on Artificial Intelligence", 2017, disponible en https://papers.ssrn.com/sol3/papers.cfm?abstract_
id=3029662.15(consultado el 16 de marzo de 2020); Ezrachi A., Stucke M.,
"Artificial intelligence & Collusion: When computers inhabit Competition",

que se utilizan algoritmos de precios para que empresas competidores formalicen un cartel[39].

Por último, en atención al art. 102 TFUE, se podrían destacar problemas jurídicos como los siguientes: 1) si la posesión de una base de datos se puede considerar poder de mercado en determinados mercado electrónicos, un ejemplo de este problema se puede apreciar en el asunto *Google Shooping*[40]; 2) si los datos pueden ser considerados una infraestructura esencial y por lo tanto si se podría obligar a la compañía que los posee a facilitárselos a terceros para que puedan competir en un mercado; 3) el uso del *big data* para personalizar precios y que así las compañías puedan discriminar al consumidor. Este último problema es el que vamos a analizar en el presente trabajo.

4. LA PERSONALIZACIÓN DE PRECIOS A TRAVÉS DEL *BIG DATA*

4.1. *Aproximación al problema jurídico*

El desarrollo de la tecnología ha hecho posible que millones de datos se almacenen. Esta cantidad masiva de datos permite muchos

---

University of Illinois Law Review, n° 5, 2017, pp. 151-179; Ittoo A., Petit N., "Algorithmic Pricing Agents and Tacit Collusion. A Tecnological Perspective", 2017, disponible en https://papers.ssrn.com/sol3/papers.cfm?abstract_id=3046405(consultado el 16 de marzo de 2020).

Robles Laborda, A., "Cuando el cartelista es un robot. Colusión en mercados digitales mediante algoritmos de precios", 2018, pp.- 7-27. Disponible en https://papers.ssrn.com/sol3/papers.cfm?abstract_id=3170631 (consultado el 16 de marzo de 2020);

[39] *Vid. discurso de la Comisaria de competencia Margrethe* Verstager sobre esta cuestión, "Algorithms and competition", Bundeskartellamt 18th Conference on Competition, Berlin, 16 March 2017, disponible en https://wayback.archive-it.org/12090/20191129221651/https://ec.europa.eu/commission/commissioners/2014-2019/vestager/announcements/bundeskartellamt-18th-conference-competition-berlin-16-march-2017_en (consultado el 16 de marzo de 2020).

[40] Decisión de la Comisión, de 27 de junio de 2017, relativa a un procedimiento en virtud del artículo 102 del Tratado de Funcionamiento de la Unión Europea y del artículo 54 del Acuerdo EEE [Asunto AT.39740 – Búsqueda de Google (Shopping)]DO C 9 de 12 de enero de 2018.

PERSONALIZACIÓN DE PRECIOS A TRAVÉS DE LA
INTELIGENCIA ARTIFICIAL Y EL *BIG DATA*.

393

usos, así se ha manifestado a lo largo del trabajo, en particular en este estudio se persigue el análisis de un problema jurídico muy concreto: el uso de datos masivos en relación a los gustos y preferencias de los consumidores con el fin de detectar qué precio estarían dispuestos a pagar por una determinado producto o servicio. Esta información de la empresa sobre el consumidor le permite conocer "el precio de reserva del posible cliente" sobre ese producto o servicio. En definitiva, el precio máximo que estaría dispuesto a pagar. En base a esta información la empresa puede aplicar precios diferentes para el mismo producto y/o servicio en función de lo que está dispuesto a pagar el cliente. Esto es lo que se conoce como discriminación en los precios al consumidor[41].

Sin embargo, la discriminación del consumidor en atención al precio no es nada nuevo. De hecho, los estudios sobre el comportamiento del consumidor tampoco lo son. Es decir, desde hace décadas las empresas han realizado numerosos experimentos para saber los gustos de los consumidores o su satisfacción en relación a determinados productos. Cuando se realizaban este tipo de experimentos siempre se hacía sobre un número finito de personas[42]. Es decir, a través de encuestas, bien a pie de calle, por teléfono, tras una compra o a través de experimentos con el consumidor. La novedad reside en que ahora las empresas pueden acceder a una cantidad ingente de datos y además pueden procesarlos de forma automática o semi-automática, todo ello gracias al *machine learning*.

---

[41]   Sobre la discriminación de precios y su impacto en el Derecho europeo de la competencia *vid. Díez Estella, F., La discriminación de precios en el Derecho de la competencia, Thomson Civitas, Madrid, 2003, pp. 67 y ss; Geradin D., Petit, N., "Price Discrimination under EC Competition Law: The Need for a caseby-case Approach", Global Competition Law Centre Working Paper Series,* n°. 07/05, 2005; Waelbroeck, M., "Price Discrimination and Rebate Policies under EU Competition Law", en Fordham Corporate Law Institute, 22nd Annual Conference, 148, Barry Hawk Editor
1996, pp. 147-153.

[42]   Maggiolino, M., "Personalized prices in European Competition Law", Boconni Legal Studies Research paper n° 2984840, p. 8, disponible en https://papers.ssrn.com/sol3/papers.cfm?abstract_id=2984840 (consultado el 17 de marzo de 2020).

De hecho, en la actualidad, existe tecnología para ir un paso más allá. Es posible extraer hasta incluso información implícita de los datos, no sólo explícita[43]. Los datos procesados y extraídas las oportunas conclusiones de los mismos ya no sólo explícitas sino también implícitas puede ser un arma muy útil y poderosa para las empresas. Esto es así porque va a permitir conocer gustos, preferencias de los consumidores a un nivel de detalle nunca imaginado. Nada que ver con las segmentaciones de mercado basadas en pocas variables a través de estudios de mercado y encuestas individualizadas.

Los datos masivos han llevado a los mercados a otro nivel. La huella digital monitoriza por completo la actividad del individuo y de ahí se puede extraer información muy relevante para las empresas. Esto permite que las empresas puedan ahorrar tiempo y dinero, pudiendo ser mucho más eficientes simplemente con las siguientes acciones:

1) Enviar la oferta al potencial cliente en el momento temporal oportuno. En el momento en el que los datos predicen que la empresa tiene más oportunidad de venderle el producto al consumidor[44];

---

[43]   Vid. sobre este particular Maggiolino, M., "Personalized prices in European Competition Law", *Bocconi Legal Studies Research paper, cit*, pp. 9-10. La autora pone un ejemplo interesante sobre la relevancia de la información que se puede extraer de lo implícito de los datos, sería el siguiente: datos recientes sobre españoles que intentan aprender inglés han revelado a través de un software que hay una regla gramatical inglesa concreta que hace que el alumno español desacelere su aprendizaje. Esa relación entre la desaceleración en el aprendizaje no había sido puesta en relieve por ningún profesor o experto en ese campo. Pero el conocimiento de esa relación resulta especialmente útil para los profesores de lengua inglesa a españoles porque permite posponer la enseñanza de esa regla gramatical a otro momento con el fin de no frenar su progreso.

[44]   Un ejemplo podría ser el siguiente: si la compañía de seguros X, sabe (a través de análisis de *big data) que los hombres entre 30 y 40 años son más proclives a contratar un seguro de vida cuando nace su primer hijo, esperarán y lanzarán la oferta al cliente cuando esta circunstancia tenga lugar. ¿Y como podría saber la compañía que el señor Y, varón de 35 años ha tenido su primer hijo recientemente? Por su huella digital, imaginen que ha subido diferentes fotos con su hijo en los últimos meses. Esta información que vamos dejando para nosotros puede carecer de significado pero no para las empresas. Vid. Alfaro J., "Precios personalizados y discriminación"*, disponible en https://almacendederecho.org/precios-personalizados-discriminacion/ (consultado el 17 de marzo de 2020).

PERSONALIZACIÓN DE PRECIOS A TRAVÉS DE LA
INTELIGENCIA ARTIFICIAL Y EL *BIG DATA*.

395

2) Cobrar precios diferentes en función del precio de reserva, por el mismo producto se puede cobrar más o menos en función de este dato.

Este escenario que plantea el uso del *big data* por parte de las empresas puede dar lugar a problemas jurídicos de diverso calado donde diferentes disciplinas jurídicas se puedan ver afectadas. Sin embargo, como ya se adelantaba la repercusión de la personalización de precios se va a analizar desde la perspectiva del Derecho de la competencia europeo. De este modo, una de las primeras incógnitas que se deben resolver es si esta forma de personalizar precios puede ser considerada una discriminación de precios tal y como se ha venido entendiendo en el Derecho de la competencia europeo hasta ahora.

4.2. La discriminación de precios desde una perspectiva económica

4.2.1. Grados de discriminación en los precios

Para llegar a determinar si la personalización de precios mediante el *big data* puede ser considerada discriminación de precios es necesario partir de variación en los precios siempre ha existido. Una empresa podría discriminar en los precios cuando concurren tres aspectos[45]: 1) La empresa ostenta poder en ese mercado;2) La empresa puede evitar el arbitraje de precios; 3) La empresa dispone de información sobre la estimación que el consumidor realiza sobre su producto lo que le permite ajustar el precio del mismo.

Esto ha dado lugar a que para el mismo producto a los consumidores se les haya aplicado precios diferentes. En atención a criterios económicos, se pueden diferenciar distintos grados de discriminación en los precios, estos serían los siguientes[46]:

---

[45]   Botta, M./Wiedemann K., "To discriminate or not to discriminate? Personalised pricing in *online* markets as exploitative abuse of dominance", *cit.*, p.6.

[46]   Pigou A.C., *The Economics of Welfare*, Macmillan and Co., London, 1920, p. 199 y ss. Disponible en http://files.libertyfund.org/files/1410/Pigou_0316.pdf, (consultado el 17 de marzo de 2020).

1) *Discriminación de tercer grado*. Las empresas en atención a la edad de las personas, su ocupación o su origen geográfico analizan su poder adquisitivo para acceder al bien y el deseo que podrían tener en adquirirlo. Esto permite clasificar a los consumidores en diferentes categorías de compradores y así poder aplicarles diferentes precios[47]. Por ejemplo:

• Descuentos para familias numerosas o familias con menos ingresos en las tasas universitarias.

• Descuentos a personas mayores o estudiantes en el teatro o en el cine.

La razón de este tipo de discriminación en precios suele basarse en la "justicia"[48]. Las empresas asumen que jóvenes o jubilados poseen menos dinero para poder gastar. Por lo tanto, aplicarles un precio diferente es la opción para que puedan ser clientes.

El *geo-blocking* podría ser una discriminación de precios en tercer grado. En realidad, se trata de ser una segmentación de los consumidores en función de los países en los que se encuentran. El *geo-blocking* es la técnica que da lugar a que consumidor español si quiere comprar productos en la web de la empresa X lo debe hacer en la versión española, no pueda comprar los productos en la *web* inglesa de esa misma compañía. Existe un Reglamento europeo sobre bloqueo geográfico injustificado con el fin evitar la discriminación de los consumidores basada en la nacionalidad, el lugar de residencia o el lugar de establecimiento de los clientes[49].

---

[47]   Maggiolino, M., "Personalized prices in European Competition Law", Boconni Legal Studies Research paper, cit, p. 5.

[48]   Botta, M./Wiedemann K., "To discriminate or not to discriminate? Personalised pricing in *online* markets as exploitative abuse of dominance", *cit*, p.3.

[49]   Reglamento (UE) 2018/302 del Parlamento Europeo y del Consejo, de 28 de febrero de 2018, sobre medidas destinadas a impedir el bloqueo geográfico injustificado y otras formas de discriminación por razón de la nacionalidad, del lugar de residencia o del lugar de establecimiento de los clientes en el mercado interior y por el que se modifican los Reglamentos (CE) n.º 2006/2004 y (UE) 2017/2394 y la Directiva 2009/22/CE (DOUE LI60/1 de 2 de marzo de 2018). Sobre este Reglamento *vid ad ex. Lafuente Sánchez, R.,* "Mercado único digital: medidas contra el bloqueo geográfico injustificado, contratos de consumo concluidos por

PERSONALIZACIÓN DE PRECIOS A TRAVÉS DE LA
INTELIGENCIA ARTIFICIAL Y EL *BIG DATA*.

397

2) *Discriminación de segundo grado*. Las empresas solventan sus problemas de falta de información sobre los consumidores con el ofrecimiento de mismos productos o servicios a diferente precio en atención a aspectos como la cantidad que se compra o el momento en el que se formaliza la misma. Es lo que se conoce como *"menu pricing"*[50]. Por ejemplo:

- Descuentos a pocas horas de que un vuelo despegue.
- Descuento por comprar un determinado número de productos.

La discriminación de segundo grado también puede apreciarse en relación a los "paquetes de productos"[51]. *Ad ex.*, una empresa ofrece un paquete que se compone impresora y tres cartuchos de tinta. La empresa aplica un precio de coste marginal al producto principal (la impresora) pero un precio mucho más elevado al producto accesorio (los cartuchos)[52].

3) *Discriminación de primer grado*. En este caso, para un mismo producto el consumidor o cliente paga un precio diferente en atención al resultado de las negociaciones individualizadas que ha realizado con el vendedor[53]. Es lo que se conoce como "regatear". Este grado de discriminación también se conoce como perfecta debido a que el vendedor como resultado de ese "regateo" con el cliente llega a conocer "el precio de reserva del cliente". Esta información le permite al vendedor maximizar sus benefi-

vía electrónica y normas de Derecho internacional privado", *Cuadernos de Derecho Transnacional* (Cdt), vol. 11, nº 2, 2019, pp. 117-149.

[50] Maggiolino, M., "Personalized prices in European Competition Law", Boconni Legal Studies Research paper, cit, p. 6.

[51] *Ibidem*, p. 6.

[52] *Vid.* este ejemplo más detallado en Hovenkamp, H.J.,"Tying and the Rule of reason: Understanding Leverage, Foreclosure, and Price Discrimination", 2011, p. 11, disponible en https://papers.ssrn.com/sol3/papers.cfm?abstract_id=1759552 (consultado el 17 de marzo de 2020).

[53] Maggiolino, M., "Personalized prices in European Competition Law", *Boconni Legal Studies Research paper*, cit, p. 6.

cios en cada venta[54], al poder aplicar a cada cliente un precio diferente por el mismo producto.

La discriminación de primer grado se ha considerado desde siempre una posibilidad más teórica que real[55]. Esto es así porque que el vendedor llegara a conocer de forma precisa el precio de reserva de cada cliente era de facto imposible. Sin embargo, en la actualidad, esa premisa de que la discriminación perfecta es una quimera se está dejando atrás. El uso de Internet por los consumidores, el *big data* y la inteligencia artificial permiten a las empresas conocer mejor los gustos y preferencias de sus clientes, y como ya hemos venido apuntado en el presente estudio, incluso el precio que estarían dispuestos a pagar por un producto o servicio. Por lo tanto, la discriminación de precios en primer grado o perfecta es ya una realidad dejando atrás otros tipos de discriminación de segundo o de tercer grado que eran las más utilizadas por las empresas hasta hace muy pocos tiempo[56].

4.2.2. Modelos económicos sobre la discriminación de precios y sus efectos en el bienestar del consumidor

a) Introducción

Desde una perspectiva económica, existen diferentes estudios que muestran los efectos que la discriminación en los precios causa en el bienestar de los consumidores cuando se está en mercados oligopolísticos o de competencia imperfecta pero que no llegan a ser mono-

---

[54]   Botta, M./Wiedemann K., "To discriminate or not to discriminate? Personalised pricing in *online* markets as exploitative abuse of dominance", *European Journals of Law and Economics, cit.*, p. 3.

[55]   *Vid.* Miller A.A., "What do we worry about When We Worry about price discrimination?The Law and ethics of using personal", Journal of Tecnology Law and Policy, 19, 2014, p. 99.

[56]   *Vid. el interesante informe de la Casa Blanca del año 2015 donde se destaca esta realidad* White House, "*Big data and differential pricing*", *february 2015, p. 4, disponible en* https://obamawhitehouse.archives.gov/sites/default/files/whitehouse_files/docs/Big_Data_Report_Nonembargo_v2.pdf (consultado el 18 de marzo de 2020).

PERSONALIZACIÓN DE PRECIOS A TRAVÉS DE LA
INTELIGENCIA ARTIFICIAL Y EL *BIG DATA*.

399

polios[57]. Estos modelos económicos muestran como el bienestar del consumidor depende de muchos factores- la heterogeneidad del consumidor, la elasticidad cruzada de la demanda (si el producto tiene o no sustitutos en el mercado de referencia), las barreras de entrada o los costes de ese sector[58]. Un aspecto a destacar de estos modelos económicos es que muestran efectos positivos en el bienestar del consumidor en los supuestos en los que en estos mercados de competencia imperfecta se produce más oferta. Este aspecto es reseñable debido a que uno de los efectos perniciosos en los mercados donde no existe competencia es la reducción de la oferta. Así, estos modelos muestran como en los casos en los que los productos son diferenciados y el mercado se encuentra segmentado, los precios personalizados aumentan el nivel de competencia en un escenario de monopolio[59]. Esto es así porque permiten vender sus productos a unos consumidores que en otros tiempos compraban a la competencia. Estos modelos permitirían considerar que los precios discriminatorios favorecen la competencia en mercados no monopolísticos siempre y cuando las empresas no acuerden la fijación de precios[60].

b) Efectos económicos que ocasiona la discriminación en los precios

Un ejemplo permitirá entender mejor los modelos económicos a los que anteriormente hacíamos alusión. Este ejemplo se desarrolla en

---

[57]   Carlton, A.W., Perloff, Modern Industrial Organization, 4th ed, Pearson, 2004;Tirole, J., *The Theory of Industrial Organization*, MIT Press, 1988.

[58]   Maggiolino, M., "Personalized prices in European Competition Law", *Bocconi Legal Studies Research paper*, cit, p. 13. Vid. *también sobre este particular, Amstrong M., "Price discrimination"*, MPRA paper, 2006, *disponible en* https:// mpra.ub.uni-muenchen.de/4693/1/MPRA_paper_4693.pdf (consultado el 18 de marzo de 2020).

[59]   Maggiolino, M., "Personalized prices in European Competition Law", *Bocconi Legal Studies Research paper*, cit, p. 13. Vid. también Reed Shiller B., "First Degree Price Discrimination Using *Big Data*", 2014, disponible en https://www. brandeis.edu/economics/RePEc/brd/doc/Brandeis_WP58R2.pdf (consultado el. 19 de marzo de 2020).

[60]   Maggiolino, M., "Personalized prices in European Competition Law", *Bocconi Legal Studies Research paper*, cit, p. 13.

tres mercados diferentes[61]: 1)mercado con competencia perfecta; 2) mercado monopolístico; 3) mercado monopolístico donde se aplican precios discriminatorios. La empresa YBS fabrica ordenadores portátiles. A esta empresa le cuesta fabricar cada unidad del producto 90. Sin embargo, tiene conocimiento de que existen tres consumidores que estaría dispuesto a pagar lo siguiente por su producto:

*El consumidor A está dispuesto a pagar 100.

*El consumidor B está dispuesto a pagar 120

*El consumidor C está dispuesto a pagar 140.

El precio al que va a vender el producto YBS podría variar en función del grado de competencia que existe en ese mercado.

En el primer escenario, en un *mercado con competencia perfecta*, YBS va a comercializar el producto al mismo precio a todos los consumidores. En este tipo de mercados, el precio de producto es igual o muy cercano a su coste marginal. Es decir, en nuestro ejemplo, YBS vendería el ordenador a 100. Por lo tanto, vendería 3 unidades. Todos los consumidores podrían comprar el bien. Esto es así porque en los mercados donde existe competencia, el productor produce la máxima cantidad posible de productos, por lo que todos los consumidores tienen capacidad para comprar el bien. En este escenario, el bienestar general pero también el particular del consumidor es el máximo, ya que todo el consumidor interesado en el producto no paga más de lo estrictamente necesario para poder remunerar su costo al productor. En el ejemplo de YBS, su ingreso sería de 300 y su beneficio de 30[ingreso: 100 x 3=300; beneficio=30 (300-270)].

En un segundo escenario, no hay competencia, se trata de un *mercado monopolístico*. El precio al que YBS comercializa su producto se aleja del precio del coste marginal. Es decir, en nuestro ejemplo, YBS vendería el ordenador a 120, al mismo precio a todos los consumidores. Al no existir competencia en ese mercado, YBS podría producir menos unidades y subir el precio del producto. En nuestro ejemplo, hemos señalado que el precio sería 120, pero el monopolista puede

[61]   Alfaro J., "Precios personalizados y discriminación", pp. 3- 4, disponible en https://almacendederecho.org/precios-personalizados-discriminacion/ (consultado el 19 de marzo de 2020);Maggiolino, M., "Personalized prices in European Competition Law", *Boconni Legal Studies Research paper, cit, pp. 14-15.*

PERSONALIZACIÓN DE PRECIOS A TRAVÉS DE LA
INTELIGENCIA ARTIFICIAL Y EL *BIG DATA*.

401

decidir vender sólo 1 unidad del producto a 140. El bienestar general pero también el individual se ve afectado. No todos los consumidores pueden acceder al bien. Sólo aquellos que pueden pagar más. En nuestro ejemplo, el ingreso de YBS sería de 240 y su beneficio de 60 [ingreso: 120x2=240;beneficio=60 (240-180)].

En un tercer escenario también *monopolístico pero en el que se aplican precios discriminatorios,* la situación para el bienestar del consumidor cambia. YBS vendería a cada consumidor a un precio diferente, al precio al que están dispuestos a pagar por el producto, bien por su capacidad económica bien por su interés sobre el producto. De este modo, YBS le vendería el portátil al consumidor A a 100, al consumidor B a 120 y al consumidor C a 140. En este escenario, el mercado produce la máxima cantidad de productos, por lo que todos los compradores pueden acceder al producto y la empresa también maximiza su beneficio. En este mercado, los resultados son muy similares a los que se producen en un mercado competitivo. En nuestro ejemplo se reflejaría así: [100+120+140=360; beneficio=90 (360-270)].

c) *Conclusión*

Desde un punto de vista económico, la discriminación de precios incluso en un mercado monopolístico puede aumentar el bienestar del consumidor. Es decir, puede reducir los efectos perniciosos del monopolio (reducción de la oferta). La discriminación de precios permitiría aumentar el tamaño de mercado. El consumidor que está dispuesto a pagar menos entra en el mercado a costa de que haya otro consumidor (el que está dispuesto a pagar más) al que se le cobre más por el mismo producto. Hay autores que entienden que incluso esa discriminación en precios beneficiaría al mercado en general porque otro aspecto positivo de este escenario es que puede existir eficiencia dinámica[62]. Los ingresos extras que adquiere el monopolista al discriminar en los precios, los puede utilizar para mejorar el producto, invirtiendo en I+D.

---

[62]   Maggiolino, M., "Personalized prices in European Competition Law", *Bocconi Legal Studies Research paper*, cit, p. 16.

Sin embargo, no hay que olvidar que estos no dejan de ser modelos económicos, los efectos pueden resultar ambiguos ya que hay que tener muy en cuenta el mercado concreto al que se le apliquen estos parámetros económicos. Además, el bienestar del consumidor no sólo puede medirse en atención a parámetros económicos. El bienestar del consumidor debe calibrarse junto con otros aspectos como "la opacidad de estas prácticas", el consumidor no sabe que mediante algoritmos se le está discriminando[63]. Incluso en términos de justicia, ¿es justo discriminar a unos consumidores frente a otros?[64]. A nuestro juicio, las implicaciones de los precios personalizados a través del *big data* transcienden lo económico para pasar a tener en cuenta otros aspectos como la justicia, la transparencia y la lealtad a la hora de competir. Por este motivo, no es extraño que existan autores que entienden que el ámbito de aplicación de las normas de competencia debería ampliarse[65]. Así, sería interesante plantearse si las normas de competencia debido a la realidad actual que plantea la *digital economy* podrían dar respuesta o sería necesario plantearse la posibilidad de que nuevos ilícitos *antitrust* surjan. Lo que es evidente es que la utilización del *big data* para personalizar los precios es una vía muy actual de discriminación de precios al consumidor, lo que ahora nos queda por estudiar si esta práctica puede ser constitutiva de un ilícito *antitrust* conforme al art. 102 TFUE.

---

[63]	Este es uno de los aspectos más cuestionables de la personalización de precios vía *big data, la asimetría de información. El consumidor más avezado y que se puede imaginar que las empresas realizan estas prácticas a través de la información que van recopilando a través de su huella digital puede tomarse las molestias para dejar el menor rastro posible. Sin embargo, el consumidor no sabe si esa discriminación le favorece. Vid sobre este particular* Botta, M./Wiedemann K., "To discriminate or not to discriminate? Personalised pricing in *online* markets as exploitative abuse of dominance", *cit.*, p. 7.
[64]	Sobre este particular *vid.* Townley C., Morrison E., Yeung K., "*Big Data* and Personalised Price. Discrimination in EU Competiton Law", King's College London, 2017, pp. 27-31, disponible en https://kclpure.kcl.ac.uk/portal/en/publications/big-data-and-personalised-price-discrimination-in-eu-competition-law(baca2e84-f4c6-4b5f-a6c3-9602bb53c885).html (consultado el 19 de marzo de 2020).
[65]	Kalimo H., Macjcher, K., "The concepto of fairness: Linking EU competition and data protection law in the digital marketplace", *European Law Review*, 42, pp. 210-233.

PERSONALIZACIÓN DE PRECIOS A TRAVÉS DE LA
INTELIGENCIA ARTIFICIAL Y EL *BIG DATA*.

403

4.2.3. Abuso de posición de dominio y precios personalizados mediante el *big data*

a) El artículo 102 TFUE

El art. 102 letra c) TFUE señala que *"será incompatible con el mercado interior y quedará prohibida, en la medida en que pueda afectar al comercio entre los Estados miembros, la explotación abusiva, por parte de una o más empresas, de una posición dominante en el mercado interior o en una parte sustancial del mismo (…)aplicar a terceros contratantes condiciones desiguales para prestaciones equivalentes, que ocasionen a éstos una desventaja competitiva"*.

En aras determinar si una práctica de precios personalizados puede ser contraria al citado artículo consideramos que se debe primero analizar qué es un precio discriminatorio para el Derecho de la competencia, para posteriormente estudiar en qué medida afecta que esta práctica vaya dirigida a consumidores finales y hasta qué punto puede calificarse como una práctica abusiva en atención al art. 102 TFUE.

b) La discriminación de precios para el Derecho antitrust

Los precios anticompetitivos suelen agruparse básicamente en[66]: a) precios excesivamente altos; b) precios excesivamente bajos (precios predatorios y precios límites); c) precios discriminatorios.

A pesar de que su precisión conceptual es difícil, se puede afirmar que existe discriminación en precios cuando un fabricante, o un productor, o un distribuidor, una empresa en definitiva, cuando vende dos unidades de un mismo producto o servicio a precios diferentes bien al mismo consumidor o a consumidores diferentes[67]. No obstante, un aspecto a tener en cuenta es que la existencia de precios diferentes para un mismo producto o servicio no significa en todo caso que exista

---

[66] Para un mayor detalle *vid.* Jones A., Sufrin B., Dunne N., *EU Competition Law. Text, cases and materials*, 7th ed., Oxford University Press, 2019, pp. 392-431.

[67] En relación a este concepto *vid.* Díez Estella, F., *La discriminación de precios en el Derecho de la competencia, cit.* pp. 68-74; Posner R, *Antitrust Law, An Economic Perspective, The University of Chicago Press*, Londres, 1976, p. 62.

discriminación en los precios, del mismo modo que un mismo precio no siempre implica la ausencia de discriminación.

La existencia de precios discriminatorios desde el punto de vista del Derecho *antitrust* europeo se supedita a la existencia de dos elementos[68]:

1) *Elemento objetivo.* Dentro del elemento objeto es necesario apreciar:

   a) *El objeto de la prestación.* En primer lugar es necesario determinar el objeto de la prestación. Esto permite determinar cuándo se está ante dos productos o servicios iguales o diferentes entre sí. La clave es que analizando el objeto de la prestación se pueda comparar entre los dos productos para posteriormente poder considerar cuando concurren otras circunstancias que justifiquen o no la existencia de esos precios diferentes entre productos *a priori* iguales. Para llevar a cabo ese análisis es necesario tener en cuenta dos aspectos: a) la similitud en el bien, producto o servicio[69]; b) la diferencia en el precio. Esta comparación resulta más sencilla cuando los productos se venden en el mismo mercado, sin embargo, se complica cuando se trata de paquetes de productos o servicios[70]. En definitiva, en este análisis aunque cada caso puede presentar sus peculiaridades resulta preciso realizar un análisis similar al que se lleva a cabo para determinar el <<mercado relevante>> de un producto o servicio[71]. Una vez determinado el grado de intercambiabilidad

---

[68]   *Ibidem, pp. 86-135.*

[69]   Un ejemplo de cómo se ha apreciado esta similitud entre productos por el TJUE puede verse en el asunto *United Brands. STJCE de 14 de febrero de 1978, United Brands, as. 27/76, ECLI:EU:C:1978:22, apartados 12 a 35.* Muy interesante el análisis de esta resolución desde la perspectiva de los precios discriminatorios tanto desde el punto de vista norteamericano como del Derecho de la competencia europeo *vid.* Springer U., "Borden and United Brans Revisited: A Comparison of the Elements of Price Discrimination under E.C. and Us Antitrust Law", *European Competition Law Review,* vol. 18, nº 1, 1997.

[70]   Díez Estella, F., *La discriminación de precios en el Derecho de la competencia, cit. p. 91.*

[71]   Para determinar el mercado relevante de un producto o servicio es necesario analizar dos aspectos: el mercado del producto y el mercado geográfico. El mercado

PERSONALIZACIÓN DE PRECIOS A TRAVÉS DE LA
INTELIGENCIA ARTIFICIAL Y EL *BIG DATA*.

405

o sustituibilidad de los productos, tanto desde el punto de vista de la oferta como de la demanda, se puede determinar con bastante certeza el objeto de la prestación con el fin de precisar si esa diferencia en los precios podría estar o no justificada.

b) *El grado de comparabilidad en las relaciones comerciales.* El término "relaciones comerciales" está estrechamente relacionado con el término " prestaciones equivalentes" que recoge se recoge tanto el art. 101.1 letra d) TFUE como en el art. 102 letra c) TFUE. El análisis del grado de comparabilidad para apreciar que existen precios discriminatorios no sólo es necesario en relación a los productos o servicios en sí (objeto de la prestación) sino que también hay que "comparar" las relaciones comerciales con el fin de detectar si son prestaciones equivalentes. Los factores presentes en dicha comparabilidad son diversos[72] y pueden ser desde el mercado relevante[73], la capacidad negociadora[74], el perfil del cliente y su grado de fidelidad[75] o la situación concreta de la cadena de distribución.

c) *El resultado de la práctica.* En este aspecto se debe analizar el resultado que puede alcanzarse con tales prácticas, el cual

---

del producto lo componen todos los productos o servicios que compiten entre sí. Sin embargo, el mercado geográfico determina el mercado en el que se desarrolla la competencia. Para un mayor detalle sobre este particular *vid. Antón Juárez I., La distribución y el comercio paralelo en la Unión Europea, La Ley, Madrid, 2015, pp. 269-275.*

[72]   Díez Estella, F., *La discriminación de precios en el Derecho de la competencia, cit. pp. 92-103.*

[73]   STPI de 6 de octubre de 1994, Tetra Pack, T-83/91, ECLI:EU:T:1994:246, apartado 62. El Tribunal entendió que no se puede apreciar la discriminación de precios teniendo en cuenta dos mercados diferentes sino que la comparación debe realizarse para cada mercado por separado. Sobre este particular *vid. también Díez Estella, F., La discriminación de precios en el Derecho de la competencia, cit. pp. 94 y 95.*

[74]   STJUE de 3 de julio de 1991, AZKO Chemie c. Comisión, C-62/86, ECLI:EU:C:1991:286, apartado 120.

[75]   STJUE de 13 de febrero de 1979, *Hoffmann-La Roche, as.85/76, ECLI:EU:C:1979:36,apartado 134 y 138, que el cliente sea un buen cliente no es un factor relevante para avalar la discriminación de precios.*

puede resultar perjudicial tanto para el competidor como para la propia competencia. Ambos efectos nocivos se pueden identificar en las normas de defensa de la competencia nacionales como europeas. Art. 101.1 en su letra d) TFUE donde se señala que serán incompatibles con el mercado interior todas aquellos acuerdos, prácticas (…) *"que apliquen a terceros contratantes condiciones desiguales para prestaciones equivalentes que ocasionen en éstos una desventaja competitiva"*. Del mismo modo lo recoge el art. 102 letra c) TFUE reseñado anteriormente. Un término clave en ambos preceptos es el de <<desventaja competitiva>>. La jurisprudencia comunitaria ha venido entendiendo en relación al art. 102 TFUE que para que se cumplan los requisitos de aplicación de este precepto es necesario[76]: 1) comprobar que el comportamiento de la empresa es discriminatorio; 2) que ese comportamiento falsee la relación de competencia. Es decir, que obstaculice la posición competitiva de una parte de los socios de esa empresa frente al resto. En otras palabras, que esa discriminación en los precios provoque una "desventaja competitiva". Es decir, que ocasione un falseamiento en la competencia. El TJUE recientemente ha señalado que la mera "desventaja competitiva" no tiene por que implicar falseamiento de la competencia[77]. Es necesario analizar todas las circunstancias del caso concreto[78], así entre tales circunstancias se podría apreciar la posición dominante de la empresa, la capacidad de negociación, condiciones y modalidades de las tarifas, su duración y su importe y la posible existencia de una estrategia destinada a expulsar del mercado descendente a uno de sus socios comerciales al menos igual de eficaz que sus competidores[79].

---

[76] STJUE de 15 de marzo de 2007, *British Airways*, C-95/04, *ECLI:EU:C:2007:166*, *apartado 144.*

[77] STJUE de19 de abril de 2018, MEO.Serviços de Comunicações e Multimédia SA contra Autoridade da Concorrência, C-525/16, ECLI:EU:C:2018:270,apartado 26.

[78] *Ibidem, apartado 28.*

[79] STJUE de19 de abril de 2018, MEO. Serviços de Comunicações e Multimédia SA contra Autoridade da Concorrência, C-525/16, ECLI:EU:C:2018:270,apartado

PERSONALIZACIÓN DE PRECIOS A TRAVÉS DE LA
INTELIGENCIA ARTIFICIAL Y EL *BIG DATA*.

407

2) *Elemento subjetivo*. En este caso, lo importante es verificar los sujetos afectados como la intencionalidad de la práctica. Los sujetos afectados podrían ser cualquiera, un distribuidor, un proveedor... En cuanto a la intencionalidad, ésta puede ser bien la exclusión de un competidor o causarle un perjuicio sin necesidad de excluirle[80].

Una cuestión que surge en relación al estudio de los precios personalizados mediante el *big data* desde el punto de vista del Derecho de la Competencia europeo es el "objetivo" de este tipo de prácticas. Éstas se dirigen contra el consumidor final. No se trata de un competidor propiamente o de un proveedor de la plataforma de comercio electrónico que decide practicar precios personalizados. Ante este escenario cabe plantearse si el art. 102 TFUE también podría ser de aplicación a pesar de que el precio personalizado no va dirigido en principio contra otra empresa, sino que se aplican a consumidores finales. La respuesta va muy de la mano con cómo debe entenderse el ámbito de aplicación del propio art. 102 TFUE en atención a las decisiones de la Comisión Europea y del TGUE y del TJUE. De este modo, el art. 102 TFUE permitiría sancionar las conductas de las empresas que no sólo tienen un efecto de excluir a un competidor si no también todas esas conductas que tienen un efecto de explotación causando daños al consumidor final[81]. Por lo tanto, mediante el art. 102 TFUE se podría considerar

---

31; STJUE de 6 de septiembre de 2017, Intel, C-413/14 P, ECLI:EU:C:2017:632, apartado 139.

[80]   Resulta interesante el debate nada nuevo pero siempre de actualidad que existe en el Derecho de la competencia europeo sobre la intención del que comete el ilícito *antitrust*. *De este modo, cabría preguntarse si el hecho de que el que discrimina en precios no tenga intención de excluir al competidor (exclusionary effect), de perjudicarle puede hacer que no exista un ilícito antitrust. Las Autoridades de Competencia europeas lo han tenido claro. Es irrelevante que no se tenga tal intención, si la conducta por sí misma, por su naturaleza ocasiona tales efectos, el ilícito de competencia existe (Vid. Decisión de la Comisión 2000/74/ CE de la Comisión, de 14 de julio de 1999, relativa a un procedimiento de aplicación del art. 82 del Tratado CE (asunto IV/D-2/34.780. DOCE L 30/1 de 4 de febrero del 2000).*

[81]   Jones A., Sufrin B., Dunne N., *EU Competition Law. Text, cases and materials*, 7th ed., Oxford University Press, 2019, p. 289.

que existe abuso de posición de dominio aunque la conducta no afecte a otra empresa si no a un consumidor final[82].

c) *Vías que se han venido utilizando para instrumentar esa discriminación de precios*

Una vez estudiados los elementos que se deben analizar para apreciar una discriminación en los precios, sería necesario analizar también las vías más habituales mediante las cuales las empresas han instrumentado esa discriminación. El objetivo es estudiar si la personalización de precios a través del *big data* podría ser una nueva forma para llevar a cabo discriminación de precios. Entre las prácticas de discriminación que se han llevado a cabo por las empresas de forma más habitual son[83]:

1) *Los descuentos.* Esta es una de las fórmulas más generalizadas para instrumentar la discriminación en los precios. La diferencia de precio para el mismo producto puede obedecer a diferentes razones tales como ahorro de costes mediante economías de escala, son la recompensa a la fidelidad de los clientes o responden a un incentivo debido a un consumo de productos mayor. En los supuestos en los que no hay razón objetiva detrás de esos descuentos es cuando debe aparecer el Derecho *antitrust*. Entre los diferentes tipos de descuentos que existen vamos a destacar dos:

   a) Descuentos en relación a la cantidad. Son descuentos a favor de los adquirentes por comprar grandes cantidades de productos o servicios. La razón objetiva del descuento descansa en la cantidad de productos que adquieren. El precio es más bajo porque compran más que otros clientes. Estos descuentos se denominan *"rappels cuantitativos"* o "descuentos de cantidad" y en principio no merecen reproche alguno desde el punto de vista del Derecho de la competencia, incluso

---

[82]   Botta, M./Wiedemann K., "To discriminate or not to discriminate? Personalised pricing in *online* markets as exploitative abuse of dominance", cit, p. 11.

[83]   Díez Estella, F., *La discriminación de precios en el Derecho de la competencia,* cit. pp. *333 y ss.*

PERSONALIZACIÓN DE PRECIOS A TRAVÉS DE LA
INTELIGENCIA ARTIFICIAL Y EL *BIG DATA*.

409

cuando son ofrecidos por empresas con posición de dominio en el mercado[84].

b) Primas de fidelidad o descuentos basados en la exclusividad. Las primas de fidelidad consisten en la aplicación de condiciones desiguales para prestaciones equivalentes. Estos descuentos los aplican empresas con posición de dominio y no hay razón económica que los justifique. Dos compradores pagan un precio diferente por la misma cantidad del mismo producto en función de si obtienen sus productos exclusivamente de la empresa con posición de dominio o tienen fuentes alternativas de aprovisionamiento. Es decir, la razón del descuento es en base a si el suministro es en exclusiva o no. Los efectos de las primas de fidelidad en el mercado son lesivos para la competencia debido a que reducen o eliminan la posibilidad del comprador de elegir sus fuentes de abastecimiento y además impiden a otros proveedores el acceso al mercado[85]. En definitiva, este tipo de descuentos lo que persigue es impedir que los clientes mediante descuentos se abastezcan de los productos de la competencia[86].

2) *Cláusula de cliente más favorecido.* Este tipo de cláusulas suelen incluirse en los acuerdos verticales. Mediante este tipo de cláusulas el proveedor persigue garantizar al distribuidor que nadie en el mercado va a vender el producto a un precio menor[87]. En definitiva, es una vía para asegurar que el distribuidor va a adquirir del proveedor los productos a un precio inferior que el sus competidores. Esta diferencia de precio a la hora de adquirir los productos, le permite al distribuidor una importante ventaja competitiva. Estas cláusulas aunque no son

---

[84] STPI (sala 3ª) de 30 de septiembre de 2003, Michelin, T-203/01, ECLI:EU:T:2003:250, apartado 58.

[85] STGUE (sala 7ª) de 12 de junio de 2014,Intel, T-286/09, ECLI:EU:T:2014:547, apartado 77.

[86] STJUE de 13 de febrero de 1979, *Hoffmann-La Roche, as.85/76, ECLI:EU:C:1979:36, apartado 91.*

[87] Baena Zapatero R, El lío de las llamadas MFNS y el derecho de la competencia: de Apple a booking.com, en Recuerda Girela M.A., Problemas prácticos y de actualidad del Derecho de la competencia, Civitas, Cizur menor, Navarra, 2016, p. 185.

novedosas han estado de actualidad recientemente debido a las implicaciones que pueden presentar para la competencia cuando afectan a negocios digitales[88].

3) *El big data como vía para discriminar en los precios.* Este uso del *big data* puede encajar perfectamente en lo que se ha venido entendiendo como precio discriminatorio para el Derecho *antitrust* europeo. Sin embargo, para las autoridades de competencia no es tan sencillo detectar ni tampoco probar este tipo de prácticas en aras de imponer multas. De hecho, este puede ser realmente el reto al que se enfrentan las autoridades de competencia en la actualidad y en los próximos años.

d) Retos a los que se enfrentan las autoridades de competencia para considerar abusiva la personalización de precios

Una autoridad de competencia puede apreciar que una determinada plataforma personaliza precios a través del uso del *big data,* pero de ahí a que se pueda determinar que es una práctica abusiva contraria al art. 102 TFUE es distinto. Es necesario tener muy presente todo lo que constituye abuso de posición de dominio en atención al art. 102 TFUE[89] (cuota de mercado de la empresa dominante y de sus competidores, las condiciones del mercado de referencia, la expansión y entrada de los competidores, poder de negociación de la demanda, etc.) y los nuevos retos que plantea la economía digital.

Estos retos podrían generar las siguientes dificultades a las autoridades para poder fijar el ilícito antitrust[90]: 1) que se trata de una práctica repetida en el tiempo. En la mayoría de las ocasiones ni los

---

[88]   Para un mayor detalle *vid. Antón Juárez I., "Las cláusulas de paridad de precios en el sector de las plataformas on line", Revista de Derecho de la competencia y de la distribución, n° 20, 1, 2017.*

[89]   Comunicación de la Comisión — Orientaciones sobre las prioridades de control de la Comisión en su aplicación del artículo 82 del Tratado CE a la conducta excluyente abusiva de las empresas dominantes (Texto pertinente a efectos del EEE) (2009/C 45/02), apartados 12 a 18 (DOUE C 45/7, de 24 de febrero de 2009).

[90]   Botta, M./Wiedemann K., "To discriminate or not to discriminate? Personalised pricing in *online* markets as exploitative abuse of dominance", cit, pp. 13-14.

propios consumidores saben que se les está discriminando, por lo que saber desde cuándo puede resultar complicado de averiguar; 2) entender la tecnología existente detrás de la práctica. La autoridad de competencia debería analizar el algoritmo que utiliza la compañía para discriminar a unos consumidores frente a otros;3) la evaluación de la situación del mercado antes y después de que la empresa personalizara los precios y qué impacto presenta en el bienestar de los grupos de consumidores afectados. No hay que olvidar que el efecto de los precios personalizados en el bienestar del consumidor es ambiguo y que debería analizarse caso a caso[91].

5. CONCLUSIONES

Desde el Derecho de la competencia, la discriminación en precios se analiza con cierto recelo debido a que al empresario dominante le permite segmentar geográficamente el mercado. Es decir, compartimentar el mercado, efecto contrario a los objetivos del TFUE de lograr un mercado único en el EEE. Por lo tanto, las prácticas de personalización de precios reprochables desde un punto de vista *antitrust* podrían ser sólo aquellas que se llevan a cabo por empresas con posición de dominio. Como ya hemos señalado, el Derecho de la competencia europeo condena las prácticas abusivas tanto por exclusión como por explotación. De este modo, las prácticas por empresas con posición de dominio dirigidas a compartimentar el mercado pueden ser consideradas contrarias al art. 102 TFUE. Todo ello con independencia de que vaya dirigida contra otra empresa o los consumidores finales. Por lo tanto, si la práctica de personalización de precios no es implementada por una plataforma con posición de dominio en el mercado resultaría difícil su prohibición desde el punto de vista del Derecho *antitrust* europeo, salvo que se contemplara la lesión de la competencia mediante la creación de nuevos ilícitos.

Desde nuestro punto de vista, los precios personalizados en principio no dañarían a los consumidores si las empresas que los fijan están

---

[91]   *Ibidem, p. 14.*

también en competencia en cuanto al acceso al *big data*[92]. Si el mercado es competitivo, el uso del *big data*, no deja de ser un elemento más
que tiene como resultado la intensificación de la competencia y los
consumidores no podrán ser explotados por las empresas[93]. No hay
que olvidar que Internet tiene siempre una doble valencia.

Por un lado, permite que se pueden obtener datos de los consumidores y discriminar en los precios. Por el otro, Internet hace posible que los consumidores comprueben de forma fácil el precio de
los productos. Los consumidores pueden comparar ofertas y escoger
la que más le interesa. Este acceso del consumidor a la información
sobre precios es a bajo coste, sólo deben emplear tiempo buscando en
Internet diferentes proveedores. De este modo, con un conocimiento
mínimo de los precios sobre un determinado producto, el consumidor
puede evitar que le engañen. A esta búsqueda de información sobre
los precios por parte del consumidor se le añaden también todos esos
intermediarios que "velan" por el consumidor y que persiguen que
este pague lo menos posible por un producto o servicio. Se trataría
de todas esas plataformas que hacen comparativa de precios, muy
habituales en servicios como pernoctaciones de hoteles o de seguros.

Por lo tanto, los retos que plantea la personalización de precios
mediante el *big data* van más allá del Derecho de la competencia europeo. A nuestro juicio, esta disciplina no abarca todas las implicaciones que tiene esta práctica para la sociedad, la economía y el Derecho.
El respeto a la privacidad de los individuos y a su dignidad, que no
sufran discriminación y que las empresas puedan competir de forma
leal son retos a los que nos enfrentamos y que deberán tenerse presente por le legislador para que cuando estos casos lleguen al juez pueda
solucionar el problema de alguien.

---

[92]   Esta visión ya la adelantaba Alfaro J., en "Precios personalizados y discriminación",
       disponible en https://almacendederecho.org/precios-personalizados-discriminacion/.
[93]   Ibidem

BIBLIOGRAFÍA

Alfaro J., "Precios personalizados y discriminación", disponible en https://almacendederecho.org/precios-personalizados-discriminacion/.

Antón Juárez I., La distribución y el comercio paralelo en la Unión Europea, La Ley, Madrid, 2015, pp. 269-275.

Botta, M./Wiedemann K., "To discriminate or not to discriminate? Personalised pricing in *online* markets as exploitative abuse of dominance", *European Journals of Law and Economics*, diciembre 2019, p. 3, disponible en https://link.springer.com/content/pdf/10.1007/s10657-019-09636-3.pdf

Brühl, V., "*Big data*, Data Mining, Machine Learning und Predictive Analytics-ein Konzeptioneller Überblick, CFS working paper series, nº 617, 2019, pp. 3 -4.

Claici, A., "*Big data* y política de competencia", Papeles de Economía Española, nº 157, 2018, pp. 251-272.

Díez Estella, F., La discriminación de precios en el Derecho de la competencia, Thomson Civitas, Madrid, 2003.

Evans D.S, "Two-Sided Market definition", *ABA Section of Antritust Law*, pp. 1-2, disponible en https://papers.ssrn.com/sol3/papers.cfm?abstract_id=1396751 (consultado el 11 de marzo de 2020).

Gal M.S, "Algorithms as Illegal Agreements", *Berkeley Tecnology Law Journal*, 2018, p. 9.disponible en https://papers.ssrn.com/sol3/papers.cfm?abstract_id=3171977

Geradin D., Petit, N., "Price Discrimination under EC Competition Law: The Need for a caseby-case Approach", *Global Competition Law Centre Working Paper Series, nº. 07/05, 2005.*

Gómez Sáncha, S., "Inteligencia Artificial", en M. Barrios Andrés, Legal Tech. La transformación digital de la abogacía, La Ley Wolters Kluwer, Madrid, 2019, pp. 111-129.

Guido Carli di Roma, L., "Big data fra potere di mercato e potere di orientamiento informativo e di opinione", Osservatorio di Proprietà intellettuale Concorrenza e Comunicazioni, noviembre 2016, pp. 1-9.

Herrero Suárez, C., "*Big Data* and Antitrust Law", *Revista Electróni-ca de Direito*, n°1 (vol. 18), 2019, pp. 2-22.

Hovenkamp, H.J.,"Tying and the Rule of reason: Understanding Leverage, Foreclosure, and Price Discrimination", 2011, p. 11, disponible en https://papers.ssrn.com/sol3/papers.cfm?abstract_id=1759552.

Jones A., Sufrin B., Dunne N., *EU Competition Law. Text, cases and materials*, 7th ed., Oxford University Press, 2019, pp. 289-331 y 392-431.

Kalimo H., Macjcher, K., "The concepto of fairness: Linking EU com-petition and data protection law in the digital marketplace", Eu-ropean Law Review, 42, pp. 210-233.

Miller A.A., "What do we worry about When We Worry about price discrimination?The Law and ethics of using personal", Journal of Tecnology Law and Policy, 19, 2014 pp.

OCDE, *Big data*: Bringing Competition Policy to the Digital Era, 2006, p. 5-33.

Pino Diez, R., Gómez Gómez, A., Abajo Martínez, N., *Introducción a la inteligencia artificial: sistemas expertos, redes neuronales y computación evolutiva, Universidad de Oviedo, 2001, pp. 5-20.*

Puyol Montero, J., "Aproximación jurídica y económica al big data", Tirant lo Blanch, Valencia, 2015, pp. 9-124.

Robles Laborda, A., "Cuando el cartelista es un robot. Colusión en mer-cados digitales mediante algoritmos de precios", pp.- 7-27. Disponi-ble en https://papers.ssrn.com/sol3/papers.cfm?abstract_id=3170631

Springer U., "Borden and United Brans Revisited: A Comparison of the Elements of Price Discrimination under E.C. and Us Antitrust Law", European Competition Law Review, vol. 18, n° 1, 1997.

Stucke M.E, Grunes A.P., *Big Data and Competition Policy*, Oxford University Press, 2016.

Townley C., Morrison E., Yeung K., "*Big Data* and Personalised Price. Discrimination in EU Competiton Law", King's College London, 2017, pp. 27-31, disponible en https://kclpure.kcl.ac.uk/portal/en/publications/big-data-and-personalised-price-discrimination-in-eu-competition-law(baca2e84-f4c6-4b5f-a6c3-9602bb53c885).html (consultado el 19 de marzo de 2020).

PERSONALIZACIÓN DE PRECIOS A TRAVÉS DE LA
INTELIGENCIA ARTIFICIAL Y EL *BIG DATA*.

415

Van Til H, Van Gorp N., Price K, "*Big data* and Competition", Ecorys, 2017, pp.. 22-23.

Waelbroeck, M., "Price Discrimination and Rebate Policies under EU Competition Law", en Fordham Corporate Law Institute, 22nd Annual Conference, 148, Barry Hawk Editor 1996, pp. 147-153.

White House, "*Big data* and differential pricing", february 2015, p. 4, disponible en https://obamawhitehouse.archives.gov/sites/default/files/whitehouse_files/docs/Big_Data_Report_Nonembargo_v2.pdf

DIGITALIZACIÓN EN EL DERECHO DE SOCIEDADES

AMANDA COHEN BENCHETRIT
Magistrada especialista CGPJ mercantil
Profesora asociada UAH

1. INTRODUCCIÓN

1.1. *Del Plan de Acción de 2012 al Company Law Package*

El concepto de digitalización referido al Derecho de sociedades es muy amplio y puede tener diversas aplicaciones (ejercicio de su derecho de voto por los socios, celebración de las reuniones de los órganos sociales por medios telemáticos, entre otros). En el presente capítulo me referiré al uso de medios telemáticos aplicados a la constitución y registro de sociedades, a las modificaciones societarias posteriores, al registro de sucursales y al sistema de publicidad registral e intercambio de información, todo ello, al hilo de la reciente aprobación de la Directiva (UE) 2019/1151 del Parlamento Europeo y del Consejo, de 20 de junio de 2019, por la que se modifica la Directiva (UE) 2017/1132 en lo que respecta a la utilización de herramientas y procesos digitales en el ámbito del Derecho de sociedades[1], conocida como "Directiva de Digitalización".

Desde comienzos del siglo XXI la Comisión Europea se ha ocupado de crear un marco regulador moderno para el Derecho de socieda-

---

[1]   DOUE 11.07.2019.

des en el ámbito de la Unión. Muestra de ello, en septiembre de 2001, constituyó un grupo de alto nivel de expertos en aquella materia cuyo trabajo debía consistir en formular un conjunto de recomendaciones para la consecución del fin perseguido de modernización[2]. Se estimaba necesaria una revisión profunda del Derecho de sociedades en Europa pues se consideraba que la normativa existente no había acabado de adaptarse a las circunstancias vigentes en determinados ámbitos que afectaban, en particular, a la creación de un mercado único en la Unión Europea, que las sociedades y quienes inviertan en las mismas desean aprovechar al máximo, al desarrollo de mercados europeos de valores y su regulación, al desarrollo de las modernas tecnologías de la información y la comunicación, que debería potenciarse y podría ser utilizado para mejorar los mecanismos del Derecho de sociedades y al fomento de prácticas y normas en materia de gobierno corporativo. [3].

En este contexto, el 12 de diciembre de 2012 la Comisión Europea hizo pública la comunicación que presentó al Consejo, al Comité Económico y Social Europeo y al Comité de las Regiones denominada *Plan de acción: Derecho de sociedades europeo y gobierno corporativo -un marco jurídico moderno para una mayor participación de los accionistas y la viabilidad de las empresas* (en adelante, "Plan de acción")[4].

En el Plan de acción, la Comisión fijaba como objetivos a alcanzar en el ámbito del Derecho de sociedades, por un lado, reforzar los derechos de los accionistas y la protección de terceros; y, por otro, promover la eficacia y competitividad de las empresas. Para el logro de tales propósitos, diseñó un conjunto de iniciativas que afectaban a las siguientes materias: a) gobierno corporativo; b) mantenimiento y modificación del capital social; c) grupos y pirámides; d) reestructuración y movilidad de sociedades; e) la Sociedad Privada Europea; f) la Sociedad Cooperativa Europea y otras formas legales europeas de

---

[2]   Resumen de las observaciones y recomendaciones del grupo de alto nivel de expertos en Derecho de Sociedades. Informe Winter, 2002.

[3]   Guerra Martín, G., "El Plan de Acción de la Comisión Europea en materia de Derecho de sociedades y gobierno corporativo", *Revista de Derecho de Sociedades*, núm. 40, 2013, pp. 557-571.

[4]   COM (2012) 740 final.

empresa; y g) el incremento de la transparencia en las formas legales nacionales de empresa

En ejecución del Plan de Acción de 2012, la Comisión Europea publicó con fecha 25 de abril de 2018 el llamado "Paquete de Derecho de Sociedades"[5], cuya base jurídica se halla en el artículo 50 del Tratado de Funcionamiento de la Unión Europea[6], que responde a la finalidad de velar por la libertad de establecimiento, procurando la eliminación de aquellos obstáculos que supongan una restricción a dicha libertad.

El paquete anunciado por la Comisión se componía de dos propuestas: por un lado, la relativa al uso de herramientas digitales en la constitución y registro de sociedades[7] y, por otro, la propuesta de reforma de la Directiva 2017/1132 consolidada de sociedades, en lo que respecta a las operaciones de fusiones, escisiones y transformaciones transfronterizas[8], que aborda las tres operaciones de "movilidad transfronteriza", esto es, las fusiones, escisiones y transformaciones transfronterizas.

Técnicamente, dichas propuestas no estaban llamadas a ser normas independientes con respecto al Derecho europeo vigente, sino que tenían por objeto la modificación, en cuanto a los aspectos contemplados por cada una de ellas, de la Directiva (UE) 2017/1132 del Parlamento Europeo y del Consejo, de 14 de junio de 2017, sobre determinados aspectos del Derecho de sociedades[9].

Ambas propuestas constituían el resultado final del "Plan de acción" que tenía entre sus objetivos el apoyo al crecimiento de las empresas y su competitividad, habiéndose apreciado la necesidad de simplificar las operaciones transfronterizas de las empresas europeas,

---

[5]   *Company Law Package.*
[6]   DOUE 26.10.2012.
[7]   Propuesta de Directiva del Parlamento europeo y del Consejo por la que se modifica la Directiva (UE) 2017/1132 en lo que respecta a la utilización de herramientas y procesos digitales en el ámbito del Derecho de sociedades, COM/2018/239 final - 2018/0113 (COD).
[8]   Propuesta de Directiva del Parlamento europeo y del Consejo por la que se modifica la Directiva (UE) 2017/1132 en lo que atañe a las transformaciones, fusiones y escisiones transfronterizas, COM/2018/241 final - 2018/0114 (COD).
[9]   DOUE 30.6.2017.

especialmente, en el caso de pequeñas y medianas empresas, así como de facilitar el procedimiento de constitución de compañías y sus sucursales.

La finalidad del *Company Law Package,* que ha sido considerado como el proyecto más ambicioso en la historia del Derecho de sociedades en Europa[10], es crear reglas más simples y menos costosas para las sociedades en relación con la constitución y registro de sociedades y la realización de modificaciones estructurales transfronterizas.

El *Company Law Package* fue precedido de los trabajos desarrollados en el seno del *Informal Company Law Expert Group* (ICLEG)[11], grupo de expertos creado por la Comisión Europea en mayo de 2014 para que le prestara asesoramiento especializado sobre cuestiones de Derecho de sociedades. El informe final elaborado por el ICLEG[12] es importante porque en el mismo ya se recogían en forma de recomendación diversos principios que acabaron incorporándose a la Propuesta de Directiva sobre uso de herramientas digitales en la constitución y registro de sociedades y sus sucursales[13]. Así, por ejemplo, en el citado informe se concluía que la digitalización habría de respetar en todo caso la tradición jurídica de los Estados miembros, debiendo cualquier iniciativa legislativa que pudiera emprenderse en este ámbito dentro de la Unión Europea permanecer neutral con respecto a la tecnología y abstenerse de ordenar o favorecer cualquier medio tecnológico. Por otro lado, instaba a la Comisión a considerar la posibilidad de adoptar medidas para recordar a los Estados miembros el principio de reconocimiento mutuo y la obligación de aplicarlo siempre que fuera posible en el contexto de la actividad transfronteriza. Y, muy especialmente, recomendaba a la Comisión adoptar medidas normativas que permitieran en los Estados miembros la constitución en línea de sociedades y la presentación de documentos en los Regis-

---

[10] Teichmann, C., "The *Company Law Package*-Content and State of Play", en *European Company and Financial Law Review.* 2019. 16 (8) p. 3.

[11] Fuentes Naharro, M., "El *company law package*", *Revista de Derecho de Sociedades*, núm. 53, 2018, edición electrónica, p. 333; e ID., "La digitalización del Derecho de sociedades": de la SUP al *Company Law Package*", *Anales de la Academia Matritense del Notariado*, Tomo LIX, 2018/2019, p. 681.

[12] El Informe elaborado por el ICLEG puede consultarse en https://ssrn.com/abstract=2893701

[13] Fuentes Naharro, M., "*La digitalización ...*", *op. cit.*, p. 682.

tros mercantiles sin necesidad de comparecencia física de los interesados.

1.2. La Europa digital

Pero, junto con el Plan de Acción de 2012, para comprender el marco en el que aparece la conocida como "Directiva de digitalización", resulta necesario, asimismo, hacer referencia a los esfuerzos realizados por las instituciones europeas (en particular, la Comisión) en el ámbito de las nuevas tecnologías.

El 6 de mayo de 2015, la Comisión presentó al Parlamento Europeo, al Consejo, al Comité Económico y Social y al Comité de las Regiones su comunicación bajo el título "Una Estrategia para el Mercado Único Digital de Europa".

La Comisión se fijó como objetivo potenciar el uso de las nuevas tecnologías, que no conocen fronteras, para lograr crear un mercado digital único conectado, siendo el mercado único digital aquél en el que la libre circulación de mercancías, personas, servicios y capitales está garantizada y en el que personas y empresas pueden acceder fácilmente a las actividades y ejercerlas en línea en condiciones de competencia, con un alto nivel de protección de los datos personales y de los consumidores, con independencia de su nacionalidad o lugar de residencia.

Lograr un mercado único digital permitiría que Europa mantuviera su posición de líder mundial en la economía digital, lo que ayudaría a las empresas europeas a crecer a escala mundial y se partía del hecho de que la Unión, aunque tenía capacidad de liderazgo en la economía digital mundial, sin embargo, no le estaba sacando el máximo partido. La fragmentación y las barreras que no existen en el mercado único físico frenaban a la Unión Europea y se entendía que reducir estas barreras dentro de Europa podría aportar un importe adicional de 415.000 millones de euros al PIB europeo[14]. La economía digital

---

14 Documento de trabajo de los servicios de la Comisión, adjunto a la Comunicación, "Una estrategia para el mercado único digital de Europa – Análisis y pruebas" [SWD (2015) 100]. El documento incluye también más detalles sobre la naturaleza de los desafíos que se plantean y pruebas en apoyo de la estrategia.

puede ampliar mercados y promover mejores servicios a mejores precios, ofrecer mayores posibilidades de elección y crear nuevas fuentes de empleo.

Según la Comunicación de la Comisión, tres son los pilares en los que se basa la estrategia para el mercado único digital:

1º) Mejorar el acceso de los consumidores y las empresas a los bienes y servicios en línea en toda Europa –lo que exigirá que se eliminen rápidamente las diferencias fundamentales entre los mundos en línea y fuera de línea para derribar las barreras a la actividad transfronteriza en línea.

2º) Crear las condiciones adecuadas para que las redes y servicios digitales prosperen –lo que requiere infraestructuras de alta velocidad y servicios de contenidos seguros y fiables, apoyados por unas condiciones reguladoras correctas que favorezcan la innovación, la inversión, la competencia leal y la igualdad de condiciones.

3º) Aprovechar al máximo el potencial de crecimiento de nuestra economía digital europea, lo que requiere una inversión en infraestructuras de las TIC y tecnologías como la computación en nube y los datos masivos, e investigación e innovación para impulsar la competitividad industrial, así como la mejora de los servicios públicos, la inclusividad y las cualificaciones.

Partiendo de estos tres pilares, uno de los aspectos a los que de manera expresa se refería el documento era el de la Administración electrónica. Se partía del hecho de que los servicios públicos en Europa habían incorporado las nuevas tecnologías con diferentes niveles de intensidad, pero se podía hacer más para modernizar la administración pública, lograr la interoperabilidad transfronteriza y facilitar la interacción con los ciudadanos, pues se entendía que los servicios públicos en línea eran vitales para aumentar la rentabilidad y la calidad de los servicios prestados a ciudadanos y empresas.

De especial importancia en este campo era la aplicación del principio de «solo una vez», que permitía a las administraciones públicas reutilizar la información sobre ciudadanos y empresas que ya obraba en su poder sin tener que solicitarla de nuevo. En términos económicos, la ampliación de dicho principio, en cumplimiento de la normativa de protección de datos, se calculaba que generaría un ahorro neto anual importante en el espacio europeo.

Ahondando en la aplicación del referido principio, la Comisión se propuso poner en marcha un proyecto piloto para el principio de «solo una vez» para empresas y ciudadanos, y exploraría la posibilidad de una solución a escala de la Unión Europea (un registro en línea seguro para los documentos).

Los puntos de contacto entre autoridades públicas y ciudadanos o empresas estaban, al tiempo de la comunicación, fragmentados y eran incompletos. Y se estimaba que era posible hacer frente de una mejor manera a las necesidades de las empresas y los ciudadanos en sus actividades transfronterizas mediante la creación de las infraestructuras de servicios digitales del mecanismo Conectar Europa y ampliar e integrar los portales, redes, servicios y sistemas europeos existentes y enlazarlos con el "portal digital único", fomentando el uso de documentos electrónicos en toda la Unión con la finalidad de reducir los costes y la carga administrativa de empresas y particulares.

Tal y como se recogía en la Comunicación de 2015, *"las empresas se ven obstaculizadas por la fragmentación normativa y las barreras que les hacen más difícil ampliar y operar a través de las fronteras dentro del mercado interior. Muchos Estados miembros han pedido medidas, incluido ayudar a las empresas a constituirse rápidamente (por ejemplo, en 24 horas). La Comisión considera que toda empresa constituida debe poder ampliar sus operaciones transfronterizas en línea y convertirse en paneuropea en el plazo de un mes sobre la base de la interconexión de los registros mercantiles y el principio de 'solo una vez'"*.

Por ello, en aquel documento, la Comisión ya avanzaba que presentaría un nuevo Plan de Acción Europeo sobre Administración Electrónica 2016-2020 que incluiría: I) hacer realidad la interconexión de registros mercantiles para 2017; II) poner en marcha en 2016 una iniciativa con los Estados miembros para llevar a cabo una experiencia piloto del principio de "solo una vez"; III) ampliar e integrar los portales europeos y nacionales hacia un "portal digital único" con el fin de crear un sistema de información para ciudadanos y empresas de fácil manejo, y IV) acelerar la transición de los Estados miembros hacia una contratación pública electrónica plena y la interoperabilidad de la firma electrónica.

Se comprueba, pues, que la digitalización se había convertido en un objetivo esencial de política jurídica para la Comisión.

En este marco, elemento esencial para el funcionamiento de las medidas contenidas en la llamada Directiva de Digitalización fue la creación del Sistema de Interconexión de Registros centrales, mercantiles y de sociedades de todos los Estados miembros (SIRM o BRIS), materializado en la Directiva 2012/17, de 13 de junio de 2012, operativo desde junio de 2017, tras la publicación del Reglamento de ejecución (UE) 2015/884, de la Comisión, de 8 de junio de 2015[15].

2. LÍNEAS ESENCIALES DE LA DIRECTIVA DE DIGITALIZACIÓN

La Comisión Europea, como se ha expuesto con anterioridad, llevaba años trabajando en la digitalización del Derecho de sociedades. Muestra de ello fue la propuesta de Directiva sobre la Societas Unius Personae (SUP)[16], que la Comisión presentó el 9 de abril de 2014 y que no llegó a prosperar[17].

---

[15] Cabanas Trejo, R., "Procedimiento en línea (constitución, registro y presentación de documentos e información), publicidad y registros", en Miquel Rodríguez, J.-Pérez Troya, A., (Coord.), *Derecho de Sociedades Europeo*, Cizur Menor, 2019, p. 80.

[16] Sobre la SUP, pueden consultarse los trabajos de Esteban Velasco, G., "La propuesta de Directiva sobre la 'Societas Unius Personae' (SUP): las cuestiones más polémicas", *El Notario del siglo XXI*, 2015, núm. 60, pp. 148 y ss., disponible en: http://www.elnotario.es; e, *idem*, "La Propuesta de Directiva sobre la 'Societas Unius Personae' (SUP): El nuevo Texto del Consejo de 28 de mayo de 2015" AAMN, 2015, pp. 105 y ss; Velasco San Pedro, L., "De la Societas Privata Europaea a la Societas Unius Personae en las Propuestas Europeas", *Cuadernos de Derecho Transnacional*, vol. 9, núm. 1, 2017, pp. 327 y ss.; Viera González, J.-Teichmann, C. (dirs.), *Private companies in Europe. The societas unius personae (SUP) and recent developments in the EU Member States*, Cizur Menor, 2016.

[17] Dicha Propuesta contó con la fuerte oposición del Consejo de Notarios de la Unión Europea: V., Position of the Council of the Notariats of the European Union concerning the proposal for a Directive on the single-member private limited liability *Company* (SUP), disponible en: http://www.notaries-of-europe.eu/files/position-papers/2014/Prise-position-finale-SUP_en%20(1).pdf

Pero, lejos de cejar en su empeño, la Comisión siguió trabajando en esa línea, con la pretendida finalidad de mejorar el entorno jurídico societario de las pymes, adoptando medidas que implicaran una reducción de costes y supusieran la eliminación de obstáculos para las sociedades, desde el momento de su constitución hasta su extinción. Punto clave en ese sistema era la digitalización del Derecho de sociedades.

El registro telemático de compañías era una realidad en algunos Estados miembros de la Unión Europea[18], pero el panorama en el conjunto de la Unión al tiempo de la presentación de la Propuesta de Directiva y hasta nuestros días, era de enorme disparidad entre unos ordenamientos y otros en cuanto a la posibilidad de recurrir al uso de medios digitales para la constitución y registro de sociedades. Estas diferencias justificaban la intervención de la Comisión con la finalidad de lograr una armonización, siquiera mínima, en este ámbito.

Se partía de la idea de que la disparidad en cuanto al uso de herramientas digitales en la constitución y registro de sociedades suponía un obstáculo a la libertad de establecimiento y, en consecuencia, afectaba negativamente al buen desarrollo del mercado interior.

En un mundo en el que la tecnología forma parte de la vida cotidiana, las empresas utilizan cada vez más las herramientas digitales en sus negocios y necesitan interactuar con las autoridades públicas. Sin embargo, la Comisión detectó que no siempre era posible que las mercantiles pudieran realizar sus gestiones con las autoridades públicas por medios electrónicos. La Unión Europea ofrecía un panorama poco armónico en cuanto a la disponibilidad de herramientas en línea para las compañías en su contacto con las autoridades públicas en el ámbito del derecho de sociedades. Los Estados miembros prestan servicios de administración electrónica en diferentes grados: mientras que algunos están muy avanzados y ofrecen soluciones fáciles de utilizar, íntegramente en línea, otros no cuentan con soluciones en línea para los pasos fundamentales del ciclo de vida de una compañía, como el registro de la sociedad como entidad jurídica.

La Directiva (UE) 2017/1132 del Parlamento Europeo y del Consejo, de 14 de junio de 2017, sobre determinados aspectos del Dere-

---

[18] *Commission's impact assessment*, SWD (2018) 141 final.

cho de sociedades, incluía ciertos elementos de digitalización, como la obligación de que los Estados miembros pusieran a disposición del público información en línea sobre las sociedades de responsabilidad limitada inscritas en los registros centrales, comerciales o de sociedades (en adelante, registros mercantiles). Sin embargo, estos requisitos eran limitados y carecían de precisión, lo que daba lugar a una aplicación muy diversa a nivel nacional.

Además, tal y como se recogía en la Evaluación de impacto de la Comisión sobre la Propuesta de Directiva, ciertos procesos digitales no estaban cubiertos por la legislación de la Unión y solo algunos Estados abordaban su regulación para las operaciones de ámbito nacional. Algunos Estados miembros únicamente autorizan el procedimiento de comparecencia personal para la constitución de sociedades y para la presentación de modificaciones de documentos societarios, mientras que otros autorizan, tanto el procedimiento de comparecencia personal, como el procedimiento electrónico o, exclusivamente, éste último. En los Estados miembros en los que un procedimiento en línea completo es posible, normalmente, se condiciona a la tenencia de un documento nacional de identidad (no solo del Estado miembro, así en Estonia, que admite el de otros) y de una firma electrónica, con la necesidad, en ocasiones, para los extranjeros, de obtener un número de identificación fiscal (Portugal), o una llave digital específica (Dinamarca). En ocasiones, el empleo de este sistema está condicionado a la naturaleza dineraria de la aportación (Polonia). Otros Estados miembros distinguen entre el proceso de registro y el de constitución (Italia), en el sentido de que el primero es posible en línea, pero la constitución requiere el otorgamiento presencial del correspondiente documento notarial, con la excepción de las *startup innovative*, para las que es posible utilizar una firma digital. En el caso alemán existen los instrumentos digitales, pero han de ser usados por los notarios (similar en Holanda, en Hungría también por abogados). Mientras, en otros Estados miembros no existen medios electrónicos disponibles para la constitución de sociedades (Bélgica y Rumanía)[19].

La situación descrita era similar para el registro en línea de sucursales. Aunque las sucursales carecen personalidad jurídica, deben

---

19   Cabanas Trejo, R., *op. cit.*, pp. 81 y 82.

inscribirse en el Registro mercantil, y los requisitos para su registro son en parte coincidentes con aquellos que se exigen para registro de sociedades.

Y la falta de una regulación mínimamente uniforme afecta a todo el ciclo vital de las sociedades mercantiles. Una vez inscritas, dichas sociedades y sus sucursales tienen la obligación de consignar cierta información en los registros mercantiles durante su vida (por ejemplo, modificaciones estatutarias, cambios en el órgano de administración de la sociedad o sus cuentas anuales). Aunque la actual legislación de la Unión Europea establece que las compañías deben poder presentar los documentos y datos que han de ser publicados de forma obligatoria *"por medios electrónicos"*, la definición actual de *"medios electrónicos"* no es suficientemente clara, lo que ha dado pie a una aplicación diversa en los Estados miembros. En varios Estados miembros (por ejemplo, Alemania, Bélgica, España y Hungría) no es posible la presentación de tales documentos íntegramente en línea, sino que han de acudir personalmente ante un notario o un profesional del derecho que certifique los documentos y luego los presente en línea a los registros mercantiles, mientras que otros Estados miembros (por ejemplo, Estonia y Polonia) la participación de los notarios es meramente facultativa.

Otra cuestión que se planteaba era la de la publicidad registral. Únicamente mediante la publicación en el boletín nacional (o por medios igualmente eficaces) la información divulgada adquiere eficacia jurídica. Ese requisito se remonta a los comienzos del Derecho de sociedades de la Unión Europea, cuando la publicación en el boletín oficial era la única forma de garantizar la certidumbre y la transparencia de la información comercial. Una revisión de las normas de la Unión en 2003 introdujo la opción de que los Estados miembros mantuvieran el boletín oficial en formato electrónico, sin especificar la forma en que la sociedad debía presentar la información y, en particular, no eliminó los posibles requisitos de presentación múltiple en los Estados miembros (es decir, tanto en el registro mercantil como en el boletín oficial). Hoy en día, al menos catorce Estados miembros ponen a disposición sus boletines nacionales en forma electrónica, mientras que en Francia sigue siendo obligatoria la publicación adicional en forma impresa.

La falta de normas para el registro, la presentación y la publicación en línea o la divergencia de esas normas generan costes y cargas innecesarias para los emprendedores que desean constituir una sociedad o ampliar su negocio mediante el registro de filiales o sucursales o cumplir requisitos específicos en línea.

Esta situación requería una intervención normativa de las instituciones europeas, a fin de introducir cierta armonización en este ámbito y a ello responde la Directiva (UE) 2019/1151, del Parlamento Europeo y del Consejo, de 20 de junio de 2019, por la que se modifica la Directiva (UE) 2017/1132 en lo que respecta a la utilización de herramientas y procesos digitales en el ámbito del Derecho de sociedades, que establece, entre otras disposiciones, normas sobre publicidad e interconexión de los registros centrales, mercantiles y de sociedades de los Estados miembros[20], cuya transposición deberá producirse, como regla general, antes del 1 de agosto de 2021[21], y que se enmarca en el línea de la simplificación del Derecho de sociedades de la que encontramos también muestras en el ámbito internacional.

El texto parte de la idea de que resulta esencial asegurar un entorno jurídico y administrativo a la altura de los nuevos desafíos económicos y sociales de la globalización y la digitalización para ofrecer las garantías necesarias frente al abuso y el fraude, pero también para la consecución de otros objetivos, como fomentar el crecimiento económico, la creación de empleo, así como atraer inversiones a la Unión[22].

La Directiva de Digitalización modifica, entre otros, los artículos 13, 16 y 19 de la Directiva 2017/1132 (consolidada), en lo que afecta a la constitución y registro de sociedades y sus sucursales, y añade los artículos 13 bis a 13 undecies, 16 bis, 28 bis a 28 quáter y 30 bis.

Respecto del ámbito de aplicación, según el artículo 13 de la Directiva, "Las medidas de coordinación prescritas en la presente sección y en la sección 1BIS se aplicarán a las disposiciones legales, reglamentarias y administrativas de los Estados miembros relativas a los tipos de sociedades enumerados en el anexo II y, cuando se especifique, a los tipos de sociedades enumeradas en los anexos I y II BIS.", lo que

---

[20]   Considerando 1.
[21]   Art. 2.
[22]   Considerando 3.

significa, en el caso de España, que la norma, en principio, puede aplicarse a sociedades anónimas, sociedades de responsabilidad limitada y comanditarias por acciones.

Sin embargo, el párrafo segundo del apartado primero del artículo 13 octies permite a los Estados miembros decidir no ofrecer procedimientos de constitución en línea para otros tipos de sociedades que no sean los enumerados en el anexo II BIS, esto es, limitar la posibilidad de constitución íntegramente en línea a las sociedades de responsabilidad limitada.

Quizá, sería conveniente, al menos en un primer momento, huir de soluciones disruptivas en exceso, por lo que debería ceñirse el ámbito de aplicación de la norma en España, al menos inicialmente, a las sociedades de responsabilidad limitada, sin perjuicio de la posibilidad de una eventual extensión tras la evaluación e informe de la Comisión previstos para dentro de cinco años en el artículo 3 de la Directiva de Digitalización. [23].

Las líneas esenciales sobre las que se apoya la norma se pueden englobar en cuatro grandes bloques.

1º) En primer lugar, la Directiva es de mínimos. Prácticamente, solo impone una obligación a los Estados miembros y es que los mismos deben prever en sus respectivos ordenamientos jurídicos un sistema de constitución de las sociedades de capital íntegramente en línea, sin necesidad de que los solicitantes comparezcan en persona ante cualquier autoridad o persona u organismo habilitado en virtud del Derecho nacional para tratar cualquier aspecto de la constitución en línea de sociedades, incluyendo el otorgamiento de la escritura de constitución y la aportación del capital social, contemplándose como excepcional la posibilidad de requerir la presencia física del solicitante (únicamente cuando existan sospechas sobre la capacidad jurídica -concepto que abarca, asimismo, la capacidad de obrar- o el poder de representación)[24]. Este procedimiento de constitución íntegramente

---

[23]   Considerando 15.
[24]   Conforme a lo que establece el Considerando 21 *"solo caso por caso cuando existan motivos para sospechar una falsificación de identidad o un incumplimiento de las normas sobre capacidad jurídica y sobre el poder de los solicitantes para representar a una sociedad. Esa sospecha debe basarse en información de que dispongan las autoridades o personas u organismos habilitados en virtud del*

digital no supone la exclusión de otros procedimientos[25] ya contemplados en las legislaciones nacionales de los Estados miembros[26]. Para facilitar la constitución de las compañías en línea, los Estados miembros deben proporcionar unos documentos estandarizados o modelos, a fin de simplificar la operación.

En orden a hacer posible este sistema de constitución digital, será fundamental que el solicitante pueda identificarse por medio de algún sistema que cumpla con los requisitos previstos en el artículo 6, apartado 1, del Reglamento (UE) núm. 910/2014[27]. En todo caso, la Direc-

---

       Derecho nacional para efectuar dichos tipos de controles. En caso de que sea necesaria la presencia física, los Estados miembros deben garantizar que el resto de fases del procedimiento puedan completarse en línea. El concepto de capacidad jurídica debe entenderse que incluye la capacidad de obrar".

[25]   Lucini Mateo, A., "La nueva Directiva sobre utilización de herramientas y procesos digitales en el ámbito del derecho de sociedades", *El Notario del siglo XXI*, núm. 86, 2019, edición electrónica.

[26]   Dice, al respecto, el Considerando 8 de la Directiva que, *"A fin de facilitar la constitución de sociedades y el registro de sucursales, y de reducir los costes, el tiempo y las cargas administrativas asociados a tales procesos, en particular para las microempresas y las pequeñas y medianas empresas (pymes), tal como se definen en la Recomendación 2003/361/CE de la Comisión (4), deben establecerse procedimientos para permitir la constitución de sociedades y el registro de sucursales íntegramente en línea. La presente Directiva no debe obligar a las sociedades a utilizar tales procedimientos. Los Estados miembros deben, no obstante, poder decidir que algunos procedimientos en línea, o todos ellos, sean obligatorios. Los costes y cargas actuales asociados a los procedimientos de constitución y registro se derivan no solo de las tasas administrativas cobradas por constituir una sociedad o registrar una sucursal, sino también de otros requisitos que alargan que se complete la totalidad del proceso, en particular cuando se requiere la presencia física del solicitante. Además, la información sobre tales procedimientos debe estar disponible en línea y de forma gratuita".*

[27]   En el Considerando 10 de la Directiva se dice que, *"Para fomentar la confianza, los Estados miembros deben garantizar a los usuarios nacionales y transfronterizos que sea posible una identificación electrónica segura y el uso de servicios de confianza, de conformidad con el Reglamento (UE) núm. 910/2014 del Parlamento Europeo y del Consejo (6). Además, a fin de permitir la identificación electrónica transfronteriza, los Estados miembros deben establecer sistemas de identificación electrónica que proporcionen medios de identificación electrónica homologa dos. Dichos sistemas nacionales se utilizarían como base para el reconocimiento de los medios de identificación electrónica expedidos en otro Estado miembro. Con el objeto de garantizar un nivel de confianza elevado en situaciones transfronterizas, solo deben reconocerse los medios de identificación electrónica que sean conformes con el artículo 6 del Reglamento (UE) núm.*

tiva parte del principio de neutralidad tecnológica y aunque menciona en sus considerandos[28] la videoconferencia cuando se refiere a los medios complementarios para acreditar la identidad del interesado, no impone ningún medio ni audiovisual ni biométrico concreto para la verificación de la identificación electrónica de los fundadores (en el caso de la constitución) o de los solicitantes (en los demás casos). Junto con el principio de neutralidad tecnológica, la Directiva se inspira en el principio de neutralidad jurídica, lo que se traduce en el respeto a las tradiciones jurídicas de los Estados miembros, dándoles flexibilidad en cuanto a la forma de facilitar un sistema íntegro en línea, mencionándose, incluso, de forma expresa, la función de los notarios y abogados *"en cualquier fase de los procedimientos en línea"*[29].

2º) Partiendo del mandato inicial dirigido a los Estados miembros de contemplar en sus respectivos ordenamientos un procedimiento que permita la constitución de la sociedad, de forma íntegra, por me-

---

910/2014. En cualquier caso, la presente Directiva solo debe obligar a los Estados miembros a que posibiliten la constitución de sociedades, el registro de sucursales y la presentación en línea de documentos e información por parte de solicitantes que sean ciudadanos de la Unión mediante el reconocimiento de sus medios de identificación electrónica. Los Estados miembros deben decidir sobre el modo en que se pongan a disposición del público los medios de identificación que reconocen, incluidos aquellos que no entren en el ámbito de aplicación del Reglamento (UE) núm. 910/2014". En la Propuesta de la Directiva, en su versión inicial se admitía la posibilidad de que la identificación del interesado pudiera hacerse por medio de *"una copia escaneada de un pasaporte"*, pero tal posibilidad fue rechazada durante la negociación, exigiéndose que se tratase de medios de identificación que generasen confianza.

[28] Considerando 22.

[29] Según el Considerando 20, *"Además, a fin de combatir el fraude y el pirateo empresarial, y de ofrecer garantías sobre la fiabilidad y la credibilidad de los documentos e información contenidos en los registros nacionales, las disposiciones relativas a los procedimientos en línea establecidos en la presente Directiva deben incluir también controles de la identidad y la capacidad jurídica de las personas que deseen constituir una sociedad o registrar una sucursal, o presentar documentos e información. Tales controles pueden formar parte del control de la legalidad que exigen algunos Estados miembros. Debe dejarse a los Estados miembros el desarrollo y la adopción de los medios y los métodos para llevar a cabo esos controles. A tal efecto, los Estados miembros deben estar facultados para requerir la participación de notarios o abogados en cualquier fase de los procedimientos en línea. Sin embargo, dicha participación no debe impedir que se complete el procedimiento íntegramente en línea"*.

dios telemáticos, el segundo elemento que caracteriza la Directiva es la extensión de este procedimiento íntegramente en línea a todo el ciclo vital de la sociedad, lo que supone que deberá facilitarse un sistema para la presentación *online* de los documentos necesarios. A diferencia del sistema que se contemplaba para la SUP, una novedad relevante en la Directiva de Digitalización es que el mandato de previsión de un procedimiento enteramente telemático no se refiere exclusivamente al momento de constitución de la compañía, sino que rige durante toda la vida de la misma[30].

3º) El procedimiento íntegro en línea se extiende, también, al registro de sucursales. La Directiva contempla que sea posible abrir y registrar una sucursal en otro Estado miembro de manera enteramente telemática, por medio del sistema BRIS, y obliga a los Estados miembros a informarse mutuamente a través de dicho sistema sobre los cierres de sucursales y sobre las modificaciones de razón social o de domicilio social, tratando de aplicar el principio de *"solo una vez"* en el ámbito transfronterizo intraeuropeo.

4º) En cuarto lugar, la Directiva introduce disposiciones que afectan al sistema de publicidad registral, al funcionamiento de los Registros mercantiles y al coste del servicio prestado. Así, se modifica el artículo 16 de la Directiva consolidada (Publicidad en el registro) y se inserta un artículo 16 bis (Acceso a la información publicada). El artículo 16 impone en su nuevo texto a los Estados miembros el deber de velar porque se asigne a las sociedades un identificador único europeo (EUID) que permita identificarlas de manera inequívoca en las comunicaciones entre los Registros a través del sistema BRIS y porque el Registro convierta a formato electrónico todos los documentos e información que se presenten en papel *"en el plazo más breve posible"*.

También prevé la nueva Directiva que los Registros de los Estados miembros puedan dar publicidad a los documentos e información del artículo 14 de la Directiva consolidada, a través de una plataforma electrónica central. Dice, en este sentido, el artículo 16.3 que, *"Los Estados miembros podrán exigir también que algunos o todos los*

---

[30]   Álvarez Royo-Villanova, S., "Proposal Regarding the Use of Digital Tools and Processes in *Company* Law: The Practitioner's Perspective", *European Company and Financial Law Review*, 2019, 16 (8), p. 182.

documentos e información se publiquen en el boletín nacional designado a tal efecto, o por medios electrónicos igualmente efectivos" (refiriéndose a la plataforma electrónica central). La publicidad en cualquiera de los dos soportes (boletín o plataforma) produciría el efecto jurídico de la oponibilidad.

Por último, también se ha visto afectado el coste de la publicidad registral y se ha incrementado la información accesible de forma gratuita a través del sistema BRIS, que pasará a incluir, entre otros datos, la identidad de las personas facultadas para representar a la sociedad frente a terceros, como órgano o como miembro del órgano de administración (art. 19.2.g).

La Directiva contiene, asimismo, normas sobre la prohibición de que el coste de cualquier gestión con el registro supere el coste administrativo, incluyendo el coste del desarrollo y el mantenimiento de los registros y sobre intercambio de información relativa a las inhabilitaciones de los administradores (con el objetivo primordial de procurar la vigilancia electrónica de administradores inhabilitados con el fin de evitar su inscripción en un Estado distinto a aquel en el que se acordó la inhabilitación). Sobre este último punto, relativo al intercambio de información sobre las inhabilitaciones de los administradores, debe tenerse presente la realidad de absoluta falta de uniformidad que sobre esta cuestión existe entre las legislaciones de los Estados miembros. Los motivos de inhabilitación y los plazos varían de un Estado miembro a otro, al igual que la forma en que se registran los datos sobre la inhabilitación. En consecuencia, para que el intercambio de información sobre este extremo sea útil, debería incluirse la referencia a los motivos de inhabilitación para que el Estado receptor pueda tomar una decisión fundada en el caso concreto y comprobar si esa causa de tacha existe o no existe en su propio ordenamiento.

3. IMPACTO EN LA NORMATIVA NACIONAL

En España no resulta desconocido el uso de herramientas digitales en la constitución de sociedades. Los procedimientos digitales están en funcionamiento desde hace años y aunque no se haya implantado aún la matriz electrónica, sí se ha hecho un uso muy amplio de las copias electrónicas, que constituyen el medio habitual para la inscripción de los actos jurídicos documentados notarialmente en los Registros públicos, así como del índice único informatizado, que se ha convertido en la principal fuente de información de las Administraciones públicas acerca de las relaciones jurídicas privadas. La información procedente del índice resulta verdaderamente útil, pues por su origen notarial es fiable, se remite por vía telemática en plazos muy breves y está estructurada en campos.

Dentro del ámbito específico del Derecho de sociedades, el sistema digital fue introducido por la Ley 7/2003, de 1 de abril, que crea la Sociedad Limitada Nueva Empresa[31], subtipo de la limitada para el que se estableció un procedimiento especial de constitución telemática (arts. 5 y 6 RD 682/2003, de 7 de junio) que giraba en torno a cuatro piezas fundamentales: I) los puntos de atención al emprendedor; II) la cumplimentación del Documento Único Electrónico (DUE), cuya remisión generaba una cita en la notaría; III) el CIRCE, sistema ante el cual la cuarta pieza del procedimiento, IV) y el notario solicitaba la inscripción de la escritura firmada electrónicamente Este procedimiento se extendió, posteriormente, a cualquier sociedad limitada en virtud del RD 1332/2006, de 21 de noviembre. También se introdujo, por vez primera en nuestro Derecho, un modelo de estatutos orientativos.

Más tarde, el RD-L 13/2010, de 3 de diciembre, de actuaciones en el ámbito fiscal, laboral y liberalizadoras para fomentar la inversión y la creación de empleo[32], reguló con carácter general un procedimiento de constitución telemática aplicable a todas las sociedades de capital, al margen del DUE.

El último paso vino dado por la Ley 14/2013, de 27 de diciembre, de apoyo a los emprendedores y su internacionalización[33], que derogó el sistema introducido por el RD-L 13/2010 y contempló la aplicación a todas las sociedades limitadas del sistema del DUE. El diseño de esta ley se completó mediante el RD 421/2015, de 29 de mayo, por el que se regulan los modelos de estatutos-tipo y de escritura pública estandarizados de las sociedades de responsabilidad limitada, se aprueba

---

[31]   BOE núm. 79, de 2 de abril de 2003.
[32]   BOE núm. 293, de 3 de diciembre de 2010.
[33]   BOE núm. 233, de 28 de septiembre de 2013.

modelo de estatutos-tipo, se regula la Agenda Electrónica Notarial y la Bolsa de denominaciones sociales con reserva[34], y por la Orden JUS/1840/2015, de 9 de septiembre[35], en virtud de la cual se creó el modelo de escritura pública en formato estandarizado y campos codificados de la sociedad limitada, así como la relación de actividades que podían formar parte del objeto social.

En la actualidad, en España, pueden distinguirse en la práctica dos procedimientos de constitución telemática. Uno, el que se realiza desde un Punto de Atención al Emprendedor, a través del sistema CIRCE y con base en el DUE. El otro, directamente desde la notaría, sin empleo del DUE. Ambos procedimientos admiten el uso de estatutos tipo.

En cualquier caso, aunque el procedimiento de constitución telemática en España sea ágil y no excesivamente costoso, lo cierto es que exige la comparecencia personal ante el notario del socio o socios fundadores (o sus representantes), al igual que los procedimientos de modificación posteriores a la constitución, que, como regla general, exigen la presencia física ante notario de los administradores o de un apoderado con poder suficiente.

En consecuencia, el régimen de constitución telemática vigente en nuestro ordenamiento jurídico no cumple, por el momento, con el mandato del legislador europeo de contemplar un procedimiento íntegramente *online*, aplicable tanto al momento de constitución, como a las modificaciones societarias posteriores y al registro de sucursales por parte de solicitantes que sean ciudadanos de la Unión Europea.

En todo caso, la Directiva, como se ha dicho, es de mínimos. Basta con cumplir la exigencia de introducir el procedimiento completo en línea pero, a partir de ahí, deja al legislador nacional la decisión sobre importantes aspectos[36].

---

[34] BOE núm. 141, de 13 de junio de 2015.
[35] BOE núm. 219, de 12 de septiembre de 2015.
[36] Resulta ilustrativo, a tal efecto, lo que dispone el artículo 13 quáter, en sus apartados 2 y 3: "2. *La presente Directiva se entenderá también sin perjuicio de los procedimientos y requisitos establecidos en Derecho nacional, incluidos los relativos a los procedimientos jurídicos para el otorgamiento de los instrumentos de constitución, siempre que sean posibles la constitución en línea de una sociedad, tal como se contempla en el artículo 13 octies, y el registro en línea de una*

Lo que está claro es que el impacto en nuestro régimen societario actual de la denominada Directiva de Digitalización será indudable. No en vano, ésta afecta de lleno al sistema de constitución y registro de sociedades y sus sucursales que, con arreglo a la legislación vigente en España, está basado en un control preventivo de legalidad, control que realizan de forma sucesiva notarios y registradores.

La Directiva introduce un nuevo concepto de constitución de la sociedad, que abarca también la inscripción y que no se corresponde con el previsto en el artículo 19 del Texto refundido de la Ley de sociedades de capital. El legislador nacional deberá decidir si implanta el procedimiento telemático con carácter obligatorio o potestativo. En cuanto al ámbito subjetivo de aplicación, podrá optar por aplicar este sistema solo a las sociedades de responsabilidad limitada o extenderlo a las sociedades anónimas y comanditarias por acciones. Y podrá, asimismo, incluir o no dentro de dicho ámbito de aplicación los casos en los que las aportaciones de capital se hagan *in natura*.

Quizá, sería conveniente, al menos en un primer momento, huir de soluciones disruptivas en exceso, tales como optar por la imposición del procedimiento telemático como única posibilidad o incluir en el ámbito subjetivo de aplicación a las sociedades anónimas o a las sociedades comanditarias por acciones, sin perjuicio de la posibilidad de una eventual extensión tras la evaluación e informe de la Comisión previstos para dentro de cinco años en el artículo 3 de la Directiva de Digitalización.

La Directiva entrañará la necesidad de acometer importantes cambios a fin de permitir la constitución enteramente digital y la digitalización de los registros mercantiles. Sobre este último punto (la digita-

---

sucursal, tal como se contempla en el artículo 28 bis, así como la presentación en línea de documentos e información, tal como se contempla en los artículos 13 undecies y 28 ter.
3. Los requisitos en virtud del Derecho nacional aplicable en relación con la autenticidad, exactitud, fiabilidad y credibilidad y la forma jurídica adecuada de los documentos o información que se presenten no se verán afectados por la presente Directiva, siempre que sean posibles la constitución en línea, tal como se contempla en el artículo 13 octies, y el registro en línea de una sucursal, tal como se contempla en el artículo 28 bis, así como la presentación en línea de documentos e información, tal como se contempla en los artículos 13 undecies y 28 ter".

lización de los registros mercantiles), ya se han realizado avances en España pues, en el BOE de 4 de septiembre de 2019 se publicó la Instrucción de la Dirección General de los Registros y del Notariado de 30 de agosto de 2019 sobre la inscripción en el Registro Mercantil de las personas físicas profesionales que prestan servicios descritos en el artículo 2.1. letra o) de la Ley 10/2010, de 28 de abril, de prevención del blanqueo de capitales y financiación del terrorismo, en la que se contempla el uso de documentos estandarizados o modelos, susceptibles de ser cumplimentados en remoto, mediante el uso del sistema de firma digital, pudiendo los interesados realizar los trámites necesarios en el Registro mercantil, sin necesidad de comparecencia física.

Por otro lado, la interconexión de registros es una de las piezas clave del sistema creado por la Directiva. Al respecto, debe tenerse presente que el vigente artículo 17.5 Código de comercio, desarrollado por la Instrucción de 9 de mayo de 2017 de la Dirección General de los Registros y del Notariado, sobre interconexión de registros mercantiles establece que, "*5. El Registro Mercantil asegurará la interconexión con la plataforma central europea en la forma que se determine por las normas de la Unión Europea y las normas reglamentarias que las desarrollen. El intercambio de información a través del sistema de interconexión facilitará a los interesados la obtención de información sobre las indicaciones referentes al nombre y forma jurídica de la sociedad, su domicilio social, el Estado miembro en el que estuviera registrada y su número de registro*".

La Directiva supone una ampliación de la información que los Registros deberán suministrar de manera gratuita a través de la plataforma y un cambio en la forma en que la publicidad de la información puede producir efectos frente a terceros, bien a través del boletín oficial, bien a través de la plataforma y, caso de discrepancia, prevalecerá la información de la plataforma.

Pero, sin duda, la cuestión fundamental que plantea la norma es la de cómo se preservará el control preventivo de legalidad propio de nuestra tradición jurídica societaria dentro de este sistema de constitución digital, que contempla como excepcional la posibilidad de requerir la presencia física de los fundadores o solicitantes. Y sobre este punto se plantea qué controles cabrá establecer para verificar la identidad, para controlar la capacidad -jurídica y de obrar- y el poder de representación, así como las medidas para prevenir y combatir los abusos y el fraude. En conclusión, el legislador tiene por delante la difícil tarea de encontrar el equilibrio adecuado entre la salvaguarda de nuestro sistema de control preventivo de la legalidad societaria y las ventajas y posibilidades que ofrece la nueva Directiva para conformar un marco normativo societario competitivo.

BIBLIOGRAFÍA

Álvarez Royo-Villanova, S., "Proposal Regarding the Use of Digital Tools and Processes in *Company* Law: The Practioner's Perspective", *European Company and Financial Law Review,* 2019, 16 (8) pp. 149-189.

Cabanas Trejo, R., "Procedimiento en línea (constitución, registro y presentación de documentos e información), publicidad y registros", en Miquel Rodríguez, J. y Pérez Troya, A., (coord.): *Derecho de Sociedades Europeo,* Cizur Menor, 2019, pp. 79-112.

Esteban Velasco, G., "La propuesta de Directiva sobre la 'Societas Unius Personae' (SUP): las cuestiones más polémicas», *El Notario del siglo XXI,* 2015, núm. 60, pp. 148 y ss., diponible en http://www.elnotario.es.

- "La Propuesta de Directiva sobre la 'Societas Unius Personae' (SUP): El nuevo Texto del Consejo de 28 de mayo de 2015", *Anales de la Academia Matritense del Notariado,* 2015, pp. 105 y ss.

Fernández Tresguerres, A., "Un nuevo impulso al derecho europeo de sociedades", *Revista de Derecho del Mercado de Valores,* núm. 21, 2017, edición electrónica.

Fuentes Naharro, M., "El *company law package*", *Revista de Derecho de Sociedades,* núm. 53, 2018, pp. 315-333.

- "La digitalización del Derecho de sociedades": de la SUP al *Company Law Package*", *Anales de la Academia Matritense del Notariado,* Tomo LIX, 2018-2019, pp. 679-706.

García-Valdecasas, J. A., "Aproximación al estudio de la Directiva (UE) 2019/1151 de 20 de junio de 2019, sobre la utilización de medios digitales en el Derecho de sociedades", disponible en: www.notariosyregistradores.com

Guerra Martín, G., "El Plan de Acción de la Comisión Europea en materia de Derecho de sociedades y gobierno corporativo", *Revista de Derecho de Sociedades,* núm. 40, 2013, pp. 557-571.

Lucini Mateo, A., "La nueva Directiva sobre utilización de herramientas y procesos digitales en el ámbito del Derecho de sociedades", *El Notario del siglo XXI,* núm. 86, 2019, edición electrónica.

Teichmann, C., "The *Company Law Package-* Content and State of Play", *European Company and Financial Law Review,* 2019, 16 (8) pp. 3-14.

Velasco San Pedro, L., "De la Societas Privata Europaea a la Societas Unius Personae en las Propuestas Europeas", *Cuadernos de Derecho Transnacional,* vol. 9, núm. 1, 2017, pp. 327 y ss.

Viera González, J.-Teichmann, C., (dirs.) *Private companies in Europe. The societas unius personae (SUP) and recent developments in the EU Member States,* Cizur Menor, 2016.

EL FUNCIONAMIENTO VIRTUAL DE LA JUNTA GENERAL DE LAS SOCIEDADES DE CAPITAL Y *BLOCKCHAIN*

MARÍA GÁLLEGO LANAU[1]

Profesora ayudante doctor de Derecho Mercantil
Universidad de Zaragoza

SUMARIO: 1. Planteamiento. 2.El empleo de los medios digitales en el funcionamiento de la junta general de las sociedades de capital: 2.1. La regulación en la LSC del empleo de medios digitales en la celebración de la junta. 2.2. La infrautilización en la práctica de los medios digitales en la celebración de la junta general. 3. La irrupción de nuevas tecnologías disruptivas. Posibilidad de celebrar juntas completamente telemáticas: 3.1. La tecnología de registro distribuido. 3.2. Utilidad de la DLT para celebrar juntas completamente telemáticas. 4. Conclusiones. Bibliografía.

1. PLANTEAMIENTO

En el ámbito societario el empleo de las TIC resulta especialmente útil en relación con el funcionamiento de la junta general, debido a que facilita la comunicación entre la sociedad y los socios y permite un ejercicio ágil y efectivo de los derechos de estos, en tanto reduce los costes de traslado posibilitando que el socio participe en la junta general desde donde quiera [2].

---

[1] Este trabajo se ha realizado en el marco del Proyecto de Investigación Estatal "*Blockchain* y Derecho societario. Bigdata, Fintech y protección del usuario de los servicios financieros", ref. RTI2018-095721-B-I00. Debe señalarse que el trabajo fue entregado el 10 de marzo de 2020, por lo que no contiene referencias a los cambios legislativos adoptados en materia de junta general tras la declaración del estado de alarma el 14 de marzo de 2020.

[2]   En este ámbito es pionero el trabajo de Fernández del Pozo, L.-Vicent Chuliá, F., "Internet y Derecho de Sociedades. Una primera aproximación", *RDM*, núm. 237, 2000, pp. 915-1002. En general, en relación con el empleo de las TIC en la junta general pueden consultarse, entre otros, Largo Gil, R., "La adopción de acuerdos sociales a través de Internet", en *Internet y Derecho*, Monografía de

En este trabajo se presenta la regulación del empleo de los medios digitales en las diferentes fases de la celebración de la junta general de las sociedades de capital, poniéndose de relieve su infrautilización actual. A continuación, se plantea si la aplicación de los nuevos medios tecnológicos en el ámbito de la junta general -*blockchain*- podría reducir las ineficiencias existentes en el funcionamiento de este órgano y coadyuvar a la celebración de juntas completamente virtuales.

2. EL EMPLEO DE LOS MEDIOS DIGITALES EN EL FUNCIONAMIENTO DE LA JUNTA GENERAL DE LAS SOCIEDADES DE CAPITAL

2.1. *La regulación en la LSC del empleo de medios digitales en la celebración de la junta general*

El recurso a Internet se prevé en diferentes fases de la celebración de la junta general. En primer lugar, como forma de la convocatoria de la junta de socios[3]. El artículo 173 LSC dispone que la junta gene-

---

la Revista Aragonesa de Administración Pública, Diputación General de Aragón, 2001, pp. 271-294; Alcover Garau, G., "Aproximación al régimen jurídico del voto electrónico", *RDM*, núm. 254, 2004, pp. 1341-1369; Muñoz Paredes, J.M., *Nuevas tecnologías en el funcionamiento de las juntas generales y de los consejos de administración*, Civitas, 2005; Recalde Castells, A., "Incidencia de las Tecnologías de la Información y Comunicación en el desarrollo de las juntas generales de las sociedades anónimas españolas", *InDret*, junio 2007, pp. 1-39; Vañó Vañó, M.J., "Información y gobierno electrónico en las sociedades cotizadas", *RDBB*, núm. 95, 2004, pp. 77-122; *idem*, "Ejercicio del derecho de voto y de representación por medios de comunicación a distancia", en *Tecnologías de la información y de la comunicación (TICS) en el Derecho societario*, Aranzadi, 2008, pp.13-86; Estevan de Quesada, C., "Participación en la junta general de la sociedad anónima por medios electrónicos: su utilización en las sociedades con un reducido número de socios", en "*Tecnologías de la información...*", *ult. ob. cit.*, pp. 87-111.

[3]   El Real Decreto-ley 13/2010, de 3 de diciembre, de actuaciones en el ámbito fiscal, laboral y liberalizadoras para fomentar la inversión y la creación de empleo, introdujo la página web de las sociedades como medio de convocatoria de la junta (art. 173 LSC). Más tarde, la Ley 25/2011 por la que se incorporó a nuestro ordenamiento la Directiva 2007/36/CE, fijó la regulación para la creación de una página web corporativa (art. 11 bis LSC).

ral debe ser convocada mediante anuncio publicado en la página web si esta hubiera sido creada, inscrita y publicada en los términos previstos en el artículo 11 bis LSC[4]. En el caso de las sociedades cotizadas, éstas están obligadas a contar con una página web y a anunciar en ella la convocatoria de su junta (art. 516 LSC)[5].

En segundo lugar, la LSC contempla el uso de Internet como medio de asistencia a la junta y como vía para el ejercicio del derecho de información (art. 182 LSC). Para ello es necesario que la posibilidad de asistencia telemática a la junta se prevea en los estatutos. En el caso de sociedades cotizadas, la página web es el instrumento que el legislador

---

[4]   El art. 11 bis LSC exige que la creación de la página web corporativa se apruebe por la junta general. El acuerdo debe hacerse constar en la hoja abierta a la sociedad en el Registro Mercantil competente y se publicará en el BORME. En el caso de que la página web corporativa no haya sido creada conforme a estas especificaciones, la DGRN ha denegado la inscripción de los acuerdos adoptados en junta por convocarse en una página web que no constaba inscrita ni se había notificado su existencia al Registro Mercantil (*vid.* RRDGRN de 26 y 27 de noviembre de 2015 y 2 de noviembre de 2016).

[5]   La obligación de que las sociedades cotizadas cuenten con una página web se introdujo en nuestro ordenamiento mediante la Ley 26/2003, de 17 de julio, por la que se modifican la Ley 24/1988, de 28 de julio, del Mercado de Valores y el texto refundido de la Ley de Sociedades Anónimas, aprobado por el Real Decreto Legislativo 1564/1989, de 22 de diciembre, con el fin de reforzar la transparencia de las sociedades anónimas cotizadas. El contenido mínimo y las especificaciones técnicas y jurídicas de las páginas web se previeron en la disposición 4ª de la Orden ECO/3722/2003 y en las normas 7ª a 9ª de la Circular 1/2004, de 17 de marzo, de la CNMV. Posteriormente, el Real Decreto Legislativo 1/2010, de 2 de julio, del texto refundido de la Ley de Sociedades de Capital, en su redacción originaria, mantuvo en su art. 528 LSC la obligación de que las sociedades cotizadas dispusiesen de una página web dentro de denominó «Instrumentos especiales de información». El Real Decreto-ley 9/2012, de 16 de marzo, de simplificación de las obligaciones de información y documentación de fusiones y escisiones de sociedades de capital modificó la redacción del art. 11 bis LSC y trajo expresamente a la norma societaria la obligatoriedad de que las sociedades cotizadas cuenten con página web. El desarrollo de la regulación de las páginas webs en las sociedades cotizadas se encuentra en la Orden ECC/461/2013, de 20 de marzo, que establece el contenido mínimo que debe tener la página web de las sociedades anónimas cotizadas y cajas de ahorros que emitan valores admitidos a negociación en mercados secundario, y la Circular 3/2015, de 23 de junio de la CNMV, que determina las especificaciones técnicas y jurídicas y la información que deben contener las páginas web de los sujetos anteriormente indicados.

fija como medio para hacer efectivo el cumplimiento de los deberes de información pública digital (arts. 518 y 539 LSC)[6].

Por último, es posible que la delegación o el ejercicio del derecho de voto se realice por medios electrónicos (arts. 184 y 189.2 y 3 LSC)[7]. Los artículos. 182, 184.2 y 189 LSC se refieren a la asistencia telemática y el voto electrónico en las sociedades anónimas. Sin embargo, tanto la doctrina mercantilista[8] como la DGRN han admitido que ello no debe llevar a entenderlo prohibido en las sociedades de responsabilidad limitada[9].

El voto puede delegarse o ejercitarse directamente por medios electrónicos de forma anticipada, esto es, con anterioridad a la celebración de la junta. En estos supuestos el anuncio de la convocatoria de la junta debe informar del sistema para la emisión de voto por representación y los procedimientos establecidos para la emisión del voto. El voto debe recibirse antes de la reunión de la junta[10], limitándose el

---

[6]   La Ley 25/2011 previó para las sociedades cotizadas, la publicación ininterrumpida en la página web desde la publicación del anuncio de convocatoria hasta la celebración de la junta de una serie de documentos previstos en el art. 518 LSC. Este precepto fue modificado posteriormente por la Ley 31/2014, de 3 de diciembre por la que se modifica la Ley de sociedades de capital para la mejora del gobierno corporativo.

[7]   Con la aprobación de la Ley 26/2003 se añadieron dos nuevos apartados, 4 y 5 al art. 105 LSA en el sentido de incluir que, si los estatutos lo preveían, el voto podía delegarse o ejercitarse por medios telemáticos y, en el caso de que los accionistas emitieses sus votos a distancia, debían tenerse en cuenta a efectos de constitución de la junta como presentes –actual art. 189.2 y 3 LSC–. Además, se dispuso una nueva redacción al art 106.2 LSA indicándose que la representación debía conferirse por escrito o por medios de comunicación a distancia –hoy art. 184.2 LSC–. Posteriormente, la Ley 19/2005, de 14 de noviembre, sobre la sociedad anónima europea domiciliada en España modificó la redacción del art. 97 LSA previéndose la posibilidad de que los estatutos contemplasen la asistencia a la junta así como el ejercicio del derecho de información por medios telemáticos, actual art. 182 LSC.

[8]   Entre otros, Rodríguez Artigas, F., "La participación por medios electrónicos en las juntas de la sociedad limitada", *Revista de Derecho mercantil*, núm. 289, 2013, pp. 89-107; Valpuesta Gastaminza, E., *Comentarios a la Ley de sociedades de capital*, Bosch, Barcelona, 2015, p. 465.

[9]   Vid. las RRDGRN de 19 de diciembre de 2012, 25 y 26 de abril de 2017 y 8 de enero de 2018.

[10] La justificación de esta obligación de recibir el voto antes de la reunión se fundamenta en la necesidad de confirmar la condición de accionista. Por ejemplo, el

socio a expresar su apoyo o su rechazo a las propuestas de acuerdos sociales establecidas en el orden del día[11]. También cabe la delegación y voto a distancia por medios electrónicos en tiempo real. En este caso los accionistas asisten de forma remota pero simultánea a la celebración de la junta[12], por lo que su voto es más informado y acorde con el verdadero espíritu del derecho de voto[13]. En ambos supuestos la LSC remite a la autorregulación, es decir, habrá que atender a lo previsto en los estatutos, el reglamento de la junta y la convocatoria[14].

2.2. La infrautilización en la práctica de los medios digitales en la celebración de la junta general

Por lo que respecta a las sociedades no cotizadas, debe señalarse que el número de inscripciones de páginas web corporativas no ha sido muy elevado. Según las estadísticas de los registradores mercan-

---

reglamento de la junta del Banco Santander establece que los votos se recibirán hasta las 24 hs. del tercer día anterior a la celebración de la junta (si bien es cierto que en las últimas convocatorias de junta se ha reducido este plazo); en el caso del reglamento de la junta de Acciona se establece un límite de hasta las 15 hs. de dos días anteriores a la junta; en el caso del reglamento de la junta del BBVA se establece que los votos deberán recibirse hasta 24 hs. antes de la celebración de la reunión.

[11]   Sobre los problemas prácticos que plantea el voto emitido de forma anticipada puede consultarse, entre otros, Vañó Vañó, M.J., "Ejercicio del derecho de voto y de representación por medios de comunicación a distancia", ob. cit., pp. 20-22.

[12]   Se incluyen aquí los supuestos en los que los accionistas se hayan ubicado en distintas sedes preestablecidas y conectadas por la propia sociedad -junta multi-local- y aquellos casos en los que los accionistas participan desde otros lugares no controlados por la sociedad.

[13]   Valpuesta Gastamiza, E., Comentarios a la Ley de sociedades de capital, ob. cit., p. 487.

[14]   La tendencia en nuestro ordenamiento y los de nuestro entorno ha sido la de permitir y no imponer el empleo de las nuevas tecnologías, salvo excepciones, como por ejemplo el art. 539 LSC. Véase Muñoz Paredes, J.M. Nuevas tecnologías en el funcionamiento de las juntas generales y de los consejos de administración, ob. cit., pp. 72-73 y 137 y ss.; Recalde Castells, A. "Incidencia de las Tecnologías de la información y Comunicación en el desarrollo de las juntas generales de las sociedades anónimas españolas", ob. cit., pp. 20-21. En contra, Alcover Garau, G., "Aproximación al régimen jurídico del voto electrónico", ob. cit., p. 1364, que considera que el accionista tiene en todo caso un derecho a ejercer su derecho a votar mediante correspondencia electrónica.

tiles el número de páginas web corporativas inscritas en los últimos años ha sido de 33 en 2015 y 2016, 68 en 2017, 29 en 2018 y 40 en 2019[15]. Esto contrasta con el número de sociedades anónimas y limitadas que se constituyen cada año que se elevan en torno a 94.000[16]. Además, aunque la página web se configura no solo como un instrumento de información societaria sino también como un medio para el ejercicio de los derechos del socio y el consiguiente fomento de su participación en la junta general, lo cierto es que muchas sociedades no cotizadas solo utilizan su web corporativa para la convocatoria de junta[17].

En relación con las sociedades cotizadas, como es sabido las juntas generales se caracterizan por el absentismo de los pequeños inversores -*rational apathy*. Tanto el Derecho comunitario como el español han intentado reactivar el papel de la junta general potenciando los derechos políticos de participación, información y voto de los accionistas con el objetivo de mejorar su implicación en el control de la gestión. En este sentido, la utilización de Internet ha sido uno de los instrumentos a través de los cuales se ha intentado solventar los déficits tradicionales de la junta. Sin embargo, a pesar de las sucesivas reformas legales los datos de participación ponen de relieve que los accionistas minoritarios siguen siendo reacios a participar. Según Informe de Gobierno Corporativo de las sociedades emisoras de valores admitidos a negociación en mercados secundarios oficiales de 2018 publicado por la CNMV[18], el porcentaje medio de asistencia a las juntas generales de accionistas se situó en el 72% del capital social[19]. Pero debe de

---

[15]   V.http://www.registradores.org/portal-estadistico-registral/estadisticas-mercantiles/estadistica-mercantil.

[16]   Según las estadísticas de los Registradores mercantiles de 2019, el año pasado se constituyeron 93.941 sociedades de capital; en 2018 fueron 95.266 y en 2017 un total de 94.213.

[17]   Boquera Matarredona, J., "Paradojas y problemas de la página web corporativa de las sociedades de capital", *RDM*, núm. 313, 2019, consultado en soporte electrónico. Como señala la autora, no se aprovecha todo el potencial de la comunicación electrónica quizá porque los socios tienen diferentes puntos de vista sobre la conveniencia de la utilización de los medios electrónicos. La mayor parte de ellos no desea utilizar los medios electrónicos.

[18]   En la fecha de realización de este trabajo era el último informe publicado.

[19]   El porcentaje de asistencia física se sitúa en torno al 33%, destacándose que en seis sociedades se ha superado el 90% del capital y en dos de ellas el porcentaje

ponerse de relieve que la participación de los accionistas en la junta
es menor cuanto mayor es la cifra de capital flotante, a pesar de las
medidas adoptadas para favorecer la participación de los accionistas
minoritarios[20].

En relación con el sistema de voto, en 54 sociedades (40.6%),
los accionistas han utilizado el sistema de voto a distancia, con un
porcentaje medio de votos del 1.3%. De los votos que se realizan a
distancia, los medios electrónicos apenas son utilizados, suponiendo
únicamente un 3%, la mitad que en el ejercicio anterior, frente al uso
de otros medios como el correo postal o la mensajería que han alcanzado el 97%.

Para los accionistas minoritarios, por mucho que se favorezca el
ejercicio de sus derechos de participación en las juntas, lo cierto es
que siguen teniendo muy pocos incentivos para implicarse[21]. Para este
tipo de accionistas, cuyo interés no es otro que el de obtener una rentabilidad económica mediante el reparto de beneficios por la sociedad

---

de presencia física ha sido del 100% (Prosegur Cash y Unión Catalana de Valores).

[20] Sobre lo que sucede en otros países europeos puede consultarse el trabajo de
Van der Elst, C.-Lafarre, A., "*Blockchain* technology for corporate governance
and shareholder activism", *European Corporate Governance Institute (ECGI)-
Law Working Paper* núm 390, 2018; *Tilburg Law School Research Paper* núm.
2018.7, marzo 2018, disponible en: https://ssrn.com/abstract=3135209, pp.
9-10, quienes analizan 251 sociedades cotizadas de siete países europeos -entre
los que no se encuentra España- para ver si efectivamente los pequeños inversores tienen pocos incentivos para participar tal y como predice la teoría económica. Concluyen que hay diferencias sustanciales entre los países analizados.
En Reino Unido la participación de los pequeños inversores es bastante elevada,
mientras que en otros países como Bélgica y Austria es significativamente menor.
En su opinión, no todos los inversores minoristas son reacios a participar en las
juntas y hay margen de mejora. Entre sus propuestas destacan el uso de *blockchain* en las juntas generales. Un análisis más exhaustivo puede consultarse en
Lafarre, A., *The AGM in Europe*. Emerald Publishing Limited, 2017.

[21] Aunque el coste de desplazamiento se reduzca, la emisión de un voto razonable
implica la lectura y el análisis de toda la información suministrada por la sociedad cotizada. Como indica Largo Gil, R., "La adopción de acuerdos sociales a
través de Internet", ob. cit., p. 292, esto puede provocar una nueva modalidad de
abstencionismo accionarial por "indigestión de información". También Recalde
Castells, A., últ. *ob. cit.*, p. 30 apunta que las ventajas de las TICs no afectan a
los costes de recabar y evaluar información que son los que más influyen en la
apatía del pequeño inversor.

y la revalorización de sus acciones, resulta más sencillo desprenderse de sus títulos en caso de insatisfacción que implicarse en el funcionamiento de la sociedad[22].

Sin embargo, esto no quiere decir que el ejercicio de derechos de los socios a través de dispositivos electrónicos no pueda seguir fomentándose para mejorar la implicación de los socios. Por ejemplo, el voto telemático no ofrece a los accionistas total transparencia sobre cómo se ha ejercitado su voto, lo que genera desconfianza[23]. Este problema ha intentado corregirse en el ámbito de las sociedades cotizadas con la aprobación de la Directiva 2017/828 del Parlamento Europeo y del Consejo de 17 de mayo, por la que se modifica la Directiva 2007/36/CE en lo que respecto al fomento de la implicación a largo plazo de los accionistas. Su artículo 3 *quater* establece que cuando la votación se realice de forma electrónica, debe enviarse una confirmación electrónica de la recepción del voto a la persona que lo emite. Después de la junta general, el accionista o su representante puede obtener una confirmación de que sus votos han sido registrados y contabilizados válidamente siempre que lo solicite en el plazo previsto que no podrá exceder de tres meses a partir de la fecha de la

---

[22]   Como señaló Alcover Garau, G., últ. *ob. cit.*, p. 1346, al accionista inversor le interesa su cartera, no la sociedad. El tiempo, el esfuerzo y los medios que tendría que dedicar para ser un accionista activo nunca estarían en consonancia con la rentabilidad esperada de la inversión.

[23]   Como ejemplo, en la junta general de 2017 de Procter & Gamble se votó el nombramiento de Nelson Peltz, uno de sus accionistas, como miembro del Consejo de administración. La compañía anunció el rechazo de la propuesta con una diferencia de 0.2 % entre los votos en contra y los votos a favor. Sin embargo, aparentemente un experto independiente constató que el margen de diferencia entre los votos a favor y en contra era menor y que en realidad los accionistas habían votado mayoritariamente a favor de la elección de Nelson Peltz. Esto provocó un debate sobre la transparencia en el procedimiento de voto de los accionistas. Ejemplo extraído de Van del Elst, C.-Lafarre, A., "*Blockchain* technology for corporate governance and shareholder activism", *ob. cit.*, p. 15. Por eso se aboga por la introducción de la tecnología *blockchain* como una solución externa a estos problemas. Véase Travis Laster, J., "The Block Chain Plunger: Using Technology to Clean Up Proxy Plumbing and Take Back the Vote", *Keynote Speech. Council of institutional Investors, Chicago*, 29 de septiembre de 2016, disponible en: https://www.cii.org/files/09_29_16_laster_remarks.pdf.

votación[24]. No obstante, debe señalarse que no se ha esperado a que los Estados Miembros garanticen este derecho, sino que el artículo 9.5 Reglamento 2018/1212 exige que la confirmación de la recepción del voto se remita inmediatamente después de la votación y que la confirmación del registro y cómputo de los votos se realice en el plazo máximo de 15 días[25].

Nos planteamos a continuación si la introducción de la tecnología de registro distribuido en el funcionamiento de las juntas de las sociedades podría aportar alguna ventaja en este sentido, y si permite implementar la celebración de juntas completamente virtuales garantizándose todos los derechos de los socios.

3. LA IRRUPCIÓN DE NUEVAS TECNOLOGÍAS DISRUPTIVAS. POSIBILIDAD DE CELEBRAR JUNTAS COMPLETAMENTE TELEMÁTICAS

3.1. La tecnología de registro distribuido

3.1.1. Concepto, funcionamiento y tipos

La tecnología de registro distribuido -en inglés *distributed ledger technology*, DLT- es un registro digitalizado que se gestiona de forma descentralizada -*peer to peer* (P2P)- por los participantes de la red –nodos- que se encargan de validar las transacciones u otras informaciones sin necesidad de que intervenga una autoridad central o servidor centralizado que guarde copia de todas las transacciones. La DLT más conocida es *blockchain*, traducible como «cadena de bloques»,

---

[24]   Cuando la confirmación la reciba un intermediario, debe transmitirla sin demora al accionista o a su representante. También se prevé la obligación de cooperación entre los intermediarios para transmitirse dicha información

[25]   Reglamento de Ejecución (UE) 2018/1212 de la Comisión, de 3 de septiembre de 2018, por el que se establecen requisitos mínimos de ejecución de las disposiciones de la Directiva 2007/36/CE del Parlamento Europeo y del Consejo, en lo relativo a la identificación de los accionistas, la transmisión de información y la facilitación del ejercicio de los derechos de los accionistas.

cuyas bases teóricas se publicaron por el todavía desconocido Satoshi Nakamoto en 2008[26].

El funcionamiento de la cadena de bloques se sustenta sobre la criptografía y los algoritmos[27]. Cuando un usuario solicita una transacción, esta se encripta a través de la función hash, un algoritmo matemático que transforma cualquier bloque de datos en una secuencia de caracteres alfanuméricos de longitud determinada. Esta encriptación sirve para garantizar que un archivo no ha sido alterado. La transacción solicitada se transmite a una red P2P que consta de ordenadores conocidos como nodos, que se encargan de validarla. Una vez validada, la transacción se combina con otras transacciones que han sido recibidas y validadas en un determinado lapso temporal y se crea un nuevo bloque de datos que se incorpora al registro. Cada bloque contiene el hash del bloque inmediatamente anterior y todas las transacciones que acaban de ser recopiladas y validadas, para las cuales se calcula su propio hash, que será el primer ítem en el siguiente bloque. De esta manera los bloques de información se encadenan de forma secuencial creando una cadena inmutable, sin que sea posible borrar o alterar lo que se ha escrito en el registro. Para cerrar un bloque se aplica el denominado protocolo de consenso, que implica la existencia de un pacto o convenio entre los nodos, que garantiza seguridad en la cadena.

Existen diferentes tipos de DLT que pueden clasificarse en función de la accesibilidad de los usuarios para participar en el registro o en función de los permisos. La que nos interesa para nuestro ámbito de estudio es la cerrada o de acceso restringido. En las redes en las que todos los participantes del sistema tienen acceso a la información de todas las transacciones de todos los miembros de la red no existe privacidad. Por esa razón resultan inadecuadas para entornos corporativos en donde solo los involucrados en una transacción deberían ser capaces de acceder a la información. Con la utilización de una red

---

[26]   Nakamoto, S., "Bitcoin: A peer-to-peer Electronic Cash System", 2008, disponible en: https://bitcoin.org/bitcoin.pdf.

[27]   Para una explicación en detalle véanse los trabajos de González Meneses, M., *Entender el blockchain. Una introducción a la tecnología de registro distribuido*, Aranzadi, 2017, pp. 31 y ss.; e Ibañez Jiménez, J. W., *Derecho de Blockchain y de la tecnología de registros distribuidos*, Aranzadi, 2018, pp. 35-77.

permisionada en la que sea posible definir las políticas de acceso a la información para cada transacción se solucionan los problemas de privacidad.

3.1.2. Previsión de la tecnología de registro distribuido en los ordenamientos societarios. Casos reales de utilización de la tecnología de registro distribuido en la práctica

El Estado de Delaware, la jurisdicción más relevante en materia societaria de Estados Unidos, modificó en julio de 2018 la regulación de las *Limited Partnership* y *Limited Liability Companies* (LLC) permitiendo que estas compañías utilicen la tecnología DLT en la llevanza de sus registros, así como en los sistemas de votación y delegación de voto por medios electrónicos[28]. En Europa todavía no se ha previsto la utilización de la DTL en la junta general, aunque algunos han incorporado la tecnología de registro distribuido en su legislación societaria y del mercado de valores[29].

Todavía es pronto para saber si la tecnología de registro distribuido se consolidará en el desarrollo de las juntas generales de las sociedades de capital. Sin embargo, en los últimos años ya ha habido algunas iniciativas y experiencias reales del uso de *blockhain* en la celebración de juntas generales[30].

En 2016, Nasdaq, la sociedad encargada de la compensación y liquidación de valores en Estonia lanzó una iniciativa piloto para permitir que los accionistas de las sociedades cotizadas de la Bolsa de

---

[28]   Véase el Título 6, capítulos 18 § 302(d) y 17 § 302(e) DGCL.

[29]   En Francia, v. *L'ordonnance* n° 2016-520 de 28 de octubre de 2016, *l'ordonnance* n° 2017-1674 de 8 de diciembre de 2017 y el *Décret* n° 2018-1126 de 24 de diciembre de 2018. Otros ordenamientos están siguiendo la senda iniciada por Francia. El gobierno luxemburgués presentó el pasado 28 de septiembre de 2018 un proyecto de ley sobre la circulación de títulos valores con el objetivo de permitir que estos puedan ser inscritos y transferidos a través de la tecnología *blockchain*.

[30]   En este trabajo citamos dos iniciativas. No obstante, hay otras compañías de diferentes países que han anunciado el desarrollo de aplicaciones a través de *blockchain* para facilitar el voto a distancia de sus accionistas, aunque todavía no se tiene noticia de que hayan lanzado a la práctica sus iniciativas. Para más información véase el trabajo de Van del Elst, C.-Lafarre, A., *ob. cit.*, p. 22.

Tallín pudieran votar a distancia en las juntas generales a través de la tecnología *blockchain*[31]. En 2017 Nasdaq anunció que las votaciones a través de *blockchain* en Estonia habían sido un éxito[32].

En nuestro país, el Banco Santander utilizó la tecnología *blockchain* en su junta general de accionistas de 2018. Se trataba de una prueba piloto desarrollada junto con *Broadridge Financial Solutions, Inc*, empresa líder en tecnología financiera, en colaboración con J.P. Morgan y *Northern Turst* como custodios globales de inversores no residentes. La tecnología *blockchain* se implementó para mejorar la trasparencia del voto por delegación de los inversores institucionales y aumentar la eficacia operacional, la seguridad y el análisis. Esta prueba piloto se ejecutó en paralelo con la celebración de la junta, creándose un registro digital en la sombra del voto por delegación que se realizó utilizando el modelo de votación convencional. La red *blockchain* se empleó para registrar las instrucciones de voto que los inversores finales remitieron a los custodios globales, los titulares registrales en España. Los custodios globales trasladaron la información a los custodios locales y estos últimos emitieron una tarjeta física de delegación de voto, la cual se remitió por correo a los emisores para que procedieran a procesarla. Los emisores pudieron comprobar si la información de la *blockchain* coincidía con lo recibido de los custodios locales por correspondencia postal[33]. La utilización de esta tecnología permitió que los votos se contasen y confirmasen con mayor rapidez, reduciéndose el tiempo de espera que actualmente es

---

[31]   Esta no era la primera iniciativa de Nasdaq en el terreno *blockchain*. El 30 de diciembre de 2015 anunció que la sociedad *Chain.com* había utilizado su *blockchain* «*Linq*», para la emisión de acciones. Esta operación representaba un gran avance en la aplicación de la tecnología de registro distribuido en las sociedades no cotizadas. Puede consultarse la nota de prensa de Nasdaq (2015) http://ir.nasdaq.com/news-releases/news-release-details/nasdaq-linq-enables-first-ever-private-securities-issuance.

[32]   Para más detalle véase Gállego Córcoles, A., "El *blockchain* en la junta general", en *Revolución digital, Derecho mercantil y token economía*, Tecnos, 2019, pp. 314-315.

[33]   Explicación de Gállego Córcoles, A., "El *blockchain* en la junta general", *ob. cit.*, pp. 315-316.

necesario y que incluye la actividad manual de los distintos intermediarios[34].

3.2. *Utilidad de la tecnología de registro distribuido para cele-brar juntas completamente telemáticas*

3.2.1. Concepto de junta completamente virtual

Una junta completamente virtual o telemática es aquella que se
celebra sin que paralelamente se celebre una reunión con presencia
física de socios en un lugar determinado. Actualmente, nuestra regulación impide que se celebren esta modalidad de juntas completamente
virtuales -lo que la doctrina ha denominado juntas *online*, ciberjun-
tas, juntas cibernéticas o telemáticas-[35], aunque hay quienes consideran que llegaran con el tiempo[36].

Según la legislación vigente, la junta general debe reunirse en un
determinado lugar físico, que puede ser el domicilio social u otro
emplazamiento siempre que se respete lo previsto en el artículo 175
LSC[37]. Además, debe reunirse en un momento temporal determina-

---

[34]   Puede consultarse la nota de prensa que emitió el Banco Santander en https://
www.santander.com/csgs/Satellite/CFWCSancomQP01/es_ES/Corporativo/Sala-
de-comunicacion/Santander-Noticias/2018/05/17/Santander-y-Broadridge-utili-
zan-por-primera-vez-tecnologia-*blockchain*-.html.

[35]   En este sentido, entre otros, Boquera Matarredona J., *La junta general de las
sociedades capitalistas*, Aranzadi, 2008, p. 93; y Recalde Castells, A., *ob. cit.*, p.
29.

[36]   En este sentido, Sánchez Calero, F., *La junta general en las sociedades de capital*,
Civitas, 2007, p. 51; Vañó Vañó, M.J., "*Ejercicio…*", *ob. cit.*, p. 31 y Mateu de
Ros, R., "Principales reformas recientes en materia de gobierno corporativo: normas legales y recomendaciones. Especial referencia a las sociedades cotizadas",
en *Actores, actuaciones y controles del buen gobierno societario y financiero*,
Marcial Pons, 2018, p. 69. Este último indica que en el futuro veremos cómo los
acuerdos se deciden mediante técnicas seguras de votación a distancia, quedando
suprimida la junta general presencial obligatoria como antigualla formal propia
de otros tiempos.

[37]   Hay autores que consideran que podrían celebrarse siempre que hubiera una
mínima localización física, el lugar donde se constituye la mesa y el secretario
que levanta acta (Vicent Chuliá, F., *Introducción al Derecho mercantil*, 23ª ed.,
Tirant lo Blanch, 2012, pp. 659-660). Para otros, lo esencial en la reunión es

do, que según el artículo 174 LSC debe indicarse en el anuncio de la convocatoria, respetándose el plazo de antelación mínimo entre la fecha de la convocatoria y la fecha prevista para la celebración de la reunión conforme a lo dispuesto en el artículo 176 LSC. Lo relevante es que exista sesión o reunión entendida en sentido amplio, aunque algunos socios o sus representantes no asistan presencialmente, sino que participen como asistentes remotos, debidamente acreditados -práctica admitida *ex* art. 182 LSC-[38]. En este tipo de juntas la participación telemática de sus socios discurre en paralelo con la celebración de una reunión con presencia física de los restantes socios y el órgano de administración.

Sin embargo, la celebración de juntas completamente virtuales es una tendencia que se ha extendido en otros ordenamientos. El primer Estado en prever en su legislación la posibilidad de que las sociedades celebrasen juntas virtuales prescindiendo de la reunión física fue el Estado de Delaware (*Delaware Code, title* 8, § 211 a). El número de sociedades que recurren a este tipo de juntas, si bien representan todavía una minoría, ha ido en aumento, principalmente entre compañías tecnológicas (por ejemplo, *Intel Corp.* o *Hewlett Packard Enterprise, Co.*)[39]. También Canadá permite juntas completamente virtuales desde hace años (§ 132.5 *Canada Business Corporations Act*). En Europa, la sociedad *Jimmy Choo Plc.* de Reino Unido celebró en 2016 la primera junta general de una sociedad europea cotizada de forma

---

la posibilidad de intercambiar pareceres y deliberación en un mismo momento temporal, para lo que no es indispensable la presencia física de los socios. En este sentido, se ha considerado que podría considerarse como lugar el sitio web al que conectarse (Vañó Vañó, M.J., "*Información...*", *ob. cit.*, p. 108; e, *idem*, "*Ejercicio...*", *ob. cit.*, p. 31). Otros. por su parte, estiman que no es necesario llegar a estas construcciones para que la junta completamente virtual encuentre acomodo legal, bastando con establecer en la convocatoria como lugar de celebración el sitio donde se encuentre la presidencia (Estevan de Quesada, C., "Participación en la junta general de la sociedad anónima por medios electrónicos: su utilización en las sociedades con un reducido número de socios", *ob. cit.*, p. 105).

[38]   Fernández del Pozo, L.-Vicent Chulià, F., "Internet y Derecho de sociedades. Una primera aproximación", *ob. cit.*, pp. 958-959, y Largo Gil, *ob. cit.*, p. 284.

[39]   Fontenot, L.A., "Public *Company* virtual-Only Annual Meetings", *The Business Lawyer*, vol. 73, núm. 1, winter 2017/2018, p. 36.

completamente virtual, repitiendo la fórmula en 2017[40]. En Francia, el artículo L 225-103-1 *Code de Commerce* ha previsto la posibilidad de que los estatutos prevean la celebración de juntas exclusivamente por medios telemáticos, si bien se limita su aplicación para las sociedades anónimas no cotizadas[41].

En las juntas totalmente virtuales no se quiebran las dos unidades –tiempo y lugar- que hemos dicho que son esenciales para la válida celebración de la junta[42]. La junta se celebra en un determinado momento de tiempo fijado en la convocatoria de la junta, lo que sucede es que todos los participantes, incluido el órgano de administración, asisten de forma remota sin que exista un lugar físico de la reunión.

3.2.2. Ventajas que proporciona la tecnología de registro distribuido en la celebración de juntas virtuales

El desarrollo de la tecnología de registro distribuido podría facilitar el desarrollo de las juntas totalmente digitalizadas. Las características de esta nueva tecnología, velocidad, trazabilidad e inmutabilidad dotarían de mayor transparencia a la celebración de la junta.

En concreto, la tecnología DLT puede ofrecer una plataforma a través de la cual se articulen todas las fases de la junta, desde el anuncio de la convocatoria[43] hasta la aprobación del acta, produciéndose una digitalización plena del proceso de adopción de los acuerdos sociales.

---

[40] Aunque debe señalarse que en Reino Unido han surgido voces críticas que rechazan la celebración de juntas completamente virtuales. *Vid.* V. el comunicado de la *Investment Association* (IA) de 2017, disponible en https://www.theinvestmentassociation.org/assets/files/ivis/20171211%20-%20CG-%20Virtual%20AGMs%20IA%20position%20statement.pdf.

[41] Véase el trabajo de Lhuillier, J.B., "L'assemblée générale dématérialisée dans les sociétés anonymes non cotées et la voie électronique en droit des sociétés", *Revue des sociétés*, núm. 5, 2018, pp. 287-297.

[42] En este sentido también García Mandaloniz, M.-Rodríguez de las Heras Ballell, T., "La inquebrantabilidad del principio de unicidad de la junta general electrónica", *Revista de la contratación electrónica*, núm. 57, 2005, pp. 63-86.

[43] Esta forma de publicidad de la convocatoria no se ajusta a las normas sobre convocatoria de las sociedades cotizadas, por lo que su admisibilidad requeriría una revisión del art. 516 LSC. Otra cuestión es que se aplicase para las sociedades no cotizadas, en cuyo caso habría que plantearse si la subida de los documentos de la convocatoria por parte del emisor a la red *blockchain* satisface lo dispuesto en

Proporciona un foro de debate para accionistas y para el órgano de administración en el cual todas las preguntas quedan registradas de forma inalterada y la ausencia de respuestas también. De esta manera *blockchain* puede potenciar la función deliberativa[44].

Asimismo, en relación con el procedimiento de voto electrónico, la utilización de la tecnología de registro distribuido permitiría que el socio siguiese en todo momento el ciclo de vida del voto, teniendo información instantánea sobre su correcta recepción y cómputo, lo que supone un alto grado de transparencia. Los accionistas legitimados para participar en la junta recibirían sus *votecoins* correspondientes[45].

Para poder ejercer su derecho de voto por medios electrónicos los artículos 189 y 521.1 LSC imponen que se garantice la identidad del accionista. A este respecto, la autentificación del accionista se realizará a través de distintos mecanismos al margen de la *blockchain,* por ejemplo, a través del DNI electrónico o de la firma electrónica. Pero en el registro distribuido deberá conservarse copia de que efectivamente se ha comprobado la identidad del accionista[46]. Una vez que el accionista se haya autentificado tendrá la posibilidad de delegar sus derechos de voto en un representante a través de la propia red, remitiendo los votos y las instrucciones a la dirección del representante[47].

---

el art. 173.2 LSC. En este sentido véase Gállego Córcoles, A., *ob. cit.*, pp. 330-331.

[44]   Van der Elst, C.-Lafarre, A., *ob cit.*

[45]   Sigo la propuesta del CSD Working Group on DLT, "General Meeting Proxy Voting on Distributed Ledger Product Requirements", pp. 10 y ss., publicada en noviembre de 2017 y disponible en: https://www.nsd.ru/common/img/uploaded/files/gm_proxy_voting.pdf; reproducida en el trabajo de Van der Elst, C.-Lafarre, A., *ob. cit.*, pp. 17 y 18.

[46]   Los problemas que se plantean a la hora de asegurar con certeza que el accionista o el autor real de las claves de firma es el mismo que accede a través de la *blockchain* para ejercer el derecho de voto son los mismos que se dan con cualquier otro sistema de participación electrónico. Lo único que se asegura con *blockchain* es que el envío de la información *tokenizada* -en este caso los votos- no será alterable.

[47]   Una duda que se plantea es cómo se articularía la posibilidad de impartición de instrucciones al representante en la red de *blockchain* o cómo se gestionarían los procesos de solicitud pública de representación (art. 186 y arts. 522 a 524 LSC). Como señala Gállego Córcoles, A., *ob. cit.*, p. 311, el envío de mensajes a través de *blockchain* se limita a pocos caracteres.

Otro de los requisitos que se exige para la participación a distancia es que se garantice la seguridad de las comunicaciones electrónicas (art. 521.1 LSC). Debe asegurarse que el sentido del voto permanece inmutable desde que sale del dispositivo electrónico del accionista hasta que llega a la sociedad y se contabilizan los votos. Este requisito puede cumplirse si los votos se transmiten a través de la cadena de bloques. Los accionistas transmitirán sus *votecoins* a las direcciones que se hayan determinado en la *blockchain* para registrar sus preferencias[48], creándose bloques criptográficos que garantizan su integridad. De este modo se mejora el trasvase de información y el cómputo de los votos recibidos[49].

Se plantearía un problema si el accionista emitiese su voto a través de la *blockchain* con anterioridad a la reunión y posteriormente asistiese a la junta, cambiando de opinión. ¿Qué voto prevalecería en este caso? Recordemos que lo registrado en *blockchain* es inmutable, por lo que deberá optarse por prever en la LSC la imposibilidad de modificar los votos, o bien, mantener las reglas de prelación entre voto a distancia y asistencia personal (física o remota) y configurar la red para que los votos anticipados no sean computados cuando el socio asista a la junta[50].

Con la utilización de *blockchain* el emisor del voto podría obtener información instantánea a partir del momento en que termina la votación sobre si el voto se ha recibido y se ha contabilizado correctamente en el sentido emitido. Simplemente, se necesitaría el correspondiente permiso de lectura, sin necesidad de solicitarlo específicamente[51].

---

[48]   Yermack, D., "Corporate Governance and *Blockchain*s", *Review of Finance*, 2017, accesible en https://doi.org/10.1093/rof/rfw074", p. 23.

[49]   García Martínez, L.M., "Consideraciones iniciales sobre la tecnología de registro distribuido (*blockchain*) como herramienta emergente de identificación e implicación accionarial", en *Derecho de sociedades y de los mercados financieros. Libro Homenaje a Carmen Alonso Ledesma*, Iustel, 2018, p. 390.

[50]   A favor de que la sociedad disponga de medios técnicos para que sea posible cambiar el sentido del voto; Boquera Matarredona, J., *La junta general de las sociedades capitalistas*, ob. cit., p. 176; y Gállego Córcoles, A., ob. cit., p. 327. En contra Sánchez Calero, F., *La junta general en las sociedades de capital*, ob. cit., p. 742.

[51]   En el caso de las sociedades cotizadas, actualmente ni los estatutos, ni los reglamentos de junta contienen medidas adoptadas por la sociedad que garanticen la correcta recepción y posterior escrutinio de los votos o delegaciones. Tan solo

Lo que sí que deberá garantizarse es que los accionistas no tengan acceso para consultar lo que han votado los demás.

Incluso, con el paso de tiempo, podría llegar a tomarse la decisión de reformar drásticamente el papel de la junta de socios. Se ha apuntado la posibilidad de eliminarlas por completo porque los asuntos a votar pueden ser insertados en la *blockchain* en cualquier momento y enviarse una notificación a los socios para que expresen el sentido de su voto en un determinado plazo de tiempo[52]. En nuestro modelo actual no tiene cabida, pero tal vez en un futuro con el desarrollo imparable de las tecnologías, las sociedades de capital se vean abocadas a funcionar íntegramente a través de las tecnologías digitales. En este supuesto, no solo debería modificarse la Ley para adoptar este nuevo mecanismo de toma de decisiones "sin sesión"[53], sino que deberían revisarse otros aspectos conexos, como por ejemplo, los motivos por los que procedería la impugnación de acuerdos sociales.

---

algunas indican que recurren a auditorías externas. Véanse los ejemplos en Pérez Rodríguez, A.M., "Ejercicio electrónico de derechos del socios en las juntas de accionistas de las sociedades del IBEX 35", en *Derecho mercantil y tecnología*, Aranzadi, 2018, pp. 945-946.

[52] Ya Recalde Castells, A., *ob. cit.*, pp. 19-20 hacía referencia a esta posibilidad. Se trataría de configurar a la junta como un proceso refrendario en el que los accionistas irían expresando su voluntad en relación con los asuntos en los que la sociedad requiere su opinión sin necesidad de que ello se produjese en una fecha determinada. En la actualidad, Mateu de Ros, R., *ob. cit.*, p. 69 opina que en el futuro veremos cómo los acuerdos que la ley atribuye a la competencia indelegable de la junta se someterán a decisión de los socios durante un periodo determinado de tiempo a través del voto por Internet. A favor de que los asuntos que deban ser votados por la junta se inserten en la *blockchain* en cualquier momento sin necesidad de convocar al órgano, véase Van der Elst-Lafarre, *ob. cit.*, p. 23.

[53] Este debate no es nuevo. Nuestra doctrina ya se ha planteado si en nuestro Derecho es posible la adopción de acuerdos por escrito y sin sesión. V. Largo Gil, R., "La junta universal sin sesión", en *Derecho de sociedades y de los mercados financieros. Libro Homenaje a Carmen Alonso Ledesma*, Iustel, 2018, pp. 501-511; Alfaro Águila-Real, J., "La junta, los acuerdos sociales, la prohibición de la unanimidad y el reconocimiento de derechos de veto a los socios", en *Estudios sobre órganos de las sociedades de capital. Liber amicorum, Fernando Rodríguez Artigas, Gaudencio Esteban Velasco*, Aranzadi, 2017, consultado en soporte electrónico. En cualquier caso, el debate se ha planteado en relación con las sociedades cerradas con un número reducido de socios.

4. CONCLUSIONES

Nuestro Derecho de sociedades prevé el recurso a Internet en diferentes fases de la celebración de la junta general. Sin embargo, en la práctica se observa una escasa utilización de los medios digitales. Esto no quiere decir que el ejercicio de derechos de los socios a través de dispositivos electrónicos no pueda seguir fomentándose y no deba reflexionarse incluso sobre la conveniencia de regular el funcionamiento íntegramente digitalizado de la junta general. El desarrollo imparable de las tecnologías puede provocar que en el futuro las sociedades de capital se vean abocadas a funcionar íntegramente a través de las tecnologías digitales, lo que requerirá un replanteamiento del funcionamiento de este órgano social. En este contexto, la tecnología de registro distribuido ofrece ventajas de cara a facilitar el proceso de identificación de los socios, la transmisión de la información y el ejercicio del derecho de voto.

BIBLIOGRAFÍA

Alcover Garau, G., "Aproximación al régimen jurídico del voto electrónico", *RDM*, núm. 254, 2004, pp. 1341-1369.

Alfaro Águila-Real, J., "La junta, los acuerdos sociales, la prohibición de la unanimidad y el reconocimiento de derechos de veto a los socios", en *Estudios sobre órganos de las sociedades de capital. Liber amicorum, Fernando Rodríguez Artigas, Gaudencio Esteban Velasco*, Aranzadi, 2017, consultado en soporte electrónico.

Boquera Matarredona, J., *La junta general de las sociedades capitalistas*, Aranzadi, 2008.

ID., "Paradojas y problemas de la página web corporativa de las sociedades de capital", *RDM*, núm. 313, 2019, consultado en soporte electrónico.

Estevan de Quesada, C., "Participación en la junta general de la sociedad anónima por medios electrónicos: su utilización en las sociedades con un reducido número de socios", en *Tecnologías de la información y de la comunicación (TICS) en el Derecho societario*, Aranzadi, 2008, pp. 87-111.

Fernández del Pozo, L.-Vicent Chuliá, F., "Internet y Derecho de Sociedades. Una primera aproximación", *RDM*, núm. 237, 2000, pp. 915-1002.

Fontenot, L.A., "Public *Company* virtual-Only Annual Meetings", *The Business Lawyer*, vol. 73, núm. 1, winter 2017/2018.

Gállego Córcoles, A., "El *blockchain* en la junta general", en *Revolución digital, Derecho mercantil y token economía*, Tecnos, 2019, pp. 306-339.

García Mandaloniz, M.-Rodríguez de las Heras Ballell, T., "La inquebrantabilidad del principio de unicidad de la junta general electrónica", *Revista de la contratación electrónica*, núm. 57, 2005, pp. 63-86.

García Martínez, L.M., "Consideraciones iniciales sobre la tecnología de registro distribuido (*blockchain*) como herramienta emergente de identificación e implicación accionarial", en *Derecho de sociedades y de los mercados financieros. Libro Homenaje a Carmen Alonso Ledesma*, Iustel, 2018, pp. 371-393.

González Meneses, M., *Entender el blockchain. Una introducción a la tecnología de registro distribuido*, Aranzadi, 2017.

Ibañez Giménez, J.W., *Derecho de Blockchain y de la tecnología de registros distribuidos*, Aranzadi, 2018.

Lafarre, A. *The AGM in Europe*, Emerald Publishing Limited, 2017.

Largo Gil, R., "La adopción de acuerdos sociales a través de Internet", en *Internet y Derecho*, Monografía de la Revista Aragonesa de Administración Pública, Diputación General de Aragón, 2001, pp. 271-294.

ID., "La junta universal sin sesión", en *Derecho de sociedades y de los mercados financieros. Libro Homenaje a Carmen Alonso Ledesma*, Iustel, 2018, p. 501-511.

Lhuillier, J.B., "L'assemblée générale dématérialisée dans les sociétés anonymes non cotées et la voie électronique en droit des sociétés", *Revue des sociétés*, núm. 5, 2018, pp. 287-297.

Mateu de Ros, R., "Principales reformas recientes en materia de gobierno corporativo: normas legales y recomendaciones. Especial referencia a las sociedades cotizadas", en *Actores, actuaciones y controles del buen gobierno societario y financiero*, Marcial Pons, 2018, pp. 65-76.

Muñoz Paredes, J.M., *Nuevas tecnologías en el funcionamiento de las juntas generales y de los consejos de administración*, Civitas, 2005.

Nakamoto, S., "Bitcoin: A Peer-to-Peer Electronic Cash System", 2008, disponible en: www.bitcoin.org

Pérez Rodríguez, A.M., "Ejercicio electrónico de derechos del socio en las juntas de accionistas de las sociedades del IBEX 35", en *Derecho mercantil y tecnología*, Aranzadi, 2018, pp. 927-947.

Recalde Castells, A., "Incidencia de las Tecnologías de la Información y Comunicación en el desarrollo de las juntas generales de las sociedades anónimas españolas", *InDret*, junio 2007, pp. 1-39.

Rodríguez Artigas, F., "La participación por medios electrónicos en las juntas de la sociedad limitada", *Revista de Derecho mercantil*, núm. 289, 2013, pp. 77-107.

Sánchez Calero, F., *La junta general en las sociedades de capital*, Civitas, 2007.

Travis Laster, J., "The Block Chain Plunger: Using Technology to Clean Up Proxy Plumbing and Take Back the Vote", *Keynote Speech. Council of institutional Investors, Chicago,* 29 de septiembre de 2016, disponible en:https://www.cii.org/files/09_29_16_laster_remarks.pdf

Valpuesta Gastamiza, E., *Comentarios a la Ley de sociedades de capital,* Bosch, Barcelona, 2015.

Van der Elst, C.-Lafarre, A.,"*Blockchain* technology for corporate governance and shareholder activism", *European Corporate Governance Institute (ECGI)-Law Working Paper* núm- 390/2018; *Tilburg Law School Research Paper,* núm. 2018.7, marzo 2018, disponible en: https://ssrn.com/abstract=3135209

Vañó Vañó, M.J., "Información y gobierno electrónico en las sociedades cotizadas", *RDBB,* núm. 95, 2004, pp. 77-122.

ID., "Ejercicio del derecho de voto y de representación por medios de comunicación a distancia", en *Tecnologías de la información y de la comunicación (TICS) en el Derecho societario,* Aranzadi, 2008, pp. 13-86.

Vicent Chulià, F., *Introducción al Derecho mercantil,* 23ª ed., Tirant lo Blanch, 2012.

Yermack, D., "Corporate Governance and *Blockchain*s", *Review of Finance,* 2017, pp. 7-31, disponible en: https://doi.org/10.1093/rof/rfw074

EL IMPACTO DE LAS TECNOLOGÍAS DE COMUNICACIÓN ELECTRÓNICA EN LA CONTRATACIÓN INTERNACIONAL

DIEGO ROBLES FARÍAS[1]

Profesor investigador
Universidad Panamericana en Guadalajara (México)

SUMARIO: 1. Dos obstáculos a la contratación internacional: los distintos derechos nacionales y la masificación de la contratación. 2. La uniformidad del derecho contractual internacional o cómo vencer la pluralidad de sistemas jurídicos en el mundo. 3. La contratación internacional por medios electrónicos, un mecanismo para resolver el problema de la masificación de la contratación. 4. Principios en los que se basa la contratación electrónica. 5. Principales aspectos de la regulación de los contratos celebrados por medios electrónicos. 6. Los instrumentos internacionales que rigen la contratación y los que regulan el comercio electrónico. ¿Un matrimonio bien avenido? 7. Conclusiones. Bibliografía.

1. DOS OBSTÁCULOS A LA CONTRATACIÓN INTERNACIONAL: LOS DISTINTOS DERECHOS NACIONALES Y LA MASIFICACIÓN DE LA CONTRATACIÓN

El comercio internacional, impulsado por el desarrollo sin precedentes de la tecnología sobre todo en materia de comunicaciones electrónicas y de logística, busca colocar mercancías y servicios en todo el orbe. Sin embargo, enfrenta dos obstáculos sumamente importantes: la multiplicidad de sistemas jurídicos nacionales y la necesidad de regular la masificación de la contratación provocada por el incremento de las transacciones comerciales. En relación al primero, la Organización Mundial del Comercio, el Fondo Monetario Internacional y el Banco Mundial coinciden en señalar como un problema para el

---

[1] Editor de la Revista *Perspectiva Jurídica UP*. Abogado y Notario.

comercio trasnacional la coexistencia de los diferentes sistemas jurídicos, considerándolos como diversos e incompatibles. Por otro lado, la dinámica actual con la que se intercambian bienes y servicios, sobre todo en el ámbito internacional, ha provocado un cambio en la forma de contratación. Hemos pasado de la contratación tradicional –arraigada en sus dos compañeros milenarios: el papel y la firma autógrafa– a la contratación moderna, basada en comunicaciones electrónicas y en nuevas tecnologías de identificación de las personas a través de la firma electrónica que incluye sistemas biométricos y otros avances tecnológicos, lo que ha ocasionado un ajuste mundial en la forma de contratación y en la regulación del derecho contractual moderno.

En relación a la *multiplicidad de sistemas jurídicos*, los operadores del comercio trasnacional han encontrado en la *uniformidad* del derecho –que incluye la unificación y la armonización– un mecanismo para vencer este obstáculo y contribuir con ello al avance del comercio internacional. Haremos referencia a los principales instrumentos de derecho uniforme –tanto *hard law* como *soft law*– que han surgido para unificar o armonizar el derecho comercial internacional.

En cuanto al segundo de los obstáculos, la vía encontrada para vencer la *masificación de la contratación* es la utilización de las tecnologías electrónicas para enviar, archivar y firmar documentos. Repasaremos los instrumentos internacionales que han surgido para regular la contratación y firma por medios electrónicos, así como los principios en los que se basan y que constituyen piedras angulares del derecho contractual moderno.

2. LA UNIFORMIDAD DEL DERECHO CONTRACTUAL INTERNACIONAL O CÓMO VENCER LA PLURALIDAD DE SISTEMAS JURÍDICOS EN EL MUNDO

Como lo mencionamos, la multiplicidad de sistemas jurídicos nacionales constituye un obstáculo para el libre comercio y complica extraordinariamente el tráfico jurídico internacional[2]. Los operadores

---

[2]   La Organización Mundial del Comercio, el Fondo Monetario Internacional y el Banco Mundial coinciden en señalar como un problema la coexistencia de los diferentes sistemas jurídicos considerándolos como diversos e incompatibles. *V.*

del comercio trasnacional han encontrado en la *uniformidad* del Derecho un mecanismo para vencer ese obstáculo legal, debido a que las normas uniformes reducen los riesgos legales del comercio internacional y otorgan seguridad y cierto alivio a los comerciantes que emprenden negocios internacionales y a los jueces o árbitros que deben resolver las disputas que puedan surgir[3].

Los diversos sistemas jurídicos que antaño constituían parte de la identidad nacional[4], ahora son vistos como un problema para el comercio mundial. Existe la impresión de una verdadera guerra comercial entre las dos principales tradiciones, por un lado el *common law* encabezado por los Estados Unidos de América e impulsado por el Banco Mundial y por el otro, el *civil law,* uno de cuyos principales exponentes –el más representativo– es el modelo francés[5]. Se ha estimado que el derecho anglosajón protege de mejor manera a los inversionistas internacionales y que por ello es superior a los de la tradición romanística. La razón de esa supuesta inferioridad de los

---

World Bank, Doing Business in 2004: Understanding Regulations, Washington D.C. 2004, y Doing Business in 2005. Removing Obstacles to Growth, Washington D.C. 2005.

[3]   V. Zweigert, K y Kötz, H., *Introduction to Comparative Law, (translated from the German by Tony Weir), Carendon Press, 3th edition, Oxford, 2011, p. 25.*

[4]   Existen distintas familias o tradiciones jurídicas: c*ommon law* o sistema tradicional inglés-americano, sistema franco-latino, sistema de jurisdicciones emergentes (China, Federación Rusa, Vietnam), sistema romano-*common Law*, sistema germánico-escandinavo, sistema franco-latino germánico, sistema Islámico, etc. V. Rose, A.O. y Alan D., *The Challenges for Uniform Law in The Twenty-First Century,* Uniform Law Review, Unidroit, vol. I, 1996.

[5]   La confrontación ha sido impulsada principalmente por los informes del Banco Mundial denominados *Doing Business* que se publican anualmente. En esos informes se ha establecido la ineficacia de los sistemas jurídicos de origen romanista –y el del derecho francés en particular- respecto de los modelos jurídicos del *common law,* suscitando una fuerte reacción en Francia, expresada en una publicación de la *Société de législation comparée* denominada *Les droits de tradition civiliste en question* publicada por la *Association Henri Capitant des Amis de la Culture Juridique Française.* V. Monateri, P. G., *Globalización y Derecho Europeo de los Contratos,* disponible en www.academia.edu/26327805/Globalización. Puede encontrarse una versión en español en el libro *Los Sistemas de Derecho de Tradición Civilista en Predicamento, La Respuesta a los Informes Doing Business del Banco Mundial,* coordinado por Jorge Sánchez Cordero, como presidente del Grupo Mexicano de la *Asociación Henri Capitant,* publicado por el Instituto de Investigaciones Jurídicas de la UNAM.

sistemas del *civil law* consiste en su mayor estatismo, en comparación con la regulación mucho más descentralizada del mercado en los sistemas anglosajones o del *common law*[6]. En los ordenamientos que han surgido para regular el Derecho contractual internacional y que adelante mencionaremos, se ha impuesto el derecho anglosajón, a pesar de que también se contemplan instituciones del *civil law*.

Desde hace algunas décadas se ha pensado que la mejor forma para resolver el problema causado por la interacción de los distintos sistemas legales, es *uniformando* el Derecho comercial internacional. La *uniformidad* tiene dos extremos: por un lado, la *unificación* que trata de establecer normas comunes que reemplacen la legislación nacional, de texto idéntico, de tal forma que eviten los conflictos de leyes, principalmente, mediante la celebración de tratados internacionales (*hard law*); y, por el otro, la *armonización* que pugna por un derecho semejante –por lo menos no insoportablemente diferente- a través de leyes y cláusulas modelo, principios y otros mecanismos semejantes (*soft law*). Este proceso consiste en proponer un conjunto de normas no obligatorias para regular determinada parte del Derecho, que son tomadas como modelo por los distintos países e incorporadas a su legislación interna, no sin antes modificarlas y adecuarlas a los distintos grados de evolución y a los principios fundamentales que operen en su derecho; o bien, un cuerpo de normas *no vinculantes* a las que los interesados puedan someterse voluntariamente para regir sus relaciones jurídicas, como los Principios. Como se ve, de lo que se trata es de dotar al Derecho de cierta armonía. Un Derecho armónico es semejante, pero no idéntico y permite a los operadores en el ámbito internacional, contar con reglas digeribles y funcionales. La armonización del Derecho respeta en gran medida la idiosincrasia de cada país, pero a la vez otorga uniformidad en el tráfico jurídico. En resumen, la *armonización* pugna por la creación de normas abiertas, flexibles o moldeables tipo *soft-law*. En contrapartida, la *unificación* busca un Derecho idéntico a través de tratados internacionales, con normas únicas, fijas e inamovibles, que perduren en el tiempo, normas de tipo *hard-law*[7].

---

[6]   Monateri, P. G., *ob. cit.*

[7]   Distintas organizaciones internacionales trabajan para uniformar el Derecho en los temas señalados, entre ellas: la *Conferencia de Derecho Internacional Priva-*

3. LA CONTRATACIÓN INTERNACIONAL POR MEDIOS ELECTRÓNICOS, UN MECANISMO PARA RESOLVER EL PROBLEMA DE LA MASIFICACIÓN DE LA CONTRATACIÓN

La institución internacional que ha encabezado los esfuerzos para regular la contratación por medios electrónicos es la Comisión de las Naciones Unidas para el Derecho Mercantil Internacional (CNUD-MI) que ha elaborado y aprobado los siguientes instrumentos de Derecho uniforme.

1.º) La Ley Modelo de la CNUDMI sobre comercio electrónico

Fue aprobada por la Asamblea general de las Naciones Unidas el 16 de diciembre de 1996, junto con una elaborada guía para su incorporación en el Derecho interno de los distintos Estados para modernizar sus legislaciones[8]. La premisa para su elaboración consistió en la afirmación de que la utilización de los medios modernos de comunicación electrónica en el ámbito jurídico se ve obstaculizada por la existencia de impedimentos legales para su empleo o por el desconocimiento o incertidumbre sobre su validez y eficacia jurídica. En la época de su aprobación, el régimen jurídico relativo a la contratación, la comunicación y el archivo de información de la mayoría de los países había quedado obsoleta al no contemplar el empleo de los medios electrónicos de comunicación, o incluso al establecer limitaciones a los mismos, por ejemplo, cuando las leyes imponían la necesidad de

---

do de la Haya (www.hcch.net); el *Instituto Internacional para la Unificación del Derecho Privado* o UNIDROIT por su acrónimo francés (www.unidroit.org); la *Comisión de las Naciones Unidas para el Derecho Mercantil Internacional* (CNUDMI) (www.CNUDMI.org); la *Cámara de Comercio Internacional* (ICC) con sede en París (www.iccwbo.org), y la *Conferencia Interamericana de Derecho Internacional Privado* (CIDIP) (www.oas.org).

[8]   Estas guías no son simples explicaciones de los artículos de las leyes modelo, sino que constituyen verdaderas fuentes de interpretación, e incluso ciertas cuestiones no son resueltas en el texto de las leyes modelo, sino en las propias guías, con la doble finalidad de orientar a los Estados en el proceso de incorporación a su Derecho interno y de proporcionarles las herramientas necesarias para su interpretación uniforme.

documentos *impresos, originales o firmados*. La *Ley Modelo de la CNUDMI Sobre Comercio Electrónico* tuvo como finalidad ofrecer a los legisladores nacionales un conjunto de reglas aceptables en el ámbito internacional, que les permitan eliminar la mayoría de esos obstáculos jurídicos y crear un entorno legal seguro para el desarrollo del comercio por medios electrónicos. Otra de sus finalidades fue servir de guía a los usuarios del comercio electrónico, para encontrar soluciones contractuales, cuando las partes deciden la utilización de las vías electrónicas de comunicación[9].

La Ley modelo fue la primera en formular los principios de *neutralidad tecnológica* y *equivalencia funcional*, que después se tratarían en los demás instrumentos uniformes sobre comercio y firma electrónica. Estableció también normas para la formación y la validez de los contratos celebrados por medios electrónicos, para la atribución de documentos electrónicos y para la determinación del lugar y hora en que se envíen y reciben.

Es importante señalar que algunas de las disposiciones de la Ley Modelo fueron modificadas por la *Convención de las Naciones Unidas sobre la Utilización de las Comunicaciones Electrónicas en los Contratos Internacionales* de 2005 con motivo de la adecuación a las prácticas seguidas en el comercio electrónico.

2.°) La Ley Modelo de la CNUDMI sobre firmas electrónicas

Aprobada el 12 de diciembre de 2001, tuvo como finalidad lograr la armonización de las distintas legislaciones nacionales relacionadas con las *firmas electrónicas*, estableciendo normas básicas para su utilización en el comercio internacional. Así mismo, constituyó un valioso complemento a la Ley Modelo de la CNUDMI Sobre Comercio Electrónico, la que ya regulaba a la firma electrónica en su artículo 7. La *Ley Modelo de la CNUDMI Sobre Firmas Electrónicas* ofrecía normas prácticas para comprobar la fiabilidad técnica de las firmas electrónicas, además de un vínculo jurídico entre dicha fiabilidad téc-

---

[9]   En la actualidad, 72 Estados y un total de 151 jurisdicciones han basado su legislación, o al menos ha sido influenciada, por la *Ley Modelo de la CNUDMI Sobre Comercio Electrónico*, disponible en *https://uncitral.un.org/en/texts*.

nica y la eficacia jurídica que debe esperarse de esta forma de identificación personal[10].

Ambas leyes modelo han sido realmente exitosas pues sus normas
son consideradas como estándares legislativos globales y los principios que promulgan –*equivalencia funcional, neutralidad tecnológica
y no discriminación*- constituyen pilares globales del Derecho del comercio electrónico. Sin embargo, se tiene la impresión de que presentan limitaciones intrínsecas al no ser vinculantes, lo que implica la
posibilidad de que sus disposiciones puedan ser modificadas una vez
que se incorporan al Derecho interno de los distintos Estados que las
adoptan, afectando con ello la armonización y previsibilidad legal.

Por otro lado, las leyes modelo sobre comercio y firma electrónicos fueron elaboradas cuando predominaban ciertos modelos tecnológicos de comunicación, como el *Intercambio Electrónico de Datos*
(EDI) y aún no se incorporaban los avances tecnológicos que pre-
valecen en la actualidad. Por ello, la CNUDMI decidió preparar un
tratado internacional que regulara con efectos vinculantes el Derecho
del comercio y la firma electrónicos y que, aprovechando la experiencia de las leyes modelo que le antecedieron, facilitara el reconocimiento jurídico transfronterizo de las comunicaciones y las firmas
electrónicas en un nivel superior, es decir, el de la unificación. Se llegó
entonces a la adopción del tratado internacional que reseñaremos a
continuación.

3.º) *La Convención de las Naciones Unidas sobre la utilización de las comunicaciones electrónicas en los contratos internacionales*

Este tratado internacional (en adelante, E-CC) fue adoptado por
la Asamblea General de las Naciones Unidas el 23 de noviembre de
2005. Su objetivo principal es facilitar el reconocimiento jurídico

---

[10]   Son 33 Estados los que han basado su legislación, o al menos ha sido influenciada, por la *Ley Modelo de la CNUDMI Sobre Firmas Electrónicas. https://
uncitral.un.org/en/texts* (consultado el 16 de noviembre de 2019).

transfronterizo y lograr una operación técnica común (interactividad) entre las comunicaciones y las firmas electrónicas[11].

Son cuatro los factores que permiten a la E-CC promover el comercio transfronterizo[12]: en primer lugar, facilitar el uso de los medios electrónicos en la aplicación de tratados internacionales concluidos antes de que se generalizara el uso de las comunicaciones electrónicas en el comercio internacional, como la *Convención de las Naciones Unidas sobre los Contratos de Compraventa Internacional de Mercaderías* (CISG); en segundo lugar, reforzar los niveles de uniformidad en la promulgación, interpretación y aplicación de las leyes modelo de la CNUDMI sobre comercio y sobre firmas electrónicas; en tercer puesto, actualizar y complementar ciertas disposiciones de las dos leyes modelo antes mencionadas y, finalmente, proveer una legislación básica moderna y uniforme sobre comercio electrónico a países que carezcan de legislación o que la tengan pero incompleta.

El ámbito de aplicación de la E-CC se limita al empleo de las comunicaciones electrónicas en relación con la formación y cumplimiento de un contrato entre partes cuyos establecimientos se encuentren en distintos Estados (art. 1)[13], basándose en dos conceptos fundamentales: *comunicación* y *electrónico*. El término *comunicación* se refiere a cualquier exposición, declaración, reclamación, aviso o solicitud – incluyendo la oferta y su aceptación- de las partes en relación con la formación o el cumplimiento de un contrato (art. 4-a), incluyendo las comunicaciones precontractuales. No es necesario que se realicen totalmente en forma electrónica, es posible que solo alguna parte de

---

[11]   En la actualidad solo 11 Estados son parte de la *Convención de las Naciones Unidas Sobre la Utilización de las Comunicaciones Electrónicas, disponible en www.uncitral.org/es/uncitral_text/electronic_commerce/2005Convention_status.html.*

[12]   Castellani, L. G., "La Convención de las Naciones Unidas sobre la utilización de las comunicaciones electrónicas en los contratos internacionales: relevancia práctica y lecciones aprendidas", *Revista de Derecho Privado, Universidad Externado de Colombia*, núm. 29, julio-diciembre de 2015, pp. 75-99.

[13]   A diferencia de la CISG que requiere que todas las partes tengan su establecimiento en los Estados contratantes, la E-CC se aplicará si la ley aplicable a las comunicaciones electrónicas conforme al Derecho Internacional Privado es la legislación de un Estado parte de la E-CC, o si las partes han elegido el Derecho de un Estado parte de la E-CC como ley del contrato o han optado por la E-CC en sí misma en los cuales la elección de disposiciones no estatales está permitida.

la comunicación sea por esta vía. Por otro lado, el término *electrónico* se refiere a las *comunicaciones electrónicas* esto es, toda comunicación que las partes hagan por medio de *mensajes de datos* (art. 4 letra c), que son las comunicaciones cuyo soporte es electrónico y por lo tanto distintas a las comunicaciones cuyo sustento es físico –como el papel u otros materiales similares- o a la comunicación verbal. No obstante, una comunicación verbal podrá adquirir la naturaleza electrónica cuando se graba para su transmisión a través de algún medio electrónico.

Tanto la Ley Modelo sobre Comercio Electrónico, como la Ley Modelo sobre Firmas Electrónicas, han tenido un éxito notable que se refleja en el número de jurisdicciones que las han adoptado, el cual se prevé siga incrementándose. Sin embargo, la E-CC contiene normas actualizadas para el uso de las comunicaciones electrónicas. Por ello la CNUDMI recomienda a los países la adopción de la E-CC en conjunción con la adopción y promulgación de las Leyes Modelo sobre Comercio y Firmas Electrónicas, pues todas complementan el marco normativo del comercio electrónico en su dimensión internacional. Respecto de aquellos países que ya han adoptado y promulgado las leyes modelo, la E-CC mejora la eficiencia de su regulación al introducir nuevas disposiciones y aclarar el funcionamiento de otras a la luz de las prácticas comerciales actuales y de los últimos avances tecnológicos[14].

4. PRINCIPIOS EN LOS QUE SE BASA LA CONTRATACIÓN ELECTRÓNICA

Son tres los principios que rigen la contratación internacional: el de *neutralidad tecnológica,* el de *equivalencia funcional* y el de *no discriminación*, los cuales analizaremos a continuación[15].

---

[14]   Castellani, L. G., *ob. cit.*, p. 93.
[15]   Los principios en los que se basa la regulación de la contratación y firma electrónicos se desarrollan en la *nota explicativa* preparada por la Secretaría de la CNUDMI sobre la E-CC, y en las *Guías para la incorporación al Derecho interno* de las Leyes modelo de la CNUDMI sobre Comercio y sobre Firmas Electrónicas, disponibles en *https://www.uncitral.org/pdf/spanish/texts/ electcom/06-57455_Ebook.pdf.*

1.°) *El principio de Neutralidad Tecnológica.* La tecnología está en constante evolución, por lo que continuarán desarrollándose nuevos medios para transmitir o archivar textos de manera electrónica, al igual que para firmarlos electrónicamente. Es evidente que la regulación de la contratación –tanto nacional como internacional– no podrá actualizarse a la velocidad con la que se producen los cambios tecnológicos. Por ello, todos los instrumentos de Derecho uniforme que regulan la contratación por medios electrónicos –Leyes Modelo sobre Comercio y Firma Electrónica, E-CC, etc.- se realizaron con la plena conciencia de que surgirían nuevas tecnologías en la materia; por eso se decidió crear un *entorno jurídico neutro* que permitiera incorporarlas sin necesidad de realizar nuevas adecuaciones a la legislación y de ese modo asegurar que la regulación dará cabida a las novedades tecnológicas. De esta forma, se sentaron las bases para la admisión de cualquier medio técnicamente viable de comunicación y firma electrónicas que se desarrolle en el futuro.

El principio de neutralidad electrónica implica que todos los instrumentos de Derecho uniforme que regulan la contratación por medios electrónicos, contienen reglas *neutrales* que no dependen de –ni presuponen– la utilización de determinada tecnología por lo que se trata de *normas abiertas* que pueden aplicarse a cualquier tipo de información electrónica.

Para lograr ese entorno jurídico neutro, se adoptó una terminología totalmente novedosa, encaminada a evitar cualquier referencia a medios electrónicos concretos. La neutralidad tecnológica abarca también el concepto de *neutralidad de medios* pues la redacción de los instrumentos que regulan la contratación y firma electrónicas se concibieron de tal manera que facilitaran los medios de comunicación *sin papel,* previendo criterios para que esos medios puedan equipararse a los documentos en soporte físico, sin alterar las reglas tradicionales que rigen la contratación.

2.°) *El principio de equivalencia funcional.* Las normas que establecen la utilización de documentos en papel, constituyen un obstáculo para el desarrollo del comercio moderno y de los medios modernos de comunicación. El comercio internacional ha evolucionado hacia la utilización de documentos electrónicos. Sin embargo, es necesario reconocer que la regulación de la contratación tradicional sobre papel está firmemente arraigada en los distintos sistemas jurídicos y que sería prácticamente imposible lograr un cambio estructural de las leyes para eliminar por completo los requisitos de la celebración de los contratos, como *escrito*, *firma* y *original*, pues con ello se trastocarían los fundamentos jurídicos en que se basa su utilización, que nos llegan por tradición desde tiempos inmemoriales[16].

Por ello, la regulación del comercio electrónico se realizó sin modificar en lo fundamental los conceptos jurídicos tradicionales, especialmente los relativos a la regulación de los documentos escritos sobre papel y firmados de manera manuscrita. Para lograrlo, los distintos instrumentos de Derecho uniforme siguieron el criterio denominado *equivalencia funcional*[17], que está basado en el análisis de los objetivos y funciones que corresponden a un documento escrito sobre papel, con el objeto de que esos requisitos se cumplieran al utilizar la contratación por medios electrónicos.

Las características o funciones específicas que corresponden a los documentos escritos en papel y que son homologados a los documentos electrónicos son las siguientes[18]: proporcionar un documento legible para todos; asegurar la inalterabilidad del documento a lo largo del tiempo; permitir la reproducción de un documento a fin de que cada una de las partes disponga de un ejemplar del mismo escrito; permitir la autenticación de los datos consignados suscribiéndolos con una firma y proporcionar una forma aceptable para la presentación de un escrito ante las autoridades públicas y los tribunales.

¿Pueden los documentos electrónicos cumplir con las características que corresponden a los documentos escritos sobre papel? La tecnología moderna permite que la información consignada o trasmitida por medios electrónicos, cumpla con todos los requisitos que corresponden a los documentos de papel. En efecto, la homologación de un documento sobre papel y otro electrónico se logra gracias a que la tecnología proporciona los medios para que éstos últimos puedan ser legibles para todos, para asegurar su inalterabilidad a lo largo del

---

16   Párrafos 50 y 51 de la Nota explicativa de la E-CC.
17   Párrafo 15 de la Guía de la Ley Modelo sobre Comercio Electrónico y párrafo 51 de la Nota explicativa de la E-CC.
18   Párrafo 16 de la Guía de la Ley Modelo sobre Comercio Electrónico.

tiempo y para permitir su reproducción con el objeto de que cada una de las partes disponga de un ejemplar, ya sea en archivo electrónico o impreso en papel. Así mismo, permite la autentificación de los datos consignados electrónicamente mediante la *firma electrónica*. Además, los avances tecnológicos en materia de comunicaciones ofrecen un grado de seguridad equivalente y en muchos casos superior al del papel, en cuanto a la determinación del origen del documento electrónico, el contenido de los datos, su inalterabilidad y su atribución a una persona determinada. Por lo anterior es posible afirmar que en la actualidad un documentos escrito en papel y otro electrónico son equivalentes, en cuanto a su valor, seguridad[19], facilidad de consulta, reproducción y atribución a su autor.

El principio de *equivalencia funcional* se regula expresamente en los instrumentos de Derecho uniforme estableciendo que cuando la ley requiera que una comunicación o un contrato conste por escrito, o prevea consecuencias en caso de que no se cumpla, una comunicación electrónica cumplirá ese requisito si la información consignada en su texto es accesible para su ulterior consulta[20]. En relación a la firma, se establece que cuando la ley requiera que una comunicación o un contrato sea firmado por una parte, o prevea consecuencias en caso de que no se firme, ese requisito se dará por cumplido respecto de una comunicación electrónica si se cumplen los requisitos de fiabilidad señalados en los propios instrumentos[21].

El concepto de *equivalencia funcional* es fundamental para la comprensión del *comercio electrónico* y de la *firma electrónica*, pues, como señalamos, ese principio otorga a las comunicaciones electrónicas el mismo valor y alcance jurídico que el que tienen las comunicaciones con soporte de papel, de tal manera que no pueda discriminarse la utilización de los medios electrónicos de comunicación en la contra-

---

[19]   En el mundo de los documentos sobre papel es imposible garantizar la seguridad absoluta frente al fraude o errores de transmisión. En principio, existe el mismo riesgo en las comunicaciones electrónicas. Por ello la E-CC eligió un concepto flexible de fiabilidad estableciendo que sería la apropiada para los fines para los que se generó la comunicación electrónica (art. 9 E-CC).

[20]   Art. 9 párrafo 2 de la E-CC.

[21]   Art. 9 párrafo 3 de la E-CC, art. 7 de la Ley Modelo sobre Comercio Electrónico, art. 6 de la Ley Modelo sobre Firmas Electrónicas.

tación[22]. De esta forma, los contratos y demás actos jurídicos pueden celebrarse mediante la utilización de medios electrónicos, además de que es posible que se envíen o se archiven electrónicamente y esos documentos o archivos electrónicos tendrán pleno valor jurídico y probatorio entre las partes y ante los tribunales.

3.º) *El principio de no discriminación*. Los dos principios anteriores se complementan con el principio *de no discriminación* entre los documentos en soporte electrónico y los documentos sobre papel, al igual que entre las firmas manuscritas y las electrónicas. Este principio establece que no deben discriminarse ninguna de las técnicas que puedan ser utilizadas para comunicar, archivar o firmar electrónicamente información. Significa también que no puede negarse efectos, validez o fuerza obligatoria a una comunicación electrónica o a un mensaje de datos por el solo hecho de que sea electrónico, incluso cuando dicha comunicación electrónica no esté contenida en el propio mensaje de datos sino que figure como una mera referencia o remisión en el mismo[23].

La no discriminación protege también la fuerza probatoria de las comunicaciones electrónicas o los mensajes de datos, al establecer que toda información presentada en forma de mensaje de datos gozará de la debida fuerza probatoria y que por lo tanto no se aplicará disposición legal alguna que sea óbice para la admisión como prueba de una comunicación electrónica[24]. Tampoco se negará validez o fuerza obligatoria a un contrato por la sola razón de haberse utilizado en su formación –oferta y aceptación- una comunicación electrónica, incluyendo también cualquier otra declaración, comunicación o manifestación de la voluntad por vía electrónica relacionada en el mismo contrato[25].

Por lo que ve a las firmas electrónicas, la no discriminación prohíbe que se excluya, restrinja o prive de efecto jurídico cualquier méto-

---

[22]   Art. 7 de la Ley Modelo sobre Comercio Electrónico y párrafo 15 su Guía, art. 6 de la Ley Modelo sobre Firmas Electrónicas y párrafo 5 de su Guía.
[23]   Arts. 5 y 5 bis de la Ley Modelo sobre Comercio Electrónico, y art. 8 E-CC.
[24]   Art. 9 Ley Modelo sobre Comercio Electrónico.
[25]   Arts. 11 y 12 Ley Modelo sobre Comercio Electrónico, y art. 8 E-CC.

do para crear una firma electrónica que cumpla con los requisitos establecidos en los instrumentos de derecho uniforme que las regulan[26].

5. PRINCIPALES ASPECTOS DE LA REGULACIÓN DE LOS CONTRATOS CELEBRADOS POR MEDIOS ELECTRÓNICOS

En este apartado mencionaremos algunos aspectos de la regulación de los contratos celebrados por medios electrónicos. Hemos elegido aquellos que constituyen diferencias reconocibles con la contratación tradicional. Utilizaremos como guía la regulación contenida en la E-CC por ser la más actualizada[27].

1.º) *Formación del contrato por medios electrónicos.* Los medios electrónicos constituyen una forma de contratar y por tanto el uso de comunicaciones electrónicas en la contratación cabe dentro de la amplitud que tienen la autonomía privada y la libertad de contratación. De ahí el principio de *no discriminación* contenido en el artículo 8 de la E-CC, que dispone que no se negará validez ni fuerza ejecutoria a un contrato por la sola razón de que se celebre por medios electrónicos. El mismo artículo establece que el uso de las comunicaciones electrónicas en la contratación es opcional. Nadie está obligado a utilizarlas, pero la conformidad para su uso puede inferirse de la conducta de los contratantes, por ejemplo, al indicar una dirección electrónica o mediante el uso de herramientas electrónicas de comunicación.

La utilización de comunicaciones electrónicas en la contratación internacional no se limita a la formación del contrato, sino que se extiende a todo el proceso contractual, desde las negociaciones previas, el perfeccionamiento a través de la oferta y su aceptación y su cumplimiento o ejecución. Incluye también todas las comunicaciones, notificaciones, declaraciones, avisos, solicitudes, etc. que las partes se hagan en relación con el contrato.

---

[26]   Art. 3 Ley Modelo sobre Firmas Electrónicas.
[27]   Debe tomarse en cuenta que el ámbito de aplicación de la E-CC se limita a la formación del contrato y a su cumplimiento; v. art. 1 de la E-CC.

2.º) *Invitación para presentar ofertas*. La E-CC distingue entre verdaderas ofertas dirigidas a perfeccionar el contrato, de las *invitaciones para presentar ofertas*. Una propuesta de celebrar un contrato dirigida a una o varias personas determinadas constituirá una oferta si es suficientemente precisa e indica la intención del oferente de quedar obligado en caso de aceptación[28]. En cambio, si la propuesta de celebrar un contrato realizada por medios electrónicos no está dirigida a personas determinadas, sino que es accesible para todos aquellos que hagan uso de los sistemas de información o de aplicaciones interactivas para hacer pedidos, se consideran *invitaciones para presentar ofertas* –las cuales no son vinculantes- a menos que se indique claramente la intención del proponente de quedar obligado por su oferta[29].

3.º) *Ubicación de las partes*. En la contratación por medios electrónicos es tarea casi imposible ubicar el lugar donde se encuentran las partes, dado que la contratación electrónica implica la *desmaterialización* de la ubicación física; contrario a lo que ocurre con la contratación tradicional en la que es fácil señalar el lugar en que se encuentran. Sin embargo, la ubicación de los contratantes es importante para determinar el carácter internacional del contrato, el lugar de su formación, el derecho aplicable, la jurisdicción o competencia en caso de conflicto, etc.

Por ello, la E-CC establece la ubicación de las partes mediante una presunción acerca de la localización de su establecimiento[30]. Si se trata de una persona moral, se presumirá que el establecimiento está en el lugar por ella indicado, salvo prueba en contrario (art. 6-1). Cuando esa parte no indica un establecimiento y tiene varios, su ubicación será la del establecimiento que tenga la relación más estrecha con el contrato (art. 6-2)[31]. Si el contratante es persona física y no

---

[28] Art. 14 (1) CISG.
[29] Art. 11 E-CC.
[30] Establecimiento. El lugar donde una parte mantiene un centro de operaciones no temporal para realizar una actividad económica distinta del suministro transitorio de bienes o servicios desde determinado lugar.
[31] El párrafo 2 del art. 6 de la E-CC se basa en el apartado a) del art. 10 de la CISG. Sin embargo, a diferencia de esta disposición, que señala el establecimiento que *guarde la relación más estrecha con el contrato y su cumplimiento*, la E-CC se refiere únicamente a la relación más estrecha con el contrato.

478 Diego Robles Farías

tiene establecimiento, se tendrá en cuenta el lugar de su residencia habitual (art. 6-3).

La *desmaterialización* de la ubicación física hace que sea hasta cierto punto irrelevante, para la determinación del establecimiento de las partes, la ubicación de los equipos, de la tecnología de apoyo para las comunicaciones electrónicas o del lugar en donde se encuentre el sistema de información utilizado, sobre todo cuando se utilizan los servicios de la *nube* (art. 6-4). Por otro lado, el hecho de que se haga uso de un *nombre de dominio* o de una dirección de correo electrónico vinculado con cierto país, no crea por sí misma la presunción de que el establecimiento se encuentra en ese país, debido a que el comercio internacional implica una gran movilidad, no obstante, las partes utilizarían los nombres de dominio del país en el que se hayan registrado (art. 6-5)[32].

4.°) *Tiempo de envío y recepción de las comunicaciones electrónicas.* El hecho de que en la contratación por medios electrónicos, la oferta y la aceptación se realicen a través del envío y recepción de comunicaciones electrónicas dificulta la determinación del momento y lugar de la formación del contrato. La E-CC trata del tiempo y el lugar de envío y recepción de cualquier comunicación electrónica (art. 10), incluyendo la oferta y aceptación para la formación del acuerdo. Esta regulación modifica y actualiza la que sobre el mismo tema hacía la Ley Modelo sobre Comercio Electrónico (art. 15), en virtud de las nuevas prácticas de negocios en el ámbito internacional y el avance de las innovaciones tecnológicas. Por esa razón, nos referiremos principalmente a la forma en que se regula este tema la E-CC y la compararemos –cuando se considere conveniente- con la normativa anterior.

La expedición de la comunicación electrónica se produce en el momento que sale de un sistema de información que se encuentre bajo el control del iniciador o de la parte que lo envíe en su nombre (art. 10-1)[33].

---

[32] Un tribunal o un árbitro podrá tener en cuenta la ubicación de los equipos o la asignación de un nombre de dominio vinculado con algún país, como posible elemento para determinar la ubicación de las partes. *Vid.* párrafo 117 de la Nota Explicativa de la E-CC.

[33] En cambio, la Ley Modelo sobre Comercio Electrónico establecía que el mensaje de datos se consideraba expedido –mensaje de datos en la Ley Modelo y

Para determinar el *momento* de *recepción* de una comunicación electrónica debe primero hacerse la distinción entre una dirección electrónica designada y otra no designada (art. 10-2). Si el destinatario *ha designado una dirección electrónica*, la recepción tendrá lugar en el momento en que pueda ser recuperada por el destinatario. Se presume que la comunicación electrónica puede ser recuperada por el destinatario en el momento en que *llegue* a su dirección electrónica[34]. En el caso de que *el destinatario no designe una dirección electrónica*, se considerará que se ha *recibido* cuando la comunicación electrónica pueda ser recuperada siempre y cuando el destinatario sea consiente que se ha enviado la comunicación. Como se aprecia, esta regla sigue más de cerca la forma en que se contrata en el mundo del papel[35].

5.º) *Lugar de envío y recepción de comunicaciones electrónicas.* Respecto al lugar en el que se expide o se recibe una comunicación electrónica, la E-CC vincula la norma (art. 10-3) con el concepto de *establecimiento* (art. 6), señalando que la comunicación electrónica se tendrá por expedida en el lugar en que el iniciador tenga su establecimiento y por recibida en el lugar en el que el destinatario tenga el suyo. Como se aprecia, esta norma sigue la regla de la *desmaterialización* de las comunicaciones electrónicas estableciendo una solución práctica al vincular el lugar de envío y recepción con las reglas del establecimiento.

6.º) *Uso de sistemas automatizados de mensajes para la formación de contratos.* En la contratación tradicional –la época del papel y la firma autógrafa- constituyó un hito la aparición de los intermediarios

---

comunicación electrónica en la E-CC son equivalentes- cuando entraba en un sistema fuera del control del iniciador (art. 15). La norma fue revisada a fin de evitar consecuencias adversas para el autor cuando la comunicación no pueda entrar en el sistema de información por razones fuera de su control, como el uso de servidores de seguridad, de filtros de *spam* o que el sistema del destinatario o del intermediario estuvieran fuera de funcionamiento.

[34]   Esta regla es prácticamente la misma que establece la Ley Modelo sobre Comercio Electrónico la que considera recibido el mensaje de datos en el momento en que ingresa al sistema de información designado (art. 15-2).

[35]   La Ley Modelo sobre Comercio Electrónico requiere la recuperación real por parte del destinatario, lo que podría permitir que el destinatario retrase o evite la entrega de un mensaje de datos en forma deliberada (art. 15-2) La misma regla se utiliza en los Principios UNIDROIT (art. 1.10.3)

mecánicos, como las máquinas expendedoras de productos a las que se les colocaba una moneda y entregaban algún producto. Fue necesario replantearse el perfeccionamiento de los contratos cuando de una parte no intervenía un ser humano sino una máquina. En la contratación electrónica ocurre lo mismo con el uso de *sistemas automatizados de mensajes*. El artículo 12 de la E-CC establece que no se negará validez ni fuerza ejecutoria a un contrato que se haya formado por la interacción de un sistema automatizado de mensajes y una persona física o por la interacción de sistemas automatizados. Es decir, no es relevante para la formación y la efectividad del contrato la intervención de seres humanos que revisen y validen los actos realizados a través de los referidos sistemas automatizados.

El desarrollo de la tecnología hace indispensable que los instrumentos de Derecho uniforme que regulan la contratación internacional favorezcan la utilización de sistemas automatizados de mensajes en el comercio electrónico. Por ello la CNUDMI, al redactar la E-CC, estableció la norma contenida en el artículo 12, una norma basada en el principio de no discriminación, cuya finalidad es precisar que no es obstáculo para la formación y validez del contrato por medios electrónicos que alguna persona física inicie una operación o revise los actos realizados[36].

Las acciones ejecutadas de manera autónoma por los sistemas automatizados de mensajes se atribuyen a la persona física o moral que los programó y estableció los parámetros técnicos para su capacidad de funcionamiento, de modo que los derechos, las obligaciones y las responsabilidades derivadas de los contratos celebrados por este medio recaerán en dicha persona. En definitiva, la CNUDMI consideró que, como principio general, la persona física o moral en cuyo nombre se programe una computadora para realizar operaciones automáticas, deberá ser responsable de toda comunicación generada por la máquina[37].

Sin embargo, se tiene la expectativa de que las futuras generaciones de sistemas automatizados de información tengan capacidad de funcionamiento autónomo y no simplemente automático. En el futuro es

---

[36]   Párrafo 210 de la Nota Explicativa de la E-CC.
[37]   Párrafo 212 de la Nota Explicativa de la E-CC.

probable que, gracias a la inteligencia artificial, una computadora -un robot- pueda aprender de la experiencia y modificar las instrucciones de sus programas e incluso formular nuevas instrucciones[38].

7.º) *Error en las comunicaciones electrónicas*. Recordemos que la E-CC limita su regulación a la utilización de las comunicaciones electrónicas en la formación y el cumplimiento del contrato (art. 1). Trata del error cuando se utilizan comunicaciones electrónicas en la contratación, pero de manera restrictiva[39]. Es una disposición dedicada específicamente a un solo tipo de error: el que comete una persona física al ingresar información cuando negocia con un sistema informático automatizado. Es claro que en estos casos existe un riesgo mayor de cometer un error y una menor oportunidad para corregirlo, que cuando se contrata electrónicamente, pero en ambos lados de la comunicación se encuentran seres humanos. El artículo 14 de la E-CC se refiere a una situación concreta: los errores que ocurren en la trasmisión entre una persona física y un sistema automatizado de mensajes, cuando éste no ofrece a la persona la posibilidad de rectificar el error. Se trata entonces, del error que comete la persona física, no la computadora u otra máquina (robot), pues las consecuencias y responsabilidad de los errores del sistema automatizado deben atribuirse a la parte (persona física o moral) en cuyo nombre funcione[40].

El artículo 14 faculta a quien cometa un error al *introducir los datos*[41], para que retire la parte de comunicación electrónica que contenga el error, si el sistema automatizado de mensajes no le brinda

---

[38]   Párrafo 211 de la Nota Explicativa de la E-CC. En 2016 un *software* desarrollado por Google denominado *AlphaGo* para jugar al GO, considerado el juego más difícil del mundo, venció al jugador número uno del ranking mundial, el coreano Lee Sedol. Lo importante es que *AlphaGo* inventaba movimientos y aplicaba estrategias que ningún humano había pensado. *Véase* Baricco A., *The Game*, Anagrama, Barcelona, 2019, pp. 209-210.

[39]   El error -y cualquier otro elemento de validez de los contratos- está expresamente excluido en la CISG (art. 4). Tampoco se regula en la Ley Modelo sobre Comercio Electrónico. Sí se regula en los Principios UNIDROIT, pero de forma restrictiva (arts. 3.5 y 3.6)

[40]   Párrafos 228 al 230 de la Nota Explicativa de la E-CC.

[41]   El art. 14 trata exclusivamente de los errores que se producen al *introducir los datos*, es decir, al colocar información equivocada en la comunicación electrónica, por pulsación equivocada de una tecla, como la de *"Enter"*, *"Intro"*, o cuando se pulsa un botón, como *"acepto"*, *"agree"*, entre otros.

la oportunidad de corregirlo. En contrapartida, se obliga a la parte en cuyo nombre funciona el sistema automatizado a ofrecer los medios que permitan detectar y corregir el error. En resumen, se trata de establecer los mecanismos para evitar que las personas físicas que negocien con sistemas automatizados de mensajes, envíen una comunicación errónea o, en su caso, que se les permita corregir el error después de haber enviado la comunicación.

6. LOS INSTRUMENTOS INTERNACIONALES QUE RIGEN LA CONTRATACIÓN Y LOS QUE REGULAN EL COMERCIO ELECTRÓNICO. ¿UN MATRIMONIO BIEN AVENIDO?

En la siguiente tabla se muestran los instrumentos de Derecho uniforme que regulan la contratación y aquellos que regulan la contratación por medios electrónicos, ambos en el ámbito internacional, así como el año de su creación.

INSTRUMENTOS DE DERECHO UNIFORME QUE REGULAN LA CONTRATACIÓN INTERNACIONAL	INSTRUMENTOS DE DERECHO UNIFORME QUE REGULAN LA CONTRATACIÓN ELECTRÓNICA EN EL ÁMBITO INTERNACIONAL
Convención de las Naciones Unidas sobre los Contratos de Compraventa Internacional de Mercaderías (1980) CISG	*Ley Modelo de la CNUDMI sobre Comercio Electrónico (1996)* MLEC
Principios UNIDROIT Sobre los Contratos Comerciales Internacionales (1994, 2004, 2010, 2016) Principios UNIDROIT	*Ley Modelo de la CNUDMI sobre Firma Electrónica (2001)* MLES
Principios del Derecho Europeo de los Contratos (2000) PECL	*Convención de las Naciones Unidas sobre la Utilización de las Comunicaciones Electrónicas en los Contratos Internacionales (2005)* E-CC

Ley Modelo sobre Contratos y otros Actos Jurídicos contenida en el Draft Common Frame Of Reference (2009) DCFR	Ley Modelo de la CNUDMI sobre Documentos Transmisibles Electrónicos (2014)

Los que aparecen a la izquierda de la tabla –salvo la Ley Modelo sobre Contratos y otros Actos Jurídicos contenida en el DCFR– fueron creados antes de que se diera el cambio paradigmático de la contratación por medios electrónicos[42]. No obstante, fueron redactados con normas abiertas y flexibles que les han permitido adaptarse a la era de la *revolución digital*. Sin embargo, la evolución tecnológica ha sido tan importante que la CNUDMI consideró necesario elaborar los cuatro instrumentos que figuran a la derecha de la tabla y que establecen reglas expresas sobre la contratación por medios electrónicos. En el presente apartado veremos cómo pueden vincularse ambos tipos de instrumentos, y si es posible considerar que la contratación internacional por medios electrónicos –que incluye el uso de las comunicaciones electrónicas– está correctamente instrumentada y regulada.

1.°) La Convención de las Naciones Unidas sobre los contratos de compraventa internacional de mercaderías (CISG), y las tecnologías de comunicación electrónica

La CISG fue preparada por la CNUDMI durante la década de 1970 y adoptada por una conferencia diplomática el 11 de abril de 1980. Es evidente que sus redactores no podían haber previsto los cambios tecnológicos en materia de comunicaciones que se avecinaban. No obstante, quienes instrumentaron la CISG establecieron *normas abiertas* para permitir que el contrato de compraventa de mercaderías pudiera celebrarse y probarse en cualquier forma, es decir, sin sujetarse a la forma escrita ni a ningún otro requisito formal y que las lagunas pudieran llenarse conforme a los principios que rigen a la propia Convención. La intención de los redactores fue la de establecer las menores trabas o impedimentos para la conclusión de un contrato de compraventa de mercaderías. A la larga, esa técnica resultó la más

---

[42]   Se señala al año 2002 como la fecha en que se generalizó el uso de la www, la era de la digitalización, llamada también *Revolución Digital*. V. Baricco, A., *ob. cit.*, p. 30.

adecuada, pues permitió incorporar las nuevas formas de contratación por medios electrónicos.

El principio de informalidad o ausencia de formalidades para celebrar o probar un contrato de compraventa de mercaderías contenido en el artículo 11 y las reglas de interpretación e integración de lagunas expresadas en el artículo 7, que establece que las cuestiones que no estén expresamente resueltas por la CISG –como es el caso de la contratación electrónica- se dirimirán de conformidad con los principios generales en los que se basa la Convención, entre los que se encuentra el principio de ausencia de formalidades, dejaron abierta la posibilidad de incorporar las tecnologías de comunicación electrónica que surgirían a partir de la década de 1990[43].

En la actualidad, existe consenso entre los especialistas de que un contrato de compraventa de mercaderías regido por la CISG puede celebrarse –y es perfectamente válido y ejecutable- por medios electrónicos, es decir, que la CISG está equipada con las normas y principios necesarios para adaptarse a los cambios de la revolución digital en la que vivimos.[44] La posición anterior la corroboran dos instrumentos: la Opinión Núm. 1 del Consejo Consultivo de la CISG *relativa a las comunicaciones electrónicas bajo la CIS*[45], y la *Convención de las Naciones Unidas sobre la Utilización de las Comunicaciones*

---

[43] En la década de 1990 ocurre la explosión de la revolución digital. En 1990 Tim Berners-Lee, un ingeniero británico que trabajaba para el CERN de Ginebra, inventa e inaugura la *World Wide Web* (www) y cambia el mundo. En 1993 aparece el MP3 para archivar audios; ese mismo año entra en operación *Mosaic* uno de los primeros navegadores de la Web; en 1994 nace *Amazon*, originalmente denominada *Cadabra*; IBM produce el primer *Smartphone*; nace también *PlayStation* y *Yahoo*, para entonces el número de usuarios de la Web había aumentado un 2,300%; en 1995 se pone a la venta el primer DVD, Bill Gates lanza *Windows 95* y se crea *eBay;* en 1998 dos estudiantes de la Universidad de Stanford (Serguéi Brin y Larry Page) inician *Google*, el sitio Web más visitado e influyente del mundo. V. *Baricco, A., ob. cit, p. 67 y ss.*

[44] Muñoz, E., "Software technology in CISG Contracts", *Uniform Law Review*, 24/2, June 2019, pp. 281-301.

[45] CISG-AC Opinion Núm. 1, Electronic Communications under CISG, 15 August 2003. Rapporteur: Professor Christina Ramberg, Gothenburg. Sweden. CISG Advisory Council - CISG Database - Pace University, disponible en https://www.cisg.law.pace.edu›cisg›CISG-AC-op1.

Electrónicas en los Contratos Internacionales (E-CC), según veremos enseguida.

En la Opinión Núm. 1 del Consejo Consultivo de la CISG[46] se establecen criterios de interpretación de distintos artículos de la CISG para adecuarla al uso de comunicaciones electrónicas. Dichos criterios constituyen la materialización del principio de *equivalencia funcional* que rige a la contratación por medios electrónicos respecto de términos como: *por escrito (in writing), llega (reaches), enviar (dispatch), verbal (oral, orally) y comunicación o notificación (notice)*. A continuación señalaremos las opiniones del Consejo Consultivo en relación a los artículos de la CISG para dar cabida a las comunicaciones electrónicas.

El término *por escrito (in writing)*. La CISG utiliza frecuentemente el término *por escrito*. La Opinión Núm. 1 establece que *por escrito* es equivalente funcional a cualquier tipo de tecnología de comunicación electrónica. Por ejemplo, el artículo 11 de la CISG señala que el contrato de compraventa no tendrá que celebrarse ni probarse por escrito ni estará sujeto a ningún otro requisito de forma. Podrá probarse por cualquier medio, incluso por testigos. Al efecto, la Opinión Núm. 1 del Consejo Consultivo establece que un contrato podrá ser concluido o probado mediante comunicaciones electrónicas. Por su parte, el artículo 13 de la CISG dice que la expresión *por escrito* comprende el telegrama y el télex. El telegrama y el télex eran los dos únicos medios de comunicación electrónica existentes en la época de la aprobación de la Convención. La Opinión Núm. 1 del Consejo Consultivo establece que el término *por escrito* en la CISG incluye cualquier comunicación electrónica que pueda ser archivada *(retrieved)* en forma comprensible *(perceivable)*, es decir, abre el abanico de medios electrónicos de comunicación distintos a los dos mencionados. En ambos

---

[46]   El Consejo Consultivo de la CISG (CISG-AC) nace por una iniciativa privada apoyada por el Instituto de Derecho Comercial Internacional de la Facultad de Derecho de la Universidad Pace (NY) y el Centro de Estudios de Derecho Comercial *Queen Mary* de la Universidad de Londres. Su función es apoyar la comprensión e interpretación de la Convención de las Naciones Unidas sobre los Contratos de Compraventa Internacional de Mercaderías (CISG).

criterios claramente se establece la equivalencia funcional del término *por escrito* con las comunicaciones cuyo sustento es electrónico[47].

El término *llega (reaches)*. La formación del contrato en la CISG se produce mediante la tradicional oferta y aceptación. El artículo 15 señala que la oferta surtirá efecto cuando *llegue* al destinatario. Señala también que la oferta, aun cuando sea irrevocable, podrá ser retirada si su retiro *llega* al destinatario antes o al mismo tiempo que la oferta. La Opinión Núm. 1, en relación con este artículo, establece que el término *llega (reaches)* corresponde al momento en que una comunicación electrónica entra en el servidor (dirección electrónica) del destinatario[48].

El término *enviar (dispatch)*. En el artículo 16 de la CISG se establece que la oferta podrá ser revocada hasta que se perfeccione el contrato si la revocación llega al destinatario antes que éste haya *enviado* la aceptación. La Opinión Núm. 1 establece que el término *enviar (dispatch)* corresponde al momento en que la aceptación ha salido del servidor del aceptante. De nuevo se establece el equivalente funcional entre una comunicación enviada por medios tradicionales –por ejemplo el correo terrestre- y una comunicación enviada electrónicamente.

El término *verbal (oral, orally)*. La CISG en diversas disposiciones se refiere a los casos en que una oferta –o cualquier otra comunicación- se hace de manera *verbal (oral)*. Cuando una propuesta para celebrar un contrato se hace de forma *verbal*, la aceptación debe darse de manera inmediata (art. 18(2) CISG). La Opinión Núm. 1 equipara el término *verbal (oral)* con cualquier sonido transmitido en tiempo real por medios electrónicos[49].

El término *comunicación o notificación (notice)*. En numerosas ocasiones la CISG regula las comunicaciones o notificaciones *(notice)* enviadas por las partes[50]. La Opinión Núm. 1 establece que el término

---

47   Dicho criterio se extiende al mismo concepto que aparece en los artículos 12, 21, 22, 24, 29 y 96 de la CISG.

48   Ese criterio se establece en relación al mismo concepto en los artículos 16, 17, 18, 20, 22 y 24.

49   El criterio se extiende a cualquier comunicación verbal, por ejemplo, las señaladas en los artículos 19, 21(1) (2) y 24.

50   Por ejemplo en los Arts. 19(2), 21(2), 26, 27, 32(1), 39, 43, 47, 63, 67, 71, 72, 79, 88 (1 y 2)

comunicación o *notificación* incluye cualquier *comunicación electró-nica*, estableciendo el equivalente funcional entre esos dos conceptos.

A pesar de que existe consenso doctrinal de que la CISG cuenta con la apertura suficiente para admitir la contratación por medios electrónicos y que dicho criterio fue ratificado por la Opinión Núm. 1 del Consejo Consultivo de la CISG, continuaba percibiéndose cierta inseguridad ante la falta de normas vinculantes de la misma categoría que las de la CISG que regularan de manera expresa el uso de las comunicaciones electrónicas. Por otro lado, las legislaciones domésticas –incluso aquellas que habían adoptado las leyes modelo sobre comercio y firma electrónicos- parecía también insuficientes para establecer soluciones al mismo nivel de un tratado internacional. Por ello, la CNUDMI decidió elaborar una convención multilateral específica que otorgara seguridad jurídica al usar las comunicaciones electrónicas en la contratación internacional. Así nació la *Convención de las Naciones Unidas sobre la Utilización de las Comunicaciones Electrónicas en los Contratos Internacionales* (E-CC).

El objetivo principal de la E-CC es la eliminación de los obstáculos al comercio internacional relacionados con requisitos formales presentes en la contratación tradicional, como *escrito, original y firma*, mediante el establecimiento de equivalentes funcionales de carácter electrónico que cumplan con dichos requisitos. Para lograr lo anterior a nivel de un tratado internacional –como era el caso de la CISG- existían dos enfoques posibles. El primero implicaba la modificación formal de la convención para establecer una referencia específica a la equivalencia funcional. La modificación de un tratado internacional se hace a través de un *Protocolo*, lo que significa un trabajo complejo de negociación entre las partes del tratado, las que a su vez deben agotar los procedimientos internos de aprobación. Todo ello implicaba un periodo de tiempo sumamente largo.

Por ello se optó por el segundo enfoque: la elaboración de un tratado internacional independiente y complementario de la CISG y de todos los demás instrumentos internacionales pertinentes, en el que se establecieran normas generales de equivalencia funcional para las nociones arraigadas en la contratación tradicional como *por escrito, firmado, original*, etc., en lugar de modificar cada tratado. Esta fue la solución adoptada por la CNUDMI al elaborar la E-CC, siguiendo las normas establecidas por las Leyes Modelo de la CNUDMI sobre Comercio y Firmas Electrónicas y por la Opinión Núm. 1. La adopción de la E-CC elimina cualquier duda en relación a la validez del uso de las comunicaciones electrónicas en la contratación internacional pues se trata de un tratado internacional (*hard law*) con normas vinculantes que establece la equivalencia funcional de todos aquellos requisitos formales heredados de la contratación tradicional.

La E-CC establece expresamente que sus disposiciones serán aplicables al empleo de comunicaciones electrónicas respecto de los siguientes instrumentos internacionales (art. 20): *Convención sobre el Reconocimiento y Ejecución de las Sentencias Arbitrales Extranjeras* (Nueva York, 10 de junio de 1958); *Convención sobre la Prescripción en Materia de Compraventa Internacional de Mercaderías* (Nueva York, 14 de junio de 1974) y su Protocolo (Viena, 11 de abril de 1980); *Convención de las Naciones Unidas sobre los Contratos de Compraventa Internacional de Mercaderías* (Viena, 11 de abril de 1980); *Convenio de las Naciones Unidas sobre la Responsabilidad de los Empresarios de Terminales de Transporte en el Comercio Internacional* (Viena, 19 de abril de 1991); *Convención de las Naciones Unidas sobre Garantías Independientes y Cartas de Crédito Contingente* (Nueva York, 11 de diciembre de 1995); *Convención de las Naciones Unidas sobre la Cesión de Créditos en el Comercio Internacional* (Nueva York, 12 de diciembre de 2001). También establece que la E-CC se aplicará a todos los demás tratados de Derecho comercial que contengan los requisitos formales señalados, a menos que el Estado que la adopte declare que no estará obligado por dicha disposición.

Entre los tratados mencionados expresamente para la aplicación de la E-CC se encuentra la CISG. Conforme se vaya adoptando la convención sobre la utilización de las comunicaciones electrónicas por los Estados parte de la CISG acabarán las dudas –si las hubiera– acerca de la validez de los contratos de compraventa de mercaderías celebrados por medios electrónicos[51].

---

[51]   Sobre la relación entre la CISG y la E-CC, puede consultarse Butler, P., "*The CISG and the United Nations Convention on the Use of Electronic Communications in International Contracts*", en *Schwenzer, I. y Spagnolo, I. (eds.), State of Play. Eleven International Publishing*, Den Haag, 2013, pp. 1-16.

2.°) Los Principios UNIDROIT sobre los contratos comerciales internacionales (Principios UNIDROIT), y las tecnologías de comunicación electrónica

Los Principios UNIDROIT constituyen un cuerpo de normas y principios comunes a los principales sistemas jurídicos existentes, elaborados para regular los contratos internacionales. Se trata de un instrumento de Derecho uniforme del tipo *soft law* y por tanto sus normas no son vinculantes, a diferencia de la CISG que por tratarse de una convención internacional sus disposiciones son obligatorias (*hard law*). Los Principios UNIDROIT proponen regular la contratación internacional –y en consecuencia armonizar el Derecho contractual- por convencimiento, basándose en su calidad intrínseca, derivada de que en su elaboración participaron los más importantes juristas pertenecientes a todos los continentes y sistemas de Derecho[52]. La forma en que fueron redactados constituyó una novedad respecto de otros cuerpos normativos, pues cada una de las materias que regula se compone de tres elementos: primero los *artículos* propiamente dichos –denominados en inglés *black letters rules*- que contienen la parte medular de la regulación. Enseguida los *comentarios* explicativos y finalmente los *ejemplos*. Tanto los comentarios como los ejemplos aclaran el contenido de los artículos y el ámbito de su aplicación. Es preciso entender que se trata de un solo cuerpo normativo y por tanto para el estudio, la comprensión e interpretación de cada institución deben tomarse en cuenta los tres aspectos regulatorios.

A diferencia de la CISG, los Principios UNIDROIT sí toman en cuenta las comunicaciones electrónicas. Uno de los conceptos fundamentales en los que se basa su regulación es el de *libertad absoluta de forma*. Este principio expresa que los contratos regulados por los Principios UNIDROIT no requieren otorgarse o probarse en alguna forma particular –se refiere principalmente a la forma escrita- y por tanto su existencia puede probarse de cualquier modo, incluso por testigos (art. 1.2). En el comentario número 1 a este artículo, expresamente se señala que el principio de *libertad de forma* resulta apropiado en el contexto de la contratación internacional, en la que

---

52   Los Principios UNIDROIT se formularon en1994, le siguieron ediciones de 2004, 2010 y 2016.

gracias a los medios modernos de *comunicación electrónica* muchos transacciones comerciales se realizan a gran velocidad y por una combinación de medios, como conversaciones, telefaxes, contratos escritos en papel, *e-mail* y otras comunicaciones a través de la red (*web communications*).

De igual modo, al regular las *notificaciones* los Principios UNIDROIT establecen que podrán realizarse por *cualquier medio apropiado según las circunstancias* (art. 1.10.1). En el comentario correspondiente se insiste que cualquier notificación –que son todas aquellas comunicaciones, declaraciones, demandas, solicitudes, etc.- exigida por una disposición en particular de los Principios, no estará sujeta a ningún requisito formal en especial, sino que podrán realizarse por cualquier medio apropiado a las circunstancias. Más adelante aclara el significado de *apropiado según las circunstancias* haciendo referencia a los diversos medios de comunicación disponibles. Por lo que se refiere a las *comunicaciones electrónicas,* se establece que el *destinatario* debe expresa o implícitamente haber aceptado recibir las comunicaciones electrónicas en la forma en que la notificación fue enviada por el remitente, es decir, del mismo tipo –por ejemplo, por correo electrónico u otro medio similar- con el mismo formato y a la misma dirección electrónica. Dicha aceptación podrá inferirse de las afirmaciones, declaraciones, conductas o bien por las prácticas establecidas entre las partes, o por la aplicación de usos[53]. En el mismo sentido, los dos ejemplos que siguen a este comentario se refieren expresamente a notificaciones realizadas por e-mail.

El mismo artículo 1.10 regula los principios de *recepción* y *expedición* de las comunicaciones, así como cuando una notificación *llega* a su destinatario. Debe considerarse que todos esos conceptos tienen sus equivalentes funcionales cuando las comunicaciones se realizan de manera electrónica. Incluso el comentario 4 al artículo señalado, establece que cuando la notificación se realice por vía electrónica, se considerará que *llega* cuando entra en el servidor del destinatario y además hace referencia expresa al artículo 10(2) de la E-CC.

Otro artículo dedicado a las definiciones, establece que a los fines de los Principios UNIDROIT, el término *por escrito* incluye cualquier

---

[53] Comentario 1 al art. 1.10 de los Principios UNIDROIT.

modo de comunicación que deje constancia de la información que contiene y sea susceptible de ser reproducida en forma tangible (art. 1.11). En el comentario correspondiente se establece que los Principios definen el concepto *por escrito* en términos funcionales, de modo que incluye un telegrama, télex, y cualquier otra comunicación idónea, incluyendo las *comunicaciones electrónicas*[54].

Finalmente, al regular la formación del contrato (art. 2.1.1), los Principios UNIDROIT se refieren expresamente a la contratación automática, que es aquella en la que las partes acuerdan el uso de un sistema capaz de poner en movimiento acciones electrónicas que se ejecuten automáticamente y que permitan el perfeccionamiento de un contrato sin la intervención humana[55].

Atendiendo a la estructura especial de los Principios UNIDROIT, formada por artículos, comentarios y ejemplos, que constituyen un cuerpo orgánico para su interpretación, no cabe duda de que sí se contempla la utilización de comunicaciones electrónicas aunque dicha regulación no aparezca expresamente en los artículos, sino en los comentarios y ejemplos. Sin embargo, consideramos obsoleta la regulación debido a que requiere que el uso de comunicaciones electrónicas haya sido aceptado previamente por los contratantes, aunque esa aceptación pueda inferirse de las acciones de las partes, o de las prácticas y usos entre ellas[56]. El mismo requisito de conformidad previa se estableció para la utilización y validez jurídica de las comunicaciones electrónicas en la E-CC, la que también indica que la conformidad podrá inferirse de la conducta de los contratantes[57]. La necesidad de este consentimiento previo definitivamente frustra la amplitud que debe tener el principio de equivalencia funcional entre las comunicaciones electrónicas y las que se realizan por medios tradicionales y además reduce su certeza jurídica[58]. Es preciso aclarar que las Leyes Modelo

---

[54]   Comentario 5 al art. 1.11 de los Principios UNIDROIT.
[55]   Comentario 3 al art. 2.1.1 de los Principios UNIDROIT.
[56]   Comentario 1 al art. 1.10 de los Principios UNIDROIT.
[57]   Artículo 8-2 E-CC.
[58]   Dice Alan Davidson, que la disposición fue introducida por insistencia de la delegación de los Estados Unidos cuando se negociaba el texto de la E-CC, lo que demuestra un desconocimiento de la naturaleza del comercio electrónico. Davidson, A., "Application of the Electronic Communications Convention to the

de la CNUDMI sobre Comercio y Firmas Electrónicos, no requieren la conformidad previa para el uso de comunicaciones electrónicas en la contratación.

3.°) Los Principios del Derecho europeo de contratos (PECL)

Los Principios del Derecho Europeo de los Contratos (PECL, por sus siglas en inglés[59]) elaborados por la *Commission on European Contract Law* y subvencionados por la Unión Europea, fueron publicados en tres etapas. La primera parte en 1995, la segunda en 1999 y la parte final a mediados del 2000.[60] Los PECL constituyen, en palabras de dos de sus principales promotores, los profesores Ole Lando y Hugh Beale[61], un primer paso para la armonización o unificación del Derecho europeo de contratos. Es un esfuerzo para conseguir la uniformidad jurídica, tan necesaria en un mercado europeo integrado.

Se trata de un instrumento *soft law*, cuya principal función es facilitar el comercio transfronterizo dentro de la Unión Europea, armonizando el Derecho comercial mediante un conjunto de reglas que se pueden aplicar en el territorio de todos los Estados que la conforman y por tanto eliminan las diferencias entre los distintos derechos nacionales.

Por lo que respecta a si los PECL regulan la contratación por medios electrónicos, podemos responder afirmativamente. Los PECL están basados sustancialmente en los Principios UNIDROIT. Muchas de sus reglas tienen una redacción idéntica o, por lo menos, muy similar. Por otro lado, muchos de los miembros de la Comisión Landó –incluyendo al propio profesor Ole Lando- que fue la promotora y

---

CISG", en *The Electronic CISG, 7th. MAA Schlechtriem CISG Conference*, 26 March 2015, Moot *Alumni* Association, 2.5.1.

[59] *Principles of European Contract Law.*
[60] La publicación completa de los PECL se realizó a mediados de 2000 por la editorial *Kluwer Law International,* y fue presentada por los profesores Ole Lando y Hugh Bale.
[61] Lando, O. y Beale, H. (eds.), *Principles of European Contract Law,* Kluwer Law International, La Haya, 2000.

redactora de los PECL, habían sido antes miembros del grupo de trabajo que redactó los Principios UNIDROIT[62].

Al igual que los Principios UNIDROIT, los PECL postulan como uno de sus principios fundamentales la *libertad absoluta de forma* (art. 2.101(2)), lo que permite que el contrato pueda ser perfeccionado por cualquier medio, incluso mediante la utilización de comunicaciones electrónicas. Por otro lado, en el artículo 1.301 que señala el significado de diversos términos, establece que las declaraciones *por escrito* incluyen las hechas por telegrama, télex, telefax y *correo electrónico* y cualquier otro medio de comunicación capaz de suministrar un registro legible de las declaraciones de ambas partes.

En resumen, la regulación que contienen los PECL en relación a la formación del contrato, la oferta y su aceptación, notificaciones, los requisitos *por escrito, verbal, llega, recibe, expide,* etc. son perfectamente compatibles con el uso de las comunicaciones electrónicas y los comentarios realizados en el presente trabajo en relación a los Principios UNIDROIT aplican perfectamente a los PECL dado su parentesco y similitud.

4.º) La Ley Modelo sobre contratos y otros actos jurídicos contenida en el draft common frame of reference (DCFR)

El DCFR es un trabajo elaborado conjuntamente por el *Study Group on a European Civil Code* y el *Research Group on EU Private Law (Acquis Group)* que se origina en una iniciativa de académicos europeos, por encargo de la Comisión Europea para construir un marco común de referencia de todo el Derecho privado europeo, incluyendo, desde luego, el Derecho contractual. El DCFR contiene *principios, definiciones y leyes modelo* cuyo objetivo es, en primer lugar, servir de proyecto o modelo (*draft*) para un trabajo definitivo, que pueda ser adoptado *políticamente* es decir, con fuerza vinculante, por la Unión Europea.

---

[62]   V. Díez-Picazo, L. y Roca Trías, E. y Morales, A., *Los Principios del Derecho Europeo de Contratos,* Civitas, Madrid, 2002.

La *Ley Modelo sobre Contratos y otros Actos Jurídicos* contenida en el Book II del DCFR se inspira en los Principios del Derecho Europeo de los Contratos (PECL). Al igual que estos últimos, regula la formación, validez, interpretación y contenido de los contratos. Pero su normatividad va más allá que la de los PECL, pues incluye leyes modelo sobre algunos contratos en específico (Book IV).

Respecto a la utilización de comunicaciones electrónicas, el DCFR regula expresamente la contratación por medios electrónicos. En el Book I que contiene las *disposiciones generales*, establece que una declaración se considera *por escrito* si se presenta en forma textual y en caracteres que sean directamente legibles en papel o *en otro medio tangible y durable* (art. I.-I:106), lo que es una clara referencia a los medios electrónicos. Más adelante se refiere a la firma electrónica y la firma electrónica avanzada, aclarando que el término *electrónico* significa aquello que está relacionado con tecnologías eléctricas, digitales, magnéticas, inalámbricas, ópticas, electromagnéticas o cualquier otra similar (art. I.-I:107).

Cuando aborda el tema de las notificaciones (*notice)* que incluyen cualquier comunicación relacionada con un acto jurídico, establece que podrán realizarse por cualquier medio apropiado a las circunstancias y surten sus efectos cuando *llegan* al destinatario. En caso de notificaciones transmitidas por medios electrónicos se considera que *llegan* al destinatario cuando pueden ser recuperadas (*accessed)* por el destinatario (art. I.-I:109).

En la propia *Ley Modelo sobre Contratos y otros Actos Jurídicos* (Book II) también se trata de la contratación electrónica. Se establece, por ejemplo, el principio de *libertad absoluta de forma*, en el sentido de que un contrato o cualquier otro acto jurídico no necesitan celebrarse o probarse por escrito o cualquier otro requisito formal (art. II.-I:106) dando vía libre a la posibilidad de formalizar un contrato por medios electrónicos. Regula también las comunicaciones a distancia en tiempo real (*real time distance communications),* que son aquellas en que se utiliza un medio que produzca inmediatez, de manera que una parte pueda interrumpir a la otra en el curso de la comunicación. Entre ellas se incluyen las comunicaciones por teléfono y otros medios electrónicos, como mensajes de voz a través de Internet o chat, sin incluir el correo electrónico (art. II.-3:104-2).

Más adelante regula la formación del contrato por medios electrónicos, en particular cuando no existe comunicación directa entre las partes, es decir, cuando se utilizan intermediarios electrónicos programados para aceptar ofertas y perfeccionar contratos. Al respecto establece una serie de obligaciones que debe cumplir quien haya programado el equipo, antes de que se dé la aceptación a una oferta, como la de proveer información acerca de los pasos que deben seguirse desde el punto de vista técnico para perfeccionar el contrato y los medios para identificar y corregir los errores al ingresar la información, entre otras (Arts. II.- 3:105 y II.- 3:201).

7. CONCLUSIONES

Primera. El desarrollo de la tecnología para producir más y a menor costo, impulsó extraordinariamente al comercio internacional. A un comercio internacional debe corresponder una regulación del mismo tipo, es decir, internacional.

Segunda. Existen dos obstáculos al comercio internacional: las legislaciones nacionales y la necesidad de celebrar cientos de contratos todos los días (masificación de la contratación). Para vencer esos obstáculos se requiere uniformar el Derecho comercial internacional e incorporar las tecnologías electrónicas de comunicación.

Tercera. La uniformidad se ha logrado mediante instrumentos internacionales de derecho uniforme que regulan a contratación internacional, tanto *hard law* (CISG) como *soft law* (Principios UNIDROIT, PECL y DCFR).

Cuarta. El comercio internacional ha evolucionado hacia la contratación por medios electrónicos. Existe consenso doctrinal de que los instrumentos internacionales de Derecho uniforme mencionados están adaptados para incorporar las tecnologías de comunicación electrónica a la contratación internacional, dada la apertura y flexibilidad de sus normas y de los principios que los rigen.

Quinta. No obstante, han aparecido instrumentos de Derecho uniforme que regulan expresamente la contratación por medios electrónicos como las Leyes Modelo de la CNUDMI sobre Comercio y Firmas Electrónicos y la Convención de las Naciones Unidas sobre la Utilización de las Comunicaciones Electrónicas en los Contratos Internacionales (E-CC).

Sexta. La doctrina se ha encargado de coordinar armónicamente ambos tipos de instrumentos.

Séptima. La regulación actual del comercio internacional y de la contratación por medios electrónicos, en lo general, es adecuada y funciona correctamente.

Como se aprecia, es difícil desprenderse de la regulación tradicional, por eso tanto los Principios UNIDROIT como la E-CC exigen la conformidad para la utilización de las comunicaciones electrónicas en la contratación internacional, aunque dicha conformidad puede inferirse de la conducta de las partes. Falta la transición hacia la contratación electrónica sin condicionantes. Vienen también nuevos retos en la materia: la inteligencia artificial, *blockchain* y la posibilidad de celebrar contratos a través de *emoticonos*. La extensión y finalidad de este trabajo no nos permite tratarlos.

BIBLIOGRAFÍA

Baricco A., *The Game*, Anagrama, Barcelona, 2019.

Butler, P., "The CISG and the United Nations Convention on the use of electronic communications in international contracts", en Schwenzer, I. y Spagnolo, I. (eds.), *State of Play. Eleven International Publishing*, Den Haag, 2013, pp. 1-16.

Castellani, L. G., "La Convención de las Naciones Unidas sobre la utilización de las comunicaciones electrónicas en los contratos internacionales: relevancia práctica y lecciones aprendidas", *Revista de Derecho Privado, Universidad Externado de Colombia*, núm. 29, julio-diciembre, 2015, pp. 75-99.

Davidson, A., "Application of the Electronic Communications Convention to the CISG", en *The Electronic CISG, 7th. MAA Schlechtriem CISG Conference*, 26 march 2015, Moot *Alumni* Association.

Díez-Picazo, L. y Roca Trías, E. y Morales, A., *Los Principios del Derecho Europeo de Contratos*, Civitas, Madrid, 2002.

Doing Business in 2005, Removing Obstacles to Growth, Washington D.C., 2005.

Lando, O. y Beale, H. (eds.), *Principles of European Contract Law*, Kluwer Law International, La Haya, 2000.

Monateri, P. G., *Globalización y Derecho Europeo de los Contratos*, disponible en www.academia.edu/26327805/Globalización.

Muñoz, E., "Software technology in CISG Contracts", *Uniform Law Review*, 24/2, June 2019, pp. 281-301.

Rose, A.O. y Alan D., *The Challenges for Uniform Law in The Twenty-First Century*, Uniform Law Review, Unidroit, vol. I, 1996.

World Bank, Doing Business in 2004: Understanding Regulations, Washington D.C., 2004.

Zweigert, K y Kötz, H., *Introduction to Comparative Law*, translated from the German by Tony Weir, 3ª ed., Carendon Press, , Oxford, 2011.

Parte Cuarta

LA DIGITALIZACIÓN Y LOS MERCADOS REGULADOS

EL TRANSPORTE AÉREO URBANO: ¿REALIDAD O CIENCIA FICCIÓN?

MARÍA JOSÉ CASTELLANOS RUÍZ

Profesora ayudante doctora de Derecho Internacional Privado
Universidad Carlos III de Madrid

1. INTRODUCCIÓN

El deseo de que el transporte aéreo urbano se hiciese realidad en un futuro próximo ya estaba en la mente de muchos cuando se estrenó la película "Regreso al futuro", en el año 1985. Aunque esta posibilidad parecía más próxima hace unos años, concretamente en el año 2016, cuando la mayoría de las empresas que habían invertido en los denominados "coches voladores" pensaban que estos entrarían en servicio en el año 2020. Sin embargo, la realidad es que se ha llegado al año 2020 sin que sobre las ciudades sobrevuele ninguno o casi ninguno, por ser más preciso, de los modelos diseñados por dichas compañías.

Así, por ejemplo, en el año 2016, el fabricante de aeronaves europeo Airbus, con el fin de aliviar los problemas de tráfico en algunas ciudades, empezó a desarrollar un "coche volador" con el que pretendía crear una red de taxis eléctricos, autónomos, multirrotores y monoplazas. En relación al Vahana, como se denominó a este prototipo,

Airbus afirmó que podría comenzar a fabricarse en el 2020[1]. Pero no solo Airbus estaba apostado por los "coches voladores", sino que al menos diecinueve compañías estaban desarrollando sus modelos de "automóviles voladores", *como* era el caso de Boeing, Uber o Lilium. En ese momento, el problema era que todavía no existía un marco regulatorio para el sobrevuelo de los drones autónomos y, mucho menos, para el transporte de personas.

Ha sido necesario modificar el Convenio de Chicago para que las aeronaves no tripuladas puedan ser utilizadas en la aviación civil internacional, pues estas son consideradas aeronaves[2]2. El artículo 8 del Convenio de Chicago o de la ICAO (*International Civil Aircraft Organization*) señala que ninguna aeronave capaz de volar sin piloto lo podrá hacer sobre el territorio de un Estado contratante a menos que cuente con una autorización especial de dicho Estado, y que corresponde a los Estados velar porque el vuelo de estas aeronaves sin piloto en las regiones abiertas al vuelo de aeronaves civiles se regule con el objetivo de evitar todo el peligro[3]. La eliminación del piloto como

---

[1]   Redondo, M., "Vahana, el "coche volador" de Airbus, está listo para su primer vuelo de prueba", *Hipertextual*, 14 noviembre 2017. Disponible en: https://hipertextual.com/2017/11/vahana-coche-volador-airbus-listo-su-primer- . Consultado el 12 de enero de 2020.

[2]   Vacca, A. y Onishi, H., "Drones: military weapons, surveillance or mapping tools for environmental monitoring? The need for legal framework is required", *Transportation Research Procedia*, 2017, p. 52.

[3]   Precepto disponible en: http://www.icao.int/publications/Documents/7300_orig.pdf (consultado el 19 de diciembre de 2019). La ICAO, en castellano, es conocida como OACI, Organización de Aviación Civil Internacional, pero se utilizarán las siglas en inglés, ICAO, para que haya uniformidad en el presente trabajo, pues todas las siglas que se mencionan se refieren a los términos en inglés, no en castellano. Este organismo fue creado en el Convenio de Chicago, el 7 de diciembre de 1944, con el objetivo de regular la aviación civil internacional, y, por eso, a este Convenio también se le conoce como Convenio de la OACI. El principio fundamental de dicho Convenio es el reconocimiento de que todo Estado tiene soberanía exclusiva en el espacio aéreo sobre su territorio, de manera que ningún servicio aéreo internacional no programado puede operar sobre o dentro de un territorio de un Estado contratante sin su consentimiento previo. Actualmente, los Estados contratantes son 193, entre los que está España, los países de la Unión Europea y los Estados del continente americano, como Canadá y Estados Unidos. Aunque las funciones de la ICAO son muchas, entre sus objetivos fundamentales está mejorar la seguridad a nivel mundial, fomentar

persona que tripula la aeronave tiene importantes implicaciones técnicas, señaladas en la Declaración de Riga de 2015[4]; de manera que
un marco regulatorio debía ser desarrollado tan pronto como fuese
posible[5]. Un punto clave del marco regulatorio propuesto es la diferencia entre la persona que hace volar el dron desde el suelo (el piloto
remoto) y el operador, que es el responsable de todas las operaciones
en relación con el dron, tales como el mantenimiento, la cualificación
del piloto remoto, las autorizaciones y procedimientos, seguros, responsabilidad y protección de la privacidad[6]. La ICAO señaló que para
el año 2018 se establecerían nuevos estándares de seguridad, tales
como las licencias y las cualificaciones de los pilotos, que serán obligatorios y que tendrán que incorporar en sus legislaciones internas
los Estados parte de la ICAO[7]. Efectivamente, en septiembre de 2018,
tuvo lugar la "Semana de la Aviación No Tripulada" *de la ICAO,*
cuyo principal logro fue la incorporación de nuevas disposiciones en
cuatro Anexos nuevos, en relación con las RPAS *(Remotely Piloted
Aircraft Systems,* Sistemas de Aeronaves Pilotadas por Control Remoto) y que se añaden a los diecinueve que ya contemplaba el Convenio

---

el desarrollo de un sistema de aviación civil económicamente viable y reducir los
perjuicios medioambientales de las actividades de aviación.

[4]   La Declaración de Riga en materia de drones, bajo el título *"Framing the future
of aviation",* que se produjo el 6 de marzo de 2015, está disponible en: https: //
ec.europa.eu/transport/modes/air/news/doc/2015-03-06-drones/2015- 03-06-ri-
ga-declaration drones.pdf, (consultado el 27 de noviembre de 2019). Vid., Vacca,
A. y Onishi, H., "Drones: military weapons, surveillance or mapping tools for
environmental monitoring? The need for legal framework is required", ob. cit.,
p. 53.

[5]   En este sentido, la ICAO publicó en el año 2015 un manual con los Estándares
y Prácticas Recomendadas o SARPS *(Standards and Recommended Practices),*
con el apoyo de Procedimientos para los Servicios de Navegación Aérea o PANS
(Procedures for Air Navigation Services) y guía de materiales, con el objetivo de
que las operaciones realizadas por RPAS *(Remotely Piloted Aircraft Systems)*
alrededor del mundo se realicen en condiciones de seguridad, armonizadas y
de manera similar a las de las operaciones tripuladas. El manual sobre RPAS
del año 2015 de la ICAO consultado el 27 de noviembre de 2019 en: https://
www.uvsr.org/Documentatie%20UVS/Reglementari%20internationale/ICAO/
Manual-on-RPAS-ICAO-2015.pdf ().

[6]   Vacca, A. y Onishi, H., ob. cit., p. 54.

[7]   Vacca, A. y Onishi, H., ob. cit., p. 54.

de Chicago[8]. En este sentido, se destacó que las disposiciones sobre la licencia de piloto a distancia del Anexo 1 fueron adoptadas en marzo del 2018 por el Consejo de la OACI, pero que estaban disponibles para que los Estados las aplicasen voluntariamente[9].

Por lo tanto, las distintas legislaciones nacionales eran las que establecían el marco regulatorio de los drones, incluso en el caso de los países de la Unión Europea. Así, el Reglamento (CE) 216/2008 sobre normas comunes en el ámbito de la aviación civil y por el que se crea una Agencia Europea de Seguridad Aérea excluía de su ámbito de aplicación a las aeronaves no pilotadas de menos de 150 kg[10]. Esto

---

[8]   El RPAS es considerado un tipo de dron dentro de un concepto más amplio que comprende los términos alternativos UAS o UAV. Por un lado, los vehículos aéreos no tripulados o UAVs ((*Unmanned Aerial Vehicles)* han sido interpretados por la comunidad internacional como aquellas aeronaves que vuelan sin un piloto a bordo, y que se subdividen en dos: las aeronaves controladas plenamente por el piloto remoto, denominadas aeronaves pilotadas por control remoto (RPAs, *Remotely Pilot Aircrafts),* y las aeronaves programadas, que son completamente autónomas, denominadas aeronaves autónomas. Por otro lado, los sistemas de aeronaves no tripuladas o UAS *(Unmanned Aircraft Systems)* comprenden a las aeronaves más el sistema de control remoto. De la misma manera que, mientras por RPA *(Remotely Piloted Aircraf)* se entiende la aeronave pilotada por control remoto en sí misma, el RPAS *(Remotely Piloted Aircraft System)* comprende al dron en sí mismo más el sistema de aeronave pilotada por control remoto, que incluye, entre otros elementos, la estación o estaciones de pilotaje remoto conexas. *Vid.* Finger, M., Bert, N. y Kupfer, D. (eds.), "Regulating Drones –Creating European Regulation that is smart and proportionate", *Florence School of Regulation – Transport (European University Institute)*, núm. 3, 2015, p. 5.

[9]   "La Secretaria General de la OACI destaca las prioridades de la gestión de un espacio aéreo seguro y armonizado para lasaeronaves no tripuladas y los drones", *Icao.int,* consultado el 12 de enero de 2020 en: https://www.icao.int/Newsroom/Pages/ES/ICAO-Secretary-General-stresses-safe-and-harmonized-airspace-   management-priorities-for-unmanned-aircraft-and-drones.aspx.

[10]   Anexo II Reglamento (CE) núm. 216/2008 del Parlamento Europeo y del Consejo, de 20 de febrero de 2008, DO núm. L 79, 19 marzo 2008, sobre normas comunes en el ámbito de la aviación civil y por el que se crea una Agencia Europea de Seguridad Aérea, y se deroga la Directiva 91/670/CEE del Consejo, el Reglamento (CE) núm. 1592/2002 y la Directiva 2004/36/CE. El Reglamento (CE) 216/2008 venía a recoger las normas comunes que debían cumplirse para la certificación de todo tipo de aeronaves, aunque el desarrollo de los requisitos de aeronavegabilidad conocidos como *JAR 21 (Joint Aviation Requirement 21),* se recogían en el Reglamento (UE) núm. 748/2012 de la Comisión, de 3 de agosto

había provocado que en el año 2015 existiesen o se estuviesen desarrollando normativas en materia de aeronaves tripuladas por control
remoto en Alemania, Austria, Croacia, Dinamarca, España, Francia,
Italia, Irlanda, Polonia, el Reino Unido y la República Checa; que
existiesen escuelas de vuelo autorizadas en Dinamarca, el Reino Unido y los Países Bajos; y que en estos últimos dos países ya hubiese más
de 500 pilotos con licencia para pilotarlas[11].

La regulación española aplicable a los drones, en vigor desde el 30
de diciembre de 2017, se recoge en el Real Decreto 1036/2017, de 15
de diciembre, por el que se regula la utilización civil de las aeronaves
pilotadas por control, no era de aplicación, sin embargo, a los *coches
voladores*, al igual que sucedía con los países de nuestro entorno[12].

Es una realidad el gran incremento de los drones en multitud de
actividades, y se prevé, además, el desarrollo rápido de nuevas aplicaciones en un futuro próximo, lo cual refleja la naturaleza innovadora
y dinámica de la industria de los drones[13]. Por lo tanto, se hizo necesario realizar una modificación del Reglamento (CE) 216/2008, así que,
en el año 2015, la EASA (*European Union Aviation Safety Agence*,
Agencia de la Unión Europea para la Seguridad Aérea) elaboró un
aviso anticipado de propuesta de modificación de dicho Reglamen-

---

de 2012 (DO núm. L 224, 21 agosto 2012), por el que se establecían las disposiciones de aplicación sobre la certificación de aeronavegabilidad y medioambiental de las aeronaves y los productos, componentes y equipos relacionados
con ellas, así como sobre la certificación de las organizaciones de diseño y de
producción.

[11] Resolución del Parlamento Europeo, de 29 de octubre de 2015, sobre el uso
seguro de los sistemas de aeronaves pilotadas de forma remota (RPAS), comúnmente conocidos como vehículos aéreos no tripulados (UAV), en el ámbito de la
aviación civil, 2014/2243(INI), DO núm. C 355, 20 octubre 2017, pp. 63-70.

[12] RD 1036/2017, de 15 de diciembre, por el que se regula la utilización civil de
las aeronaves pilotadas por control remoto, y se modifican el RD 552/2014, de
27 de junio, por el que se desarrolla el Reglamento del aire y disposiciones ope-
rativas comunes para los servicios y procedimientos de navegación aérea y el RD
57/2002, de 18 de enero, por el que se aprueba el Reglamento de Circulación
Aérea, BOE núm. 316, 29 diciembre 2017.

[13] Sobre los sectores de actividad de los drones, *vid*. SESAR Outlook Study (*Notice
of Proposed Amendment 2017-05 (B): "Introduction of a regulatory framework
for the operation of drones: Unmanned aircraft system operations in the open
and specific category"*), p. 13.

to[14]. El aviso anticipado de propuesta, denominado A-NPA 2015-10, bajo el título de "*Introduction of a regulatory framework for the operation of drone*" aspiraba a crear unas normas europeas comunes sobre seguridad para el funcionamiento de drones con independencia de su peso. Este propone un enfoque proporcional y centrado en la operación, como así ha sido recogido en la nueva normativa. En otras palabras, se centra más en el "cómo" y "en qué condiciones" se usa el dron que únicamente en las características del mismo[15]. El aviso de propuesta considera cambios en las normas de seguridad de la aviación vinculadas a las responsabilidades de la EASA, y, por esta razón, no aborda directamente aspectos como la privacidad o la protección de datos, al estar fuera de las responsabilidades de la EASA.

Así pues, la nueva normativa europea está recogida en el Reglamento (UE) 2018/1139, que es de aplicación a una gran variedad de aeronaves, entre ellas las no tripuladas, y que tiene efectos desde el 11 de septiembre de 2018[16]. Esta es una regulación muy básica que ha

---

[14] Advance Notice of Proposed Amendment 2015-10: "*Introduction of a regulatory framework for the operation of drone*", disponible en: http://easa.europa.eu/system/files/dfu/A-NPA%202015-10.pdf (consultado el 27 de noviembre de 2019). De forma abreviada se denomina (A-NPA 2015-10).

[15] Posteriormente a este aviso anticipado de propuesta A-NPA 2015-10, la EASA ha redactado el aviso de la propuesta de modificación del Reglamento Básico, que es el Reglament (CE) 216/2008 con el mismo título "*Introduction of a regulatory framework for the operation of drone*", pero centrándose exclusivamente en dos de las categorías de UAS señaladas, la categoría abierta y categoría específica, y que se denomina de forma abreviada NPA 2017-05. Sin embargo, se han elaborado dos documentos, NPA 2017-05 (A) y NPA 2017-05 (B): en el primero, en el A, se recogen las notas explicativas y el borrador de la normativa propuesta; y en el segundo, B, se estudia la evaluación del impacto de la regulación propuesta. Vid. *Notice of Proposed Amendment 2017-05 (A)* y *Notice of Proposed Amendment 2017-05 (B): Introduction of a regulatory framework for the operation of drones; Unmanned aircraft system operations in the open and specific category*". Consultado el 27 de noviembre de 2019 en https:// www.easa.europa.eu/document-library/notices-of-proposed- amendment/npa-2017-05. De forma abreviada se denominan NPA 2017-05 (A) y NPA 2017-05 (B).

[16] Reglamento (UE) núm. 2018/1139 del Parlamento Europeo y del Consejo, de 4 de julio de 2018, DO núm. *L 212, 22 agosto 2018*, sobre normas comunes en el ámbito de la aviación civil y por el que se crea una Agencia de la Unión Europea para la Seguridad Aérea y por el que se modifican los Reglamentos (CE) núm. 2111/2005, (CE) núm. 1008/2008, (UE) núm. 996/2010, (CE) núm. 376/2014 y las Directivas 2014/30/UE y 2014/53/UE del Parlamento Europeo y del Consejo

sido desarrollada reglamentariamente en parte, pero no totalmente, como consecuencia de que determinadas tecnologías, las más complejas, todavía no han visto la luz, siendo este el caso de las aeronaves autónomas.

¿Pero cuál es el impacto sobre la ciudadanía, si se hace realidad lo que hace años parecía ciencia ficción? Los nuevos Reglamentos que vienen a desarrollar el Reglamento (UE) 2018/1139, el Reglamento Delegado (UE) 2019/945 y el Reglamento de Ejecución (UE) 2019/947, que se aplican en diferentes fechas, tienen en cuenta dicho impacto y pretenden ofrecer una solución a corto-medio plazo.

2. EL REGLAMENTO (UE) 2018/1139, SOBRE NORMAS COMUNES EN LA AVIACIÓN CIVIL

El Reglamento (UE) 2018/1139 ha entrado en vigor el 11 de septiembre de 2018, fecha a partir de la cual va a ser de aplicación a todas las aeronaves, tanto las tripuladas como las no tripuladas, con independencia de su tamaño[17]. Sin embargo, el Reglamento (UE) 2018/1139 es un Reglamento básico, que debía ser desarrollado mediante actos delegados y de ejecución, como así ha sido a través de los dos Reglamentos mencionados anteriormente y que serán estudiados en los siguientes epígrafes. Hasta ese momento, existía un mercado fragmentado en relación a los drones, ya que cada Estado poseía su propia legislación interna; por lo que había que desarrollar una normativa de la Unión Europea para conseguir una regulación uniforme que impulsara la creación de un mercado europeo de drones, en el que los avances científicos y la innovación tecnológica era y es fundamental.

---

y se derogan los Reglamentos (CE) núm. 552/2004 y (CE) núm. 216/2008 del Parlamento Europeo y del Consejo y el Reglamento (CEE) núm. 3922/91 del Consejo.

[17]   Art. 141 Reglamento (UE) 2018/1139.

2.1. Ámbito de aplicación: comparativa con el Reglamento (UE) 2018/1139

La novedad introducida por el nuevo Reglamento (UE) 2018/1139 con respecto a su antecesor, el Reglamento (CE) 216/2008, es que la regulación de las aeronaves no tripuladas no se va establecer solamente en función del peso de la aeronave.

Aunque el Anexo I del Reglamento (UE) 2018/1139 contiene un listado de las aeronaves excluidas de su ámbito de aplicación, ninguna aeronave no tripulada está excluida, a diferencia de lo que sucedía con el Reglamento (UE) 216/20018 (Anexo II). Así resulta paradójico que el Reglamento (UE) 2018/1139 se aplique a todas las aeronaves no tripuladas, pero se excluya de su ámbito de aplicación a las aeronaves tripuladas con masa inferior a 70 kg[18]. Esto es como consecuencia de que el legislador europeo considera que ningún tipo de aeronave no tripulada supone un riesgo bajo para

la seguridad aérea[19]. También se debe a que se pretende que la nueva normativa aplicable a las aeronaves no tripuladas sea uniforme en todos los Estados miembros.

Sin embargo, se mantiene la exclusión de aquellas aeronaves que: *"lleven a cabo actividades o servicios militares, de aduanas, policía, búsqueda y salvamento, lucha contra incendios, control fronterizo, vigilancia costera o similares, bajo el control y la responsabilidad de un Estado miembro, emprendidas en el interés general por un orga-*

---

[18]   Tampoco contempla el Reglamento (UE) 2018/1139, a diferencia del Reglamento (CE) 216/2008 (letra b) del Anexo II), la exclusión de su ámbito de aplicación de las aeronaves no tripuladas específicamente diseñadas o modificadas para la investigación o para propósitos de experimentación o científicos, y que puedan producirse en número muy limitado – esto es las aeronaves no tripuladas destinadas a operaciones aéreas especializadas o vuelos experimentales–; aunque siguen estando excluidas este tipo de aeronaves en el caso de que sean tripuladas (letra b) apartado 1 del Anexo I del Reglamento (UE) 2018/1139).

[19]   El Anexo I Reglamento (UE) 2018/1139 señala las aeronaves excluidas del ámbito de aplicación del Reglamento, porque suponen un riesgo para la seguridad aérea, siempre que no se les haya expedido un certificado conforme al Reglamento anterior, el Reglamento (CE) 216/2008 (precepto 2.3.d) Reglamento (UE) 2018/1139). Vid. Gallardo Romera, E., *"Régimen jurídico de los drones en España. Drones civiles: uso profesional, uso recreativo y uso deportivo. Drones militares"*, en Derecho de los drones, Walters Kluwer, Madrid, 2018, p. 123.

nismo investido de autoridad pública o en nombre de este", teniendo en cuenta que los Estados miembros garantizarán que las actividades y servicios realizados por dichas aeronaves se realizan valorando los objetivos de seguridad del Reglamento y que, cuando sea necesario, dichas aeronaves estarán separadas del resto de aeronaves de forma segura[20].

El Reglamento (UE) 2018/1139 también introduce otra novedad con respecto al Reglamento (CE) 216/2008, y es que dentro del concepto de aeronave no tripulada se encuentran tanto las aeronaves pilotadas por control remoto como las aeronaves autónomas, categoría en la que se encontrarían los coches voladores[21]. Si bien esa normativa, de momento, solo se ha desarrollado a través de una disposición en el Reglamento de Ejecución (UE) 2019/947, que será estudiada en dicho epígrafe.

2.1. Ámbito de aplicación: comparativa con el Real Decreto 1036/2017

El Reglamento (CE) 216/2008 no era de aplicación ni a los drones con una masa máxima en el despegue inferior a 150 kg ni a las aeronaves en general, ya fueran tripuladas o no tripuladas, destinadas a operaciones aéreas especializadas o a vuelos experimentales, bajo determinadas condiciones establecidas en el Anexo II del Reglamento (CE) 216/2008, que recoge las aeronaves que están excluidas del ámbito de aplicación de dicho instrumento internacional. En España, se hizo a través del Real Decreto 1036/2017 de 15 de diciembre, por el que se regula la utilización civil de las aeronaves pilotadas por control[22].

---

[20] Precepto 2.3.a) y párrafo penúltimo del precepto 2.3 Reglamento (UE) 2018/1139.

[21] Art. 3, apartado 30 Reglamento (UE) 2018/1139. Hasta el Reglamento (UE) 2018/1139 no existía todavía ninguna regulación en relación con las aeronaves autónomas. *Vid.* Díaz Alabart, S., *Robots y responsabilidad civil*, Reus, Madrid, 2018, p. 47.

[22] Para un desarrollo de la normativa sobre drones prevista en el Real Decreto 1036/2017, *vid.* Castellanos Ruiz, M. J., "Régimen jurídico de los drones: el nuevo Reglamento (UE) 2018/1139", *Cuadernos de Derecho Transnacional*, vol. 11, núm. 1, marzo 2019, pp. 181-192.

Así que, en principio, el Real Decreto 1036/2017 queda desplazado en relación con las aeronaves de masa inferior a 150 kg que no efectúen actividades de aduanas, policía, búsqueda y salvamento, lucha contra incendios, guardacostas o similares con la norma europea[23]. De manera que el Real Decreto 1036/2017 no va a ser de aplicación a las aeronaves no tripuladas destinadas a la realización de operaciones especializadas distintas de las arriba mencionadas, esto es, las no desarrolladas con fines públicos y a la ejecución de vuelos experimentales.

Por otro lado, el Reglamento (UE) 2018/1139 permite que las autoridades nacionales españolas –o las de cualquier Estado miembro-, con objeto de lograr mejoras en términos de seguridad, interoperabilidad o eficiencia, pueden decidir que a las aeronaves no tripuladas que efectúan actividades y servicios militares realizados en interés público, les sean de aplicación las normas del Reglamento (UE) 2018/1139. En cuyo caso, el Real Decreto 1036/2017 quedaría totalmente desplazado por el Reglamento (UE) 2018/1139, cuando son precisamente estos dos tipos de operaciones realizados con aeronaves no tripuladas, el objetivo fundamental de este Real Decreto 1036/2017[24]. En ese sentido, uno de los caracteres fundamentales de este nuevo Reglamento es la flexibilidad.

Además, en opinión de ciertos autores, el apartado 8 situado al final del artículo 56 del Reglamento (UE) 2018/1139, que recoge la "Conformidad de las aeronaves no tripuladas", abre la posibilidad a una regulación nacional adicional y concurrente, *"por razones ajenas al ámbito de aplicación del presente Reglamento, en particular por razones de seguridad pública o de protección de la privacidad y de los datos personales con arreglo al Derecho de la Unión"*[25]. Sin embargo, esto no debería suponer un resquicio legal para el desarrollo de normas nacionales por parte de los Estados miembros, puesto que esta

---

[23]   *Vid.*, Gallardo Romera, E., "Régimen jurídico de los drones en España. Drones civiles: uso profesional, uso recreativo y uso deportivo. Drones militares", ob. cit, p. 124.

[24]   Para un desarrollo mayor de la comparativa entre los ámbitos de aplicación de ambas normas, *vid.* Castellanos Ruiz, M. J., "Régimen jurídico de los drones: el nuevo Reglamento (UE) 2018/1139", ob. cit., pp. 205-209.

[25]   *Vid.*, *Gallardo Romera, E., ob. cit., p. 124.*

opción se contempla en el Reglamento (UE) 2018/1139 tanto para las aeronaves no tripuladas como para las aeronaves tripuladas.

Por último, cuando se trate de aeronaves que no se encuentren dentro el ámbito de aplicación del Reglamento (UE) 2018/1139, con el fin de facilitar la elaboración de normas nacionales para las aeronaves que no estén incluidas en el ámbito de aplicación del presente Reglamento, la Agencia podrá emitir documentación orientativa con este propósito[26].

2.2. Normativa específica sobre drones: "conformidad de las aeronaves no tripuladas"

Teniendo en cuenta que el Reglamento (UE) 2018/1139 es una regulación muy básica, que debía ser desarrollada posteriormente mediante actos delegados y de ejecución, la regulación de las aeronaves no tripuladas está recogida en:

(a) la Sección VII bajo el título "Aeronaves no tripuladas", dentro del Capítulo III que aborda "Requisitos sustantivos" de todas las aeronaves;

(b) y el Anexo IX que recoge "Requisitos esenciales para aeronaves no tripuladas".

La Sección VII destinada a "Aeronaves no tripuladas" está compuesta por cuatro artículos, del art. 55 al 58. El art. 55 recoge los "Requisitos esenciales para las aeronaves no tripuladas", el art. 56 comprende la "Conformidad de las aeronaves tripuladas", el art. 57 contempla los "Actos de ejecución y competencias delegadas" y, por último, el art. 58 desarrolla las "Competencias delegadas".

En primer lugar, las aeronaves no tripuladas que entren dentro del ámbito de aplicación del Reglamento (UE) 2018/1139 deberán cumplir con los requisitos esenciales previstos para las aeronaves no tripuladas, que están desarrollados en el Anexo IX[27].

---

[26]   Considerando (4) Reglamento (UE) 2018/1139.

[27]   El art. 55 del Reglamento (UE) 2018/1139 detalla exactamente que deben cumplirse los requisitos en cuanto al diseño, la producción, el mantenimiento y la explotación de las aeronaves no tripuladas, y sus motores, hélices, componentes, equipos no instalados y equipos para controlarlas de forma remota, así como al

En cuanto a las aeronaves no tripuladas que entran dentro del ámbito de aplicación del Reglamento (UE) 2018/1139, en virtud del precepto 2.1, letra b), son: (a) aquellas matriculadas en un Estado miembro, salvo que el Estado miembro haya transferido sus responsabilidades de acuerdo con el Convenio de la ICAO a un tercer país y que, por tanto, la explotación de la aeronave recaiga en un operador de aeronaves de un tercer país[28] ; (b) aquellas matriculadas en un tercer país, pero explotadas por un operador de aeronaves que tenga su "domicilio" (establecimiento, residencia o un centro de actividad principal) en un lugar en el que se aplican los Tratados (Tratado de la Unión Europea, TUE, y Tratado de Funcionamiento de la Unión Europea, TFUE); (c) aquellas que no estén matriculadas ni en un Estado miembro ni en un tercer país, pero que estén explotadas en el territorio al que se aplican los Tratados por un operador de aeronaves con "domicilio", en el sentido del Reglamento, en dicho territorio; (d) y en caso de que las aeronaves no tripuladas no cumplan ninguno de los requisitos anteriores, aquellas que estén sometidas a la supervisión de la Agencia o de un Estado miembro.

Bajo el título "Conformidad de las aeronaves no tripuladas", el art. 56 establece los requisitos necesarios para que dichas aeronaves obtengan la conformidad. En el apartado 1 se establece que, de conformidad con los actos delegados (art. 58) y los actos de ejecución (art. 57), se podrá requerir un certificado para las aeronaves no tripu-

---

personal, incluidos los pilotos a distancia, y a las organizaciones que intervengan en estas actividades.

[28] Es posible que una aeronave que esté matriculada en un Estado miembro sea explotada por un operador de un tercer Estado. En cuyo caso, en virtud del art. 83 del Convenio de la ICAO, las autoridades del Estado de matrícula de la aeronave pueden transferir ciertas responsabilidades, tales como las relacionadas con la aeronavegabilidad, la formación de los pilotos o las operaciones de cabina, a las autoridades del Estado en el que la aerolínea realiza sus operaciones. Esta opción está destinada a la aviación tripulada, pero también es de aplicación a las aeronaves no tripuladas, porque los dos primeros criterios, (a) y (b), para la aplicación del Reglamento tienen como objeto los dos tipos de aeronaves, tanto las tripuladas como las no tripuladas. A propósito de la transferencia de determinadas responsabilidades entre el Estado de matrícula y el Estado en el que el explotador tiene su oficina principal, o en su defecto, su residencia permanente, vid. Castellanos Ruiz, M. J., *Compraventa Internacional de Grandes Aeronaves Civiles*, Dykinson, Madrid, 2016, pp. 88- 108.

ladas[29]. Sin embargo, también teniendo en cuenta los mismos aspectos que para la solicitud del certificado, los actos delegados (art. 58) y los actos de ejecución (art. 57) podrían exigir una declaración que confirme el cumplimiento de dichos actos delegados y de ejecución[30].

Al igual que sucede con el requerimiento de los certificados, la declaración relativa a las aeronaves no tripuladas puede solicitarse sobre: (a) el diseño, la producción, el mantenimiento y la operación de las misma; (b) de sus motores, hélices, componentes, equipos no instalados y equipos para controlarlas de forma remota; (c) el personal, incluidos los pilotos a distancia, y las organizaciones que intervengan en tales actividades.

En este sentido, ya se establecía que iban a existir disposiciones adaptadas a las particularidades de la aviación deportiva y recreativa. Así, las organizaciones que realizasen el diseño y la fabricación de productos utilizados en la aviación deportiva y recreativa, componentes y equipos no instalados aeronáuticos deben tener la posibilidad de declarar el cumplimiento de dichos requisitos con las normas del sector pertinentes, pero siempre con sujeción a las limitaciones y condiciones adecuadas para garantizar la seguridad[31].

Finalmente, el desarrollo del Reglamento (UE) 2018/1139 se ha realizado a través de dos instrumentos: el Reglamento Delegado (UE) 2019/945, sobre diseño, fabricación y comercialización de aeronaves no tripuladas y el Reglamento de Ejecución (UE) 2019/947, sobre las operaciones de vuelo de las aeronaves no tripuladas, que han comenzado a aplicarse en fechas diferentes. Así, mientras el Reglamento Delegado (UE) 2019/945 ya está teniendo efectos, el Reglamento de Ejecución (UE) 2019/947 todavía no es de aplicación.

---

[29] Para un mayor desarrollo de la normativa sobre drones prevista en el Reglamento (UE) 2018/1139, *vid. Castellanos Ruiz, M. J., ob. cit., pp. 214-224.*
[30] Precepto 56.5 Reglamento (UE) 2018/1139.
[31] Considerando (25) Reglamento (UE) 2018/1139.

3. EL REGLAMENTO DELEGADO (UE) 2019/945, SOBRE DISEÑO, FABRICACIÓN Y COMERCIALIZACIÓN DE AERONAVES NO TRIPULADAS

El Reglamento Delegado (UE) 2019/945, sobre diseño, fabricación y comercialización de aeronaves no tripuladas entró en vigor y es de aplicación desde el 1 de julio de 2019[32].

En el mismo, se establecen los requisitos de diseño para UAS pequeños (*Unmanned Aircraft System*), de hasta 25 kg, que se implementarán mediante el uso de la conocida como marca CE ("Conforme Europa") para productos comercializados en Europa. El operador encontrará en cada uno de estos drones, dependiendo de si es clasificado como C1, C2, C3 o C4, una información relativa a lo que puede o no puede hacer con el dron para no poner en peligro a las personas[33]. Esta clasificación de los drones será explicada en el siguiente epígrafe, al estudiar las diferentes categorías de operaciones que pueden hacer los UAS (sistemas de aeronaves no tripuladas). Esta normativa es de aplicación exclusivamente a los UAS diseñados para operar en la categoría abierta o de riesgo medio, a las que no se les exige certificado de aeronavegabilidad, pero sí marcado CE y, en su caso, la etiqueta de identificación de clase. La Directiva 2014/53/UE del Parlamento Europeo y del Consejo, relativa a la armonización de las legislaciones de los Estados miembros sobre la comercialización de equipos radioeléctricos, conformarían la nueva legislación armonizada de la Unión Europea cuando se trata de drones que operan en la categoría abierta[34].

Dicho Reglamento debe aplicarse también a los UAS, considerados juguetes en el sentido de la Directiva 2009/48/CE del Parlamento Eu-

---

[32]   Reglamento Delegado (UE) 2019/945 de la Comisión, de 12 de marzo de 2019, DO núm. L 152, 11 junio 2019, sobre los sistemas de aeronaves no tripuladas y los operadores de terceros países de sistemas de aeronaves no tripuladas.

[33]   *Vid. Partes 1 a 5 del Anexo Reglamento Delegado (UE) 2019/945.*

[34]   Directiva 2014/53/UE del Parlamento Europeo y del Consejo, de 16 de abril de 2014, DO núm. L 153, 22 mayo 2014, relativa a la armonización de las legislaciones de los Estados miembros sobre la comercialización de equipos radioeléctricos, y por la que se deroga la Directiva 1999/5/CE.

ropeo y del Consejo, sobre la seguridad de los juguetes; pero también deben ser conformes con dicha Directiva[35].

4. EL REGLAMENTO DE EJECUCIÓN (UE) 2019/947, SOBRE LAS OPERACIONES DE VUELO DE LAS AERONAVES NO TRIPULADAS

El Reglamento de Ejecución (UE) 2019/947 establece las normas que deben cumplir las aeronaves no tripuladas para poder operar en condiciones de seguridad; más concretamente, deben respetar los requisitos relacionados con la aeronavegabilidad, las organizaciones, las personas que participan en la utilización de UAS (*Unmanned Aircraft System*) y las operaciones de las aeronaves no tripuladas[36].

Esto se debe a que las aeronaves no tripuladas, independientemente de su masa, pueden ser utilizadas dentro del mismo espacio aéreo del cielo único europeo que las aeronaves tripuladas, ya sean estos aviones o helicópteros[37]. Así, las normas señaladas en este Reglamento de Ejecución tienen como objetivo garantizar la seguridad tanto de las personas en tierra como de otros usuarios del espacio aéreo durante las operaciones de este tipo de aeronaves, ya que pueden realizar una amplia gama de operaciones[38].

En este contexto, se debe realizar una clasificación conforme al riesgo de la operación realizada con el dron, y no solo teniendo en cuenta el peso del dron. Se usa, por tanto, el riesgo a la hora de clasificar las operaciones de los drones, ya que, por ejemplo, una aeronave no pilotada en el mar abierto ofrece un peligro menor que una más pequeña que sobrevuela a los espectadores de un estadio.

---

[35]   Directiva 2009/48/CE del Parlamento Europeo y del Consejo, de 18 de junio de 2009, DO núm. L 170, 30 junio 2009, sobre la seguridad de los juguetes.
[36]   Considerando (4) Reglamento de Ejecución (UE) 2019/947 de la Comisión, de 24 de mayo de 2019, DO núm. L 152, 11 junio 2019, relativo a las normas y los procedimientos aplicables a la utilización de aeronaves no tripuladas.
[37]   Considerando (1) Reglamento de Ejecución (UE) 2019/947.
[38]   Considerando (4) Reglamento de Ejecución (UE) 2019/947.

4.1. Categorías

Las tres categorías en las que se clasifican las operaciones de los UAS se establecen en función del riesgo que la operación de dicho UAS supone para terceros (personas y propiedades)[39]:

(a) Categoría abierta, que es aquella que implica un riesgo bajo.

(b) Categoría específica, que es la que implica un riesgo medio.

(c) Categoría certificada, que es aquella que conlleva un riesgo alto.

En relación con dichas categorías, antes de la redacción definitiva del Reglamento (UE) 2018/1139 y de sus dos reglamentos que lo desarrollan (Reglamento Delegado (UE) 2019/945 y Reglamento de Ejecución (UE) 2019/947), se realizó una evaluación de la seguridad en función del impacto social o económico de las tres categorías[40]:

CATEGORÍAS	Objetivos	Compromiso
CATEGORÍA ABIERTA	Balance proporcional entres requisitos técnicos UAS y competencia del piloto remoto	Entre seguridad y coste, con positivo impacto social
REGISTRO	Registro de: -los operadores con UA MTOM superior a 250 g.; -UA MTOM mayor de 900 g.	Debido al riesgo en seguridad y privacidad, se consigue el mejor compromiso entre riesgo y coste
CATEGORÍA ESPECÍFICA	Complementar la autorización con escenarios señalados por la EASA*	Mayor compromiso coste-eficacia en esta categoría

* De manera que se reduce la carga para los operadores y las autoridades competentes. Además, el operador puede solicitar un certificado de operador de UAS ligero o LUC (*Light UAS operator Certificate*), con el privilegio de aprobar su propia operación.

---

[39]   *A-NPA 2015-10*, p. 1, disponible en: http://easa.europa.eu/system/files/dfu/A-NPA%202015-10.pdf.

[40]   *NPA 2017-05 (B)*, p. 113, consultado el 27 de noviembre de 2019 en: https://www.easa.europa.eu/sites/default/files/dfu/NPA%202017-   05%20%28B%29.pdf ().

4.1.1. Categoría abierta

En la categoría abierta o de riesgo bajo, la seguridad se garantiza con limitaciones operacionales, cumplimiento con estándares de seguridad industriales, requisitos para ciertas funcionalidades y set mínimo de normas operacionales. La policía es la principal encargada de supervisar su cumplimiento[41].

Los límites para que una operación entre dentro de la categoría abierta son: que el UAS tenga una masa máxima en el despegue o MTOM (*Maximum take-off mass*, Masa máxima en el despegue) inferior a 25 kg, que la altura no supere los 120 m, que esté dentro del alcance visual del piloto o VLOS (*Operations in visual line of sight*)[42].

Las operaciones de la categoría abierta no deben exigir la utilización de UAS sujetos a procedimientos estándar de conformidad aeronáutica, es decir, que necesiten una certificación o una declaración, sino que deben realizarse con las clases de UAS definidas en el Reglamento Delegado (UE) 2019/945[43].

Las operaciones de UAS realizadas en la categoría abierta no estarán sujetas a ninguna autorización previa ni a una declaración operacional del operador de UAS antes de que se realice la operación[44]. Pero, además, las operaciones de UAS en esta categoría se dividirán en tres subcategorías[45]:

Dentro de la categoría abierta se distinguen tres subcategorías de operaciones, que nunca deben realizarse sobre aglomeraciones de personas[46]:

---

[41] *A-NPA 2015-10*, p. 14, consultado el 27 de noviembre de 2019 en http://easa. europa.eu/system/files/dfu/A-NPA%202015-10.pdf.

[42] Art. 4 Reglamento de Ejecución (UE) 2019/947. *Vid. NPA 2017-05 (A)*, p. 10, consultado el 27 de noviembre de 2019 en: https://www.easa.europa.eu/sites/ default/files/dfu/NPA%202017-05%20%28A%29_0.pdf.

[43] Considerando (8) Reglamento de Ejecución (UE) 2019/947.

[44] Art. 3 Reglamento de Ejecución (UE) 2019/947.

[45] Los requisitos para la operación de los UAS en cada subcategoría se señalan en la parte A del Anexo de dicho Reglamento (Art. 4.2 Reglamento de Ejecución (UE) 2019/947).

[46] *NPA 2017-05 (A)*, pp. 14-15, consultado el 27 de abril de 2018 en: https://www. easa.europa.eu/sites/default/files/dfu/NPA%202017-   05%20%28A%29_0.pdf ().

a) A1 es aquella en la que se engloban las operaciones que se realizan sobre personas, de forma excepcional. Estas operaciones solo pueden ser realizadas por: un UA clasificado como C0 o de forma privada, ambos con una masa máxima en el despegue inferior a 250 g., incluida su carga útil; o un UA clasificado como C1, cuya masa máxima en el despegue es inferior a 900 g, incluida su carga útil, cuyos operadores han de estar registrados[47].

Se ha considerado que la MTOM de una aeronave no tripulada que transmite 80 julios de energía cinética es de aproximadamente 900 gramos, y estos 80 julios de energía cinética es lo máximo que la cabeza de una persona puede absorber sin fracturarse el cráneo[48]. Por eso, se ha decidido que sea obligatoria la inscripción de los operadores de aeronaves no tripuladas a partir de 250 g., o que, en caso de colisión, pueda transferir una energía cinética superior a 80 julios; es decir, en principio, cuando se trate de un UA de 900 g. También, que sea precisamente la categoría C1 la que pueda volar por encima de personas aisladas, no sobre concentraciones de personas.

b) A2 es la categoría en la que se engloban las operaciones que se realizan de forma próxima a la gente. Estas operaciones solo pueden ser realizadas por un UA clasificado como C2, que tiene una masa máxima en el despegue inferior a 4 Kg., incluida carga útil[49].

c) A3 es la que corresponde a las operaciones que se realizan lejos de la gente. Dichas operaciones solo pueden ser realizadas por un UA clasificado como C2 (MTOM inferior a 4 kg. incluida carga útil), C3 o C4 (estos últimos con una masa máxima en el despegue inferior a 25 Kg, incluida carga útil)[50]. Para que sea

---

[47]   UAS.OPEN.020 (Operaciones de UAS de la subcategoría A1) Parte A del Anexo Reglamento de Ejecución (UE) 2019/947.

[48]   *NPA 2017-05 (B)*, pp. 117-121, sobre todo p. 119, consultado el 27 de noviembre de 2019 en: https://www.easa.europa.eu/sites/default/files/dfu/NPA%20 2017-05%20%28B%29.pdf.

[49]   UAS.OPEN.030 (Operaciones de UAS de la subcategoría A2) Parte A del Anexo Reglamento de Ejecución (UE) 2019/947.

[50]   UAS.OPEN.040 (Operaciones de UAS de la subcategoría A3) Parte A del Anexo Reglamento de Ejecución (UE) 2019/947.

clasificado el UA como un C3, además, debe tener una dimensión característica máxima inferior a 3 m.

Por otro lado, C4 es una clasificación que está pensada para los drones actuales que no cumplen la normativa y tienen un MTOM de menos de 25 Kg. Como consecuencia del buen nivel de seguridad alcanzado por las aeronaves de clase C4, se ha permitido la realización de operaciones de bajo riesgo de estas aeronaves en la categoría abierta. Estas aeronaves, utilizadas a menudo por operadores de aeromodelos, son comparativamente más simples que otras clases de aeronaves no tripuladas, por lo que no están sujetas a requisitos técnicos desproporcionados[51].

Cuando la operación a la que se destina el dron excede uno de los límites de la categoría abierta, entonces la operación entra dentro de la categoría específica[52].

4.1.2. Categoría específica

En la categoría específica o de riesgo medio, se precisará de la autorización de una autoridad aeronáutica nacional, posiblemente asistida por una Entidad cualificada tras una evaluación de riesgos elaborada por el operador. En un manual de operaciones se enumerarán las medidas para reducir el riesgo[53].

En la categoría específica se incluyen, por tanto, todas las operaciones que excedan las restricciones de la categoría abierta. Al principio, en la propuesta de modificación del Reglamento (UE) 216/2018, se señaló que una operación realizada por un UAS sería clasificada dentro de la categoría certificada cuando, al considerar los riesgos, se requiriese la certificación de la UA (*Unmanned aircraft*) y de su operador, así como la licencia del piloto[54]. Sin embargo, esto finalmente ha sido cambiado, y también en la categoría específica -además de

---

[51]   Considerando (28) Reglamento de Ejecución (UE) 2019/947.
[52]   *NPA 2017-05 (A)*, p. 10, consultado el 27 de noviembre de 2019 en: https://www.easa.europa.eu/sites/default/files/dfu/NPA%202017- 05%20%28A%29_0.pdf.
[53]   *A-NPA 2015-10*, p. 14, consultado el 27 de noviembre de 2019 en: http://easa.europa.eu/system/files/dfu/A-NPA%202015-10.pdf.
[54]   *NPA 2017-05 (A)*, p. 10, consultado el 27 de noviembre de 2019 en: https://www.easa.europa.eu/sites/default/files/dfu/NPA%202017- 05%20%28A%29_0.pdf.

en la categoría certificada-, se podría exigir un certificado expedido por las autoridades competentes para la utilización de aeronaves no tripuladas, así como para el personal, en particular los pilotos a distancia, y las organizaciones que participen en tales actividades, o para las aeronaves con arreglo al Reglamento Delegado (UE) 2019/945[55].

De hecho, también en un primer momento se había señalado que la categoría certificada podría no ser necesaria, puesto que todas las operaciones que no entrasen dentro de la categoría abierta podrían ser cubiertas por la categoría específica. Aunque esto teóricamente podría ser así, habría casos en los que las medidas para mitigar el riesgo serían tan numerosas que la certificación sería más eficiente, y permitiría, además, cubrir más operaciones que las descritas en la evaluación de riesgos[56]. En definitiva, en la categoría abierta entrarían las operaciones de los UAS que no están comprendidas en las otras dos categorías: ni en la abierta ni en la certificada.

Dentro de esta categoría se pueden realizar un amplio abanico de operaciones, desde las que implican un riesgo bajo hasta las que entrañan un mayor riesgo. Por ello, el Reglamento de Ejecución (UE) 2019/947 contempla un sistema de declaración del operador para facilitar la garantía del cumplimiento del Reglamento en caso de operaciones de bajo riesgo para la categoría específica, respecto a la cual se ha definido un escenario estándar con medidas detalladas de atenuación del riesgo[57].

El escenario estándar está definido en el apéndice 1 del anexo, para el que se ha determinado una lista precisa de medidas de atenuación, de tal manera que la autoridad competente pueda conformarse con declaraciones de los operadores en las que afirmen que aplicarán las medidas de atenuación al ejecutar este tipo de operación[58]. Si la operación específica se lleva a cabo en este escenario estándar, no será necesaria autorización operacional o de vuelo previa[59]. Pero si la aeronave no tripulada no opera en este escenario estándar, tendrá que

---

[55] Considerando (12) Reglamento de Ejecución (UE) 2019/947.
[56] *NPA 2017-05 (A)*, p. 10, consultado el 27 de noviembre de 2019 en: https://www.easa.europa.eu/sites/default/files/dfu/NPA%202017- 05%20%28A%29_0.pdf.
[57] Considerando (10) Reglamento de Ejecución (UE) 2019/947.
[58] Art. 2 Reglamento de Ejecución (UE) 2019/947.
[59] Art. 5 Reglamento de Ejecución (UE) 2019/947.

obtener una autorización operacional de la autoridad competente, de la EASA, para poder volar[60].

Aunque no se trate de una autorización operacional en el sentido del Reglamento de Ejecución (UE) 2019/947, la autoridad competente emitirá una autorización cuando se trate de operaciones de UAS en el marco de clubes y asociaciones de aeromodelismo, a petición de los mismos[61]. Esta autorización se expedirá de conformidad con cualquiera de las opciones siguientes: las normas nacionales pertinentes, o los procedimientos, la estructura organizativa y el sistema de gestión establecidos en el club o asociación de aeromodelismo[62]. En la autorización se establecerán las condiciones en las que podrán efectuarse operaciones en el marco de clubes o asociaciones de aeromodelismo, y dicha autorización se limitará al territorio del Estado miembro en el que se expida[63]. La solicitud de autorización operacional tampoco es obligatoria si el operador de UAS posee un LUC (*Light UAS operator Certificate*, Certificado de Operador de UAS ligero) con las facultades adecuadas de conformidad con lo establecido en dicho Reglamento, en relación con dicho certificado[64].

Se debe destacar que es posible realizar operaciones transfronterizas u operaciones fuera del Estado de registro, algo que, hasta la entrada en vigor de este Reglamento de Ejecución, no estaba contemplado en ninguna normativa sobre drones. Así pues, cuando un operador de UAS tenga previsto realizar una operación en la categoría específica, que vaya a tener lugar total o parcialmente en el espacio aéreo de un Estado miembro distinto del Estado miembro de registro,

---

[60]   Art. 12 Reglamento de Ejecución (UE) 2019/947.

[61]   Art. 3 Reglamento de Ejecución (UE) 2019/947.

[62]   En ese último caso, en el que la autorización se expida de acuerdo con las normas establecidas en el club o asociación de aeromodelismo, deberán asegurarse determinados aspectos, tales como, que los pilotos a distancia que operen en el marco de clubes o asociaciones de aeromodelismo estén informados de las condiciones y las limitaciones definidas en la autorización expedida por la autoridad competente, entre otros (art. 16.2 Reglamento de Ejecución (UE) 2019/947).

[63]   Art. 16.3 Reglamento de Ejecución (UE) 2019/947.

[64]   La normativa relativa al LUC (*Light UAS operator Certificate, Certificado de Operador de UAS ligero*) está recogida en la Parte C del Anexo del Reglamento de Ejecución (UE) 2019/947 (UAS.SPEC.030 (Solicitud de autorización operacional) Parte B del Anexo Reglamento de Ejecución (UE) 2019/947).

dicho operador tendrá que presentar una solicitud o una declaración a la autoridad competente del Estado miembro donde se pretende llevar a cabo dicha operación[65].

En esta categoría específica estarían todas las operaciones realizadas por aeronaves no tripuladas que realizan todas las actividades de precisión agrícola y de supervisión e inspección de infraestructuras, que se suelen realizar fuera del alcance visual del piloto (BVLOS)[66]. También entrarían dentro de esta categoría cuando los drones realicen tareas de filmación o toma de fotografías fuera del alcance visual del piloto, así como aquellas aeronaves no tripuladas destinadas al transporte de cosas, tales como los drones que Amazon, DHL o Google tienen preparados desde hace años para realizar entregas de paquetes[67].

4.1.3. Categoría certificada

En la categoría certificada o de riesgo alto, los requisitos son comparables a aquellos que tienen que cumplir las aeronaves tripuladas. Será supervisada por la agencia aeronáutica nacional en cuanto a emisión de licencias y aprobación de mantenimiento, operaciones, formación, gestión del tránsito aéreo y servicios de navegación aérea, y organizaciones de aeródromos; y por la EASA (*European Union Aviation Safety Agence,* Agencia de la Unión Europea para la Seguridad Aérea) para el diseño y autorización de las organizaciones extranjeras[68].

---

[65] Se presentará solicitud o declaración por parte del operador del UAS, en función del tipo de operación que se vaya a realizar en la categoría específica: si es de mayor o menor riesgo, atendiendo a la regulación establecida para la categoría específica (Art. 13 Reglamento de Ejecución (UE) 2019/947).

[66] *NPA 2017-05 (B),* p. 11, consultado el 27 de noviembre de 2019 en: https://www.easa.europa.eu/sites/default/files/dfu/NPA%202017- 05%20%28B%29.pdf ().

[67] "Unmanned Aerial Vehicles - The Economic Case for Drones", editor MarketLine, a Progressive Digital Media business, London, United Kingdom of Great Britain & Northern Ireland, 6 de enero de 2014, p. 2; Olsen, R. G. "Paperweights: FAA Regulation and the Banishment of Commercial Drones", Berkeley Technology Law Journal, volumen 32, núm. 2, 2018, p. 651.

[68] *A-NPA 2015-10,* p. 14, consultado el 27 de noviembre de 2019 en: http://easa.europa.eu/system/files/dfu/A-NPA%202015-10.pdf.

Las operaciones de la categoría certificada deben estar sujetas, por principio, a normas sobre la certificación de los operadores y la concesión de licencias de pilotos a distancia, además de la certificación de los UAS con arreglo al Reglamento Delegado (UE) 2019/945[69].

Dado que, para determinar si una operación entraba dentro de la categoría certificada, se analizaban los criterios similares a los estudiados en la evaluación de riesgos, se llegó a la conclusión de que una operación solo podía ser certificada después de una detallada investigación. Sin embargo, las operaciones que inicialmente fueron propuestas para que fuesen clasificadas dentro de la categoría certificada fueron[70]: UAS grande o complejo que opera continuamente sobre concentraciones de personas; UAS grande o complejo que realiza operaciones más allá del alcance visual del piloto o BVLOS en el espacio aéreo con alta densidad; UAS utilizados para el transporte de personas; y UAS para el transporte de productos peligrosos, que pueda suponer un riesgo elevado para terceras personas en caso de colisión. Finalmente, en el Reglamento de Ejecución (UE) 2019/947 se ha establecido que entran dentro de la categoría certificada únicamente las operaciones con UAS que cumplan las dos condiciones siguientes[71]:

a) que el UAS esté certificado de conformidad por cumplir alguna de las condiciones siguientes: tenga una dimensión característica de 3 metros o más y esté diseñado para ser utilizado sobre concentraciones de personas, esté diseñado para el transporte de personas, o esté diseñado para el transporte de mercancías peligrosas y requiera una gran solidez para atenuar los riesgos para terceros en caso de accidente[72];

b) que la operación del UAS se realice en cualquiera de las condiciones siguientes: implique volar sobre concentraciones de personas, conlleve el transporte de personas, o conlleve el trans-

---

[69]   Art. 3 y Considerando (11) Reglamento de Ejecución (UE) 2019/947.

[70]   En ese momento, esa lista todavía estaba siendo desarrollada por el grupo de trabajo 7 de JARUS (WG-7) (*NPA 2017- 05 (A)*), p. 11. Consultado el 27 de noviembre de 2019 en: https://www.easa.europa.eu/sites/default/files/dfu/NPA%20 2017- 05%20%28A%29_0.pdf ()).

[71]   Art. 6 Reglamento de Ejecución (UE) 2019/947.

[72]   Art. 40.1 Reglamento Delegado (UE) 2019/945.

porte de mercancías peligrosas que pueden entrañar un riesgo elevado para terceros en caso de accidente.

En consecuencia, las operaciones con UAS destinados al transporte de personas -es decir, los taxis aéreos o coches voladores- entrarían dentro de la categoría certificada. En general, podría afirmarse que estos UAS tendrían que cumplir los mismos requisitos que las aeronaves tripuladas. Por lo que los fabricantes de estos modelos de aeronaves se han dado cuenta de que, al exigirse obtener la misma certificación que para las aeronaves tripuladas, era mejor optar por los helicópteros, pues pueden realizar el servicio de transporte aéreo urbano. Si bien es cierto que los helicópteros -a diferencia de la mayoría de los prototipos de aeronaves no tripuladas señaladas en la introducción- no son eléctricos ni autónomos.

El Reglamento (UE) 2018/1139, sobre normas comunes en la aviación civil, ya señala que dicha regulación es de aplicación a todo tipo de aeronaves no tripuladas, ya operen a través de control remoto o de forma autónoma, pero estaba pendiente el desarrollo de una normativa sobre este tipo de drones[73]. Esta misma definición de aeronave no tripulada se recoge en el Reglamento de Ejecución (UE) 2019/947, así que todo lo establecido en dicho instrumento internacional es de aplicación tanto a las aeronaves pilotadas por control remoto como a las aeronaves que operan de forma autónoma[74]. Sin embargo, el Reglamento de Ejecución (UE) 2019/947 solo contempla una disposición sobre las operaciones autónomas, entendidas estas como aquellas operaciones durante las cuales una aeronave no tripulada funciona sin que el piloto a distancia pueda intervenir[75]. Se alude a estas operaciones en relación con las responsabilidades de los operadores de UAS cuando se trata de una operación que está dentro de la categoría específica[76].

---

[73]   Art 3 Reglamento (UE) 2018/1139.

[74]   El Reglamento Delegado (UE) 2019/945 también contempla, en su art. 3, esa misma definición de aeronave no tripulada, en la que incluye a las aeronaves que operan de forma autónoma, pero no contiene ninguna disposición específica sobre este tipo de aeronaves no tripuladas.

[75]   Art. 2 Reglamento de Ejecución (UE) 2019/947.

[76]   UAS.SPEC.050 (Operaciones de UAS en la categoría específica) Parte B del Anexo Reglamento de Ejecución (UE) 2019/947.

4.2. Requisitos de los operadores de sistemas de aeronaves no tripuladas

Los operadores de UAS estarán obligados a registrarse cuando utilicen en la categoría abierta cualquier aeronave no tripulada[77]:

a) con una MTOM de 250 g o más, o que, en caso de colisión, pueda transferir a un ser humano una energía cinética superior a 80 julios; o que esté equipada con un sensor capaz de capturar datos personales, salvo que sea conforme con la Directiva 2009/48/CE, relativa a la seguridad de los juguetes[78];

b) cuando utilicen una aeronave no tripulada de cualquier masa en la categoría específica.

Los operadores de UAS indicarán su número de registro en todas las aeronaves no tripuladas que cumplan las condiciones arriba señaladas[79].

Estos operadores de UAS se registrarán en el Estado miembro en el que residan si son personas físicas, o en el que tengan su centro de actividad principal si son personas jurídicas, y se asegurarán de que su información de registro es exacta. Un operador de UAS no podrá estar registrado en más de un Estado miembro a la vez[80].

Por otro lado, cualquier aeronave no tripulada cuyo diseño esté sujeto a certificación deberá ser registrada por su propietario[81]. Tal y como se ha señalado en el cuadro de la evaluación de la seguridad en relación con el impacto social o económico de las tres categorías, en un primer momento se propuso la obligatoriedad del registro de las aeronaves no tripuladas que entren dentro de la denominada cate-

---

[77]   Art. 14.5 Reglamento de Ejecución (UE) 2019/947.

[78]   Directiva 2009/48/CE del Parlamento Europeo y del Consejo, de 18 de junio de 2009, DO núm. L 170, 30 junio 2009, sobre la seguridad de los juguetes.

[79]   Art. 14.8 Reglamento de Ejecución (UE) 2019/947.

[80]   Además, los Estados miembros expedirán un número de registro digital único para los operadores de UAS y para los UAS que requieran registro, que permita su identificación individual. El número de registro de los operadores de UAS se establecerá sobre la base de normas que promuevan la interoperabilidad de los sistemas de registro (Art. 14.6 Reglamento de Ejecución (UE) 2019/947).

[81]   Las marcas de nacionalidad y de matrícula de una aeronave no tripulada se establecerán de conformidad con el anexo 7 del Convenio de Chicago (Art. 14.7 Reglamento de Ejecución (UE) 2019/947).

goría abierta que tengan una masa máxima en el despegue mayor de 900 g[82]. Finalmente, esta propuesta no se ha incorporado en ninguna disposición, lo cual difiere bastante de la mayoría de las legislaciones nacionales sobre drones, como la española, que establecen que las aeronaves no tripuladas con una masa máxima en el despegue superior a 25 kg deberán ser registradas[83]. Se ha debido considerar que con la inscripción del operador de UAS con una MTOM superior a 250 g. es posible determinar quién es el responsable del dron, y puesto que solo los drones clasificados C1 pueden volar sobre alguna persona de forma excepcional, con la inscripción de los operadores se estaban cumpliendo suficientemente los requisitos de seguridad.

En relación con las operaciones autónomas, el operador del UAS deberá garantizar que durante todas las fases de la operación del UAS se asignen adecuadamente las responsabilidades y tareas, dado que en estas operaciones no es posible designar un piloto remoto. Esto quiere decir que el operador es el responsable de actividades que se atribuyen al piloto remoto cuando es este el que tripula la aeronave[84]. Se debe destacar que esta disposición sobre las operaciones autónomas solo está incluida en la categoría específica.

Por último, los Estados miembros podrán permitir que los clubes y asociaciones de aeromodelismo registren a sus miembros, en su nombre, en los sistemas de registro señalados. En caso contrario, los miembros de clubes y asociaciones de aeromodelismo se registrarán de conformidad con lo que se ha establecido anteriormente[85].

---

[82]   *NPA 2017-05 (B)*, p. 113, consultado (el 27 de noviembre de 2019) en: https://www.easa.europa.eu/sites/default/files/dfu/NPA%202017- 05%20%28B%29.pdf.

[83]   Art. 9 del Real Decreto 1036/2017.

[84]   UAS.SPEC.050 (Operaciones de UAS en la categoría específica) Parte B del Anexo Reglamento de Ejecución (UE) 2019/947.

[85]   Art. 16.4 Reglamento de Ejecución (UE) 2019/947.

4.3. Requisitos de los pilotos de sistemas de aeronaves no tripuladas

La edad mínima de los pilotos a distancia que utilicen UAS en las categorías abierta y específica será de dieciséis años[86].

No se exigirá ninguna edad mínima para los pilotos a distancia que operen en la subcategoría A1 con un UAS de la clase 0 (MTOM inferior a 250 g. incluida la carga útil), que sea un juguete en el sentido de la Directiva 2009/48/CE, o que operen con UAS de construcción privada con una masa máxima de despegue inferior a 250 g[87].

Los Estados miembros podrán reducir la edad mínima siguiendo un planteamiento basado en el riesgo, teniendo en cuenta los riesgos específicos relacionados con las operaciones realizadas en su territorio: en hasta cuatro años en el caso de los pilotos a distancia que operen en la categoría abierta, en hasta dos años en el caso de los pilotos a distancia que operen en la categoría específica[88].

Ahora bien, cuando un Estado miembro reduzca la edad mínima de los pilotos a distancia, estos solo podrán utilizar un UAS en el territorio de ese Estado miembro[89].

Por otro lado, los Estados miembros podrán especificar una edad mínima diferente de los pilotos a distancia que operen en el marco de clubes o asociaciones de aeromodelismo, en la autorización expedida para llevar a cabo la operación en sus instalaciones[90].

En cuanto a la formación de los pilotos a distancia, para la categoría abierta será necesaria poseer una formación acreditada para aquellos UAS de más de 250 g., pero esta formación varía según el tipo de dron y deberá actualizarse cada cinco años[91]. Para la categoría específica, la competencia de los pilotos a distancia es establecida, en su caso, en la autorización operacional expedida por la autoridad competente, o en el escenario estándar definido en el Apéndice 1 del

---

[86]   Art. 9.1 Reglamento de Ejecución (UE) 2019/947
[87]   Art. 9.2 Reglamento de Ejecución (UE) 2019/947.
[88]   Art. 9.3 Reglamento de Ejecución (UE) 2019/947
[89]   Art. 9.4 Reglamento de Ejecución (UE) 2019/947
[90]   Art. 9.5 Reglamento de Ejecución (UE) 2019/947.
[91]   Parte A del Anexo Reglamento de Ejecución (UE) 2019/947.

Anexo, o en el LUC (*Light UAS operator Certificate,* Certificado de Operador de UAS ligero)[92].

4.4. *Entrada en vigor, fecha de aplicación y disposiciones transitorias*

Aunque el Reglamento de Ejecución (UE) 2019/947 entró en vigor el 31 de julio de 2019, será aplicable a partir del 1 de julio de 2020[93].

Sin embargo, la normativa referida a las declaraciones de los operadores de UAS en la categoría específica (art. 5.5 Reglamento de Ejecución (UE) 2019/947), será aplicable a partir de la fecha en que se modifique el apéndice 1 del anexo, de manera que contenga los escenarios estándar aplicables. Los Estados miembros podrán aceptar las declaraciones de los operadores de UAS sobre la base de escenarios estándar nacionales, hasta que el presente Reglamento sea modificado para incluir el escenario del apéndice 1 del anexo[94].

Con respecto a los UAS que no cumplan las condiciones señaladas por este Reglamento, existen dos disposiciones transitorias:

1°) Determinados tipos de UAS, que no sean conformes con el Reglamento Delegado (UE) 2019/945 y que no sean de fabricación privada, podrán seguir utilizándose en las condiciones indicadas a continuación, siempre que hayan sido introducidos en el mercado antes del 1 de julio de 2022[95]:

a) en la subcategoría A1, siempre que la masa máxima de despegue de la aeronave no tripulada sea inferior a 250 g, incluida la carga útil;

---

[92]   Art. 8.2 Reglamento de Ejecución (UE) 2019/947.
[93]   Art. 23.1 Reglamento de Ejecución (UE) 2019/947.
[94]   Siempre que tales escenarios se ajusten a los requisitos de la sección UAS. SPEC.020 (Declaración operacional). Parte B del Anexo Reglamento de Ejecución (UE) 2019/947 (Art. 23.2 Reglamento de Ejecución (UE) 2019/947).
[95]   Tienen que ser unos tipos de UAS en el sentido de la Decisión núm. 768/2008/CE del Parlamento Europeo y del Consejo, de 9 de julio de 2008, (DO núm. L 218, 13 agosto 2008) sobre un marco común para la comercialización de los productos y por la que se deroga la Decisión 93/465/CEE del Consejo.

b) en la subcategoría A3, siempre que la masa máxima de despegue de la aeronave no tripulada sea inferior a 25 kg, incluidos el carburante y la carga útil[96].

2°) Sin perjuicio de lo anterior, se permitirá el uso de UAS en la categoría abierta que no cumplan los requisitos de marcado CE, establecidos en los anexos 1 a 5 del Reglamento Delegado (UE) 2019/945, pero únicamente durante un período transitorio de dos años desde la entrada en vigor del Reglamento, es decir, hasta el 1 de julio de 2021, y en las condiciones establecidas en dicho Reglamento[97].

Además, los documentos que se detallan a continuación y que sean expedidos sobre la base del Derecho nacional seguirán siendo válidos hasta el 1 de julio de 2021: las autorizaciones concedidas a los operadores de los UAS, los certificados de competencia de los pilotos a distancia, las declaraciones presentadas por los operadores de UAS o documentación equivalente[98]. Los Estados miembros tendrán que convalidar, antes del 1 de julio de 2021, los certificados vigentes anteriormente señalados, incluidos los expedidos hasta esa fecha[99].

Por otro lado, podrán seguir realizándose operaciones de UAS en el marco de clubes y asociaciones de aeromodelismo, con arreglo a las normas nacionales pertinentes y sin autorización, hasta el 1 de julio

---

[96]   Art. 20 Reglamento de Ejecución (UE) 2019/947.
[97]   Las condiciones en las que deben operar dichos UAS son: "*a) las aeronaves no tripuladas con una masa máxima de despegue inferior a 500 g son utilizadas con arreglo a los requisitos operacionales establecidos en la parte A, sección UAS. OPEN.020, punto 1, del anexo por un piloto a distancia que tenga el nivel de competencia definido por el Estado miembro interesado; b) las aeronaves no tripuladas con una masa máxima de despegue inferior a 2 kg son utilizadas a una distancia horizontal mínima de cincuenta metros de las personas, y los pilotos a distancia tienen un nivel de competencia al menos equivalente al establecido en la parte A, sección UAS.OPEN.030, punto 2, del anexo; c) las aeronaves no tripuladas con una masa máxima de despegue superior a 2 kg pero inferior a 25 kg son utilizadas con arreglo a los requisitos operacionales establecidos en la sección UAS.OPEN.040, puntos 1 y 2, y los pilotos a distancia tienen un nivel de competencia al menos equivalente al establecido en la parte A, sección UAS. OPEN.020, punto 4, letra b), del anexo*" (Art. 22 Reglamento de Ejecución (UE) 2019/947).
[98]   Art. 21.1 Reglamento de Ejecución (UE) 2019/947.
[99]   Art. 21.2 Reglamento de Ejecución (UE) 2019/947.

del 2022[100]. Se puede comprobar que se la ha otorgado bastante tiempo a los clubes y asociaciones de aeromodelismo para que se adapten
a la nueva normativa, a pesar de ser más laxa; por ejemplo, no se
requiere la autorización operacional en el sentido del Reglamento,
sino que se trata de una autorización que puede ser emitida de conformidad con las normas establecidas por el propio club o asociación
de aeromodelismo[101].

4. CONCLUSIONES

Los nuevos Reglamentos de la Unión Europea contemplan un marco legal que va a permitir operar a las aeronaves autónomas, pero la
normativa no ha sido desarrollada todavía. Solo contempla una disposición sobre las operaciones autónomas, entendidas estas como aquellas
operaciones durante las cuales una aeronave no tripulada funciona sin
que el piloto a distancia pueda intervenir. Se alude a estas operaciones
en relación con las responsabilidades de los operadores de UAS cuando
se trata de una operación que está dentro de la categoría específica.

Normalmente estas operaciones autónomas están orientadas a
drones que transportan cosas y que estarían dentro de la categoría
específica. De momento, el uso de drones para el transporte de cosas
se ha venido realizando a través de aeronaves tripuladas por control
remoto y en zonas alejadas de los núcleos de población[102]. En este
sentido, Amazon, DHL o Google cuentan con sus propios drones para

---

[100]   Si bien se establece que todo ello sin perjuicio de lo establecido en la normativa
relacionada con el registro de los operadores de UAS y de los UAS señalados en
el art. 14 (Art. 21.3 Reglamento de Ejecución (UE) 2019/947).

[101]   Todo ello se debe a que se ha considerado que las operaciones de los UAS en los
clubes y asociaciones han demostrado tener un buen nivel de seguridad, por lo
que conviene facilitar una transición fluida entre los diferentes sistemas nacionales y el nuevo marco regulador de la Unión, de forma que los clubes y asociaciones de aeromodelismo puedan seguir operando como hasta ahora, y que además
tengan en cuenta las mejores prácticas de los Estados miembros (Considerando
(27) Reglamento de Ejecución (UE) 2019/947).

[102]   Raya, A., "Los primeros drones de reparto llegan a Europa: sirven albóndigas y pasteles", *Elespanol.com*, 20 mayo 2019, consultado el 20 de febrero de
2020 en: https://www.elespanol.com/omicrono/tecnologia/20190520/primeros-
drones-reparto-llegan- europa-albondigas-pasteles/399961211_0.html.

realizar entregas de paquetes, pero no cuentan con autorización para ofrecer este servicio.

Por otro lado, los drones destinados al transporte de personas, según la nueva reglamentación, estarían dentro de la categoría certificada, con lo cual tienen que cumplir prácticamente los mismos requisitos que una aeronave tripulada. En cualquier caso, no existe una regulación para los taxis aéreos, que, además de ser autónomos, se encarguen de transportar personas. De hecho, Airbus ha finalizado el proyecto Vahana, que es un taxi autónomo con capacidad para una persona, con su último vuelo el 14 de noviembre de 2019, a pesar de que su primer vuelo con éxito se produjo el 31 de enero de 2018[103]. Así que, de momento, la única posibilidad para los fabricantes de las aeronaves no tripuladas es la utilización de aeronaves tripuladas para la descongestión del tráfico en las grandes ciudades. Por ejemplo, Airbus ha creado una plataforma de reserva de helicópteros, denominada Voom, que ya opera en São Paulo y en México.

En este sentido, fuera ya de la Unión Europea, de todos los prototipos existentes de vehículos autónomos, solo un modelo de un fabricante chino, el Ehang-184, destinado para transportar una persona de forma autónoma, se ha probado con éxito en Dubai para que empiece operar en el año 2030[104]. Con anterioridad, ya se había probado el Ehang-184 con éxito para el transporte de personas en el Estado de Nevada. Por lo tanto, habrá que esperar al año 2030 para que un

---

[103]   "Vahana has come to an end. But a new chapter at Airbus has just begun", *Airbus.com*, consultado el 10 de enero de 2020 en: https://www.airbus.com/newsroom/stories/Vahana-has-come-to-an-end.html. Lo mismo ha sucedido con el pop.up de Airbus, vehículo autónomo con capacidad para cuatro personas, que en la actualidad denominado CityAirbus, que es otro prototipo, que no se espera que entre en fabricación a corto plazo (Cabrera, S. J., "Airbus Pop.Up Next: la segunda generación del prototipo volador de Airbus", *Motor*, 13 marzo 2018, consultado el12 de febrero de 2020 en: https://www.motor.es/noticias/airbus-popup-next-ginebra-2018-201844603.html; "CityAirbus", *Airbus.com*, consultado el 12 de febrero de 2020 en: https://www.airbus.com/innovation/urban-air-mobility/vehicle- demonstrators/cityairbus.html.

[104]   Pascual, J. A., "EHang 184, el dron taxi volador autónomo y eléctrico que ya transporta pasajeros", *Computerhoy.com*, 4 marzo 2019, consultado el 27 de noviembre de 2019 en: https://computerhoy.com/noticias/motor/ehang-184-dron-taxi-autonomo-electrico- ya-transporta-pasajeros-383533.

dron que transporte personas, concretamente el Ehang-184, opere en el espacio aéreo de Dubai.

El problema fundamental que se plantea en la actualidad, en relación con este tipo de transporte aéreo, es que no existe un sistema de gestión del tráfico aéreo de estas aeronaves no tripuladas junto con el resto de las aeronaves tripuladas, de forma que puedan circular en condiciones de seguridad en el espacio aéreo[105]. Todos los fabricantes interesados en que este tipo de transporte empiece a funcionar están trabajando en la gestión del tráfico aéreo de la aviación no tripulada (*UTM, Unmanned Traffic Management*)[106].

En este sentido, en el 2017, Uber ya había firmado un Acuerdo de Ley Espacial con la N.A.S.A. para crear un nuevo sistema de control del tráfico aéreo para este tipo de naves, puesto que Dallas, Los Ángeles y Dubai son las ciudades anunciadas en las que Uber trabajará en este programa, donde espera poder abrir su servicio de taxis aéreos para el año 2020[107]. Sin embargo, no existe, de momento, ninguna noticia con respecto a que efectivamente se haya llegado a una concreta regulación en este sentido, así que habrá que esperar a ver lo

---

[105] De hecho, uno de los aspectos más importantes que se aborda en la Propuesta de la EASA es la necesidad del desarrollo urgente del concepto de "*U-Space*", que consiste en el acceso para las aeronaves no tripuladas al nivel bajo del espacio aéreo especialmente en zonas urbanas, concretamente por debajo de 150 pies o 500 metros. En este sentido, no se cumple ni el primer nivel U1 que debe superarse hasta llegar al funcionamiento pleno del *U-Space*. Existen cuatro niveles del *U-Space*, para conseguir la completa integración de los drones en el *U-Space*, donde el primer nivel U1, consistiría en la realización de los servicios fundamentales para el *U-Space* como son el registro electrónico, la identificación electrónica y la geolocalización. Para ver en detalle cuáles serían aproximadamente los requisitos que se tendrían que cumplir en los distintos niveles del *U-Space*, esto es en el U1, U2, U3 y U4, *vid. NPA 2017-05 (B)*, p. 42, consultado (el 27 de noviembre de 2019) en: https://www.easa.europa.eu/sites/default/files/dfu/NPA%202017-05%20%28B%29.pdf.

[106] *Vid.* Custers, B., "Flying to New Destinations: The Future of Drones", en *The Future of Drone Use*, Springer, The Netherlands, pp. 384-385. Este autor señala que será necesario que se desarrollen infraestructuras para el transporte aéreo, de la misma manera que ha sido necesario construir carreteras para la circulación de vehículos terrestres en condiciones de seguridad.

[107] O`Brien, S. A., "Uber se asocia a la NASA para habilitar taxis voladores", *CNN*, 9 noviembre 2017, consultado el 12 de diciembre de 2019 en: http://cnnespanol.cnn.com/2017/11/09/uber-se-asocia-a-la-nasa-para-habilitar-taxis-voladores/#0.

que sucede en los próximos diez años. Pero se trata, en cualquier caso, del espacio aéreo norteamericano, en donde las normas en materia de drones ya estaban más desarrolladas que en Europa.

BIBLIOGRAFÍA

Cabrera, S. J., "Airbus Pop.Up Next: la segunda generación del prototipo volador de Airbus", *Motor, 13 marzo 2018. Consultado el 12 de febrero de 2020 en: https://www.motor.es/noticias/airbus-popup-next- ginebra-2018-201844603.html*

Castellanos Ruiz, M. J., *Compraventa Internacional de Grandes Aeronaves Civiles,* Dykinson, Madrid, 2016.

Castellanos Ruiz, M. J., "Régimen jurídico de los drones: el nuevo Reglamento (UE) 2018/1139", *Cuadernos de Derecho Transnacional, vol. 11, núm. 1, marzo 2019, pp. 171-234.*

Custers, B., "Flying to New Destinations: The Future of Drones", en *The Future of Drone Use*, Springer, The Netherlands, 2016, pp. 371-386.

Díaz Alabart, S., *Robots y responsabilidad civil*, Reus, Madrid, 2018, pp. 136.

Finger, M., Bert, N. y Kupfer, D. (eds.), "Regulating Drones –Creating European Regulation that is smart and proportionate", *Florence School of Regulation – Transport (European University Institute),* núm. 3, 2015, pp. 1-16.

Gallardo Romera, E., "Régimen jurídico de los drones en España. Drones civiles: uso profesional, uso recreativo y uso deportivo. Drones militares", en *Derecho de los drones*, Walters Kluwer, Madrid, 2018, pp. 109-144.

O`Brien, S. A., "Uber se asocia a la NASA para habilitar taxis voladores", *CNN, 9 noviembre 2017, consultado el 12 de diciembre de 2019 en: http://cnnespanol.cnn.com/2017/11/09/uber-se-asocia-a-la-nasa-para- habilitar-taxis-voladores/#0.*

Olsen, R. G., "Paperweights: FAA Regulation and the Banishment of Commercial Drones", *Berkeley Technology Law Journal*, vol. 32, núm. 2, 2018, pp. 621-652.

Pascual, J. A., "EHang 184, el dron taxi volador autónomo y eléctrico que ya transporta pasajeros", *Computerhoy.com, 4marzo2019, consultado el 27 de noviembre de 2019* en: https://computerhoy.com/noticias/motor/ehang-184-dron-taxi-autonomo-electrico-ya-transporta- pasajeros-383533

Raya, A., "Los primeros drones de reparto llegan a Europa: sirven albóndigas y pasteles", *Elespanol.com, 20   mayo 2019, consultado el 20 de febrero de* 2020 en: https://www.elespanol.com/omicrono/tecnologia/20190520/primeros-drones-reparto-llegan-europa-albondigas-pasteles/399961211_0.html.

Redondo, M., "Vahana, el "coche volador" de Airbus, está listo para su primer vuelo de prueba", *Hipertextual, 14 noviembre 2017. Consultado el 12 de enero de* 2020 en: https://hipertextual.com/2017/11/vahana-   coche-volador-airbus-listo-su-primer-vuelo-prueba.

"Unmanned Aerial Vehicles - The Economic Case for Drones", editor MarketLine*, a Progressive Digital Media business*, London, United Kingdom of Great Britain & Northern Ireland, 6 de enero de 2014, pp. 1-25.

Vacca, A. y Onishi, H., "Drones: military weapons, surveillance or mapping tools for environmental monitoring? The need for legal framework is required", *Transportation Research Procedia*, 2017, pp. 51-62.

DIGITALIZACIÓN EN EL SECTOR ELÉCTRICO: UNA TECNOLOGÍA EN BUSCA DE REGULACIÓN PARA EMPODERAR AL CONSUMIDOR

ENRIC R. BARTLETT CASTELLÁ
Profesor de Derecho Público
Universitat Ramon Llull, Esade

SUMARIO: 1. Introducción. 2. ¿Cómo ha afectado la digitalización al sector eléctrico y cómo lo podría transformar en un futuro próximo? 3. ¿Qué medidas regulatorias suponen, a fecha de hoy, en el sector eléctrico español barreras a la transformación que la tecnología permite? 4. ¿Qué recomendaciones haría de cambios en nuestro ordenamiento jurídico, y en la actuación de los reguladores, para que las potencialidades tecnológicas que la digitalización contiene fueran lo más efectivas posibles en el sector eléctrico español?: 4.1. Asegurar que se dan señales de precio efectivas. 4.2. Promover un cambio de cultura en los operadores de la red de distribución favorable al uso de la flexibilidad como alternativa preferente a la inversión en infraestructuras físicas. 4.3. Obtener datos de calidad y que sean accesibles. 4.4. Impulsar la innovación. 5. Conclusiones. Bibliografía.

1. INTRODUCCIÓN

La Agencia Internacional de la Energía, en 2017, publicó el informe *"Digitalizacion & Energy"*, que por vez primera trata esta temática con carácter monográfico [1]. En su primer párrafo señala que, en las próximas décadas, las tecnologías digitales harán los sistemas energéticos del mundo, más conectados, inteligentes, eficientes, fiables y sostenibles. Asombrosos avances en datos, su análisis y conectividad están haciendo posible una gama de nuevas aplicaciones digitales como electrodomésticos inteligentes, movilidad compartida e impresión 3D. Los sistemas energéticos digitalizados en el futuro serán capaces de identificar quién necesita energía y librársela en el momento y lu-

---

[1]   International Energy Agency, *Digitalization and Energy*, 2017.

gar adecuado y al precio más bajo. Pero, que todo salga bien, no será fácil.

Las consideraciones que seguirán, pretenden aproximarse al estado de la cuestión, en España, en los primeros compases de 2020. Lo llevaré a cabo intentando responder a tres grandes cuestiones: ¿cómo ha afectado la digitalización al sector eléctrico y cómo lo podría transformar en un futuro próximo?; ¿qué medidas legislativas y regulatorias suponen a fecha de hoy, en el sector eléctrico español, barreras a la transformación que la tecnología permite? Y, por último, ¿qué recomendaciones haría de cambios en nuestro ordenamiento jurídico y en la actuación de los reguladores, para que las potencialidades tecnológicas que la digitalización contiene, fueran lo más efectivas posibles en el sector eléctrico español?

2. ¿CÓMO HA AFECTADO LA DIGITALIZACIÓN AL SECTOR ELÉCTRICO Y CÓMO LO PODRÍA TRANSFORMAR EN UN FUTURO PRÓXIMO?

El impacto en el sector eléctrico ha sido, hasta ahora, menor que en otros ámbitos de la economía. En 2012 quebró Kodak, una empresa fundada ciento trece años antes que había revolucionado, popularizándolo, el mundo de la fotografía. La causa unánimemente admitida de ese descalabro, fue la no adaptación a las tecnologías digitales.

Distribución, hostelería, finanzas, prensa, publicidad, restauración, transporte, son ámbitos económicos bien dispares que han experimentado cambios sin precedentes fruto de la digitalización. En distribución, por ejemplo, empresas de referencia como *Sears* caen en la irrelevancia y otras, como *Amazon*, aparecen de la nada.

Los sistemas energéticos no son inmunes a estos cambios tecnológicos y, probablemente, el sector eléctrico es el más propicio para experimentarlos. Sin embargo, en el sistema eléctrico español no se ha producido una alteración tan significativa, ni del *statu quo* empresarial, ni del rol del consumidor/usuario, como en los sectores anteriormente mencionados. La regulación, actúa como muralla protectora de los operadores establecidos frente los cambios que la tecnología permite.

La digitalización no es una finalidad en sí misma en ningún ámbito. Ni en la fotografía, ni en las finanzas. Es un instrumento, una técnica al servicio de unos fines concretos. Los elementos fundamentales de esta técnica son, como sabemos, tres: los datos, su análisis y su conectividad. Esta última, la conectividad, es el intercambio de datos, a través de las redes digitales de comunicaciones.

En el ámbito de la energía, la utilidad de la digitalización hay que medirla en relación con el denominado *trilema energético*: la seguridad de suministro, la asequibilidad de precios y la sostenibilidad ambiental, que ya eran los objetivos buscados en el entorno analógico. La digitalización abre nuevas posibilidades para lograrlos. Sus derivadas pueden transformar en descentralizado, un modelo de producción centralizado en grandes plantas de generación (de 300 o más megavatios, MW en adelante), alimentadas por distintas energías primarias, carbón, gas, uranio, viento, insolación, etc., que se transportan a los lugares de consumo, recorriendo centenares de kilómetros. Un sistema en que las plantas centralizadas conviven con otras muchas de potencia distinta, pequeña y media (de pocos KW hasta, pongamos, 10 MW), a menudo muy cerca de los puntos de consumo.

El usuario, de manera directa o agregada con otros consumidores, puede dejar de ser mero receptor pasivo de la energía que precisa consumir, y participar en los distintos mercados de energía como productor o ajustando su demanda para evitar congestiones, o ambas.

Esto es posible gracias a la confluencia de las tecnologías de generación y almacenamiento, con las tecnologías de la información y comunicación. Todas ellas tributarias de la revolución digital.

El Informe de la Agencia Internacional de la Energía indicado, nos recuerda que la digitalización implica una creciente interacción y convergencia entre los mundos digital y físico. Entre otras posibilidades: *"Permite crear réplicas digitales de activos físicos 'digital twins', que posibilitan simular y optimizar el diseño industrial de las plantas de generación o en los equipos transformadores. Los datos de flujos y voltaje de energía en la red pueden analizarse para reducir las pérdidas, que son considerables, en las redes de transporte y distribución y, por tanto, disminuir en la misma cantidad la producción. Igualmente, al disponer de información en tiempo real, permite localizar más rápidamente averías, en las tres actividades. Conocer los patrones de consumo de los usuarios individuales, facilita a los comercializadores proponerles ofertas que se adapten más a sus necesidades y reducir precios sin disminuir márgenes. Los análisis de datos en las réplicas digitales de edificios, pueden reducir el consumo energético de éstos, minimizando la demanda y ahorrando costes a los consumidores finales".*

3. ¿QUÉ MEDIDAS REGULATORIAS SUPONEN, A FECHA DE HOY, EN EL SECTOR ELÉCTRICO ESPAÑOL BARRERAS A LA TRANSFORMACIÓN QUE LA TECNOLOGÍA PERMITE?

La digitalización introduce eficiencia en las distintas actividades del sector eléctrico: generación, transporte, distribución, comercialización; así como en el consumo.

La digitalización no es un objetivo en sí mismo. Lo hemos dicho. Como señala un documento de conclusiones del Consejo de Reguladores europeos de energía[2], se trata de una herramienta para alcanzar el objetivo fundamental de un sistema energético flexible y sostenible, que proporcione beneficios para los consumidores energéticos.

Un sistema, podemos añadir, que haga efectivo el *trilema* energético y que, como también indican los reguladores europeos, impulse la transición energética al menor coste[3].

La descarbonización de la economía vía un mero cambio del *"mix"* energético, sustituyendo las tradicionales fuentes de energía primaria que se basan en combustible fósiles por renovables, no extraerá más que una mínima parte de las posibilidades que la digitalización permite. Mantener el carácter centralizado del sistema en grandes plantas de generación lineal y unidireccional de producción a consumo, y sin incentivos para modular la demanda, es como utilizar un coche de fórmula uno para circular por las calles estrechas del casco antiguo

---

[2]   Council of European Energy Regulators (CEER), *Consultation on Dynamic Regulation to Enable Digitalisation of the Energy System*, de 10 de octubre de 2019, (CEER Report, en adelante) p. 8.

[3]   CEER Report, p. 14.

de Sevilla. Esto es lo que, a comienzos de 2020, se está imponiendo en España, a diferencia de lo que ocurre en la Unión Europea. Una proyección de las instalaciones de generación eólica y solar autorizadas, así como de las solicitadas, arroja que más de tres cuartas partes se conectarían a la red de alta tensión y sólo una a la de distribución. En Alemania, por ejemplo, las cifras se invierten. Teniendo en cuenta que la conexión a red de distribución la efectúa la generación distribuida, es obvio que el sistema mantiene, como columna vertebral, la tipología de grandes plantas centralizadas[4].

Se dispone de una base de estudios suficientes para poder afirmar que la lucha contra el calentamiento global mediante la transición energética, la dimensión de sostenibilidad, se puede conseguir a menor coste, la dimensión de asequibilidad, y con mayor seguridad de suministro, tercero de los objetivos del *trilema*, con la digitalización. Ésta, ha de devenir el catalizador de un sistema energético eficientemente y descentralizado, que haga posible grandes cantidades de diferentes fuentes de generación y flexibilidad en oferta y demanda, efectivamente integrados. Pero esto, no ocurrirá naturalmente, precisa de una intervención regulatoria.

---

[4]   Si tomamos julio de 2019 como referencia, los proyectos eólicos en funcionamiento o con permiso de acceso, ascendían a 36.707 MW (el 65,3%, 23.961 MW, a red de transporte y el 34,7%, 12.746 MW, a red de distribución). Por lo que respecta a los solares, con una potencia de 23.992 MW (el 35,4%, 8.504 MW, a red de transporte y el 64,6%, 15.488 MW, a red de distribución). Si nos fijamos en las autorizaciones solicitadas, la escora hacia la generación centralizada y conexión a la red de transporte es aún mayor. Los proyectos eólicos para los que se había solicitado autorización, sumaban 52.686 MW (el 75,2%, 39.625 MW, a conectar a red de transporte y el 24,8%, 13.061 MW, a la red de distribución). Por lo que se refiere a proyectos solares, un montante de 109.246 MW (el 83,6%, 91.373 MW, a red de transporte y el 16,4%, 17.873 MW, a red de distribución). Datos elaborados por el Dr. Pep Salas, *Director d'Innovació i Mercats de KM0 energy*, a partir de la información suministrada por el operador del sistema, Red Eléctrica de España.

4. ¿QUÉ RECOMENDACIONES HARÍA DE CAMBIOS EN NUESTRO ORDENAMIENTO JURÍDICO, Y EN LA ACTUACIÓN DE LOS REGULADORES, PARA QUE LAS POTENCIALIDADES TECNOLÓGICAS QUE LA DIGITALIZACIÓN CONTIENE FUERAN LO MÁS EFECTIVAS POSIBLES EN EL SECTOR ELÉCTRICO ESPAÑOL?

En el marco de una economía de mercado como la nuestra, se debería actuar, fundamentalmente, en cuatro áreas que son las siguientes:

1.- Asegurar que se dan señales de precio efectivas.

2.- Promover un cambio de cultura en los operadores de la red de distribución (DSOs, en adelante), favorable al uso de la flexibilidad como alternativa preferente a la inversión en infraestructura física.

3.- Obtener la mayor cantidad de datos posibles útiles y garantizar su accesibilidad; y,

4.- Potenciar la innovación.

Son estas cuatro áreas en las que encontramos barreras regulatorias que deberíamos levantar. En este estudio, me centraré en las dos primeras y, simplemente, apuntaré algunas ideas respecto las dos últimas.

4.1. Asegurar que se dan señales de precio efectivas

La red, como elemento esencial del sistema eléctrico, es utilizada por las distintas actividades: la generación, el transporte (que gestionan los TSO's), la distribución y la comercialización, y por el consumo. Los diferentes partícipes deben recibir señales que reflejen los costes y beneficios que ellos generan o aportan a la red. Esto requiere mercados que funcionen bien, sin distorsiones competitivas. Un campo de juego en igualdad de condiciones apuntalado por los datos disponibles.

Con los peajes actuales, un kilovatio transportado centenares de kilómetros, paga lo mismo que uno que recorre diez metros y la generación está exenta, salvo por el consumo efectuado para hacerla posible. Esta circunstancia ha sido considerada por la Comisión Nacional de los Mercados y la Competencia (la CNMC) en la memoria de la Circular de peajes[5]: *"(…) La ubicación en la red de los generadores es un aspecto relevante para el sistema, en la medida en que las redes dan lugar a pérdidas de energía e imponen restricciones técnicas que limitan el funcionamiento de los generadores. Si las decisiones de inversión de una nueva planta no tuvieran en cuenta, a la hora de elegir su ubicación, los costes de las redes, podría existir un riesgo de que las nuevas plantas de generación se concentraran en zonas de bajo coste de energía primaria (zonas portuarias, terminales de gas, zonas de viento, etc.), lo que podría redundar en mayores costes de inversión en red para transportar la energía hasta los puntos de demanda (…)"*. El regulador ha reconocido pues, la relación entre la estructura de peajes (las tarifas reguladas) y la localización de instalaciones de generación distribuida y almacenamiento.

En un trabajo previo, en coautoría[6], me había referido a la necesidad de que el generador contribuyera a los costes incrementales por construcción de nuevas redes, así como a los costes hundidos por uso de las existentes, al señalar que, *"(…) En el sistema eléctrico tradicional, la energía seguía siempre un flujo unidireccional, de mayor a menor tensión. El consumidor en cada nivel de tensión asumía de manera aditiva los costes de redes necesarios para su suministro. Se podía considerar, por tanto, que el usuario de redes era el consumidor y, lógicamente, el principal contribuidor económico a sufragar sus costes. La generación distribuida permite flujos bidireccionales de energía en la red, dando al consumidor la opción de escoger entre generación centralizada o generación local cercana al punto de suministro. En esta nueva situación derivada de la evolución tecnológica, el usuario de redes no es sólo el consumidor, como antaño, sino que también lo es el generador desde el momento en que puede decidir la*

---

5 CIR/DE/002/19 de 15 de enero de 2020.

6 Bartlett Castellá, E. R. y Salas Prat, P., "Dificultades para valorar el efectivo cumplimiento de la Directiva (EU) 2019/944 del mercado interior de electricidad. Un comentario a partir de la propuesta de Circular de la CNMC que establece la metodología para el cálculo de los peajes de transporte y distribución de electricidad", *Comunicación presentada en el I Congreso Asociación Española de Derecho de la Energía. El derecho de la Energía en Transición,* celebrado en la Universidad CEU San Pablo, Madrid, el 17 y 18 de septiembre de 2019.

ubicación de sus plantas de producción. Por tanto, de acuerdo con los criterios de definición de peajes que se exponen en la propia memoria de la propuesta de circular, el generador debería asumir parte de los costes acorde con el uso que realiza".

No exigir peaje a la generación, sitúa en desventaja a la generación distribuida, más próxima, que ha de competir con otra localizada donde la energía primaria es más barata y cuyo productor externaliza los costes de transmisión. Sin olvidar que en la transmisión por la red se producen pérdidas (entre el 2,5% y el 11% en función del Estado miembro)[7]. Unas pérdidas que son mayores en distribución que en transporte y que, actualmente, asumen mayoritariamente los consumidores pequeños y medios.

Además, cuando el consumidor es a la vez productor y utiliza la red para proveerse a través de instalaciones próximas, sí está sujeto a peajes y, en consecuencia, podemos concluir que asume parte de los costes provocados por la producción centralizada.

Para equilibrar el campo de juego, se ha planteado un cargo a toda la generación en función de, (a) las inversiones en redes que induce la nueva generación (los costes incrementales), y (b) el uso de red que requiere para alcanzar al consumidor (el coste hundido)[8].

Alegaciones con el mismo o similar contenido fueron presentadas en el período de información pública a la propuesta de Circular, pero no se han aceptado. La razón aducida por la CNMC no es económica ni técnica, sino estrictamente jurídica. Ha indicado que el principio de peaje único a nivel nacional, establecido en la Ley del Sector Eléctrico[9], impide la imposición del peaje a generadores para proporcionar señales a la localización.

Esta regulación, explica en parte y acentúa, si fuera posible, la singularidad de la tendencia a que nos hemos referido, un *"mix"* de ge-

---

[7]   En España, alcanzaron en 2018, el 8,93% del total de energía inyectado a red. *2n CEER Report on Power Loses* C19-EQS-101-03,2020, p. 146.

[8]   Bartlett Castellá y Salas Prat, *"Dificultades para valorar el efectivo cumplimiento...", ob. cit.*

[9]   El art. 16.1 de la Ley 24/2013, de 26 de diciembre, establece: *"Los peajes y cargos serán únicos en todo el territorio nacional y no incluirán ningún tipo de impuestos".*

neración en que más del 75% de la generación renovable adjudicada está conectada a la red de alta tensión.

4.1.1. El sentido del peaje único

Pero, ¿realmente el principio de peaje único impide que la generación contribuya al sistema eléctrico por las inversiones en redes que impone y el uso que hace de las mismas?

Si la respuesta fuera afirmativa, ¿habría que considerar su reformulación? Éstas son las dos cuestiones a las que, a continuación, intento dar respuesta.

El principio de peaje único, responde a la lógica de no discriminar a los ciudadanos y empresas en función del territorio en donde tengan su residencia o desarrollen su actividad. Es una consecuencia razonable de la previa afirmación de unidad de mercado y, si nos remontamos a los principios constitucionales más esenciales, una derivación del valor igualdad, proclamado como superior del ordenamiento jurídico y articulado en el principio de igualdad ante la ley y prohibición de discriminación (artículo 14 CE).

Que no pueda exigirse un peaje distinto en una parte del territorio del Estado, respecto de otra, no implica que sólo exista un peaje para los distintos usos de la red que se hagan. Es más, parece razonable que, si el uso es, por ejemplo, para almacenar energía, o para recargar vehículos eléctricos, teniendo en cuenta las funcionalidades que dichas actividades pueden desarrollar en favor del conjunto del sistema, el peaje a que estén obligadas pueda ser distinto al del consumo doméstico o industrial. Eso sí, el mismo en todo el territorio.

Parece que, por el contrario, la CNMC identifica peaje único con el mismo, exactamente, cualquiera que sea la actividad de uso de redes desarrollada por el sujeto obligado. Incluso en esta interpretación, que no comparto, me parece que sería posible defender que no se vulnera el principio si se aplican determinadas modulaciones en función de la actividad llevada a cabo en la red. La normativa fiscal nos ofrece alguna pista.

Teniendo en cuenta la naturaleza de exacción patrimonial que los peajes tienen, podemos considerar como en la normativa tributaria, un eventual tipo de gravamen único (x%) que se aplica a la base imponible, luego base liquidable una vez practicadas las bonificaciones previstas, que resulte, que no tiene por qué ser única. Así, se podría optar, como algunos defienden, por un tipo único en el Impuesto sobre el patrimonio; pero eso no impediría que un multimillonario pagara más que quien escribe porque su base imponible fuera mayor. Una base que se establece en función de criterios distintos, no homogéneos, atendiendo a los bienes que la componen.

Efectivamente, en la normativa tributaria vigente se dan unos criterios para determinar, a efectos del Impuesto del patrimonio, el saldo de las cuentas bancarias[10] y otros para declarar el de los bienes inmuebles[11]. Ambos tienen en común que se trata de manifestaciones de la capacidad económica, lo cual justifica su gravamen. Del mismo modo, generadores y consumidores tienen en común que hacen uso de las redes; pero podemos razonar que el sentido del uso, la naturaleza del aprovechamiento, no es exactamente el mismo. Por tanto, se podría argumentar que el contexto del peaje cambia, aunque este sea único.

Tal vez puede resultar de ayuda la Directiva europea que se conoce como de peaje único de carreteras[12] que, en sus definiciones[13], establece la de "*datos contextuales del peaje*" y la de "*parámetros de clasificación del vehículo*". Así, por ejemplo, entre los primeros, la relación entre la distancia recorrida o el peso del vehículo y la cantidad a pagar. En los segundos, la longitud, distancia, ruedas y peso del vehículo. No es tan osado asimilar una central de 300 MW con un vehículo de transporte pesado y una de 0,5 MW con una motocicleta.

En la memoria final de la Circular, modificada tras de las alegaciones presentadas, la CNMC invoca que en relación con la estructura del peaje, la Agencia para la cooperación de los reguladores europeos de energía (la ACER) "*señalaba que (I) no se consideraba adecua-*

---

[10] Véase art. 12 Ley 19/1991, de 6 de junio, del Impuesto sobre el Patrimonio (BOE núm. 136, de 7 de junio de 1991).
[11] Véase art. 10 de la citada Ley 19/1991.
[12] Directiva (UE) 2019/520 del Parlamento europeo y del Consejo, de 19 de marzo de 2019, relativa a la interoperabilidad de los sistemas de telepeaje de carretera y por la que se facilita el intercambio transfronterizo de información sobre el impago de cánones de carretera en la Unión (DOUE, L 91, de 29 de marzo de 2019).
[13] Véase art. 3 ap. 15.

do establecer un peaje con un término variable por MWh producido para recuperar los costes de infraestructuras, (II) se consideraba más adecuado para proporcionar señales de localización a los generadores peajes con un término fijo por instalación (€/año) o peajes con un término fijo por potencia contratada (€/MW) (…)".

El no aceptar que el principio de peaje único se limita a prohibir las diferencias entre territorios; o no admitir que funcionalidades distintas permiten exigir contribuciones también distintas, puede conducir a entender que seguir la recomendación de la ACER impide aplicarlo a los generadores cuando la fórmula de cálculo es distinta para los consumidores.

Si el peaje a los generadores se basa en términos fijos por instalación o por potencia contratada, que los consumidores contribuyan a los peajes en un 25% en base al término de energía y un 75% en función del término de potencia, supondría, en esta interpretación, aplicar peajes diferentes. Estas consideraciones, obligarían a establecer un peaje diferente para productores y consumidores y, al no poder hacerlo, se opta por exonerar a los primeros. Ya he indicado no compartir esta interpretación; pero si se entendiera que es la correcta, y realmente la única solución congruente con el repetido principio de peaje único fuera la exención del generador, hay que concluir que una exención así, choca frontalmente con el principio de igualdad e impide cumplir diversos mandatos del Derecho de la Unión Europea.

En primer lugar, los derivados del Reglamento relativo al mercado interior de la energía[14], cuando afirma que la condición previa para una competencia efectiva en el mercado es el establecimiento de peajes no discriminatorios, transparentes y adecuados por la utilización de la red, incluidas las líneas de conexión en la red de transporte. Que el peaje aprobado discrimina negativamente a la generación distribuida respecto de la centralizada, entiendo que ha quedado demostrado.

En segundo lugar, también incumpliría algunos de los mandatos que la Directiva del mercado interior de electricidad da a los reguladores en la letra d) de su artículo 58: *"contribuir a lograr, de la manera más eficiente en términos de costes, el desarrollo de redes no*

---

[14]   Reglamento 2019/943 del Parlamento Europeo y del Consejo, de 5 de junio, relativo al mercado interior de la energía (DOUE, L 158, de 14 de junio de 2019).

*discriminatorias seguras, eficientes y fiables, orientadas hacia los con-
sumidores, y fomentar la adecuación de la red y, en consonancia con
los objetivos generales de la política energética, la eficiencia energética, así como la integración de la producción a pequeña y gran escala
de electricidad procedente de fuentes renovables y la generación distribuida en las redes tanto de transporte como de distribución (...)"*.

Teniendo en cuenta la prevalencia del Derecho de la Unión sobre
el de los Estados miembros, debería no aplicarse el principio de peaje
único. Naturalmente, por razones de seguridad jurídica, y sin menoscabo de lo que se acaba de señalar, el legislador español podría refor-
mularlo en los términos precisos que se han apuntado al principio.

4.1.2. Unos peajes para promover el papel activo del consumidor

La figura del consumidor activo es fundamental en todo el ordenamiento del sector resultante del *"Paquete de Energía Limpia para
todos los europeos"*[15].

Por consumidor activo entendemos aquel que invierte en activos
distribuidos (autoconsumo o baterías) y de gestión de la demanda
como respuesta a las señales económicas de los mercados eléctricos
(energía, balance, congestiones locales, entre otros posibles)[16]. De esta manera, el consumidor, individualmente o de forma colaborativa,
agregada, con otros, hace suyo un valor económico con lo que reduce
sus costes energéticos al tiempo o como consecuencia de aportar ser-

---

[15]   Cuatro reglamentos y cuatro directivas -cuya transposición, en buena medida
ha de efectuarse no más tarde del 31 de diciembre 2020, disponibles en: https://
ec.europa.eu/energy/topics/energy-strategy/clean-energy-all-europeans.

[16]   El art. 2 ap. 8 de la Directiva (UE) 2019/944 del Parlamento Europeo y del Consejo, de 5 de junio de 2019, sobre normas comunes para el mercado interior de
la electricidad y por la que se modifica la Directiva 2012/27/UE, (DOUE, L 158,
de 14 de junio de 2019). Se establece, *"(un) cliente final, o un grupo de clientes
finales que actúan conjuntamente, que consume o almacena electricidad generada dentro de sus locales situados en un ambiente confinado o, si así lo permite
el Estado miembro, en otras ubicaciones, o que venda electricidad autogenerada
o participe en planes de flexibilidad o de eficiencia energética, siempre que esas
actividades no constituyan su principal actividad comercial o profesional"*.

vicios al sistema para mejorar la seguridad del suministro o contribuir a reducir las emisiones, o ambos.

El incentivo para invertir en eficiencia energética, generación local, almacenamiento y gestión de la demanda, en definitiva, en digitalización, pasa por ponderar más la energía efectivamente consumida, término de energía, que la que se puede demandar, término de potencia, a la hora de calcular los peajes. Esto es lo coherente con los objetivos que la Directiva de electricidad establece para los reguladores en su artículo 58.1, letra e), *"facilitar el acceso a la red de nuevas capacidades de generación e instalaciones de almacenamiento de energía (...)"*, y letra f), *"asegurar que se dan a los gestores y usuarios de redes los incentivos adecuados, tanto a corto como a largo plazo, para que aumenten la eficiencia, especialmente la energética, de las prestaciones de la red y fomentar la integración del mercado"*.

Contrariamente a lo aquí defendido, la propuesta de Circular preveía que la asignación de costes de baja tensión, se recuperara íntegramente de un término de potencia. Planteaba, no obstante, la posibilidad de efectuar un reparto del 75% a través del término de potencia, y del 25% mediante el término de energía. Esta opción, fue considerada mejor por el Ministerio competente en materia de energía[17], que criticó el planteamiento inicial[18], y se recogió por la Comisión de Cooperación entre este Ministerio y la CNMC[19].

---

[17]   Informe del Ministerio para la Transición Ecológica, de 5 de septiembre de 2019, en relación con la propuesta de Circular, disponible en: https://energia.gob.es/es-es/Servicios/InformesCNMC/Informes%20CNMC%20con%20fecha%205%20de%20septiembre%20de%202019/Informe%20circular%20CNMC%20metodología%20cálculo%20peajes%20transporte%20y%20distribución%20electricidad.pdf

[18]   A su entender incumplía las orientaciones primera, tercera y séptima, y parcialmente la segunda, de la Orden TEC/406/2019, de 5 de abril, por la que se establecen orientaciones de política energética a la Comisión Nacional de los Mercados y la Competencia (BOE núm. 85, de 9 de abril de 2019). Fundamentalmente, *"porque a su entender la asignación de los costes al término fijo no incentiva el desarrollo del autoconsumo, la penetración del vehículo eléctrico y el almacenamiento de energía, así como la eficiencia energética y la sostenibilidad medioambiental"*.

[19]   Prevista en el Real Decreto-ley 1/2019, de 11 de enero.

Teniendo en cuenta que la demanda de energía no es uniforme a lo largo de las veinticuatro horas, tiene todo el sentido incentivar cambios de pautas de consumo de las horas de máxima demanda (punta) a las de menos (valle). Esto, exige establecer una señal horaria en los peajes. Implantarla es técnicamente posible gracias a los denominados contadores inteligentes (los digitales) ya desplegados.

Se trata de que consumir energía en horas de menos demanda, sea más barato y permita amortizar las inversiones que hacen posible el cambio de pauta de consumo. Ser consumidor activo ha de reportar beneficios.

La señal horaria se ha implantado, aunque mínimamente para los consumidores domésticos, al establecer un único peaje, pero diferenciando tres períodos de consumo: punta, valle y llano[20].

4.1.3. Dar señales efectivas de precio requiere no impedir la competencia

Una reforma por Decreto-ley de la Ley del Sector Eléctrico, habilita al Gobierno a que los titulares de centrales de generación eléctrica con carbón y nucleares que cierren durante la próxima década, conserven sus derechos de acceso a la red de alta tensión[21]. Una concesión condicionada a que conecten centrales renovables y suscriban un convenio de transición justa para todas las instalaciones de su mismo grupo societario, cuya fuente de energía primaria sea fósil o termonuclear.

El acceso a la red, que permite transportar hacia los puntos de suministro la electricidad producida en una central, es un bien escaso de titularidad pública. La disposición considerada permite mantenerlo en manos de las mismas empresas que lo obtuvieron hace décadas,

---

[20]   El art. 6.2. letra a) de la Circular de la CNMC 3/2020 de 15 de enero, de la Comisión Nacional de los Mercados y la Competencia, por la que se establece la metodología para el cálculo de los peajes de transporte y distribución de electricidad (BOE núm. 21, de 24 de enero de 2020).

[21]   Figuraba en el Anteproyecto de ley de cambio climático y transición energética (v. su disposición final cuarta); pero la modificación de la Ley del Sector Eléctrico (v. su art. 33 y su disposición adicional vigésima segunda, Otorgamiento de los permisos de acceso y conexión para garantizar una transición justa) la lleva a cabo el Gobierno como legislador de urgencia, mediante el Real Decreto-Ley 17/2019.

sin someterlo a nueva licitación. Se trata de 15.000 MW, algo más del 14% de la potencia de generación instalada en España a finales de 2018.

No subastar los derechos de acceso existentes, privará de unos ingresos públicos, que es razonable estimar en unos 600 millones de euros. Siendo importante renunciar a esta cantidad, lo es todavía más el impedir que se incorporen al mercado nuevos entrantes en dichos puntos, ya que la capacidad de las redes es limitada, y la cuota de mercado de generación de sus titulares actuales se mantendrá inalterada sin que deban competir por ello.

Se trata de una excepción a las normas de competencia, con el objetivo de que las empresas beneficiarias se comprometan a través de un convenio a asumir una parte de los costes *"de transición justa"* -aún por concretar- para ayudar a personas y territorios afectados por el cierre de las plantas de carbón y termonucleares. Está por ver si dichos costes superarán el montante que se hubiera podido lograr con la subasta; pero lo que es seguro es que se utiliza una técnica empleada a menudo por el poder público desde las regalías del antiguo régimen: otorgar derechos exclusivos o monopólicos a cambio de un pago. Como hemos dicho en otro lugar, no parece congruente con la consolidación de mercados competitivos que promueve el paquete de energía limpia[22].

---

[22]   Bartlett Castellá, E. R., "¿Transición energética justa y competencia son incompatibles?, en el Blog de la *Revista Catalana de Dret Públic*, 2019. En esta sede, afirmamos, *"Más allá del resultado, hoy incierto, de la operación aritmética de sumar los ingresos que se dejarán de percibir y restar los gastos que, correlativamente, efectuarán dichas empresas, se da un efecto claramente indeseable. La transición energética, junto a la descarbonización, presenta un reto para los modelos de negocio de las "utilities" tradicionales de generación centralizada. Reduce las barreras de entrada al disminuir los costes iniciales de inversión y, mediante la digitalización, posibilita distribuir y multiplicar los puntos de generación en muchas unidades de menor potencia. Esta transformación radical, con ventajas para los consumidores, así como para la seguridad de suministro, se vería frenada sin haber dado ocasión a que el mercado estableciera o rechazara su viabilidad"*.

4.2. Promover un cambio de cultura en los operadores de la red de distribución favorable al uso de la flexibilidad como alternativa preferente a la inversión en infraestructuras físicas

En el mundo analógico, los operadores de la red de bajo voltaje, distribuidores, asumían que la solución a los picos de demanda pasaba por dimensionar la red en función de éstos. Dicho gráficamente: más cable y más grueso.

La posibilidad de aprovechar la flexibilidad de demanda, que las inversiones en digitalización de los consumidores permiten, requiere que la retribución percibida por los gestores de dicha red promueva su uso.

En la Circular 6/2019 de la CNMC de retribución de la distribución[23], se ha introducido una componente que valora las inversiones en digitalización que son imprescindibles para que los servicios de flexibilidad operen. No obstante, no se ha previsto un incentivo específico a la utilización de la flexibilidad. En consecuencia, económicamente no hay razón para cambiar la cultura empresarial analógica, más cable y más grueso, de los últimos cien años.

Para que la flexibilidad de demanda sea una alternativa a la producción de más energía, se necesita un cambio en los distribuidores; pero también que los consumidores estén en disposición de ofrecerla. Esto es, los consumidores han de poder agregarse con otros para ofrecer este servicio. A menudo, a esta actividad de agregación, de gran importancia si se quieren potenciar los servicios de flexibilidad, se la conoce como "*Virtual Power Plant*".

La Ley del Sector Eléctrico[24] establece que los consumidores podrán participar en esos mercados de ajuste del sistema, de acuerdo con lo que reglamentariamente se determine. El reglamento de mercado de producción[25] estipula que será necesario definir los proce-

---

[23]   Circular 6/2019, de 5 de diciembre, de la Comisión Nacional de los Mercados y la Competencia, por la que se establece la metodología para el cálculo de la retribución de la actividad de distribución de energía eléctrica (BOE núm. 304, de 19 de diciembre de 2019).

[24]   Véase su art. 49.

[25]   Véase el art. 14 del Real Decreto 2019/1997.

dimientos de operación de las condiciones particulares que deberán cumplir los proveedores de los servicios. Disposiciones posteriores de los años 2014 y 2015[26] lo reiteraron; pero hasta una resolución de la CNMC de finales de 2019[27] era una proclamación carente de eficacia práctica. Las únicas instalaciones del mercado que estaban autorizadas para participar en los servicios de balance del sistema, que gestiona Red Eléctrica, como operador del sistema, eran las centrales de generación o consumo de bombeo, o ambas. Con esta resolución, se abre la posibilidad de contar con recursos de flexibilidad de demanda, así como de almacenamiento.

Se permite la agregación o la participación directa de instalaciones de generación, de demanda y almacenamiento para ofertar servicios de balance al sistema. Se reducen barreras de entrada al bajar a 200 MW el tamaño de las zonas de regulación, que estaba establecido en 300MW. Igualmente, se rebaja en un 90% el tamaño mínimo que hasta ahora se exigía para que centrales de producción y bombeo prestaran el servicio. Se pasa de un valor mínimo de oferta en 10 MW a situarlo en 1 MW, lo cual está armonizado con otros Estados miembros de la Unión.

Esta resolución de la CNMC, positiva en la dirección de promover la flexibilidad de demanda e incentivar la digitalización, levanta, no obstante, otras barreras. De un lado, fija un procedimiento de habilitación o autorización previa expresa por parte del operador del sistema, revestido de complejidad. La unidad de programación proveedora de servicios de balance al sistema, que estará compuesta de una o más instalaciones conforme a lo establecido en el procedimiento de operación, corresponderá a un único tipo de actividad. Por lo que existirán unidades de programación diferenciadas para cada tipo de actividad: generación, demanda y almacenamiento. Esta circunstancia frena la innovación de las distintas empresas, al imponerles un determinado tipo de solución técnica y, de alguna manera, un concreto modelo de negocio. El resultado es un encorsetamiento de las soluciones de flexibilidad posibles, probablemente su encarecimiento y, en términos

---

[26]   El Real Decreto 413/2014 y la Resolución de 18 de diciembre de 2015, de la Secretaría de Estado de Energía.

[27]   Recomendación de 11 de diciembre 2019 (BOE núm. 304, de 19 de diciembre de 2019).

jurídicos, claramente, no es un ejemplo de aplicación del principio de neutralidad tecnológica en la regulación. Hay que decir que parece que se trata de una medida coyuntural hasta que Red Eléctrica disponga de suficiente experiencia al respecto.

En la citada Circular 6/2019 de retribución de la distribución se ha introducido una componente que valora las inversiones en digitalización que son imprescindibles para que los servicios de flexibilidad operen. No obstante, no se ha previsto un incentivo específico a la utilización de la flexibilidad. En consecuencia, podría producirse una inversión orientada a gestionar el pico de demanda inyectando más energía procedente de las fuentes de generación.

Estamos ante un claro ejemplo en el que la realidad técnica pone en tensión la normativa. Tal vez se está asumiendo que estas previsiones se modificarán antes de que concluya el período regulatorio 2020-2025 y que, por tanto, más adelante ya se adoptarán las medidas que fomenten decididamente la digitalización. En todo caso, esto no promueve la seguridad jurídica.

4.3. Obtener datos de calidad y que sean accesibles

La digitalización no se concibe sin datos. Se trata de disponer de datos del uso de la red, pero también de los de consumo. Esto último es posible en España, gracias al despliegue de los denominados contadores inteligentes "*Smart Meters*"[28].

La calidad de los datos, quién y cómo puede acceder a ellos y la protección de la intimidad que su conocimiento desvela, son las cuestiones de mayor interés al efecto de promover la digitalización. La transformación digital del sector energético permite y requiere el conocimiento de las curvas de consumo de los usuarios, así como de la actividad de los recursos energéticos distribuidos[29].

---

[28]   Un estudio en profundidad lo encontramos en Salas Prat, P. *Acceso a los datos de consumo eléctrico de los contadores digitales y su uso. Estudio del caso en España y propuestas de mejora para hacer posible el acceso a los datos a terceras partes*, Autoritat Catalana de Competència, 2017.

[29]   El estudio presentado por Fundación ESADE a INNOENERGY "Impacto de la Regulación sobre la Innovación en el Sector Eléctrico", 2018, p. 57, dice: "*Esta información tiene múltiples aplicaciones tanto para el operador del sistema*

El responsable de instalar, operar y captar los datos, en España, es el distribuidor eléctrico de la zona. La información sobre el consumo pertenece al consumidor, que tiene derecho de transferirla a terceros.

La accesibilidad a los datos del contador, es un aspecto relevante a nivel regulatorio con vistas a afrontar los retos futuros del sector. El distribuidor, ha de habilitar un portal web en que los consumidores, titulares de los puntos de suministro conectados a su red de distribución, pueden consultar su curva de carga horaria facturada. También la pueden descargar en formato de fichero de datos[30].

En estos momentos, a falta de regulación que oriente como gestionar el acceso a los datos, disponemos de dos plataformas informáticas preparadas, una del operador del sistema y otra de las distribuidoras, si bien ninguna de ellas está operativa. Se ha efectuado una doble inversión ante la falta de definición por el regulador.

La persona autorizada expresamente por el consumidor, puede acceder a los datos facilitados por la distribuidora en un archivo ("*Excel*", por ejemplo).

Disponemos de tecnología que permite acceder a la medida del consumo real e información sobre el tiempo del consumo, casi en tiempo real. Igualmente, podríamos conectar esta información, a través de estándares disponibles, con plataformas de gestión energética del consumidor. Esta interoperabilidad, una muestra de la "*Internet de las cosas*", no se ha regulado antes de efectuar el despliegue de los contadores "*inteligentes*". Al no hacerlo, de momento sus funcionalidades sólo permiten denominarlos "*avispados*". Incorporar la interoperabilidad tendrá un coste añadido por contador. Es urgente regular tanto estos requerimientos técnicos, como quién deberá ges-

---

(planificación y operación), el consumidor (eficiencia energética y reducción de costes), las comercializadoras (incremento de la competencia) y terceras partes (proveedores de servicios, aplicaciones y productos). (...)".

[30]   La Resolución de 2 de junio de 2015, de la Secretaría de Estado de Energía, por la que se aprueban determinados procedimientos de operación para el tratamiento de los datos procedentes de los equipos de medida tipo 5 a efectos de facturación y de liquidación de la energía (BOE núm. 133, de 4 de junio de 2015) y el artículo 6 del Real Decreto 1074/2015, de 27 de noviembre, por el que se modifican distintas disposiciones en el sector eléctrico (BOE núm. 290, de 4 de diciembre de 2015).

tionar, de forma neutral, la plataforma en la que los datos se pondrán a disposición[31].

La falta de colaboración entre distribuidores y operador del sistema, se pone en evidencia con el recurso interpuesto por una distribuidora contra la obligación, normativamente establecida[32], de enviar las medidas de carga horaria individualizada, es decir, las medidas horarias de cada consumidor, al operador del sistema. Hasta entonces, los datos se facilitaban de manera agregada.

La distribuidora sostuvo que estos datos, permitían conocer los hábitos de conducta privada de los consumidores. Unos datos, por tanto, referidos a la intimidad de cada consumidor. Tras la desestimación por la Audiencia Nacional, el asunto llegó al Tribunal Supremo. En vía de recurso de casación[33], el Alto tribunal ha concluido que, efectivamente, se trata de datos personales y que se pueden transmitir al operador del sistema sin autorización de su titular.

Son datos personales, en tanto que pueden proporcionar unas pautas de comportamiento diario de una persona "*identificable*", ya que permiten conocer las horas ordinarias de entrada y salida del domicilio, la hora en que se van a dormir, los períodos en que hay más actividad en la vivienda o el local de negocio. Es algo tan evidente, que sólo en términos procesales de oponerse a todo, se puede entender que la representación del Estado y de Red Eléctrica lo negaran. La autorización no se precisa, porque los datos permiten al operador del sistema ejercer mejor sus funciones de supervisión para garantizar y controlar el correcto funcionamiento de la red, del sistema eléctrico en definitiva[34].

---

[31]   En el estudio presentado por Fundación ESADE a INNOENERGY, "*Impacto de la Regulación sobre la Innovación en el Sector Eléctrico*", *ob. cit.*, p. 62, se enfatiza la importancia de garantizar la neutralidad del gestor de los datos y, para ello, se recomienda la creación de un operador que sólo tuviera como objetivo su gestión.

[32]   La resolución de 2 de junio de 2015, de la Secretaría de Estado de Energía.

[33]   Véase la STS de 12 de junio de 2019, 2484/2019.

[34]   Excepción prevista en el artículo 11.1. letra c) de la Ley Orgánica 15/1999, de 13 de diciembre, de Protección de Datos, aplicable por razones temporales ya que cuando se dictó la resolución impugnada no estaba vigente la actual Ley Orgánica 3/2018, de 5 de diciembre, de Protección de Datos personales y garantía de derechos digitales. Como señalo en el comentario efectuado en (https://www.

4.4. Impulsar la innovación

Las potencialidades que una tecnología encierra, para devenir actuales requieren la supresión de aquellas barreras que frenan o impiden su desarrollo. Algunas de estas barreras ya han sido comentadas en los apartados precedentes. No trataré las técnicas para realizar ensayos de nuevos productos y modelos de negocio "*sandboxes*"[35] que son objeto de consideración en otros capítulos. En cambio, sí quiero referirme brevemente a algunas medidas de autoorganización, recursos y procesos, que los reguladores pueden adoptar para devenir autoridades que desarrollen su mandato con una orientación favorecedora de la innovación.

Al cierre de 2018, la CNMC contaba con un presupuesto de menos de 33 millones euros para personal y una plantilla de 512 personas. Dado el impacto de su actuación sobre sectores económicos clave de la economía española, tan sólo el sector eléctrico genera unos 45.000 millones al año[36], reforzar los recursos del regulador independiente

---

smartgrid.cat/2019/09/04/les-dades-de-consum-denergia-electrica-individualitzades-i-amb-desglossament-horari-son-dades-personals-lectures-daqui-i-dalla/), la aprobación del Reglamento General de Protección de Datos de la Unión Europea no altera esta conclusión, ya que el concepto de datos personales (artículo 4.1.) no varía y se reconoce como causa de exclusión del consentimiento del titular su transmisión en casos de interés público (artículo 6.1.letra e). La Ley 3/2018 exige que el interés público derive de una competencia atribuida por una norma con rango de ley, cosa que cumple Red Eléctrica, a la que se la atribuye la Ley 24/2013 (artículo 30.2. letra x).

[35]   La prueba piloto de nuevos productos y modelos de negocio, a través de inaplicación temporal de la regulación, y la involucración de reguladores (TSOs y DSOs) se comenta en CEER Report, *ob. cit.*, p. 48.

[36]   De estos, 19.000 M € correspondientes a la energía generada y vendida; 7.000 de redes (peajes), de los cuales 1.700 M € para el transporte y 5.300 M € para la distribución; 10.000 M € de cargos, no relacionados con el suministro, de los que 2.800 M € relativos a los déficits de años anteriores y 7.100 M € por la retribución regulada a las renovables; 9.000 M € de impuestos, correspondiendo 1.510 M € al Impuesto de generación, 6.300 M € al IVA y 1.300 M € al impuesto de electricidad. Los datos corresponden al ejercicio de 2017 y se han compendiado en el "Informe del SÍNDIC DE GREUGES DE CATALUNYA, *El derecho al suministro de electricidad: obstáculos y soluciones en el precio, el acceso al servicio y la garantía de su calidad*, marzo 2019, p. 7, disponible en: http://www.sindic.cat/site/unitFiles/6104/Informe%20dret%20al%20subministrament%20electric_cast_def.pdf

tiene todo el sentido. A la hora de gastarlos, invertir en tecnología que permita obtener datos y tratarlos automáticamente le dará un conocimiento del sector, de los sectores, mayor y más rápido que el que los procedimientos manuales proporcionan. Se trata de no repetir el error del despliegue de los *"Smart Meters"* en que disponemos de una ingente cantidad de datos y los tratamos con hojas Excel. Entre el nuevo personal a incorporar, claramente, deberá reclutar analistas de datos[37].

5. CONCLUSIONES

Promover la digitalización como instrumento al servicio del *trilema* energético exige la efectividad de los principios de eficiencia, transparencia, objetividad y no discriminación que la Ley del Sector Eléctrico proclama como informadores del sistema. Para ello, hay que:

1.º Facilitar la entrada de nuevos operadores, con propuestas innovadoras, en lugar de favorecer el *statu quo*. La transición energética justa no debe ser una excusa para impedir la competencia. Por eso, se debería revisar la previsión del Real Decreto-Ley 17/2019 que exonera de licitar por los derechos de acceso a la red de alta tensión a los titulares de centrales de generación no renovable que cierran, a cambio de suscribir un convenio de transición justa y abrir otras que sí lo son.

2.º Dar señales de precios que reflejen los costes en aras a que al asumirlos quien los provoca, incentiven cambios de comportamiento dirigidos a reducirlos. El principio de peaje único no puede estar en contradicción con los objetivos del paquete de energía limpia y, conforme a éstos, hay que interpretarlo de manera que los generadores contribuyan a los costes por la inversión en redes que inducen y el uso que efectúan. Si no fuera posible una interpretación así, habría que no aplicarlo por contrario al Derecho europeo.

---

[37] CEER, *Report, ob. cit.*, p. 47.

3.º Disponer de datos de calidad, en tiempo real, de generación distribuida, de uso de redes, de consumos, y ser capaces de gestionarlos con arreglo a los criterios de interoperabilidad, seguridad y privacidad.

4.º Los *Smart Meters* deben permitir al consumidor asumir un rol activo, cambiando sus pautas de consumo, en función de los precios horarios de energía y redes, y apropiarse de determinados beneficios derivados de su propia actividad.

5.º Los reguladores también deben digitalizarse, aumentando la cantidad y calidad de los datos disponibles y reduciendo la carga administrativa para las empresas supervisadas. Sería un contrasentido poner su foco en la digitalización del sector y continuar gestionando hojas de cálculo.

BIBLIOGRAFÍA

Bartlett Castellá, E. R., "¿Transición energética justa y competencia son incompatibles?", Blog de la *Revista Catalana de Dret Públic*, 2019, disponible en: https://eapc-rcdp.blog.gencat.cat/2019/09/18/transicion-energetica-justa-y-competencia-son-incompatibles-enric-r-bartlett-castella/

Bartlett Castellá, E. R. y Salas Prat, P. *"Dificultades para valorar el efectivo cumplimiento de la directiva (EU) 2019/944 del mercado interior de electricidad. Un comentario a partir de la propuesta de Circular de la CNMC que establece la metodología para el cálculo de los peajes de transporte y distribución de electricidad"*, Comunicación presentada en el I Congreso Asociación Española de Derecho de la Energía. El derecho de la Energía en Transición, celebrado en la Universidad CEU San Pablo, Madrid, el 17 y 18 de septiembre de 2019.

Council of European Energy Regulators (CEER), *Consultation on Dynamic Regulation to Enable Digitalisation of the Energy System*, de 10 de octubre de 2019, Ref: C19-DSG-09-03, disponible en: https://www.ceer.eu/documents/104400/-/-/3aedcf03-361b-d74f-e433-76e04db24547

Council of European Energy Regulators, *2n CEER Report on Power Loses*, 21 de febrero de 2020, Ref: C19-EQS-101-03, disponible en: https://www.ceer.eu/documents/104400/-/-/4dd8d5ae-b145-ad0c-d5be-66013726133a.

Fundación ESADE, Estudio presentado a INNOENERGY, *"Impacto de la Regulación sobre la Innovación en el Sector Eléctrico"*, 2018.

International Energy Agency. *Digitalization and Energy, 2017*, en: https://www.iea.org/reports/digitalisation-and-energy

Salas Prat, P., *Acceso a los datos de consumo eléctrico de los contadores digitales y su uso. Estudio del caso en España y propuestas de mejora para hacer posible el acceso a los datos a terceras partes*, *Autoritat Catalana de Competència*, 2017, disponible en:

http://acco.gencat.cat/ca/detall/article/LACCO-fa-public-lestudi-que-ha-encarregat-al-Dr.-Pep-Salas-Acces-a-les-dades-de-consum-electric-dels-comptadors-digitals-i-el-seu-us

Síndic de Greuges de Catalunya, *Informe el derecho al suministro de electricidad: obstáculos y soluciones en el precio, el acceso al servicio y la garantía de su calidad*, marzo 2019, disponible en:

http://www.sindic.cat/site/unitFiles/6104/Informe%20dret%20al%20subministrament%20electric_cast_def.pdf

RETOS DE LA ERA DIGITAL PARA LA REGULACIÓN BANCARIA EUROPEA

MARÍA LIDÓN LARA ORTIZ[1]

Profesora ayudante doctor de Derecho Administrativo
Universitat Jaume I

SUMARIO: 1. Introducción. 2. Bases del actual sistema regulador europeo. 3. Primer reto: la unificación del valor de las notificaciones electrónicas en los procedimientos comunes. 4. Segundo reto: la eficacia de la actividad supervisora. Incorporación de las herramientas digitales a la actividad de supervisión. 5. Conclusión. Bibliografía.

1. INTRODUCCIÓN

En la última década hemos asistido a un proceso de profunda revisión de las prácticas regulatorias de la actividad bancaria tendentes a corregir los peligros detectados con ocasión de la crisis financiera que comenzó en los años 2007- 2008. El origen de todo ello reside en que, actualmente, ya no parece acertado referirnos a los mercados del crédito de cada Estado, sino a un mercado del crédito globalizado, cuya existencia se ve incentivada por los avances tecnológicos, especialmente por las comunicaciones electrónicas que favorecen las transacciones financieras a nivel internacional. Así, se generan problemas de supervisión nuevos como consecuencia de la globalización financiera[2], incluso se considera que la globalización favorece la gestación

---

[1]   Este trabajo se realiza en el marco del Proyecto de investigación "Desafíos del mercado financiero digital: riesgos para la Administración y para los inversores", Ref: RTI2018- 098963- B- I00 (MCIU/AEI/FEDER, UE), actualmente activo. Investigadora principal: Beatriz Belando Garin.

[2]   García Quero, F. J., "Aproximación crítica a la crisis económica mundial: Sistema capitalista, política monetaria y globalización financiera", *Pecvnia (Revista de la Facultad de Ciencias Económicas y Empresariales, Universidad de León)*, núm. 10, 2010, pp. 75- 94.

de crisis sistémicas y que estas son más frecuentes[3]. La respuesta normativa en este contexto debe tratar de ofrecer soluciones innovadoras a problemas nuevos y también corregir los defectos encontrados en el anterior sistema de supervisión financiera. Todo ello implica nuevos retos regulatorios *per se*.

Uno de los detonantes de la crisis financiera internacional originada en los años 2007- 2008 fue la tendencia a la innovación financiera[4] de los productos de los mercados de inversión, en los que negociaban también entidades bancarias, existiendo cierta inclinación a la desregulación, lo que potenció los riesgos y, en consecuencia, desencadenada la crisis, también aumentó sus efectos. En este contexto, los fallos regulatorios del sector, unidos a la internacionalización y globalización de los mercados crearon un ambiente adecuado para la concentración de riesgos excesivos que quedaban al margen de la supervisión. En cualquier caso, la raíz del problema no sólo se anclaba en la innovación financiera, pero los defectos regulatorios vinculados a esos nuevos productos o servicios de inversión sí fueron una de las causas de la magnitud de la crisis[5].

Otro de los problemas de la supervisión global o mundial, reside en la falta de eficacia de la regulación internacional en un contexto en que la actividad a controlar sí estaba globalizada. La canalización del ahorro a la inversión desborda las fronteras nacionales y las tensiones financieras se pueden transmitir rápidamente, dando lugar a potenciales crisis globalizadas. El ejemplo es la última crisis internacional, cuyo origen se manifestó en relación con un tipo de productos deriva-

---

[3]   En varios estudios se documenta el aumento de crisis bancarias a nivel mundial. V. Caprio, G.,- Klingebiel, "*Episodes of Systemic and Borderline Financial Crises*", 2003, base de datos del Banco Mundial disponible en: http://econ.worldbank.org/view.php?id=23456.

[4]   Estrada, D.- Gutierrez, J., "Supervisión y regulación del sistema financiero: modelos, implicaciones y alcances", *Perfil de Coyuntura Económica*, núm. 13, 2009, p. 58.

[5]   Vives, X., "La crisis financiera y la regulación", *IESE Occasional Papers*, núm. 179, 2010, pp. 5- 13. Y González Mota, E.- Marqués Sevillano, J. M., "Dodd-Frank Wall Street Reform: Un cambio profundo en el sistema financiero de Estados Unidos", *Revista de Estabilidad Financiera*, núm. 19, 2010, p. 73.

dos determinados (*subprime*)[6], pero que se transmitió rápidamente a otros productos en todo el mundo, precisamente por la globalización del mercado. De este modo, el fenómeno de la globalización financiera requiere de un control al mismo nivel, pero el mayor de estos problemas que encontramos en este ámbito es la falta de competencias suficientes para desemplear su control, ya que el cumplimiento de las directrices que emiten los reguladores internacionales se hace depender de la buena voluntad de los Estados que participan en ellos o están asociados a los mismos, los cuales siguen manteniendo plena soberanía sobre la materia financiera, y en cualquier momento pueden cambiar su legislación o alejarse de las directrices internacionales sin que exista responsabilidad por separarse de los criterios internacionales. Por este motivo, se considera que la regulación financiera que emana de ellos tiene carácter de *soft law*[7], ya que les falta la fuerza coactiva necesaria que se dotaría con un sistema de sanciones en caso de incumplimiento[8]. En este contexto, destacan los criterios y directrices que surgen, sobre todo, del Comité de Basilea. En su documento *Principios Básicos para una supervisión eficaz* se indica que «*Los Principios Básicos conforman un marco de normas mínimas para la adecuada supervisión que se considera de aplicación universal*»- , pero se declara el carácter voluntario de su aplicación: «*Los Principios Básicos se entienden como un marco voluntario de normas mínimas*

6   Zunzunegui, F., "La regulación jurídica internacional del mercado financiero", *Revista de Derecho del Mercado Financiero*, Working Paper 1/2008, mayo 2008, p. 1, disponible en:
http://rdmf.files.wordpress.com/2008/05/zunzunegui- regulacion- juridica- internacional- mercado- financiero.pdf.

7   Chicharro, A., "El carácter de *soft law* de los instrumentos internacionales sobre desarrollo sostenible" en Domínguez Martín, R.- Tezanos Vázquez, S. (dirs.), *Desafíos de los Estudios del Desarrollo: Actas del I Congreso Internacional de Estudios del Desarrollo*, Red Española de Estudios del Desarrollo, 2013, especialmente, pp. 12- 19. Y también Mazuelos Bellido, A., "*Soft law*: ¿Mucho ruido y pocas nueces?", *Revista Electrónica de Estudios Internacionales*, núm. 8, 2004, disponible en: www.reei.org. V. también Alarcón García, G., "El *soft law* y nuestro sistema de fuentes", en Báez Moreno y otros (coords.) *Libro- Homenaje del profesor Álvaro Rodríguez Bereijo*, vol. 1, 2010, Aranzadi, Navarra, pp. 271- 298. Y, Abbot K. W. y Snidal, D., "Hard and Soft Law in International Governance", *International Organization*, núm.54- 3, 2000, pp. 421–456.

8   Jiménez- Blanco Carrillo de Albornoz, A., *Regulación bancaria y crisis financiera*, Atelier, Barcelona, 2013, pp. 37 y ss.

sobre mejores prácticas de supervisión; las autoridades nacionales son libres de aplicar las medidas adicionales que estimen necesarias para una correcta supervisión en sus jurisdicciones»[9].

Dejando al margen el plano puramente internacional, donde existen mayores dificultades para ofrecer respuestas de *hard law* consensuadas mundialmente, en la Unión Europea, la respuesta normativa se ha centrado en implementar un sistema de supervisión a escala supraestatal, que permita controlar la actividad financiera, y en particular la bancaria teniendo en cuenta el componente transnacional.

2. BASES DEL ACTUAL SISTEMA REGULADOR EUROPEO

La reforma estructural de la actividad pública de supervisión en el marco europeo ha dejado de ser un sistema puramente armonizador para convertirse en un sistema único de regulación. Toda la reforma se construyó sobre las recomendaciones del Informe de *Larosière*[10], que destacó la necesidad de implementar ciertos mecanismos y de crear una estructura organizativa que permitiese afrontar los aspectos de la supervisión, restructuración y resolución de los operadores financieros en un marco europeo unificado, para evitar y superar mejor los efectos de las crisis financieras futuras a partir de los defectos adver-

---

[9] V. *Informe del Banco de Pagos Internacionales de diciembre de 2011* para las consultas sobre reforma de los *Principios Básicos para una supervisión bancaria eficaz*, Basilea, 2011, p. 11, consultado el 21 de agosto de 2014 en: http://www.bis.org/publ/bcbs213_es.pdf.

[10] El Grupo de Alto Nivel sobre la Supervisión Financiera en la UE, presidido por Jacques de Larosière, propuso a la Unión desarrollar una normativa financiera más armonizada y el Consejo Europeo de 18 y 19 de junio de 2009 subrayó también la necesidad de crear un código normativo europeo único aplicable a todas las entidades de crédito y empresas de inversión en el mercado interior. Este proyecto surge de forma paralela a la gestación de los estándares internacionales de Basilea III. Para ver las recomendaciones del *Informe del grupo de Larosière (The High- level Group on financial supervision in the UE Report), de 25 de febrero de 2009*, consultado el 3 de enero de 2020 en: https://ec.europa.eu/economy_finance/publications/pages/publication14527_en.pdf.

tidos hasta el momento, ofreciéndose una serie de recomendaciones que, en buena medida, se han incorporado a la actual unión bancaria.

La unión bancaria realmente está integrada por cinco elementos: 1. Un Código normativo único o *single rulebook*, que contempla las tres vertientes normativas referentes a la regulación sobre requerimientos de capital previstas en el marco regulador de Basilea III incorporadas al Derecho europeo, a través de la Directiva 2013/36/UE, y Reglamento UE núm. 575/2013; la regulación de la recuperación y resolución bancaria a través de la Directiva 2014/59/UE; y la regulación de los Sistemas de Garantía de Depósitos, mediante la Directiva de los Sistemas de Garantía de Depósitos 2014/49/UE del Parlamento Europeo y del Consejo de 16 de abril de 2014, así como la normativa complementaria y de desarrollo de todas ellas. 2. El Mecanismo Único de Supervisión. 3. El Mecanismo Único de Resolución. 4. El Mecanismo de Estabilidad –este mecanismo se aprobó al margen de la UE, a través del sistema de cooperación reforzada. 5. El proyectado Fondo Europeo de Garantía de Depósitos.

Este nuevo sistema se considera una evolución del anterior e intenta superar sus defectos. De entrada, se caracteriza por diferenciar una supervisión *macroprudencial* y una supervisión *microprudencial*[11]. La

---

[11]   El informe introdujo la distinción de los aspectos macroeconómicos y los microeconómicos. Hasta el momento no se había tenido en cuenta la regulación macroeconómica, y se propuso la creación de un nuevo organismo, denominado Consejo Europeo de Riesgos Sistémicos (CERS), que sería presidido por el Presidente del BCE, vinculado al BCE y con el apoyo logístico de este, y que debería estar integrado por los miembros del Consejo General del BCE, los presidentes del CSBE, del CESSPJ y del CERV, así como un representante de la Comisión Europea. El CERS debería reunir y analizar toda la información pertinente para la estabilidad financiera, relativa a las condiciones macroeconómicas y a la evolución de la supervisión *macroprudencial* de todos los sectores financieros. También se propuso la creación de un sistema de alerta temprana a cargo del CERS y del Comité Económico y Financiero (CEF), quienes si detectasen riesgos de mal funcionamiento general del sistema monetario y financiero, deberían advertir al FMI, al Foro de Estabilidad Financiera y al Banco de Pagos Internacionales (BPI) a fin de definir las acciones adecuadas a nivel tanto comunitario como mundial. Respecto a la supervisión *microprudencial* se propuso la creación de un Sistema Europeo de Supervisores Financieros (SEFS). Este sistema se proyectó pensando en una red de supervisores descentralizada, en la que los supervisores nacionales seguirían llevando a cabo las labores cotidianas de supervisión, pero que se coordinarían a través de tres autoridades europeas que deberían sustituir

actual regulación de esta segunda es la que debemos entender, realmente, como sistema evolucionado del anterior[12], ya que el sistema armonizador previo el aspecto de la supervisión *macroprudencial* no se contemplaba.

En este sistema regulatorio encontramos una red de supervisores que actúan coordinados, y más concretamente, en el ámbito del Mecanismo Único de Supervisión (en adelante MUS), participan el Banco Central Europeo (en adelante BCE) y otras autoridades europeas[13], más concretamente, la Autoridad Bancaria Europea (ABE), y los supervisores de cada uno de los Estados miembros partícipes en el mismo, como Autoridades Nacionales Competentes (en adelante, ANC). En este novedoso sistema de supervisión el BCE será responsable del funcionamiento eficaz y coherente del MUS y de vigilar el funcionamiento general del sistema, basándose en las competencias y procedimientos establecidos en el artículo 6 del Reglamento UE 1024/2013, regulador del MUS.

Desde el punto de vista del Derecho Administrativo este sistema es interesante porque implica un alto grado de integración europea. El Reglamento de la UE 1024/2013 articula el sistema por el que, a través de una compleja distribución competencial, el BCE tiene asignadas funciones de supervisión prudencial basándose en el artículo 127.5 y 6 TFUE y el artículo 25 del Protocolo núm. 4 regulador del Estatuto del SEBC, apoyándose en las Autoridades Nacionales Competentes (en adelante, ANC).

---

al CSBE, al CESSPJ y al CERV. Este SEFS se ideó con carácter independiente de las autoridades políticas, pero plenamente responsable ante ellas.

[12]   Martín Marín, J.L.- Téllez Valle, C., "La regulación y supervisión del sistema financiero ante la crisis económica", *Boletín de Estudios Económicos*, vol. LXIV, núm.198, 2009, p. 459.

[13]   Las autoridades europeas de supervisión se crean sobre la base del artículo 114 TFUE. Este precepto permite a la UE instituir un organismo comunitario para alcanzar una armonización en situaciones en las que, para facilitar la ejecución y aplicación uniformes de actos basados en dicha disposición, se considera que es adecuado adoptar medidas no vinculantes de acompañamiento y encuadramiento. V. García Álvarez, G., "Las autoridades europeas de supervisión y su compatibilidad con el Derecho Europeo", en B., Belando Garín (dir.), *La supervisión del mercado de valores: la perspectiva del inversor- consumidor*, Civitas, Navarra, 2017, p. 20.

El alto grado de integración da lugar a un sistema con una estructura organizativa muy compleja y novedosa. Es novedosa porque la estrecha cooperación del BCE y de las ANC en los distintos procedimientos de autorización, revocación, evaluación de transmisión de participaciones, control de los requerimientos de solvencia y de las condiciones del consejo de administración de las entidades, etc., convierte al BCE, sin dejar de ser institución europea, en autoridad administrativa que asume un papel en el escenario interno de cada Estado[14], ya que hay casos en los que puede tener que decidir aplicando el Derecho nacional de uno de los Estados partícipes[15], y además, de acuerdo con el artículo 9.1 del Reglamento del MUS, dependiendo de la facultad que esté ejerciendo, «*el BCE será considerado, según proceda, la autoridad competente o la autoridad designada en los Estados miembros participantes con arreglo a lo establecido por el Derecho aplicable de la Unión*».

Para lograr la eficacia del sistema, dada su complejidad, el BCE aprobó el Reglamento (UE) núm. 468/2014 del Banco Central Europeo de 16 de abril de 2014, por el que se establece el marco de cooperación en el Mecanismo Único de Supervisión entre el Banco Central Europeo y las autoridades nacionales competentes y con las autoridades nacionales designadas (Reglamento Marco del MUS), en el que se regulan los denominados procedimientos comunes de regulación bancaria para conceder autorizaciones a las entidades de crédito para ejercer la actividad, revocarlas, autorizar la adquisición de participaciones significativas, controlar el cumplimiento de los requisitos prudenciales y ejercer la potestad sancionadora.

---

[14]   Fernández Rodríguez T.R., "El mecanismo único de supervisión, pieza esencial de la Unión Bancaria Europea: Primera aproximación", en C. Alonso (dir.), *Hacia un sistema financiero de nuevo cuño: Reformas pendientes y andantes*, Tirant lo Blanch, Valencia, 2016, p. 166.

[15]   El art. 4.3 del Reglamento 1024/2013 recoge esta posibilidad: "*A los efectos de desempeñar las funciones que le atribuye el presente Reglamento, y con el objetivo de garantizar una supervisión rigurosa, el BCE aplicará toda la legislación aplicable de la Unión y, en los casos en que dicha legislación esté integrada por Directivas, la legislación nacional que las incorpore al ordenamiento jurídico nacional. Cuando la legislación aplicable de la Unión esté compuesta por Reglamentos y en los ámbitos en que en la actualidad dichos Reglamentos otorguen expresamente opciones a los Estados miembros, el BCE aplicará también la legislación nacional que incorpore esas opciones al ordenamiento jurídico nacional*".

En los procedimientos comunes de regulación bancaria las ANC y el BCE participan, hasta cierto punto, en la tramitación del mismo procedimiento, dependiendo de la distribución competencial, lo que ha supuesto que se deba incrementar la cooperación entre ellos. Precisamente, la necesidad de intercambiar informaciones entre los reguladores y de actuar coordinados y en cooperación nos permitirá, más adelante, hacer alguna propuesta de adaptación del sistema europeo de regulación bancaria a las novedades que ofrece la era digital. Sin embargo, lo que no ha conllevado aún el nuevo sistema de supervisión es la armonización de los Derechos administrativos internos de los Estados miembros, y entre las diversas cuestiones que divergen en las distintas regulaciones convergentes, destaca, por su relación con el tema que aquí estamos tratando, el diferente valor que se da a las notificaciones electrónicas en los diferentes ordenamientos jurídicos concurrentes en los procedimientos comunes.

3. PRIMER RETO: LA UNIFICACIÓN DEL VALOR DE LAS NOTIFICACIONES ELECTRÓNICAS EN LOS PROCEDIMIENTOS COMUNES

Los procedimientos comunes de regulación bancaria están previstos en los artículos 73 y siguientes, de la Parte V, del Reglamento (UE) núm. 468/2014 del Banco Central Europeo, de 16 de abril de 2014, por el que se establece el marco de cooperación en el Mecanismo Único de Supervisión entre el Banco Central Europeo y las autoridades nacionales competentes y con las autoridades nacionales designadas. Como se ha indicado, en ellos se determinan las reglas por las que se tramitarán las solicitudes de autorización a las entidades de crédito para ejercer la actividad bancaria, o su revocación, la autorización de la adquisición de participaciones significativas, el control del cumplimiento de los requisitos prudenciales y el ejercicio de la potestad sancionadora. Las funciones reguladoras en estos casos se ejercen cuando se trata de entidades significativas completamente por el BCE[16], y

16   La clasificación se realizará atendiendo a los criterios del artículo 6.4 del Reglamento 1024/2013: la importancia para la economía de la Unión o de cualquier Estado miembro participante, el carácter significativo de las actividades

cuando se trata de entidades no significativas, compartiendo competencias, y en colaboración entre el BCE y las ANC (en España, será el Banco de España).

La compleja distribución competencial se basa en razones jurídicas y prácticas. En razones jurídicas ya que el BCE tiene asignadas funciones de supervisión prudencial, que descansan en el artículo 127.5 y 6 TFUE y el artículo 25 del Protocolo núm. 4 regulador del Estatuto del SEBC, de modo que en lo que no deba quedar incluido como ámbito de esa supervisión prudencial la regulación y las competencias conexas serán a cargo de las ANC. También en razones prácticas, porque la gran cantidad de entidades a supervisar (aproximadamente 6.000), haría muy difícil que esta tarea se centralizara por completo en el mismo, lo que redundaría en defectos de supervisión, y además hasta la activación del MUS, el BCE no contaba con experiencia[17].

Como consecuencia de ello, encontramos casos en los que la notificación a la entidad supervisada, de la resolución correspondiente, emitida por el supervisor, se realizará por el BCE, mientras que en otras ocasiones, será la ANC, quien deberá realizar la notificación. No podemos, en esta sede, hacer una mención pormenorizada de cada uno de los supuestos que se pueden dar, sin embargo, uno de los casos

---

transfronterizas, y el tamaño de la entidad. El tamaño determina su carácter significativo si el valor total de sus activos supera los 30.000.000.000 euros, o la ratio de sus activos totales respecto del PIB del Estado miembro participante de establecimiento supere el 20 %, a menos que el valor total de sus activos sea inferior a 5.000.000.000 euros. Además es posible que el BCE tome una decisión por la que confirma dicho carácter significativo tras haber realizado una evaluación global, incluida una evaluación del balance de dicha entidad financiera, al margen de los criterios objetivos anteriores, y se establece expresamente que con independencia de los criterios anteriores, el BCE desempeñará sus funciones de supervisión respecto a las tres entidades de crédito más significativas en cada uno de los Estados miembros participantes, salvo que lo justifiquen circunstancias particulares (este criterio se concreta en aquellas tres mayores entidades de cada Estado miembro, y en las que tiene filiales en más de uno de los países participantes, cuyos activos o pasivos transfronterizos representan más del 20% de su activo o pasivo total). Finalmente, siempre serán significativas las entidades respecto de las cuales se haya solicitado o recibido ayuda financiera pública directa de la FEEF o del MEDE. Este último criterio es el que hace que la mayor parte de la banca española esté, de momento, bajo la supervisión directa del BCE en el MUS.

[17]   Fernández, T.R., "El mecanismo único de supervisión, pieza esencial de la Unión Bancaria Europea: Primera aproximación", en C. Alonso (dir.), *ob. cit*, p. 150.

que implican un reto en la actividad del supervisor en la era digital, se da en relación con la tramitación de las solicitudes de autorización, supuesto que podemos exponer como ejemplo. Así, en este caso, las ANC reciben las solicitudes y hacen una primera evaluación conforme al artículo 74 del Reglamento (UE) núm. 468/2014, y si la ANC decide denegar la autorización, notifica esta decisión a la entidad interesada, remitiendo una copia de su decisión al BCE, conforme al artículo 75 del mismo. Si, sin embargo, la solicitud de autorización pasa este primer filtro, la autorización es concedida por el BCE, conforme al artículo 78, y es el propio BCE quien debe realizar la notificación de la resolución autorizando o denegando la actividad de crédito.

Ocurre en relación con las notificaciones electrónicas que su valor no es el mismo en todas las legislaciones aplicables. Por un lado, el Derecho de la Unión Europea no exige esta forma de notificación de modo obligatorio, admitiendo diversas posibilidades a las que da el mismo valor jurídico. El artículo 35 del Reglamento (UE) núm. 468/2014 se refiere a las notificaciones de las decisiones de supervisión del BCE, que podrá realizar: a) verbalmente, b) mediante notificación o entrega en mano de una copia de la decisión de supervisión, c) por correo certificado con acuse de recibo, d) por servicio de mensajería urgente, e) por telefax, o f) electrónicamente. Cualquiera de estos medios puede utilizarse de forma indistinta, considerándose válidamente realizada la notificación. Por otro lado, las ANC, que en relación con sus propias actuaciones quedan sujetas a su propia legislación nacional, regulan de diferente modo la forma de notificar, y en este punto se pueden observar diferentes sistemas sobre el valor que se da a cada tipo de notificación, según Estados miembros, pudiendo, en determinados casos hacerse quebrar el principio de igualdad de trato, que debe ser observado en las prácticas regulatorias del Mecanismo Único de Supervisión, al que se refieren los Considerandos número 30, 41 y 85, y artículo 1 del Reglamento (UE) núm. 1024/2013, regulador del MUS.

Así, concretamente, en el Derecho español, las notificaciones que realice el Banco de España deberán ser siempre electrónicas, por ser personas jurídicas las entidades supervisadas destinatarias de la notificación, en aplicación del artículo 1 de la Ley 10/2014, de 26 de junio, de ordenación, supervisión y solvencia de entidades de crédito, que considera que son entidades supervisadas los bancos, las cajas de ahorros, las cooperativas de crédito, y el Instituto de Crédito Oficial. Por tanto, las notificaciones que el Banco de España gire a las mismas quedan sujetas a la regla contenida en el artículo 14.2.a) en relación con 41.1 y 41.3 de la Ley 39/2015, que las considera personas obligadas a relacionarse electrónicamente con la Administración, de modo que «*Las notificaciones se practicarán preferentemente por medios electrónicos y, en todo caso, cuando el interesado resulte obligado a recibirlas por esta vía*». De forma subsidiaria, se otorga valor jurídico a otras formas de notificar cuando la notificación se realice con ocasión de la comparecencia espontánea del interesado o su representante en las oficinas de asistencia en materia de registro, y solicite la comunicación o notificación personal en ese momento, o cuando para asegurar la eficacia de la actuación administrativa resulte necesario practicar la notificación por entrega directa de un empleado público de la Administración notificante. Fuera de estos casos excepcionales, la notificación que realice el Banco de España a una entidad de crédito deberá hacerse por medios electrónicos. En otros Estados miembros las reglas son diversas, según la legislación nacional aplicable, y ello puede dar lugar a diferencias que, según algunos sectores doctrinales, puede afectar a las garantías de la entidad en el procedimiento[18].

Precisamente, la notificación electrónica en la regulación española requiere, conforme al artículo 43.1 de la Ley 39/2015, que previamente el interesado comparezca en la sede electrónica de la Administración u organismo actuante, entendiéndose por comparecencia «*el acceso por el interesado o su representante debidamente identificado al contenido de la notificación*». La indefensión se puede producir, en estos casos, según parte de la doctrina, de acuerdo con el artículo 43.2 de la Ley 39/2015, si esa comparecencia no se efectúa en los diez días naturales siguientes a la puesta a disposición de la notificación sin que el interesado o su representante accedan a su contenido, ya que dicha notificación «*se entenderá rechazada*»[19], con los consiguientes efectos

---

[18]   En este sentido, Fernández, T.R., "Una llamada de atención sobre la regulación de las notificaciones electrónicas en la novísima Ley de Procedimiento Administrativo Común de las Administraciones Públicas", *Revista de Administración Pública*, núm. 198, 2015, pp. 361- 367.

[19]   En relación con ello, Fernández, T.R., "*Una llamada de atención sobre la regulación de las notificaciones electrónicas...*", *ob. cit.*, pp. 364- 365.

jurídicos del rechazo de la notificación, que conforme al artículo 41.
5 de la Ley 39/2015, implican que se considere efectuado el trámite
y continúe el procedimiento[20]. Esta consecuencia prevista en la norma española supone un cambio enorme respecto al anterior sistema,
porque recae sobre el administrado la carga de que acceda a la sede
electrónica de la Administración o a la dirección electrónica habilitada única, y dado que puede existir o no un aviso previo para que comparezca en la sede electrónica el interesado, transcurridos diez días
naturales sin acceder al contenido de la notificación, esta se entenderá
rechazada a los efectos de considerar efectuado el trámite y continuar
el procedimiento, incluso cuando no exista aviso previo para que se
realice la comparecencia, lo que puede dar lugar a situaciones de indefensión para el interesado[21], pues sin haber comparecido para ser
notificado, precluirá el plazo para interponer recursos, quedando el
acto firme a todos los efectos[22].

Así, no está armonizada la práctica de las notificaciones de los actos administrativos emitidos al tramitar dichos procedimientos comunes, en lo referente a los trámites que incumben a los reguladores de
los Estados partícipes en el MUS. Aunque la regulación de todo ello es
competencia de cada Estado miembro, que conserva sus competencias
para determinar su propio procedimiento administrativo, la cuestión
no es baladí, porque excede de un problema meramente formal, para materialmente afectar a las garantías de la entidades supervisadas
que, en los trámites realizados ante sus propios reguladores, pueden
recibir un diferente trato que en otros países partícipes. El principio
de igualdad de trato es un principio aplicable al funcionamiento general del MUS, y aunque el Reglamento UE 1024/2013, lo recoge en
relación con la actuación del BCE respecto de las diferentes entidades
supervisadas, no se ajusta a derecho que dentro de un mismo sistema
de supervisión existan diferencias de trascendencia en la preservación
de las garantías de los sujetos supervisados, pues podría apreciarse un
alejamiento del principio de buena administración, en su dimensión

---

[20]   Solar Jimeno, N., "El nuevo régimen de las notificaciones en la Ley 39/2015",
       Revista da Asesoria Xuridica Xeral, núm. 7, 2017, p. 123.
[21]   Fernández, T.R., *"Una llamada de atención sobre la regulación de las notifica-
       ciones electrónicas…"*, ob. cit., p. 365.
[22]   Solar Jimeno, N.,*"El nuevo régimen de las notificaciones…"*, ob. cit., p. 132.

ética[23], no en la jurídica, pues tales diferencias, en este segundo aspecto, se dan incumpliendo la ley, y ello no ocurre en el caso expuesto. En este caso, lo que ocurre es que la ley aplicable es diferente según Estados, pero se aplica en un sistema único que acoge el principio de igualdad de trato, por lo que la afectación de garantías con desigualdad de trato, sí afecta a la dimensión ética de la buena administración. La buena administración debe servir para preservar todas las garantías del ciudadano frente a la Administración[24], en todos los casos.

Estas diferencias deberían ser superadas en relación con los procedimientos comunes de regulación bancaria, en el Derecho de la Unión Europea, en relación con el funcionamiento de la regulación del Mecanismo Único de Supervisión, ya que el sistema de regulación bancaria, actualmente, es un sistema europeo, siendo la responsabilidad de su correcto funcionamiento general, del regulador europeo, que es el eje del sistema. Queda esto patente en el artículo 6 del Reglamento UE 1024/2013, que prescribe que *"El BCE será responsable del funcionamiento eficaz y coherente del MUS"*. Sin embargo, el principal obstáculo, para ello, radica en que las competencias para regular los procedimientos comunes en lo que incumben a las ANC, es una cuestión vinculada con la regulación del procedimiento administrativo común, y no con la regulación bancaria.

Con el contenido actual del Tratado de Funcionamiento de la Unión Europea, ante la ausencia de competencias para establecerse un procedimiento administrativo común que se aplique obligatoriamente a los supervisores de los Estados miembros, lo que sí puede hacer la Autoridad Bancaria Europa en este ámbito, es emitir directrices o *guidelines*, en aplicación del Considerando núm. 32 del Reglamento UE 1024/2013[25]. En este caso, estaríamos ante *soft law*, y no *hard law*,

---

[23]   Meilán Gil, J.L., "La buena administración como institución jurídica", *Revista Andaluza de Administración Pública*, núm. 87, 2013, p. 16.

[24]   En relación con un mayor tratamiento del contenido de las garantías que debe incluir la buena administración, véase Lara Ortiz, M. L., "El derecho a la buena administración en el marco de la protección de los derechos humanos", en *Cuadernos Electrónicos de Filosofía del Derecho*, número 39, *Publicación Actas Congreso Internacional 70 Aniversario Declaración Universal de Derechos Humanos*, Universitat de València, Valencia, 2019, pp. 340 – 355.

[25]   Conforme al Considerando 32 del Reglamento UE 1024/2013, a la *"ABE se le ha asignado el cometido de elaborar proyectos de normas técnicas y de formular*

por la falta de competencias de la ABE para exigir su cumplimiento. Pero ante la ausencia de competencias europeas para regularlo de forma general, en la medida en que esta solución permite armonizar las prácticas de los reguladores nacionales, sería conveniente que, en el marco del MUS, se regulase el valor jurídico de las notificaciones electrónicas de forma uniforme.

4. SEGUNDO RETO: LA EFICACIA DE LA ACTIVIDAD SUPERVISORA. INCORPORACIÓN DE LAS HERRAMIENTAS DIGITALES A LA ACTIVIDAD DE SUPERVISIÓN

Existen otras cuestiones que la era digital permite plantearse en el marco regulatorio expuesto antes, y que más que retos pueden ser soluciones a problemas o dificultades que podemos encontrar en el nuevo sistema. Así, podemos plantearnos cómo la utilización de la estructura de datos *blockchain* podría favorecer las prácticas regulatorias para abordar problemas clásicos como la actividad bancaria en la sombra o *shadow banking*, prácticas desreguladas que siguen existiendo a pesar de la nueva regulación bancaria europea, o cómo facilitar las tareas de supervisión de los reguladores del Mecanismo Único de Supervisión.

Lo primero que procede aclarar es cuál es la esencia del *blockchain*, para poder precisar luego, qué puede aportar al actual sistema de supervisión. Así, *blockchain*, se define como una red de nodos utilizada para almacenar información relevante a la que puede acceder en cualquier momento cualquier entidad[26]. Es un sistema descentralizado de almacenamiento distribuido de datos cuya aplicación a diferentes sectores puede eliminar muchos problemas gracias a la seguridad que proporciona especialmente para las infraestructuras críticas[27].

---

directrices y recomendaciones, a fin de garantizar la convergencia y coherencia de los resultados de la supervisión en la Unión".

[26]   Gattolin, A.- Rottondi, C.- Verticale, G., "BlAsT: *Blockchain*- Assisted Key Transparency for Device Authentication", *IEEE*, 2018, p. 2.

[27]   Şafak, E.- Furkan Mendi, A.- Tolga, E., "Hybrid Database Design Combination of *Blockchain* and Central Database", *IEEE*, 2019, p. 4.

Los efectos positivos de la implementación de la tecnología *blokchain* son[28]:

1. Es posible incorporar todos los documentos de los operadores de un mercado en un *blokchain*.

2. En él se asegura que la información no pueda ser falsificada.

3. Garantiza la transparencia de las informaciones, especialmente en el sector público.

4. Reduce el gasto del presupuesto estatal en la actividad de control de las entidades supervisadas.

La posibilidad de utilizar un sistema *blockchain* para el intercambio de informaciones entre los supervisores puede ser de enorme utilidad en el cumplimiento de la obligación de coordinarse que tienen los reguladores y de intercambiar informaciones, obligaciones que tienen un reflejo constante en la normativa reguladora del MUS. De hecho esta posibilidad ha sido ya tanto sugerida por estudios científicos del Comité de Basilea[29], como contemplada del mismo modo, aunque no implementada, en la Unión Europea[30] a tales efectos, donde se destacan otras ventajas, como la protección de datos personales de las informaciones incorporadas por las propias entidades. En general, se predica que la tecnología *blockchain* tiene un alto potencial para mejorar las actividades públicas de control[31], entre otras ventajas derivadas de su aplicación por las Administraciones públicas.

Destacamos los siguientes casos, de los que se evidencia el carácter esencial que en este sistema regulador europeo tiene la coordinación

---

[28]   Plotnikov, V.- Vardomatskaya, L.- Kuznetsova, V., "*Blockchain* in the social sphere of Smart Cities", en *E3S Web of Conferences TPACEE- 2018*, 2018, p. 5.

[29]   Auer, R., "Embedded supervision: how to build regulation into *blockchain* finance", *BIS Working Papers* núm. 811, 2019, p. 20.

[30]   Finck, M., "*Blockchain* and the General Data Protection Regulation Can distributed ledgers be squared with European data protection law?", *Parliamentary Research Services (EPRS) of the Secretariat of the European Parliament*, 2019, p. 101.

[31]   Marcet Gisbert, X., "Los retos de las administraciones públicas como garantes de igualdad y de servicio público ante los retos de las innovaciones disruptivas que vienen", *Revista Vasca de Gestión de Personas y Organizaciones Públicas*, 2019, p. 106.

y el intercambio de informaciones, y cuyo cumplimiento se facilitaría con la incorporación de un sistema *blockchain*:

- Los intercambios de informaciones entre reguladores previstos en el Reglamento Delegado (UE) núm. 524/2014 de la Comisión, de 12 de marzo de 2014, por el que se completa la Directiva 2013/36/UE del Parlamento Europeo y del Consejo, en lo que respecta a las normas técnicas de regulación que especifican la información que las autoridades competentes de los Estados miembros deben facilitarse mutuamente, se beneficiarían de la instauración de un sistema de este tipo.

- Dentro del marco del MUS, los reguladores nacionales deben ejercer sus funciones desde la óptica de su integración en el mismo, que entre otras cosas, en base al artículo 6 del Reglamento 1024/2013, supone su sujeción al deber de cooperación leal y a la obligación de intercambiar información con el BCE, como "responsable del funcionamiento eficaz y coherente del MUS", cuyo cumplimiento también se facilitaría con la tecnología *blockchain*.

- En España, los supervisores bancario y del mercado de valores, esto es, Banco de España y Comisión Nacional del Mercado de Valores, deben ejercer sus funciones, coordinándose, respecto a las entidades de crédito que cotizan en bolsa. Aunque se contempla la coordinación entre ambas entidades de forma genérica en el artículo 67 de la Ley 10/2014, de Ordenación, Supervisión y Solvencia de Entidades de Crédito (en adelante, LOSSEC), y también en los artículos 242 y siguientes del Real Decreto Legislativo 4/2015, de 23 de octubre, por el que se aprueba el Texto Refundido de la Ley del Mercado de Valores, no se contemplan mecanismos específicos de coordinación en casos concretos, sin perjuicio de que en ejercicio de las funciones del Banco de España reguladas en los artículos 50, 51 y 52 LOSSEC y concordantes, pueda el Banco de España solicitar informes a otras autoridades supervisoras (en este caso CNMV) y documentación a la propia entidad supervisada, y también a la inversa pueda la CNMV solicitar informaciones al Banco de España y a las entidades supervisadas –ex artículo 243 RD-Legislativo 4/2015.

- También a un nivel más general, el art. 67.2 LOSSEC dispone que, *"Siempre que en un grupo consolidable de entidades de crédito existan entidades sujetas a supervisión en base individual por organismos distintos del Banco de España, éste, en el ejercicio de las competencias que esta Ley le atribuye, deberá actuar de forma coordinada con el organismo supervisor que en cada caso corresponda".*

- Los *stress test* se realizan por los reguladores nacionales, en caso de España, por el Banco de España, en cooperación con la Junta Europea de Riesgo Sistémico (JERS), del Banco Central Europeo (BCE) y la Comisión Europea. Es, además, responsabilidad de la Autoridad Bancaria Europea coordinar esta actividad de control y garantizar la transparencia de los resultados[32].

- Con la finalidad de efectuar una supervisión *microprudencial* europea, las autoridades de supervisión[33], forman el Sistema

---

[32]   En este sentido, lo anuncia la propia página web de la ABE, donde también se publican periódicamente los resultados de los *stress test*: *"One of the primary supervisory tools to conduct such an analysis is the EU- wide stress test exercise. The EBA Regulation gives the Authority powers to initiate and coordinate the EU- wide stress tests, in cooperation with the European Systemic Risk Board (ESRB). The aim of such tests is to assess the resilience of financial institutions to adverse market developments, as well as to contribute to the overall assessment of systemic risk in the EU financial system"*. V. http://www.eba.europa.eu/risk-analysis- and- data/eu- wide- stress- testing;jsessionid=DFC34869A9059DDC2 C0F3C67534231DD.

[33]   Son la Autoridad Bancaria Europea (ABE, o EBA de sus siglas en inglés European Banking Authority) para el sector bancario, la Autoridad Europea de Seguros y Pensiones de Jubilación (AESPJ, o EIOPAde sus siglas en inglés European Insurance and Occupational Pensions Authority) para el sector de seguros y fondos de pensiones y, finalmente, la Autoridad Europea de Valores (AEVM, o ESMAde sus siglas en inglés European Securities and Markets Authority) para la supervisión de los mercados de valores. Se crean mediante tres reglamentos del Parlamento Europeo y el Consejo, de fecha 24 de noviembre de 2010, publicados en el DOUE el 15 de diciembre y con números correlativos: 1093/2010 (que crea la ABE), 1094/2010 (que crea la AESPJ) y 1095/2010 (que crea la AEVM). Las Autoridades Europeas de Supervisión sustituyen al Comité de supervisores bancarios europeos, creado en virtud de la Decisión 2009/78/CE de la Comisión (DO L 25 de 29.1.2009, p. 23), al Comité europeo de supervisores de seguros y de pensiones de jubilación, creado en virtud de la Decisión 2009/79/CE de la Comisión (DO L 25 de 29.1.2009, p. 28), y al Comité de responsables europeos de reglamentación de valores, creado en virtud de la Decisión 2009/77/CE de la

Europeo de Supervisores Financieros en cuanto a la supervisión *microprudencial*[34], pero actúan con la colaboración y en coordinación con las autoridades nacionales de cada sector, esto es, respectivamente, con las autoridades nacionales de supervisión en cada ámbito, que son, los supervisores bancarios nacionales, los supervisores nacionales de seguros y pensiones y los supervisores nacionales de valores. Desde un punto de vista organizativo, son agencias reguladoras[35], destacando sus funciones de asistencia científica y técnica, focalizadas en determinados sectores económicos, de modo que sólo pueden desarrollar su función correctamente si existe un adecuado flujo de informaciones.

- En relación con las inspecciones directas o verificaciones *in situ*, se han considerado recomendables por el Reglamento UE 1024/2013, y serán una función cotidiana de las ANC[36]. Se prevé que las autoridades nacionales competentes comuniquen al BCE las medidas que adopten en estos casos, y se coordinarán con las indicaciones que pueda hacer el BCE. Cabe también la posibilidad de que el mismo BCE pueda realizar directamente tales inspecciones *in situ*, con o sin previo aviso –ex artículo 12 Reglamento UE 1024/2013.

Comisión (DO L 25 de 29.1.2009, p. 18), y asumen las funciones y competencias de dichos Comités.

[34] Aunque las tres autoridades indicadas se encargarán de la coordinación de la supervisión *microprudencial* del correspondiente sector, actúan coordinadas dentro del Sistema Europeo de Supervisores Financieros con la Junta Europea de Riesgo Sistémico (JERS), y las autoridades competentes o de supervisión de los Estados miembros correspondientes en cada sector regulado, y según su propia organización, y participan también en el Comité Mixto de las Autoridades Europeas de Supervisión, que sirve, entre otras cosas, como foro de intercambio de información entre los supervisores que forman parte del sistema europeo.

[35] Mínguez Hernández, F., "Las Autoridades Europeas de Supervisión: Estructura y funciones", en *Revista de Derecho de la Unión Europea* núm. 27, 2014, p. 129.

[36] V. considerando 37 Reglamento UE 1024/2013, que considera que «*la evaluación diaria y permanente de la situación de las entidades de crédito y las correspondientes verificaciones in situ*» debe ser asignada a las autoridades nacionales competentes, como medio para asistencia al BCE en la preparación y aplicación de todos los actos relativos al ejercicio de las funciones de supervisión.

5. CONCLUSIÓN

La regulación bancaria debe ser replanteada desde la perspectiva de la era digital, pues la misma nos sitúa en un escenario que cambia los parámetros de la actividad de supervisión clásica, generando nuevos retos y ofreciendo nuevas soluciones.

En la vertiente de los retos, la posibilidad de realizar notificaciones electrónicas genera el reto de tener que unificar su valor en los llamados procedimientos comunes de regulación conocidos en el marco del Mecanismo Único de Supervisión, para así evitar diferencias de trato según el derecho aplicable por la Autoridad Nacional Competente.

Frente a ello, los avances tecnológicos, y en particular el sistema *blockchain*, puede ofrecer a los supervisores obligados a intercambiar informaciones y coordinarse en un sistema muy complejo, por el alto grado de distribución competencial existente, un mecanismo extremadamente útil que garantiza la integridad del bloque de datos incorporados, posibilidad ésta que ya ha sido contemplada desde un punto de vista teórico.

BIBLIOGRAFÍA

Abbot, K.W.- Snidal, D., "Hard and Soft Law in International Go-vernance", *International Organization*, núm. 54- 3, Ed. The IO Foundation and the Massachusetts Institute of Technology, 2000.

Alarcón García, G., "El soft law y nuestro sistema de fuentes", en Báez Moreno, y otros (coords.), *Libro- Homenaje del profesor Ál-varo Rodríguez Bereijo, v*ol. 1, Ed. Aranzadi, Navarra, 2010.

Auer, R., "Embedded supervision: how to build regulation into *block-chain* finance", *BIS Working Papers*, núm. 811, 2019.

Caprio, G.- Klingebiel, D., "Episodes of Systemic and Borderline Fi-nancial Crises", 2003, base de datos del Banco Mundial disponible en: http://econ.worldbank.org/view.php?id=23456.

Chicharro, A., "El carácter de *soft law* de los instrumentos internacio-nales sobre desarrollo sostenible", en Domínguez Martín R. y Te-zanos Vázquez S. (dirs.), *Desafíos de los Estudios del Desarrollo: Actas del I Congreso Internacional de Estudios del Desarrollo*, Ed. Red Española de Estudios del Desarrollo, 2013.

Estrada, D.- Gutiérrez, J., "Supervisión y regulación del sistema fi-nanciero: modelos, implicaciones y alcances", *Perfil de Coyuntura Económica,* núm. 13, 2009.

Fernández, T.R., "El mecanismo único de supervisión, pieza esencial de la Unión Bancaria Europea: Primera aproximación", en C. Alonso (dir.), *Hacia un sistema financiero de nuevo cuño: Refor-mas pendientes y andantes*, Ed. Tirant lo Blanch, Valencia, 2016.

ID., "Una llamada de atención sobre la regulación de las notificacio-nes electrónicas en la novísima Ley de Procedimiento Administra-tivo Común de las Administraciones Públicas", *Revista de Admi-nistración* Pública, núm. 198, 2015.

Finck, M., "*Blockchain* and the General Data Protection Regulation Can distributed ledgers be squared with European data protection law?", *Parliamentary Research Services (EPRS) of the Secretariat of the European Parliament*, 2019.

García Álvarez, G., "Las autoridades europeas de supervisión y su compatibilidad con el Derecho Europeo", en Belando Garín (dir.),

La supervisión del mercado de valores: la perspectiva del inversor-consumidor, Civitas, Navarra, 2017.

García Quero, F.J., "Aproximación crítica a la crisis económica mundial: Sistema capitalista, política monetaria y globalización financiera", *Pecvnia (Revista de la Facultad de Ciencias Económicas y Empresariales, Universidad de León)*, núm. 10, 2010.

Gattolin, A.- Rottondi, C.- Verticale, G., "BlAsT: *Blockchain*- Assisted Key Transparency for Device Authentication", *IEEE*, 2018.

González Mota, E.- Marqués Sevillano, J.M., "Dodd- Frank Wall Street Reform: Un cambio profundo en el sistema financiero de Estados Unidos", *Revista de Estabilidad Financiera*, núm. 19, 2010.

Informe del Banco de Pagos Internacionales de diciembre de 2011 sobre reforma de los *Principios Básicos para una supervisión bancaria eficaz*, Basilea, 2011, consultado el 21 de agosto de 2014 en: http://www.bis.org/publ/bcbs213_es.pdf

Informe del grupo de Larosière (The High- level Group on financial supervision in the UE Report), de 25 de febrero de 2009.

Jiménez- Blanco Carrillo de Albornoz, A., *Regulación bancaria y crisis financiera*, Atelier, Barcelona, 2013.

Lara Ortiz, M.L., "El derecho a la buena administración en el marco de la protección de los derechos humanos", en *Cuadernos Electrónicos de Filosofía del Derecho, Número 39, Publicación actas Congreso Internacional 70 Aniversario Declaración Universal de Derechos Humanos*, Universitat de València, Valencia, 2019.

Marcet Gisbert, X., "Los retos de las administraciones públicas como garantes de igualdad y de servicio público ante los retos de las innovaciones disruptivas que vienen", *Revista Vasca de Gestión de Personas y Organizaciones Públicas*, 2019.

Martín Marín, J. L.- Téllez Valle, C., "La regulación y supervisión del sistema financiero ante la crisis económica", *Boletín de Estudios Económicos*, vol. LXIV, núm. 198, 2009.

Mazuelos Bellido, A., "*Soft law*: ¿Mucho ruido y pocas nueces?", *Revista Electrónica de Estudios Internacionales*, núm. 8, 2004, disponible en: www.reei.org

Meilán Gil, J.L., "La buena administración como institución jurídica", *Revista Andaluza de Administración Pública*, núm. 87, 2013.

Mínguez Hernández, F., "Las Autoridades Europeas de Supervisión: Estructura y funciones", *Revista de Derecho de la Unión Europea,* núm.27, 2014.

Plotnikov, V.- Vardomatskaya, L.- Kuznetsova, V., "*Blockchain* in the social sphere of Smart Cities", en *E3S Web of Conferences TPACEE- 2018,* 2018.

Şafak, E.- Furkan Mendi, A.- Tolga, E., "Hybrid Database Design Combination of *Blockchain* and Central Database", *IEEE,* 2019.

Solar Jimeno, N., "El nuevo régimen de las notificaciones en la Ley 39/2015", *Revista da Asesoria Xuridica Xeral,* núm 7, 2017.

Vives, X., "La crisis financiera y la regulación", *IESE Occasional Papers,* núm.179, 2010.

Zunzunegui, F., "La regulación jurídica internacional del mercado financiero", *Revista de Derecho del Mercado Financiero,* Working Paper 1, mayo 2008.

EL NACIMIENTO INCIERTO DE LA HERRAMIENTA REGULATORIA "*SANDBOX*" EN ESPAÑA

BEATRIZ BELANDO GARÍN

Profesora titular de Derecho Administrativo
Universidad de Valencia - Estudio General

SUMARIO: 1. Introducción. 2. Avances progresivos en el abordaje europeo de las *tecnofinanzas*. 3. El Plan de acción en materia de tecnología financiera de 2018: 3.1. Informe de los Reguladores Europeos de 7 de enero de 2019. 3.2. Las 30 Recomendaciones del Grupo de Expertos de 13 de diciembre de 2019. 4. La propuesta del *sandbox* del Proyecto de Ley para la transformación digital del sistema financiero: 4.1. Un acercamiento a las ventajas y desventajas del *sandbox*. 4.2. La regulación del *sandbox* en el Proyecto de Ley actual. 5. Conclusiones. Bibliografía.

1. INTRODUCCIÓN[1]

La digitalización del mercado financiero es una realidad económica de difícil ajuste en el marco normativo actual, tanto europeo como nacional. Las empresas de base tecnológica inciden en todos los sectores de este ámbito económico: banca, bolsa y seguros (caso de las *Initial Coins Offers*, las *Virtual currencies*, las *fintech* o las *insurtech*) y su impacto crece, ante la mirada atenta de las autoridades de regulación. Es cierto que, en términos económicos, el sector no es especialmente amplio en la actualidad[2], pero genera inquietud entre los supervisores ante el temor de que sus actividades afecten a áreas

---

[1]   Esta comunicación se realiza en el marco del proyecto de investigación *Desafíos del mercado financiero digital: riesgos para la Administración y para los inversores*, Ref: RTI2018-098963-B-I00 (MCIU/AEI/FEDER, UE).

[2]   Esta situación puede cambiar con el que más que probable lanzamiento por parte de *Facebook* de una moneda virtual, la *Libra*. Ello dio lugar a una audiencia del Comité de Servicios Financieros de la Cámara de Representantes de Estados Unidos el 17 de julio.

especialmente sensibles como el blanqueo de capitales, la cibercriminalidad, la protección de los consumidores o la integridad del propio mercado.

Si nos detenemos en las *Initial Coin Offerings* (ICOs), por ejemplo, la Autoridad europea del mercado de Valores (ESMA) ya reaccionó con una Recomendación (*Advice*) de 9 de enero de 2019, donde expuso con detalle los eventuales problemas con estas nuevas empresas o productos financieros poniendo de relevancia las diferencias de las autoridades nacionales en su abordaje. La ESMA busca una solución armonizada ante los riesgos que estas plantean. Las respuestas deben ser similares entre todos los Estados miembros de forma que la tecnología no se convierta en la vía para el arbitraje regulatorio[3].

A la ESMA se sumó la Autoridad británica encargada de la protección de los consumidores[4] (*Financial Conduct Authority, FCA*), que publicó en julio de 2019 la Guía *"Guidance on Cryptoassets Feedback and Final Guidance"*, con la que se pretendía hacer frente a la inseguridad jurídica de estas empresas, de forma que se lograse la innovación en las finanzas sin eludir las diferentes regulaciones que imponen extensos controles ex ante o barreras de entrada (caso de las autorizaciones administrativas y las correspondientes obligaciones de información, estructura interna, requisitos en materia contable, etc.), y controles ex post (supervisión pública y correspondiente sanción de conductas infractoras). La eficacia de esta Guía ante la salida del Reino Unido de la Unión Europea va a quedar en todo caso en entredicho.

Tampoco han encontrado acomodo figuras de importante impacto en el mercado de valores como los denominados *"robo-advisors"*, herramientas digitales que ofrecen a los consumidores ciertos productos de inversión según sus preferencias personales de forma automatiza-

---

https://www.diariobitcoin.com/index.php/2019/06/25/facebook-se-prepara-para-dos-audiencias-sobre-libra-en-el-parlamento-de-ee-uu-el-proximo-mes/ (consultado el 28 de agosto de 2019).

[3]   Este temor ya se ha materializado ante la diversidad de las iniciales respuestas de Francia, Reino Unido o Malta.

[4]   La *CONSOB* italiana ha emitido una consulta pública el 19 de marzo de 2019, sobre esta cuestión.

da, sobre la base de un algoritmo[5]. Este instrumento no parece encajar con la regulación actual de la MifidII, pensada y diseñada para un asesoramiento personalizado[6], lo que desplaza a la tecnología a un escenario de incertidumbre jurídica constituyendo de esta forma en una fuerte barrera de entrada al mercado. Es cierto que al igual que el resto de las empresas o servicios de este mercado fundamentados en la tecnología, carecen en la actualidad de impacto significativo en el sector, pero es un fenómeno que comienza a crecer, representando en el mercado europeo solo un 6% de los activos manejados frente a sus competidores norteamericanos[7].

Como puede apreciarse tras el complejo paquete regulador, enormemente protector, la tecnología encuentra una estructura rígida y poco abierta a la innovación, lo que no supone su paralización. Ello obliga a los reguladores y supervisores públicos a atender de nuevo al equilibrio entre los dos intereses públicos presentes en este ámbito: desarrollo del mercado y protección de los consumidores financieros.

Así lo señalaron tempranamente dos documentos europeos significativos: el Dictamen del Comité Económico y Social Europeo -*Un concepto sostenible a nivel social para mejorar el nivel de vida, relanzar el crecimiento y el empleo y garantizar la seguridad de los ciu-*

---

[5] Esta herramienta ha sido estudiada por Ringe, W.-G. y Ruof, C. ("Keeping up with innovation: Desiging a European *Sandbox* for *Fintech*", *European Capital Markets Institute Commentary*, núm. 58, January 2019), que apuestan por un *sandbox* europeo diseñado desde la ESMA aunque aplicado por las autoridades de cada estado miembro.

[6] En el informe de las autoridades de supervisión europeas de 5 de septiembre de 2018 (JC 2018-29) se identificaron entre los reguladores europeos dos barreras principales para el acceso de esta herramienta al mercado. La primera de ellas, era la cultural o psicológica. En particular, el informe resaltaba como muchas autoridades nacionales destacaban como la ausencia de conocimientos (financieros) digitales por los consumidores era considerada una barrera para el desarrollo de los *robo-advice*. Los consumidores con escasos o ningún conocimiento financiero digital eran menos confiados en el uso de esta herramienta (prefiriendo la interacción cara a cara) y esta potencial falta de confianza de los consumidores podía desanimar a las instituciones financieras en los *robo-advice*. La segunda, era la barrera regulatoria como la relativa a la complejidad de la regulación existente MiFID II/MiFIR, IDD, GDPR, PRIIPs (especialmente para las pequeñas empresas); la ausencia de identidad digital o la ausencia de ausencia de armonización del concepto de "consejo" en los tres sectores.

[7] Ringe, W. G.-Ruof, C., "*Keeping up with innovation…*", *op. cit.*, p. 2.

dadanos en la era digital, de 15 de marzo de 2018 (2018/C 237/01)-, que insistió en la necesidad de proteger los derechos e intereses de los consumidores ante los cambios debidos a la digitalización en sectores diversos entre los que se señalaba expresamente el de los servicios financieros.

Otro documento relevante es el documento de la Unión Europea *Una Estrategia europea del Mercado Único digital*, de 2017, donde se recordaba la necesidad de proteger los derechos de los consumidores y usuarios ante la digitalización de la economía. Ello es especialmente importante en este sector, dado que partiendo de la existencia de una brecha digital entre determinados colectivos (mundo rural o determinados colectivos: personas mayores, discapacitados, etc.), el desarrollo de productos de base tecnológica, requerirá de un importante control sobre el cumplimiento del deber de información al consumidor final del producto, de forma que no vuelvan a producirse situaciones lamentables y tristemente conocidas por todos. Las normas actuales de la CNMV, parten de un contexto tradicional y habrán de adaptarse a las exigencias de este nuevo entorno.

Todo ello quedó reflejado igualmente en el Plan de Acción en materia de tecnología financiera de la Comisión Europea[8] donde se dibujaron una serie de medidas partiendo de una característica singular de este sector, su naturaleza mixta, entre los servicios financieros y el mercado único digital[9]. Ello obliga examinar los riesgos del mercado financiero facilitados por la ausencia de fronteras digitales.

2. AVANCES PROGRESIVOS EN EL ABORDAJE EUROPEO DE LAS TECNOFINANZAS

La irrupción de la tecnología en los mercados financieros ha roto los mimbres con los que se construía el esquema de normativo, generando operadores no sujetos a las clásicas técnicas de intervención previa administrativas (autorizaciones), sino igualmente modelos de

---

[8]   Bruselas, 8 de marzo de 2018, COM (2018) 109 final.
[9]   Rubio de Casas, M.G., *"Fintech* & Insurtech: supervisión en la era del *Blockchain"*, en *Sociedad Digital y Derecho*; y De la Quadra-Salcedo, T.-Piñar Mañas, J. L. (dirs.), Boletín Oficial del Estado, Madrid, 2018, pp. 686-688.

negocio y productos carentes en la actualidad de regulación (caso por ejemplo de las monedas virtuales, distintas del dinero electrónico[10]). Sin embargo, la digitalización es global y alcanza a todos los sectores sociales y económicos, lo que explica la diversidad de acciones que la Comisión Europea viene desarrollado para abordar este complejo contexto procurando el desarrollo de los mercados financieros y simultáneamente proteger a los consumidores de estos nuevos mercados. En definitiva, más crecimiento, pero no menos protección. Ello obliga a examinar cuestiones como la ciberseguridad (Estrategia de Ciberseguridad de la Unión Europea), el blanqueo de capitales (Directiva (UE) 2018/843 del Parlamento Europeo y del Consejo, de 30 de mayo de 2018), la afección a la protección de los datos personales o la incidencia de la inteligencia artificial. En el ámbito financiero veamos el avance de algunas de estas estrategias que marcan decididamente el Proyecto de ley estatal para la transformación digital del sistema financiero.

En sector financiero el eje en el que confluyen en su examen a escala europea, es el Plan de Acción en materia de Tecnología Financiera de 2018.

3. EL PLAN DE ACCIÓN EN MATERIA DE TECNOLOGÍA FINANCIERA DE 2018

El Plan de Acción Financiera de 8 de marzo 2018 [COM (2018) 109 final], puso sobre la mesa la necesidad de apostar por la innovación como fuente de financiación de las empresas, pero sin desatender la integridad de los mercados y a los inversores. Este Plan ha tenido como respuesta dos importantes iniciativas, la creación por parte

---

[10] El dinero electrónico tiene una regulación específica en la Ley 21/2011, de 26 de julio, frente a las a las monedas virtuales definidas por la Directiva de Blanqueo de capitales de 2018 como la *"representación digital de valor no emitida ni garantizada por un banco central ni por una autoridad pública, no necesariamente asociada a una moneda establecida legalmente, que no posee el estatuto jurídico de moneda o dinero, pero aceptada por personas físicas o jurídicas como medio de cambio y que puede transferirse, almacenarse y negociarse por medios electrónicos"* (art. 3 apartado 18). Sobre las monedas virtuales el debate es intenso y no existe una posición unánime de los reguladores europeos.

de la Comisión Europea de un Comité de Expertos en *tecnofinanzas* (ROFIEG)[11], y la preparación de un informe por parte de los Supervisores Europeos sobre las opciones reguladoras ante la expansión de la tecnología en los tres ámbitos: banca, bolsa y seguros.

En el primer caso, el Comité tenía como objetivo analizar la forma en que la innovación tecnológica estaba incidiendo en el surgimiento de nuevos modelos de negocios, aplicaciones, procesos y aplicaciones. En definitiva, analizar el impacto de la digitalización en el conjunto del sistema financiero, la incidencia de la inteligencia artificial, del *big data*, del DLT/*Bockchain*, pero partiendo también del impacto de estos factores en las diferentes áreas de la vida económica y social y de todos los sectores públicos. El informe ha visto finalmente la luz el 13 de diciembre de 2019, "*30 Recommendations On Regulation, Innovation and Finance*"[12]. En el segundo caso, se pretende dar una visión global de las distintas iniciativas que se están realizando por las autoridades nacionales de los Estados miembros para abordar las nuevas realidades. Este último informe finalmente fue publicado el 7 de enero de 2019.

3.1. *Informe de los reguladores europeos de 7 de enero de 2019*

El Plan de Acción de 2018, no se limitó al examen del entorno financiero digital por expertos, sino que paralelamente propuso que desde una escala normativa los reguladores europeos examinasen las diversas propuestas que existían en el contexto europeo. Ello dio lugar al Informe "*FinTech: Regulatory sandboxes and innovation hub*" (JC 2018 74) presentado el 7 de enero de 2019, que buscaba analizar la respuesta supervisora y reguladora más proporcionada atendiendo a las distintas experiencias de "facilitadores de innovación" que se estaban desarrollando en los Estados miembros. Según el informe conjunto de las ESAS, hay dos modalidades de facilitadores de innovación: 1) Las *sandboxes* o espacios controlados de pruebas. Con ellas se proporcionan un esquema para permitir a las empresas realizar pruebas, de conformidad con un plan específico acordado por

---

[11]   El *Expert Group on Regulatory Obstacles to Financial Innovation*.
[12]   Texto disponible en https://europa.eu/!yu87Xf.

la autoridad competente (p. ej., Reino Unido, Holanda o Alemania). 2) Las *Innovation hubs*[13] que tratan de dotar de puntos de contacto determinados para este tipo de empresas para que puedan elevar preguntas a las autoridades reguladoras y estas emitir consultas no vinculantes, guías o recomendaciones sobre la necesidad de solicitar o no una autorización administrativa, o sobre la exigencia de registro de un producto financiero innovador, de un servicio financiero o un modelo de negocio. Esta figura es en la actualidad la respuesta más común de los Estados miembros[14].

Del conjunto del informe se concluye una apuesta decida por iniciativas menos arriesgadas, aunque esta tendencia parece comenzar a revertirse con los nuevos informes europeos. El camino hacia un espacio controlado de pruebas es la propuesta incluida en el Proyecto de ley para la transformación digital del sistema financiero.

3.2. Las 30 recomendaciones del grupo de expertos de 13 de diciembre de 2019

El Informe final del Grupo de Expertos de 13 de diciembre de 2019[15] parte de la necesidad de enfrentar el fenómeno de las *tecnofinanzas*, pero igualmente del examen conjunto de otras parcelas sociales como los problemas éticos derivados de la inteligencia artificial a los que se enfrentan el conjunto de los ciudadanos (receptores de servicios públicos sanitarios o de bonos sociales), pero también los consumidores de productos o servicios financieros. Así encuadrado y con carácter previo a la propuesta concreta de recomendaciones, el Grupo realiza un breve análisis de los beneficios y los riesgos que las

---

[13]   ESA, *Fintech: regulatory sandboxes and innovation hubs*, disponible en: https://www.esma.europa.eu/sites/default/files/library/jc_2018_74_joint_report_on_regulatory_sandboxes_and_innovation_hubs.pdf, p. 5.

[14]   ESA, *Fintech: regulatory sandboxes and innovation hubs*, disponible en: https://www.esma.europa.eu/sites/default/files/library/jc_2018_74_joint_report_on_regulatory_sandboxes_and_innovation_hubs.pdf, p. 5.

[15]   *Expert Group on Regulatory Obstacles to Financial Innovation*, 30 Recommendations On Regulation, Innovation and Finance, disponible en: https://ec.europa.eu/info/sites/info/files/business_economy_euro/banking_and_finance/documents/191113-report-expert-group-regulatory-obstacles-financial-innovation_en.pdf.

FinTech pueden tener para la Unión Europea. Para el grupo de expertos, las ventajas pueden centrarse en cuatro aspectos diferentes: puede permitir a los participantes prestar servicios financieros a bajo coste; desarrollar un mayor número de productos y de servicios, ampliando las opciones de los consumidores; y pueden ser utilizadas para una regulación y cumplimiento más eficaz en los jugadores del mercado más relevantes (informes automatizados, análisis de datos, transacciones monitorizadas, etc.). Estos beneficios pueden tener determinados obstáculos que son identificados posteriormente en el informe.

En cuanto a los riesgos, muchos de ellos no difieren de los generados por los servicios financieros usando los medios tradicionales, aunque puede aumentarlos. En concreto: la exposición de los consumidores a malas prácticas o insolvencias; el peligro del riesgo sistémico; la incidencia en la integridad de los mercados, etc. Sin embargo, el Grupo identifica nuevos riesgos entre los que destaca, por ejemplo, el hecho de que las decisiones son tomadas en el caso de inteligencia artificial por la *"black box"* de los algoritmos, sin intervención humana o que no son comprensibles para los consumidores[16] o el procesamiento de las transacciones derivadas lo que desdibuja las responsabilidades regulatorias y legales que tradicionalmente se basaban en relaciones bilaterales principal-agente.

Finalmente, el Informe aborda la soberanía de los Estados miembros en la regulación de la nueva realidad. La digitalización de la economía y de la sociedad en su conjunto es global y requiere de una mayor cohesión interna entre los Estados miembros a la hora de enfrentarse a su regulación. Las diferencias entre el mercado financiero europeo (5%), el americano (65%) y el chino (35%) son demasiado grandes, y el fortalecimiento de esta posición requeriría un marco más armonizado. Un mercado europeo más atento a la protección de los derechos fundamentales o con consumidores más protegidos es, en

---

[16]   De hecho, esta falta de transparencia ya ha comenzado a denunciarse por la doctrina en materia financiera, Saunders, L., *Fintech And Consumer Protection*, National Consumer Law Center, marzo de 2019, disponible en: https://www.nclc.org/images/pdf/cons-protection/rpt-fintech-and-consumer-protection-a-snapshot-march2019.pdf

opinión de los expertos, una alternativa viable siempre que el marco regulatorio se encuentre armonizado[17].

Con estas premisas iniciales el grupo de trabajo concretó treinta recomendaciones que el propio Grupo de Expertos resumió en cuatro categorías.

La primera de ellas es la necesidad de adaptar la regulación para que responda a los nuevos retos y riesgos generados por el uso de las nuevas tecnologías, como la inteligencia artificial[18] o el *blockchain*. La tecnología no necesariamente implica riesgos para el mercado financiero sino puede implicar nuevas oportunidades desde el punto de vista regulatorio, tanto para los participantes del mercado como para los supervisores. En el primer caso estaríamos ante el fenómeno *Regtech (Regulatory Technology)*, que busca agilizar los procesos de cumplimiento regulatorio de las entidades del sector financiero, y en el segundo supuesto en el caso de las *Suptech*, esto es, la tecnología surgida para facilitar las labores de supervisión.

La segunda de las premisas es acabar con la fragmentación regulatoria y asegurar el marco regulatorio para los entrantes *FinTech start-ups* y las *BigTech*.

La tercera de las premisas es la necesidad de tratar de conciliar la regulación de los datos personales y no personales, con las oportunidades, así como los riesgos derivados de las *FinTech*. En este contexto hay que situar el nuevo Reglamento Europeo de Protección de Datos: Reglamento (UE) 2016/679 del Parlamento Europeo y del Consejo, relativo a la protección de las personas físicas en lo que respecta al tratamiento de datos personales y a la libre circulación de estos datos, de 27 de abril de 2016. Dicho Reglamento entró en vigor el 28 de

---

[17]   Hasta el momento uno de los ámbitos donde se aprecia con más claridad esta disparidad entre los Estados miembros a la hora de regular una cuestión es el tema de las *cryptomonedas* y las ICOS. Sobre estos se ha pronunciado hace unos meses la propia asociación de profesionales proponiendo soluciones convergentes en el espacio europeo, véase Association for Financial Markets in Europe, *Recommendatios for delivering supersory convergence on the regulation of cryto-assets in Europe*, noviembre de 2019.

[18]   Cuestión en la que posteriormente se centra el Grupo de expertos y la propia Comisión Europea, el 19 de febrero de 2020, en un Libro Blanco en el que luego me detendré.

mayo de 2018 y ha sido completado en nuestro país por la Ley Orgánica 3/2018, de 5 de diciembre, de protección de datos personales y garantía de los derechos digitales. Tal y como afirma en su propia Exposición de Motivos:

> "Los retos planteados por la rápida evolución tecnológica y la globalización, que ha hecho que los datos personales sean el recurso fundamental de la sociedad de la información. El carácter central de la información personal tiene aspectos positivos, porque permite nuevos y mejores servicios, productos o hallazgos científicos. Pero tiene también riesgos, pues las informaciones sobre los individuos se multiplican exponencialmente, son más accesibles, por más actores, y cada vez son más fáciles de procesar mientras que es más difícil el control de su destino y uso".

La cuarta de las premisas es la necesidad de considerar los potenciales impactos de las *FinTench* desde la perspectiva de la inclusión financiera y el uso ético de los datos. Ello exige un examen tanto de la obtención de los datos como su utilización o su acceso.

Son muchas las propuestas contenidas en el Informe Final del Grupo de Expertos al hilo de estas premisas, pero por su interés cabe destacar algunas de ellas. Comenzando por la más significativa, esta es su decidida apuesta por un concreto modelo de facilitador de innovación, las *"sandbox"*[19]. En la línea marcada por el Informe emitido en enero de 2019, se opta por incluir las *"sandboxes europeas"*, de forma que la innovación se desarrolle bajo el control de los reguladores nacionales, pero de forma semejante. Se busca profundizar en la armonización de los sistemas de *sandbox* que paulatinamente se estaban desarrollando *"para que cada autoridad nacional de supervisión siga principios y estándares comunes"*[20]. El objetivo es crear un *"marco europeo de pruebas"*, lo que aumentaría la confianza y la portabilidad de los resultados de las pruebas a otras jurisdicciones

---

[19]   European Union, Expert Group on Regulatory Obstacles to Financial Innovation, *30 Recommendations On Regulation, Innovation and Finance, op. cit.*, p. 69.

[20]   European Union, Expert Group on Regulatory Obstacles to Financial Innovation, *30 Recommendations On Regulation, Innovation and Finance, op. cit.*, disponible en: https://ec.europa.eu/info/sites/info/files/business_economy_euro/banking_and_finance/documents/191113-report-expert-group-regulatory-obstacles-financial-innovation_en.pdf, p. 70.

europeas y los efectos de la red mediante una coordinación mejor y más formalizada entre los entornos limitados de seguridad.

Los resultados de las pruebas de *sandbox*es serían además monitorizados conjuntamente por la Comisión Europea y los supervisores europeos para garantizar que las iniciativas que se han evaluado con éxito se realizasen sin problemas y rápidamente fuera de este *sandbox* y que la regulación u otras normas, si fuese necesario, se adaptasen rápidamente en consecuencia. En definitiva, se busca lograr aumentar la armonización y la coordinación en el contexto europeo evitando así los arbitrajes regulatorios.

Esta solución se acercaría a la propuesta por algún autor para reconducir la innovación a los parámetros y controles europeos. En concreto, en el examen de las posibilidades del *robo-advisor*, Wolf-Georg RINGE y Christopher RUOF[21] apuestan por una solución intermedia, que denominan "*sandbox* guiado"[22], donde correspondería a la autoridad europea el diseño del marco y el soporte del *sandbox* así como las correspondientes guías, pero se deja en manos de las autoridades nacionales su aplicación práctica, esto es, su ejecución. Técnicamente, constituiría un escalón intermedio entre el nivel europeo y el nacional. Las autoridades europeas, en especial, la ESMA, elaborarían guías, principios de alto nivel técnico y recomendaciones que determinarían las mejores prácticas sobre el cumplimiento de la MiFID de la regulación de una *sandbox*, así como principios básicos sobre los que cada *sandbox* debería estar construida. Estos a su vez serían completados con Q&A, FAQs, informes y demás instrumentos de *soft law* tradicionalmente utilizados en este sector.

Al margen de los facilitadores de innovación, merece destacarse que el Informe apuesta por la inclusión de valores éticos que den respuesta a la inteligencia artificial y refuercen la protección de los derechos de los consumidores. Esta incidencia sobre los valores éticos es la respuesta de los reguladores públicos al fenómeno global de la inteligencia artificial, no siendo el mercado financiero una excepción. De ello es muestra, por ejemplo, del Libro Blanco "*On Artificial Intelligence - A European approach to excellence and trust*" [COM

---

[21]   Ringe, W.G.-Ruof, C., "*Keeping up with innovation …*", *op. cit.*
[22]   Ringe, W.G.-Ruof, C., "*Keeping up with innovation…*", *op. cit.*, p. 4.

(2020) 65 final] aprobado por la Comisión Europea, el 19 de febrero de 2020, continuador de las recomendaciones del Informe Final del Grupo de Expertos del mercado financiero. En concreto, tras definir la inteligencia artificial[23] y asumirla como una realidad que hay que afrontar por los poderes públicos, la Comisión incide en la necesidad de que su desarrollo no implique la vulneración de los derechos fundamentales ni de los derechos de los consumidores que pueden verse afectados por su progresiva y necesaria implantación en todos los sectores sociales. Para los consumidores, entre los que se encuentran los consumidores de productos financieros, la inteligencia artificial impide identificar al responsable del daño, genera riesgos derivados de fallos en la conectividad o en el diseño del *software* o en sus actualizaciones, hace difícil detectar previamente los riesgos o simplemente lo magnifican, etc.

Los elementos claves de un futuro marco regulador para la inteligencia artificial en Europa será crear un único "ecosistema de confianza"[24]. Ello incluye respetar los derechos de los consumidores y poner a las personas en el centro del sistema lo que generará confianza en las aplicaciones de inteligencia artificial. Para ello se partirá en todo momento de las consideraciones contenidas en las Guías Éticas preparadas por el Grupo de Expertos de Alto Nivel en Inteligencia Artificial[25].

---

[23]   COM (2018) 237 final, p. 1: *"Artificial intelligence (AI) refers to systems that display intelligent behaviour by analyzing their environment and taking actions – with some degree of autonomy – to achieve specific goals. AI-based systems can be purely software-based, acting in the virtual world (e.g. voice assistants, image analysis software, search engines, speech and face recognition systems) or AI can be embedded in hardware devices (e.g. advanced robots, autonomous cars, drones or Internet of Things applications)"*.

[24]   COM (2020) 65 final, p. 3.

[25]   Estas Guías son instrumentos complementarios a la expansión de la inteligencia artificial para "humanizar" su utilización. Su presencia desborda los mercados, alcanzando a los propios tribunales. Es el caso, por ejemplo, de la Carta Ética Europea sobre el Uso de la Inteligencia Artificial en los Sistemas Judiciales, aprobada en el Consejo de Europa en el seno de la Comisión Europea para la Eficiencia de la Justicia (CEPEJ) a finales del año 2018, y de la que da noticia De la Sierra, S., "Inteligencia artificial y justicia administrativa: una aproximación desde la teoría del control de la Administración pública", *Revista General de Derecho Administrativo*, núm. 53, 2020, p. 10.

4. LA PROPUESTA DEL *SANDBOX* DEL PROYECTO DE LEY PARA LA TRANSFORMACIÓN DIGITAL DEL SISTEMA FINANCIERO

4.1. Un acercamiento a las ventajas y desventajas del sandbox

El Proyecto de ley de medidas para la transformación digital del sistema financiero de 2020, hasta ahora estancado por los vaivenes políticos que vive nuestro país, propone una solución regulatoria ya comentada, "los espacios de pruebas controladas" que permiten el desarrollo de la innovación tecnológica garantizando la integridad del mercado y la protección de los derechos de los consumidores. Este es además un Proyecto de ley que surge en un contexto europeo complejo al quedar enmarcado en varios escenarios que confluyen en el mercado financiero: el mercado único digital, la inteligencia artificial, la protección de datos, los derechos de los consumidores, la cibercriminalidad, etc., lo que obliga a examinar con cautela las decisiones que a escala nacional pueda adoptar el supervisor de un Estado miembro. El proyecto apuesta por una de las modalidades de facilitadores de innovación ya descritas en los informes de la Unión europea, siendo además una por las que se inclina a escala europea el Grupo de Expertos en su Informe de 13 de diciembre de 2019 antes analizado, el *sandbox*[26]. En el caso de la norma española sería el regulador nacional (la CNMV, el Banco de España o la Dirección General de Seguros) el que evaluaría a la *startup*, pero también el que la informaría sobre la nor-

---

[26]   Este término proviene de la industria informática donde los *sandboxes* son creados para "*test new developments interacting with a mirrored copy of the whole operative system, including databases and other software programs but without being able to affect any elements already running. As a result, the developer is able to understand how an innovation will interact with the existing structures without any negative collateral effects. Emulating this concept, regulatory sandboxes allow start-ups and established industry members to experiment with new products and services while making sure that the whole financial system remains safe. This process can determine when and how the new product or activity enters the market and whether and how future regulation needs to adapt*", Avgouleas, E., "The role of financial innovation in EU market integration and the capital markets unión. A Reconceptualization of Policy Objectives", *Capital Markets Union in Europe*, Oxford University Press, London, 2018, p. 188.

mativa que en su caso hubiese de cumplir. Las posiciones sobre esta forma de abordar la tecnología y someterla al correspondiente marco regulador están encontradas, habiendo partidarios[27] y detractores[28]. Para ciertos autores el *sandbox* tiene diez beneficios. Desarrolla la innovación al constituir una aproximación dinámica a los nuevos desarrollos de productos de servicios, aplicaciones o empresas. Permite además la actualización legislativa, dado que el regulador obtiene a través de las solicitudes de las empresas información constante de las nuevas innovaciones y observa así el encaje de éstas en el marco regulador existente. Se minimizan los riesgos, dado que las innovaciones son objeto de un proceso de prueba controlada por el supervisor antes de ser autorizada.

Por otra parte, reduce los costes, al haber sido el supervisor parte del proceso de autorización y conoce por tanto la normativa a la que debe sujetarse dicha aplicación, servicios o empresa. Este quizás es uno de los obstáculos más importantes con los que se encuentran las empresas de base tecnológica en estos momentos: la inseguridad jurídica. El desconocimiento de la normativa a la que han de sujetarse para lanzar una aplicación o servicio es habitual en estos mercados y la incertidumbre es elevada. El desarrollo de espacios controlados como los *sandbox* donde el propio supervisor que ha de autorizarte es parte del proceso, reduce todo el proceso de autorización, lanzamiento y entrada en el mercado.

Desde otra perspectiva, esta herramienta atrae a los inversores al generar confianza, clave en estos casos, y una barrera detectada por los expertos para el despegue de nuevas aplicaciones y servicios.

---

[27]   Huergo Lora, A., "Un espacio controlado de pruebas" (*regulatory sandbox*) para las empresas financieras tecnológicamente innovadoras: el "anteproyecto de ley de medidas para la transformación digital del sistema financiero", *Cronista del Estado Social y Democrático de Derecho*, núm. 76, 2018, pp. 48-59; García de la Cruz, J.L., "La irrupción del *sandbox* regulatorio: propuestas para las *fintech* españolas", *Cuadernos de información económica*, núm. 246, pp. 18-20.

[28]   Palá Laguna, R., "La licencia *sandbox* para las Fintech: ¿es necesario un nuevo derecho para estos nuevos hechos?", *Revista de Derecho del Mercado de Valores*, núm. 22, 2018. Esta autora por el contrario cree innecesario un nuevo tipo de autorización apostando por las declaraciones responsables previstas en las Leyes 39/2015 y 40/2015.

Igualmente, el *sandbox* fomenta la competencia al permitir el acceso al mercado de las pequeñas empresas, lo que en última instancia supone beneficios para los clientes y favorece su inclusión financiera, al romper el monopolio de los bancos y favoreciendo el crecimiento empresarial. Asimismo, implica retención del talento y atracción de la innovación a la vez que favorece la creación de un *hub* financiero europeo e iberoamericano[29].

De entre todos ellos, dos son en los que los reguladores están poniendo especial atención, por un lado, el fomento de la competencia y, de otro, la minimización de riesgos.

Al margen de sus ventajas o inconvenientes, lo cierto es que la creación de estos bancos de pruebas son el futuro escenario de los supervisores financieros nacionales. Sin embargo, el éxito de estos instrumentos va a depender de los recursos que los Estados inviertan en el lanzamiento de estos espacios controlados y ello sin olvidar los riesgos de captura del regulador[30].

4.2. *La regulación del sandbox del Proyecto de ley actual*

El Proyecto de ley de medidas para la transformación digital del sistema financiero de 2020, recuerda en su Exposición de Motivos que la innovación tecnológica busca reducir las asimetrías de información, mitigando los fallos de mercado en el sector, y contribuyendo a mejorar la asignación de riesgos en la economía, también mediante la automatización y mejora de la supervisión del sector del mercado. Con este proyecto el legislador pretende que la "*transformación digital no afecta en modo alguno al nivel de protección al consumidor de servicios financieros, a la estabilidad financiera y a la integridad de los mercados, ni facilita de ningún modo la utilización del sistema financiero para el blanqueo de capitales y la financiación del terrorismo*".

La innovación que accede a estos bancos de pruebas son actividades, empresas o servicios descritas en el art. 3.k) en estos términos:

---

[29] García de la Cruz, J.L., "*La irrupción del sandbox regulatorio…*", *op. cit.*, pp. 18-20.

[30] Ringe, W.G.-Ruof, C., "*Keeping up with innovation…*", *op. cit.*, p. 5.

"Innovación financiera de base tecnológica: aquella que pueda dar lugar a nuevos modelos de negocio, aplicaciones, procesos o productos con incidencia sobre los mercados financieros, la prestación de servicios financieros y complementarios o el desempeño de las funciones públicas en el ámbito financiero".

Tal y como aparece descrito, el precepto parece invocar a nuevos servicios, aplicaciones o productos, no incluyendo a las *Initial Coins Offers* (Oferta Inicial de tokens, ICOs). Para autoras como María Jesús Blanco Sánchez[31], por el contrario, considera que a pesar de que el legislador no piensa en las ICOS para incluirlas en estos *sandbox*, estas podrían tener cabida en el concepto de "Innovación financiera de base tecnológica» del artículo 3.k), dado que además, cumplen el objetivo de "aumentar la eficiencia de los mercados" (art. 5.2.d). Dado que el Proyecto de ley está en fase de elaboración, serían cuestiones interesantes para ir abordando en su fase de tramitación en el Congreso de los Diputados.

Identificada la aplicación, servicio o actividad o empresa, y para entrar en estos "espacios controlados", los interesados han de dirigir una solicitud a la sede electrónica de la Secretaría General de Tesoro y Financiación Internacional, acompañadas de una memoria justificativa en la que explique el proyecto y las garantías exigidas relativas a la protección de datos y seguro de daños (art. 6). El proyecto ha de estar avanzado siendo la solicitud un paso previo para determinar su entrada en el paraguas de la regulación y supervisión pública, y, por tanto, en la entrada al mercado regulado. Sorprende en todo caso, que la solicitud se dirija a un órgano del Ministerio de Economía y no directamente al propio supervisor que es, en todo caso, el que ha de evaluar motivadamente el proyecto en el plazo de un mes (art. 7). La respuesta a esta, en mi opinión, errónea regulación, es la confi-

---

[31]   Blanco Sánchez, M.J., "Situación regulatoria y actitud de las autoridades competentes ante el fenómeno de las ICOs (Initial Coin Offerings)", *Revista de Derecho Mercantil*, núm. 23, 2018. La autora reconoce a continuación: *"Aunque no sea la intención del legislador, si se aunaren estos dos preceptos del Anteproyecto con el artículo 8.1: "Las autoridades competentes podrán publicar en sus respectivas sedes electrónicas ejemplos de protocolos tipo, ¿podría la CNMV podría crear un protocolo tipo para ICOs con requisitos de información, límites de importes del proyecto y de inversión, y normas a cumplir en relación con el control de blanqueo y transparencia para el inversor?".*

guración de esta sede como una ventanilla única que busca con ello otorgar confianza a los operadores económicos en un contexto económico con pluralidad de Administraciones competentes. Ello además responde a las nuevas funciones de coordinación de la Secretaría General de Tesoro y Financiación Internacional que no se limita a derivar los proyectos recibidos a las autoridades encargadas de informar sino a coordinar su actuación en materia financiera.

Recibido por tanto por la Secretaría General de Tesoro y Financiación Internacional, y remitido a la autoridad correspondiente, Banco de España, Comisión Nacional del Mercado de Valores o Dirección General de Seguros, se emite una evaluación previa que si es favorable da lugar a un "protocolo de pruebas" que permite la prestación de una actividad por un tiempo y condiciones concretas que se detallan en ese documento, pero no implican el otorgamiento de una autorización para operar o registro en su caso. Este protocolo es el marco que dibuja las condiciones bajo las que se habilita esa actividad, y que ha de incluir entre otras cuestiones: a) una limitación en cuanto al volumen y tiempo de realización; b) la información que se facilitará a las autoridades y el modo de acceder a dicha información; c) las fases del proyecto y los objetivos a alcanzar en cada una de las fases junto con el alcance de la prueba y la duración de la misma; d) los medios con los que tendrá que contar el promotor para llevar a cabo las pruebas; e) el régimen de garantías para cubrir su eventual responsabilidad conforme a lo previsto en el artículo 13 (art. 8). Tal y como ha destacado el profesor Huergo Lora[32], este protocolo es semejante a los actos administrativos condicionados donde la actividad cuyo acceso se solicita solo habilita en los términos fijados por la autoridad competente.

Tras el protocolo, es posible iniciar las pruebas en los términos del marco autorizado y con obvio respeto al deber de confidencialidad, deber de secreto y sigilo de todo el personal involucrado en la tarea de desarrollo y supervisión. Las pruebas desarrolladas por la entidad son supervisadas por personal designado por la autoridad competente.

---

[32]   Huergo Lora, A., *"Un espacio controlado de pruebas" (regulatory sandbox)…"*, *op. cit.*, p. 54.

Transcurrido el tiempo delimitado, la entidad debe remitir un informe sobre los resultados obtenidos a la autoridad competente (art. 17).

En caso de que dicha actividad solicite posteriormente ser autorizada y siempre que el resultado sea satisfactorio se permite "la pasarela de acceso a la actividad" (art.18). Más allá de evaluar y supervisar los proyectos concretos, el examen conjunto del Proyecto de ley traslada una imagen concreta sobre la forma de actuar de la Administración ante la tecnología frente a la que no posee en general una formación específica. Frente a un rechazo inicial y el bloqueo al acceso y la pérdida y fuga de ese talento, se opta por soluciones ya conocidas en otros países: un espacio de pruebas controlado, lo que desde luego es una solución jurídica que permite conjugar los intereses públicos presentes: el desarrollo del mercado, la protección de los intereses de los consumidores y la integridad de los mercados. Un elemento del Proyecto de ley que merece sin duda destacarse es la apuesta por la reducción de la inseguridad jurídica que rodea a la tecnología y que paraliza muchos procesos de lanzamiento de nuevos servicios, aplicaciones o empresas. En este sentido, al margen de los beneficios que la empresa sujeta a este proceso de "prueba controlada" pueda obtener (seguridad jurídica, reducción de costes y plazos etc.,) se obtienen otros para el resto de las entidades que apuestan por la tecnología al preverse en el artículo 8.2 del Proyecto de ley *"las autoridades competentes podrán publicar en sus sedes electrónicas ejemplos tipo u orientaciones generales sin carácter vinculantes sobre el contenido de dichos protocolos*[33]*"*. Estos ejemplos tipo u orientaciones generales, surgirán de las experiencias propias de la CNMV, Banco de España o la Dirección General del Seguros, o provendrán de las experiencias compartidas con otros supervisores europeos, lo que sin duda facilitará la preparación y la entrada al mercado de nuevas tecnologías.

Con la expresión "orientaciones" y "ejemplos tipo", se alude al comúnmente denominado *soft law*, esto es, aquel conjunto de herramientas jurídicas que persiguen facilitar el cumplimiento de las nor-

---

[33]   En el caso de la CNMV, el art. 21.3 TRLMV permite a la CNMV dictar guías técnicas que son un instrumento de gran utilidad para informar al mercado de los criterios aplicados por la CNMV en sus actividades de autorización y supervisión. Se trata, por tanto, de difundir la actuación esperada de la Administración en los supuestos en ellos contemplados.

mas, pero no constituyen normas jurídicas. A nivel europeo representan el instrumento a través del que las autoridades europeas buscan la convergencia supervisora de todas las autoridades nacionales de los Estados miembros[34]. No son en ningún caso vinculantes y otorgan "cierta seguridad jurídica a los operadores".

El Proyecto de ley ahora aprobado deberá en todo caso conectarse con la solución que finalmente se adopte a escala europea, aunque su apuesta decidida por esta herramienta es, tal y como hemos comentado, la que más apoyos ha recibido hasta la fecha. La respuesta de nuestro legislador se suma así a la de otros países como Alemania y Holanda, y permitirá que la innovación encuentre un marco más flexible y amigable para desarrollarse que el que existente hasta la fecha. Hasta su aprobación definitiva, en cualquier caso, el regulador ha comenzado a realizar esfuerzos por acercarse a estos entornos y facilita desde su propia web un acceso específico para las *fintech*, el *fintech* portal[35].

5. CONCLUSIONES

El *sandbox* es un facilitador de innovación recogido en varios países europeos, configurado como un esquema o protocolo de prueba concedido por el supervisor nacional a una nueva innovación financiera (servicio, actividad o empresa) por un periodo concreto y bajo la estricta vigilancia de este. Superado el periodo de prueba, el supervisor le reconduce a la regulación correspondiente en un procedimiento más ágil y abreviado. Esta fórmula es la apuesta del Grupo de Expertos de la Comisión Europea en su Informe Final de 13 de diciembre de 2019, que propone *sandboxes* europeas buscando una mayor armonización en materia de *tecnofinanzas*. Esto es, recomienda el diseño de una *sandbox* europea que permita una respuesta uniforme en todos los Estados miembros para los nuevos servicios o prestadores de servicios que surjan.

---

[34] Cuestión que he tenido la oportunidad de analizar en profundidad recientemente en el Capítulo IV de la monografía, *La supervisión del mercado de valores europeo*, Thomson-Reuters-Aranzadi, 2020.

[35] V. https://www.cnmv.es/portal/Fintech/Innovacion.aspx.

En el caso de nuestro país, este es también el instrumento regulatorio contenido en el Proyecto de ley para la transformación digital del sistema financiero. La entrada de nuevos servicios, aplicaciones o empresas de base tecnológica al mercado financiero choca habitualmente con el desconocimiento de esta tecnología por el supervisor o con la dificultad de encuadrar esta actividad, servicio, aplicación, etc., en la regulación existente, lo que genera inseguridad en las empresas y el rechazo ante lo desconocido por los reguladores. La "*sandbox*" por el contrario es una herramienta que permite a las autoridades reguladoras conocer los avances tecnológicos de los mercados financieros y a su vez orientarlos a una actuación disciplinada y controlada.

El éxito en nuestro país de esta técnica dependerá de muchas circunstancias: la formación digital del personal al servicio de los reguladores, el compromiso financiero para su lanzamiento como herramienta jurídica y, finalmente, y no menos importante, la fecha en que finalmente se apruebe el propio Proyecto de ley dado que los retrasos acumulados pueden dar lugar a un eventual choque con el desarrollo de la normativa europea sobre esta cuestión.

BIBLIOGRAFÍA

Belando Garín, B., *La supervisión del mercado de valores europeo*, Thomson-Reuters-Aranzadi, 2020.

Comisión Europea, "White Paper: On Artificial Intelligence - A European approach to excellence and trust" [COM (2020) 65 final].

De la Sierra, S., "Inteligencia artificial y justicia administrativa: una aproximación desde la teoría del control de la Administración pública", *Revista General de Derecho Administrativo*, núm. 53, 2020, pp. 1-19.

European Union, *Expert Group on Regulatory Obstacles to Financial Innovation, 30 Recommendations On Regulation, Innovationand Finance*, disponible en:

https://ec.europa.eu/info/sites/info/files/business_economy_euro/banking_and_finance/documents/191113-report-expert-group-regulatory-obstacles-financial-innovation_en.pdf.

García De la Cruz, J.L., "La irrupción del *sandbox* regulatorio: propuestas para las *fintech* españolas", *Cuadernos de información económica*, núm. 246, pp. 18-20.

Huergo Lora, A., "Un espacio controlado de pruebas" (*regulatory sandbox*) para las empresas financieras tecnológicamente innovadoras: el "Anteproyecto de ley de medidas para la transformación digital del sistema financiero", *Cronista del Estado Social y Democrático de Derecho*, núm. 76, 2018, pp. 48-59.

Palá Laguna, R., "La licencia *sandbox* para las *Fintech*: ¿es necesario un nuevo derecho para estos nuevos hechos?", *Revista de Derecho del Mercado de Valores*, núm. 22, 2018.

Ringe, W.G.-Ruof, C., "Keeping up with innovation: Desiging a European *Sandbox* for *Fintech*", *European Capital Markets Institute Commentary*, núm. 58, January 2019.

Ringe, W.G.-Ruof, C., "A Regulatory *Sandbox* for Robo Advice", *EBI working paper series*, núm. 26, 2018.

Rubio de Casas, M.G., "*Fintech & Insurtech*: supervisión en la era del *Blockchain*", en *Sociedad Digital y Derecho*, De la Quadra-Salcedo, T.-Piñar Mañas, J.L. (dirs.), Boletín Oficial del Estado, Madrid, 2018, pp. 686-688.

Saunders, L., *Fintech And Consumer Protection*, National Consumer Law Center, marzo de 2019.